수능 국어 화법과 작문

고등 국어 빠작 시리즈

고전 문학, 현대 문학 | 올바른 독해 훈련으로 문학 독해력을 기르는 문학 기본서
비문학 독서 | 독해력과 추론적 사고력을 키우는 비문학 실전 대비서
문법 | 내신부터 수능까지, 필수 개념 30개로 끝내는 문법서
언어와 매체 | 수능 1등급을 위한 언어와 매체 실전서
화법과 작문 | 최신 기출 문제로 문제 해결력을 기르는 화법과 작문 실전서

이 책을 쓰신 선생님

김형주(문산제일고) 이재찬(수락고)

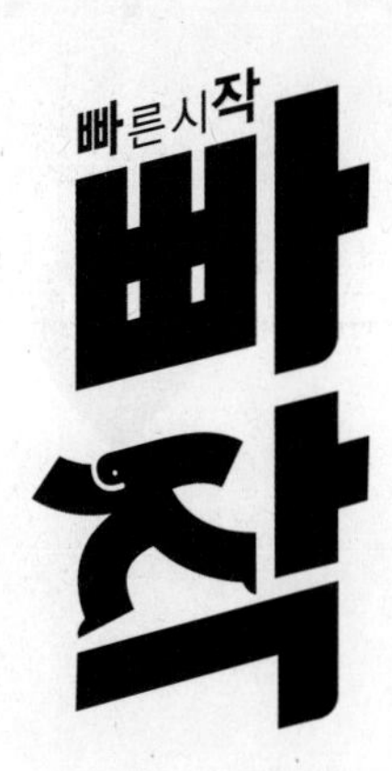

수능 국어
화법과 작문

차례

화법

작문

구성과 특징

● '연습 – 실전' 단계를 두어 꼼꼼하게 지문을 읽는 훈련을 한 뒤 실전 문제 풀이를 하며 체계적으로 학습할 수 있습니다.

1

대표 유형으로 독해 훈련과 문제 풀이 연습

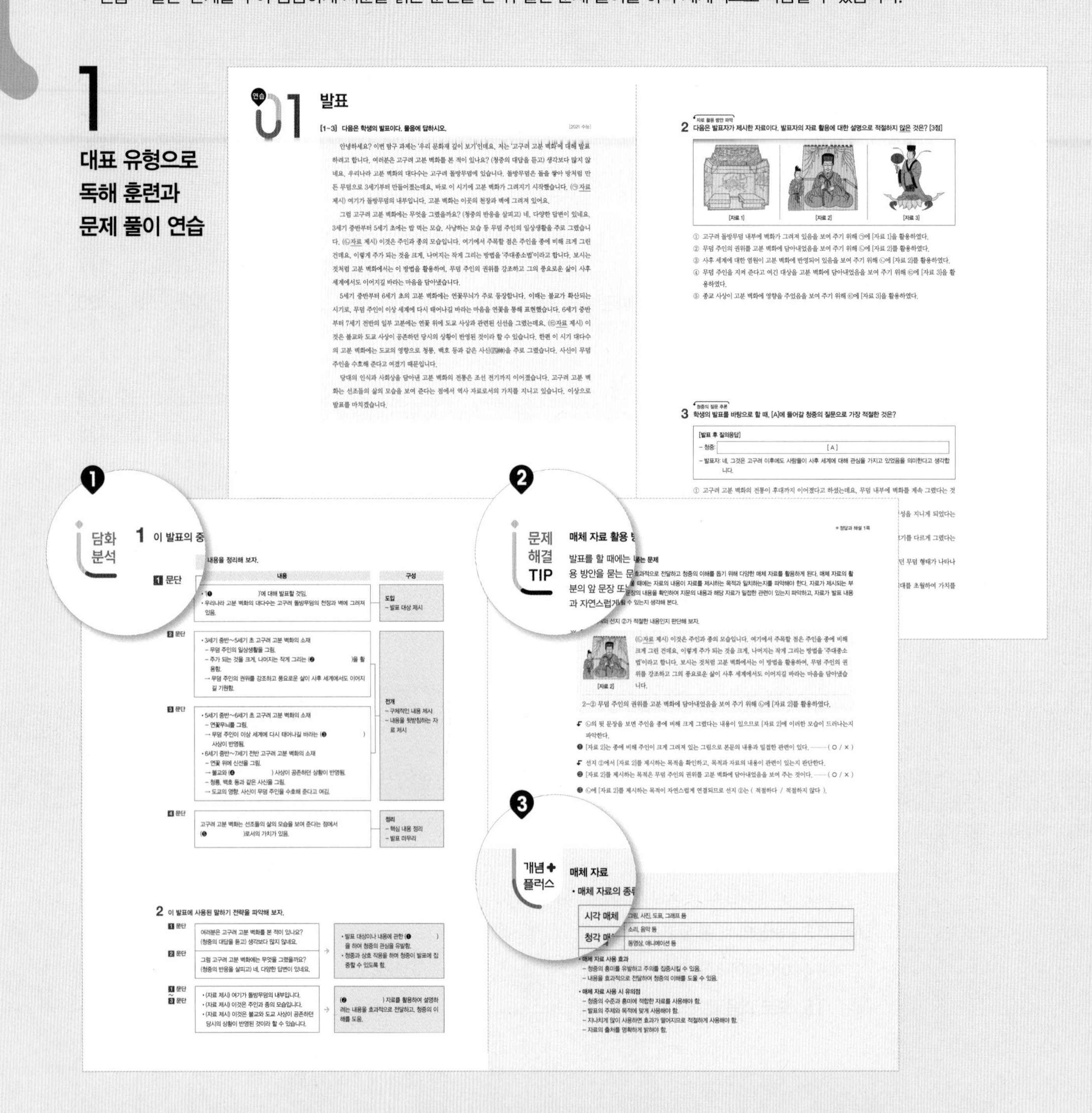

❶ 독해력을 길러 주는 담화 분석/글 분석

기출 지문을 분석하는 훈련을 통해 수능 지문의 유형을 익히고 유형별로 글의 구조를 파악할 수 있습니다. 꼼꼼하게 지문을 읽는 연습을 함으로써 화법과 작문에서 기본이 되는 독해력을 기를 수 있습니다.

❷ 문제 해결력을 길러 주는 문제 해결 TIP

대표 문제 유형을 해결하는 과정을 본 다음, 선지의 적절성을 판단할 수 있는 근거를 지문에서 찾아내면서 문제를 해결하는 연습을 할 수 있습니다. 이로써 낯선 수능 문제도 풀 수 있는 문제 해결력을 기를 수 있습니다.

❸ 중요 개념을 쌓아 주는 개념 플러스

해당 유형에서 자주 출제되는 중요 개념을 상세하게 정리하여 문제 해결에 필요한 기본 개념을 학습할 수 있습니다.

2

엄선된 기출 지문과 문제로 실전 대비

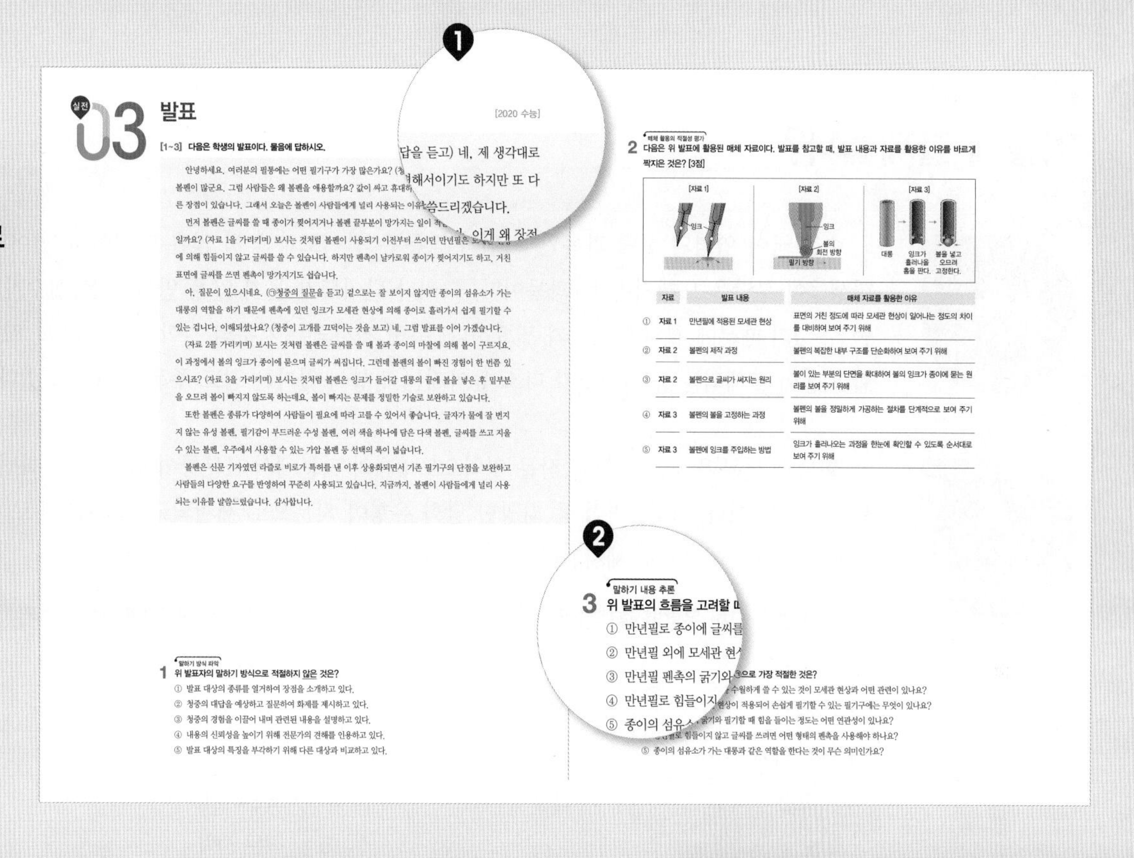

실전 03 발표

[2020 수능]

[1~3] 다음은 학생의 발표이다. 물음에 답하시오.

안녕하세요. 여러분의 필통에는 어떤 필기구가 가장 많은가요? (청중의 대답을 듣고) 네, 제 생각대로 볼펜이 많군요. 그럼 사람들은 왜 볼펜을 애용할까요? 값이 싸고 휴대하기 편해서이기도 하지만 또 다른 장점이 있습니다. 그래서 오늘은 볼펜이 사람들에게 널리 사용되는 이유를 말씀드리겠습니다.

먼저 볼펜은 글씨를 쓸 때 종이가 찢어지거나 볼펜 끝부분이 망가지는 일이 적습니다. 이게 왜 장점일까요? (자료 1을 가리키며) 보시는 것처럼 볼펜이 사용되기 이전부터 쓰이던 만년필은 [illegible] 에 의해 힘들이지 않고 글씨를 쓸 수 있습니다. 하지만 펜촉이 날카로워 종이가 찢어지기도 하고, 거친 표면에 글씨를 쓰면 펜촉이 망가지기도 쉽습니다.

아, 질문이 있으시네요. (㉠청중의 질문을 듣고) 겉으로는 잘 보이지 않지만 종이의 섬유소가 가는 대롱의 역할을 하기 때문에 펜촉에 있던 잉크가 모세관 현상에 의해 종이로 흘러가서 쉽게 필기할 수 있는 겁니다. 이해되셨나요? (청중이 고개를 끄덕이는 것을 보고) 네, 그럼 발표를 이어 가겠습니다.

(자료 2를 가리키며) 보시는 것처럼 볼펜은 글씨를 쓸 때 볼과 종이의 마찰에 의해 볼이 구르지요. 이 과정에서 볼의 잉크가 종이에 묻으며 글씨가 써집니다. 그런데 볼펜의 볼이 빠진 경험이 한 번쯤 있으시죠? (자료 3을 가리키며) 보시는 것처럼 볼펜은 잉크가 들어갈 대롱의 끝에 볼을 넣은 후 밑부분을 오므려 볼이 빠지지 않도록 하는데요, 볼이 빠지는 문제를 정밀한 기술로 보완하고 있습니다.

또한 볼펜은 종류가 다양하여 사람들이 필요에 따라 고를 수 있어서 좋습니다. 글자가 물에 잘 번지지 않는 유성 볼펜, 필기감이 부드러운 수성 볼펜, 여러 색을 하나에 담은 다색 볼펜, 글씨를 쓰고 지울 수 있는 볼펜, 우주에서 사용할 수 있는 가압 볼펜 등 선택의 폭이 넓습니다.

볼펜은 신문 기자였던 라즐로 비로가 특허를 낸 이후 상용화되면서 기존 필기구의 단점을 보완하고 사람들의 다양한 요구를 반영하여 꾸준히 사용되고 있습니다. 지금까지, 볼펜이 사람들에게 널리 사용되는 이유를 말씀드렸습니다. 감사합니다.

말하기 방식 파악

1 위 발표자의 말하기 방식으로 적절하지 않은 것은?

① 발표 대상의 종류를 열거하여 장점을 소개하고 있다.
② 청중의 대답을 예상하고 질문하여 화제를 제시하고 있다.
③ 청중의 경험을 이끌어 내며 관련된 내용을 설명하고 있다.
④ 내용의 신뢰성을 높이기 위해 전문가의 견해를 인용하고 있다.
⑤ 발표 대상의 특징을 부각하기 위해 다른 대상과 비교하고 있다.

매체 활용의 적절성 평가

2 다음은 위 발표에 활용된 매체 자료이다. 발표를 참고할 때, 발표 내용과 자료를 활용한 이유를 바르게 짝지은 것은? [3점]

	자료	발표 내용	매체 자료를 활용한 이유
①	자료 1	만년필에 적용된 모세관 현상	표면의 거친 정도에 따라 모세관 현상이 일어나는 정도의 차이를 대비하여 보여 주기 위해
②	자료 2	볼펜의 제작 과정	볼펜의 복잡한 내부 구조를 단순화하여 보여 주기 위해
③	자료 2	볼펜으로 글씨가 써지는 원리	볼이 있는 부분의 단면을 확대하여 볼의 잉크가 종이에 묻는 원리를 보여 주기 위해
④	자료 3	볼펜의 볼을 고정하는 과정	볼펜의 볼을 정밀하게 가공하는 절차를 단계적으로 보여 주기 위해
⑤	자료 3	볼펜에 잉크를 주입하는 방법	잉크가 흘러나오는 과정을 한눈에 확인할 수 있도록 순서대로 보여 주기 위해

말하기 내용 추론

3 위 발표의 흐름을 고려할 때, ㉠으로 가장 적절한 것은?

① 만년필로 종이에 글씨를 수월하게 쓸 수 있는 것이 모세관 현상과 어떤 관련이 있나요?
② 만년필 외에 모세관 현상이 적용되어 손쉽게 필기할 수 있는 필기구에는 무엇이 있나요?
③ 만년필 펜촉의 굵기와 필기할 때 힘을 들이는 정도는 어떤 연관성이 있나요?
④ 만년필로 힘들이지 않고 글씨를 쓰려면 어떤 형태의 펜촉을 사용해야 하나요?
⑤ 종이의 섬유소가 가는 대롱과 같은 역할을 한다는 것이 무슨 의미인가요?

❶ 유형별 최신 기출 지문

다양한 담화 유형과 유형별 대표 문제가 수록된 최신 기출 지문을 엄선하여 구성했습니다. 실제 기출 지문을 통해 화법과 작문 영역의 기출 경향을 파악하고 최근 수능 출제 경향에 대비할 수 있습니다.

❷ 빈출 유형의 기출문제

기출문제 중 수능에 자주 출제되는 대표 유형 문제를 선별해 수록했습니다. 기출 문제를 통해 수능의 문제 출제 패턴을 익히고 직접 문제를 해결해 보면서 실전 감각을 기를 수 있습니다.

⊕ 모의고사

2022학년도 수능 개편안에 따라 11문항으로 모의고사를 구성하여 화법과 작문 영역의 최신 출제 경향을 익힐 수 있고 최종적으로 자기 실력을 점검할 수 있도록 하였습니다.

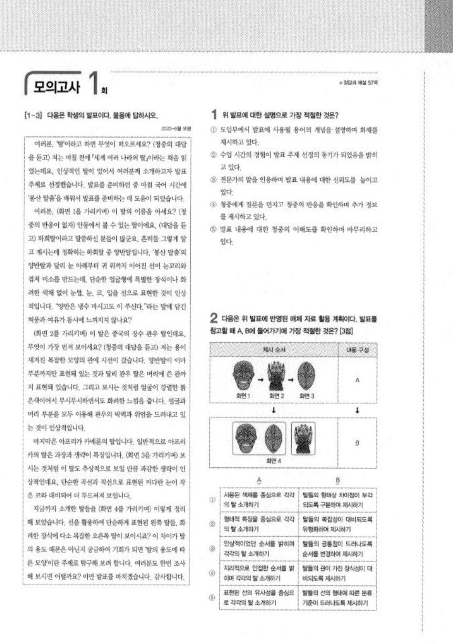

출제 경향과 대책

화법과 작문,
어떻게 출제될까?

경향 분석

수능 국어 영역의 선택 과목인 '화법과 작문'은 난이도가 높지 않은 편이어서 '언어와 매체'에 비해 학생들이 부담을 느끼지 않는 과목이다. 그러나 난이도가 높지 않은 만큼 작은 실수가 등급에 영향을 줄 수 있기 때문에 철저한 대비가 필요하다. 특히 제시되는 지문의 길이가 길어지고, 작문과 화법의 융합 지문이 출제되는 등 난이도가 다소 높아지는 경향이 있다는 점도 주목할 필요가 있다.

문제 구성

'화법과 작문'은 화법, 융합, 작문 영역으로 3개의 지문에서 11문항이 출제된다. 화법은 발표, 강연, 토의, 토론, 대화, 대담, 면접 등 다양한 담화 유형이 지문으로 제시되고, 작문은 주로 작문 과정과 관련된 자료들이 지문으로 제시된다.

화법 – 담화 유형별 출제 순위			
1	발표	5	대화
2	강연	6	대담
3	토의	7	면접
4	토론	8	협상

작문 – 문제 유형별 출제 순위	
1	작문 계획
2	자료 활용
3	고쳐쓰기
4	표현하기
5	작문 전략

출제 경향

화법에서는 주로 발표나 강연이 제시되는데, 발표와 강연은 한 명의 화자가 다수의 청중을 대상으로 하는 담화라는 점에서 유사하다. 발표나 강연의 말하기 계획이 실제 담화에 어떻게 반영되었는지 파악하는 문제, 발표나 강연에 드러나는 말하기 방식을 묻는 문제, 발표나 강연을 듣는 청중의 반응을 확인하는 문제, 자료 활용의 적절성을 파악하는 문제 등이 주로 출제된다.

작문에서는 주로 설명문, 논설문, 기사문, 건의문 등이 제시된다. 글쓰기 계획이나 글쓰기 전략 문제, 내용의 생성 및 조직 문제, 조건에 맞게 고쳐 쓰기 문제 등이 출제된다.

융합에서는 담화를 주고 그것을 바탕으로 쓴 초고가 제시되거나, 반대로 초고를 주고 그것을 바탕으로 이루어진 담화가 제시된다. 담화의 경우 여러 사람이 참여하는 대화, 토론, 협상 등이 주로 제시되는데, 이들 담화는 화자와 청자가 역할을 바꾸어 가면서 이루어진다는 점에서 유사하다. 말하기 전략을 파악하는 문제, 주장의 적절성을 파악하는 문제, 조건에 맞게 고쳐 쓰기 문제, 조건에 맞는 내용 생성하기 문제 등이 출제된다.

화법과 작문,
어떻게 대비할까?

1

담화와 글의 유형별 특징을 파악하자.

대화처럼 특별한 형식이 없는 담화도 있지만 토론이나 협상처럼 형식이 정해진 담화도 있다. 형식이 정해진 담화의 경우 그 담화의 형식이나 특징을 학습할 필요가 있다. 특히 토론이나 협상의 각 단계별 전략은 꼭 파악하도록 한다.

작문에서 출제되는 글도 대부분 형식이 정해져 있으므로 설명문, 논설문, 보고문, 건의문 등 글의 유형별로 특징을 정리해 두어야 한다. 이때 각 구성 단계별로 어떠한 내용이 포함되어야 하는지도 파악하도록 한다.

2

담화와 글의 표현 전략을 파악하자.

담화에서 화자는 자신의 말을 효과적으로 전달하기 위해 다양한 표현 전략을 사용한다. 질문을 하는 형식을 사용하기도 하고, 비유적 표현이나 관용적 표현을 사용하기도 한다. 또, 상대방의 말을 재진술하거나 요약하고, 시각 자료 등의 매체 자료를 활용하거나, 언어적 표현 외에 준언어적 표현 · 비언어적 표현을 적절히 사용하기도 한다. 담화에 활용되는 표현 전략에는 어떤 것이 있는지 기출문제의 선지를 중심으로 파악하도록 한다.

작문에서 글쓴이도 자신이 전달하려는 내용을 효과적으로 전달하기 위해 다양한 글쓰기 전략을 사용한다. 글에 사용되는 표현 전략 중 언어적인 표현은 담화에 사용되는 표현 전략과 크게 다르지 않다. 질문의 형식을 사용하거나 표지를 활용하기도 하고, 구체적인 사례를 들거나 객관적인 수치를 활용하기도 한다. 그림이나 그래프 등의 시각 자료를 활용하여 내용 전달의 효과를 높이는 방법을 쓰기도 한다. 담화의 경우와 마찬가지로 쓰기에 활용되는 표현 전략에는 어떤 것이 있는지 기출문제의 선지를 중심으로 파악하도록 한다.

3

조건에 맞게 담화와 글의 내용을 생성하거나 고치는 연습을 하자.

담화나 글은 반복되는 고쳐쓰기 과정을 통해 완성된다. 계획하기 단계에서부터 글이 완성되는 단계에 이르기까지 고쳐 쓰는 과정은 반복되고, 이는 매우 중요한 과정이다. 따라서 조건에 맞게 내용을 생성하거나 글을 고쳐 쓸 수 있는지 확인하는 것은 중요한 출제 포인트이다. 이때 조건은 내용적인 측면이 될 수도 있고, 형식적인 측면이 될 수도 있다. 두 개 이상의 조건이 제시되는 경우가 많으므로 조건과 선지의 내용을 하나씩 대응하면서 조건에 맞게 내용을 생성하고 고치는 연습을 해야 한다.

4

담화와 글에서 주장의 타당성을 파악하는 연습을 하자.

설득이 목적인 담화나 글의 경우 주장의 타당성을 판단하는 것이 중요한 출제 포인트가 된다. 토론 참여자는 상대방의 주장에서 문제점을 찾아 논리적으로 반대 신문을 해야 하고, 토론의 청중은 찬성 측과 반대 측의 주장이 타당한지를 판단해야 한다. 또한 논설문의 독자는 글을 읽으며 글쓴이의 주장이 타당한지를 판단해야 한다. 그리고 주장의 타당성은 고쳐쓰기와 연결이 되기도 한다. 따라서 평소에 담화나 글을 보며 주장과 근거를 구분하고, 주장과 근거가 밀접한 관계가 있는지, 근거가 주장을 뒷받침하기에 충분한지 검토하는 연습을 해야 한다.

화법

어떻게 출제되나?

- 발표, 강연, 토의, 토론, 대화, 면접 등 여러 유형의 담화가 제시되고, 담화 유형별 특징을 묻는 문제가 출제된다.
- 담화에 참여하는 사람들의 말하기 방식을 파악했는지 묻는 문제가 출제된다.
- 내용을 효과적으로 전달하기 위해 사용한 자료 활용 방안을 파악하는 문제가 출제된다.

어떻게 공략해야 하나?

- 담화의 개념이나 형식 등 담화의 유형별 특징을 파악한다.
- 선지에 제시된 말하기 방식을 담화의 내용과 연결시키는 연습을 한다.
- 제시된 자료의 특징을 파악하고 해당 자료가 담화의 내용과 밀접한 관련이 있는지 확인한다.

들어가기

1 발표, 강연, 연설

1. 개념

- 발표: 여러 사람 앞에서 자신의 생각이나 의견 또는 어떤 사실에 대해 설명하는 말하기. 대개 정보 전달을 목적으로 함.
- 강연: 일정한 주제에 대해 청중 앞에서 강의 형식으로 하는 말하기. 주제에 따라 정보 전달이나 설득을 목적으로 함.
- 연설: 연설자가 청중의 태도나 행동을 변화시킬 목적으로 자신의 의견이나 주장을 펼치는 말하기

2. 구성

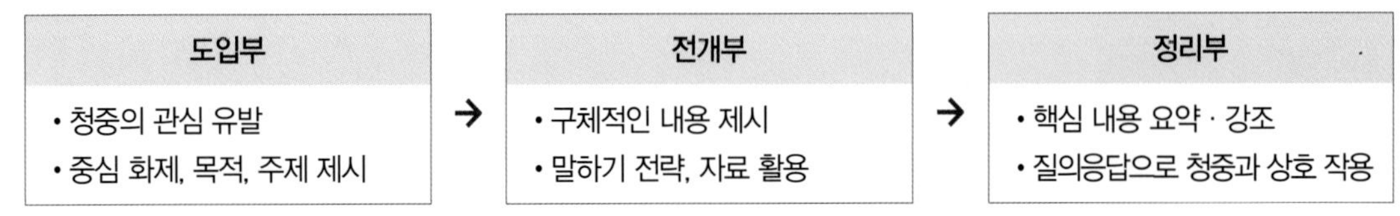

3. 표현 전략

① 매체 자료의 활용

- 청중의 관심을 끌고 내용을 효과적으로 전달하기 위해 자료를 활용함.
- 예상 청중과 전달할 내용을 고려하여 자료와 매체를 선정함.

② 청중의 반응 분석을 통한 상호 작용

- 청중의 집중력을 높일 수 있는 언어적, 준언어적, 비언어적 표현을 사용함.
- 청중의 반응을 살피며 발표와 강연의 분량, 내용, 순서 등을 조정함.

출제 포인트

- 화자가 내용을 효과적으로 전달하기 위해 사용하는 말하기 방식이나 전략, 매체 자료 활용 방안을 묻는 문제가 출제됨.
- 화자의 말을 들은 청중의 반응을 분석하는 문제가 출제됨.

↳ **해결 TIP**

청중의 관심을 끌고 내용을 효과적으로 전달하는 전략(질문, 사례 제시, 준언어적 · 비언어적 표현 사용 등), 적절한 자료의 활용 여부 등을 파악해야 함. 청중과 상호 작용하는 부분은 반드시 확인해야 함.

2 토의, 토론, 협상

1. 토의

- 개념: 공동의 관심사가 되는 문제에 관해 가장 바람직한 해결 방안을 찾기 위해서 여러 사람의 의견이나 생각을 주고받는 협력적 말하기

2. 토론

- 개념: 어떤 논제에 대해 찬성 측과 반대 측이 각각 논거를 들어 자신의 주장이 옳음을 내세우고, 상대방의 주장이나 논거가 부당하다는 것을 밝히는 말하기
- 토론의 과정

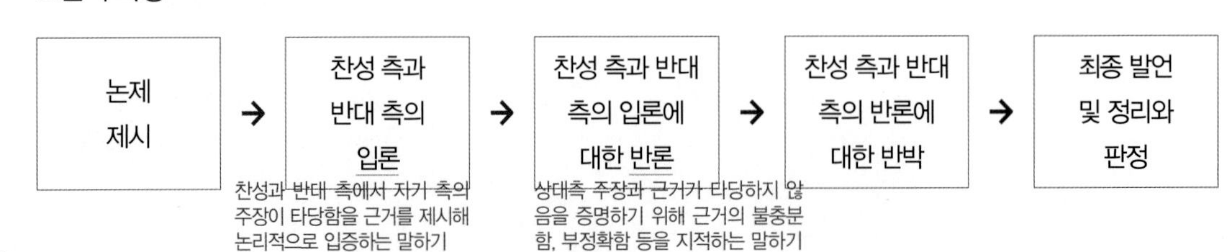

3. 협상

- 개념: 이해관계가 충돌하는 둘 이상의 주체들이 합의에 이르기 위해 대안을 조절하는 의사 결정 과정
- 협상의 절차
  입장을 서로 확인하는 단계 → 서로의 입장 차이를 좁히는 단계 → 합의에 이르는 단계

출제 포인트

- 토의 · 토론의 절차에 대한 이해를 바탕으로 참여자의 역할, 참여자가 사용한 말하기 전략이 적절한지를 묻는 문제가 자주 출제됨.
- 참여자가 제시한 주장의 타당함과 근거의 적절성, 청중의 반응 등을 파악하는 문제가 출제됨.

↳ **해결 TIP**

참여자의 기본적인 역할을 정리해 두고, 실제 말하기에서 흐름에 따라 참여자가 어떤 역할을 수행하고 있는지 파악해야 함. 참여자가 자신의 의도를 효과적으로 전달하기 위해 어떤 말하기 전략을 사용하는지, 그 전략은 적절한지, 효과는 있는지를 판단해야 함.

3 대화, 대담, 면접

1. 대화

- 개념: 두 사람이 모여 서로의 생각이나 느낌을 말로 표현하고 이해하는 상호적인 활동. 정보 전달 · 설득 · 친교 등을 목적으로 함.
- 대화의 원리

협력의 원리	대화 참여자가 대화의 목적에 성공적으로 도달하기 위해 서로 협력해야 한다는 원리
공손성의 원리	상대방을 배려하며 언어 예절을 갖추어 대화해야 한다는 원리
순서 교대의 원리	대화 참여자가 서로 적절하게 순서를 교대해 가면서 말을 주고받는 원리

2. 대담

- 개념: '마주 대하고 말하기'라는 의미로, 화자와 청자가 마주한 상태에서 말하고 듣는 공적 대화. 인터뷰, 면담, 면접 등은 모두 대담의 형태에 속함.

3. 면접

- 개념: 선발이나 평가 등의 목적으로 질문과 답변을 하면서 면접 대상자의 지식, 성품, 능력 등을 평가하는 공적 대화
- 면접의 질문 유형

폐쇄형 질문	질문자가 준비한 선택지에서 답을 선택하는 등 답변의 범위가 제한된 질문
개방형 질문	답변의 범위나 양이 제한되지 않고 답변자가 자유롭게 의견을 표현할 수 있는 열린 질문
보충 질문	답변이 모호하거나 좀 더 구체적인 정보를 원할 경우 추가로 하는 질문

출제 포인트

- 대화에서는 발언의 의도나 대화의 원리에 어긋나는 부분은 없는지를 묻는 문제가 자주 출제됨.
- 면접에서는 면접자의 질문 의도를 파악하고, 효과적인 답변 전략을 묻는 문제가 자주 출제됨.

↳ **해결 TIP**

담화의 화제와 상황을 파악한 후, 질문자의 질문 의도와 답변자의 발언 방식이 무엇인지, 그 방식이 어떤 효과를 주는지 살펴봐야 함. 언어적 표현 이외에 준언어적 · 비언어적 표현도 적절한지 판단해야 함.

연습 01

발표

[1~3] 다음은 학생의 발표이다. 물음에 답하시오. [2021 수능]

안녕하세요? 이번 탐구 과제는 '우리 문화재 깊이 보기'인데요, 저는 '고구려 고분 벽화'에 대해 발표하려고 합니다. 여러분은 고구려 고분 벽화를 본 적이 있나요? (청중의 대답을 듣고) 생각보다 많지 않네요. 우리나라 고분 벽화의 대다수는 고구려 돌방무덤에 있습니다. 돌방무덤은 돌을 쌓아 방처럼 만든 무덤으로 3세기부터 만들어졌는데요, 바로 이 시기에 고분 벽화가 그려지기 시작했습니다. (㉠자료 제시) 여기가 돌방무덤의 내부입니다. 고분 벽화는 이곳의 천장과 벽에 그려져 있어요.

그럼 고구려 고분 벽화에는 무엇을 그렸을까요? (청중의 반응을 살피고) 네, 다양한 답변이 있네요. 3세기 중반부터 5세기 초에는 밥 먹는 모습, 사냥하는 모습 등 무덤 주인의 일상생활을 주로 그렸습니다. (㉡자료 제시) 이것은 주인과 종의 모습입니다. 여기에서 주목할 점은 주인을 종에 비해 크게 그린 건데요, 이렇게 주가 되는 것을 크게, 나머지는 작게 그리는 방법을 '주대종소법'이라고 합니다. 보시는 것처럼 고분 벽화에서는 이 방법을 활용하여, 무덤 주인의 권위를 강조하고 그의 풍요로운 삶이 사후 세계에서도 이어지길 바라는 마음을 담아냈습니다.

5세기 중반부터 6세기 초의 고분 벽화에는 연꽃무늬가 주로 등장합니다. 이때는 불교가 확산되는 시기로, 무덤 주인이 이상 세계에 다시 태어나길 바라는 마음을 연꽃을 통해 표현했습니다. 6세기 중반부터 7세기 전반의 일부 고분에는 연꽃 위에 도교 사상과 관련된 신선을 그렸는데요, (㉢자료 제시) 이것은 불교와 도교 사상이 공존하던 당시의 상황이 반영된 것이라 할 수 있습니다. 한편 이 시기 대다수의 고분 벽화에는 도교의 영향으로 청룡, 백호 등과 같은 사신(四神)을 주로 그렸습니다. 사신이 무덤 주인을 수호해 준다고 여겼기 때문입니다.

당대의 인식과 사회상을 담아낸 고분 벽화의 전통은 조선 전기까지 이어졌습니다. 고구려 고분 벽화는 선조들의 삶의 모습을 보여 준다는 점에서 역사 자료로서의 가치를 지니고 있습니다. 이상으로 발표를 마치겠습니다.

개념 코칭

발표의 도입부에서 활용할 수 있는 전략
발표의 도입부에서 청중의 흥미를 유발해야 성공적인 발표를 할 수 있다. 발표의 도입부에서는 청중에게 질문하기, 발표와 관련된 경험 떠올리게 하기, 발표 주제의 중요성 인식하게 하기, 구체적인 사례 제시하기 등의 전략을 활용할 수 있다.

말하기 방식 파악

1 위 발표자의 말하기 방식으로 가장 적절한 것은?

① 청중에게 기대하는 바를 언급하여 발표 목적을 부각하고 있다.
② 발표 내용과 관련된 질문을 하여 청중의 반응을 이끌어 내고 있다.
③ 청중의 요청에 따라 발표 내용과 관련된 정보를 추가하여 설명하고 있다.
④ 발표 내용의 순서를 안내하여 청중이 발표 내용을 예측하도록 돕고 있다.
⑤ 발표 내용이 청중과 관련성이 높음을 제시하여 청중의 흥미를 유발하고 있다.

자료 활용 방안 파악

2 다음은 발표자가 제시한 자료이다. 발표자의 자료 활용에 대한 설명으로 적절하지 않은 것은? [3점]

[자료 1] [자료 2] [자료 3]

① 고구려 돌방무덤 내부에 벽화가 그려져 있음을 보여 주기 위해 ㉠에 [자료 1]을 활용하였다.

② 무덤 주인의 권위를 고분 벽화에 담아내었음을 보여 주기 위해 ㉡에 [자료 2]를 활용하였다.

③ 사후 세계에 대한 염원이 고분 벽화에 반영되어 있음을 보여 주기 위해 ㉡에 [자료 2]를 활용하였다.

④ 무덤 주인을 지켜 준다고 여긴 대상을 고분 벽화에 담아내었음을 보여 주기 위해 ㉢에 [자료 3]을 활용하였다.

⑤ 종교 사상이 고분 벽화에 영향을 주었음을 보여 주기 위해 ㉢에 [자료 3]을 활용하였다.

청중의 질문 추론

3 학생의 발표를 바탕으로 할 때, [A]에 들어갈 청중의 질문으로 가장 적절한 것은?

[발표 후 질의응답]

– 청중: [A]

– 발표자: 네, 그것은 고구려 이후에도 사람들이 사후 세계에 대해 관심을 가지고 있었음을 의미한다고 생각합니다.

① 고구려 고분 벽화의 전통이 후대까지 이어졌다고 하셨는데요, 무덤 내부에 벽화를 계속 그렸다는 것은 어떤 의미인가요?

② 고구려에 도교가 확산된 시기가 있었다고 하셨는데요, 이 시기에 사신이 상징성을 지니게 되었다는 것은 어떤 의미인가요?

③ 고구려 고분 벽화에 주대종소법이 활용되었다고 하셨는데요, 당시에 인물의 크기를 다르게 그렸다는 것은 어떤 의미인가요?

④ 고구려 돌방무덤은 3세기에 출현했다고 하셨는데요, 이전 시기에서 볼 수 없었던 무덤 형태가 나타나게 된 것은 어떤 의미인가요?

⑤ 고구려 고분 벽화가 역사 자료로서의 가치가 있다고 하셨는데요, 문화재가 시대를 초월하여 가치를 지닌다는 것은 어떤 의미인가요?

담화 분석

1 이 발표의 중심 내용을 정리해 보자.

	내용	구성
1 문단	• '(❶)'에 대해 발표할 것임. • 우리나라 고분 벽화의 대다수는 고구려 돌방무덤의 천장과 벽에 그려져 있음.	**도입** – 발표 대상 제시
2 문단	• 3세기 중반~5세기 초 고구려 고분 벽화의 소재 – 무덤 주인의 일상생활을 그림. – 주가 되는 것을 크게, 나머지는 작게 그리는 (❷)을 활용함. → 무덤 주인의 권위를 강조하고 풍요로운 삶이 사후 세계에서도 이어지길 기원함.	**전개** – 구체적인 내용 제시 – 내용을 뒷받침하는 자료 제시
3 문단	• 5세기 중반~6세기 초 고구려 고분 벽화의 소재 – 연꽃무늬를 그림. → 무덤 주인이 이상 세계에 다시 태어나길 바라는 (❸) 사상이 반영됨. • 6세기 중반~7세기 전반 고구려 고분 벽화의 소재 – 연꽃 위에 신선을 그림. → 불교와 (❹) 사상이 공존하던 상황이 반영됨. – 청룡, 백호 등과 같은 사신을 그림. → 도교의 영향. 사신이 무덤 주인을 수호해 준다고 여김.	
4 문단	고구려 고분 벽화는 선조들의 삶의 모습을 보여 준다는 점에서 (❺)로서의 가치가 있음.	**정리** – 핵심 내용 정리 – 발표 마무리

2 이 발표에 사용된 말하기 전략을 파악해 보자.

	발표 내용		전략
1 문단	여러분은 고구려 고분 벽화를 본 적이 있나요? (청중의 대답을 듣고) 생각보다 많지 않네요.	→	• 발표 대상이나 내용에 관한 (❶)을 하여 청중의 관심을 유발함. • 청중과 상호 작용을 하며 청중이 발표에 집중할 수 있도록 함.
2 문단	그럼 고구려 고분 벽화에는 무엇을 그렸을까요? (청중의 반응을 살피고) 네, 다양한 답변이 있네요.		
1 문단 ~ 3 문단	• (자료 제시) 여기가 돌방무덤의 내부입니다. • (자료 제시) 이것은 주인과 종의 모습입니다. • (자료 제시) 이것은 불교와 도교 사상이 공존하던 당시의 상황이 반영된 것이라 할 수 있습니다.	→	(❷) 자료를 활용하여 설명하려는 내용을 효과적으로 전달하고, 청중의 이해를 도움.

문제 해결 TIP

매체 자료 활용 방안을 묻는 문제

발표를 할 때에는 내용을 효과적으로 전달하고 청중의 이해를 돕기 위해 다양한 매체 자료를 활용하게 된다. 매체 자료의 활용 방안을 묻는 문제를 풀 때에는 자료의 내용이 자료를 제시하는 목적과 일치하는지를 파악해야 한다. 자료가 제시되는 부분의 앞 문장 또는 뒷 문장의 내용을 확인하여 지문의 내용과 해당 자료가 밀접한 관련이 있는지 파악하고, 자료가 발표 내용과 자연스럽게 연결될 수 있는지 생각해 본다.

※ 2번 문제의 선지 ②가 적절한 내용인지 판단해 보자.

[자료 2]

(㉡자료 제시) 이것은 주인과 종의 모습입니다. 여기에서 주목할 점은 주인을 종에 비해 크게 그린 건데요, 이렇게 주가 되는 것을 크게, 나머지는 작게 그리는 방법을 '주대종소법'이라고 합니다. 보시는 것처럼 고분 벽화에서는 이 방법을 활용하여, 무덤 주인의 권위를 강조하고 그의 풍요로운 삶이 사후 세계에서도 이어지길 바라는 마음을 담아냈습니다.

2-② 무덤 주인의 권위를 고분 벽화에 담아내었음을 보여 주기 위해 ㉡에 [자료 2]를 활용하였다.

↳ ㉡의 뒷 문장을 보면 주인을 종에 비해 크게 그렸다는 내용이 있으므로 [자료 2]에 이러한 모습이 드러나는지 파악한다.

❶ [자료 2]는 종에 비해 주인이 크게 그려져 있는 그림으로 본문의 내용과 밀접한 관련이 있다. ………… (○ / ×)

↳ 선지 ②에서 [자료 2]를 제시하는 목적을 확인하고, 목적과 자료의 내용이 관련이 있는지 판단한다.

❷ [자료 2]를 제시하는 목적은 무덤 주인의 권위를 고분 벽화에 담아내었음을 보여 주는 것이다. ……… (○ / ×)

❸ ㉡에 [자료 2]를 제시하는 목적이 자연스럽게 연결되므로 선지 ②는 (적절하다 / 적절하지 않다).

개념 ✚ 플러스

매체 자료

• 매체 자료의 종류

시각 매체	그림, 사진, 도표, 그래프 등
청각 매체	소리, 음악 등
복합 매체	동영상, 애니메이션 등

• 매체 자료 사용 효과
 – 청중의 흥미를 유발하고 주의를 집중시킬 수 있음.
 – 내용을 효과적으로 전달하여 청중의 이해를 도울 수 있음.

• 매체 자료 사용 시 유의점
 – 청중의 수준과 흥미에 적합한 자료를 사용해야 함.
 – 발표의 주제와 목적에 맞게 사용해야 함.
 – 지나치게 많이 사용하면 효과가 떨어지므로 적절하게 사용해야 함.
 – 자료의 출처를 명확하게 밝혀야 함.

연습 02

강연

[1~3] 다음은 강연이다. 물음에 답하시오. [2019-6월 모평]

안녕하세요. 야생조류보호협회의 ○○○입니다.

여러분, 혹시 걷다가 유리문에 부딪친 적 있나요? (대답을 듣고) 네, 몇몇 학생들이 경험했군요. 꽤 아팠죠? 그런데 사람보다 훨씬 빠른 야생 조류가 유리창에 부딪치면 어떻게 될까요? □□ 연구소에서 발간한 안내서에 따르면 유리창 충돌이 야생 조류가 사고로 죽는 원인 중 2위에 해당한다고 합니다.

야생 조류는 왜 유리창에 잘 부딪치는 걸까요? (㉠자료 제시) 보시는 것처럼 사람은 양쪽 눈의 시야가 겹치는 범위가 넓어서 전방에 있는 사물을 잘 인식하지만, 대부분의 야생 조류는 눈이 머리 측면에 있어서 양쪽 눈의 시야가 겹치는 범위가 좁습니다. 이 때문에 전방 인지 능력이 떨어지므로 유리창을 인식하지 못해서 부딪치는 경우가 많은 거죠.

그렇다면, 야생 조류가 유리창에 부딪치지 않도록 도울 방법이 없을까요? □□ 연구소의 안내서에는 그물망 설치나 줄 늘어뜨리기 등의 방법이 소개돼 있습니다. 그중 자외선 반사 테이프를 붙이는 것은 건물의 미관을 해치지 않으면서도 효과를 볼 수 있는 방법입니다. 사람은 자외선을 볼 수 없다고 과학 시간에 배웠죠? (대답을 듣고) 다들 잘 알고 있군요. (㉡자료 제시) 보시는 것처럼 대부분의 야생 조류는 사람과 달리 우리가 보는 색뿐만 아니라 자외선도 볼 수 있습니다. 이를 이용한 것이 바로 자외선 반사 테이프입니다. 이 테이프를 유리창에 붙이면 야생 조류가 테이프에서 반사된 자외선을 보고 그곳에 장애물이 있다고 인식할 수 있지요. 그러면 얼마나 효과가 있을까요? 테이프 부착 전후를 비교한 결과, (㉢자료 제시) 보시는 것처럼 부착 후 야생 조류의 유리창 충돌이 크게 줄었습니다.

야생 조류의 유리창 충돌 사고는 우리 주변에서 계속 일어나고 있습니다. 여러분의 작은 관심이 야생 조류의 유리창 충돌을 줄이는 데 큰 힘이 됩니다. 제가 안내한 방법 중에는 여러분이 집에서 활용할 수 있는 것도 있으니 가능한 방법을 찾아 실천해 보세요. 이상으로 강연을 마치겠습니다.

개념 코칭

강연을 마무리하는 전략
강연의 마지막 부분에서는 강연의 내용을 요약·정리하고, 강연의 내용이 어떤 의미가 있는지, 강연의 내용이 청중에게 어떤 도움을 줄 수 있는지를 언급하는 전략을 사용할 수 있다.

말하기 방식 파악

1 **위 강연에 대한 설명으로 가장 적절한 것은?**

① 강연에서 제시된 용어를 정의하여 청중의 이해를 돕고 있다.
② 청중의 응답을 이끌어 내고 반응을 확인하여 청중과 상호 작용하고 있다.
③ 청중의 배경지식이 잘못되었음을 지적하여 청중의 주의를 환기하고 있다.
④ 강연의 앞부분에서 강연 내용의 순서를 제시하여 청중들이 내용을 예측하며 듣게 하고 있다.
⑤ 강연 내용의 이해 정도를 확인하는 질문을 하면서 강연을 마무리하여 청중에게 강연 주제를 강조하고 있다.

듣기 전략 평가

2 **다음은 학생이 강연을 들으며 떠올린 생각들이다. 이를 바탕으로 학생의 듣기 활동을 이해한 내용으로 적절하지 않은 것은?**

- 며칠 전 우리 집 유리창에도 비둘기가 부딪쳐서 놀랐어.
- 비둘기도 야생 조류에 해당할까?
- 자외선 반사 테이프는 정말 좋은 방법인 것 같아. 우리 집에도 부착하면 새가 부딪치지 않겠지.
- 야생 조류가 부딪치지 않게 유리창에 그물망을 설치하는 것은 나도 할 수 있을 것 같아.

① 강연 내용과 관련된 자신의 과거 경험을 떠올리며 들었다.
② 강연자가 설득의 근거로 제시한 내용에 의문을 제기하며 들었다.
③ 강연을 통해 알게 된 정보에 대해 긍정적으로 평가하며 들었다.
④ 강연자가 제시한 방법이 실제로 효과가 있을 것이라고 생각하며 들었다.
⑤ 강연자의 제안에 따라 자신이 실천할 수 있는 방법을 생각하며 들었다.

자료 활용 방안 파악

3 **〈보기〉는 강연에서 강연자가 제시한 자료이다. 강연자의 자료 활용에 대한 설명으로 가장 적절한 것은?** [3점]

보기

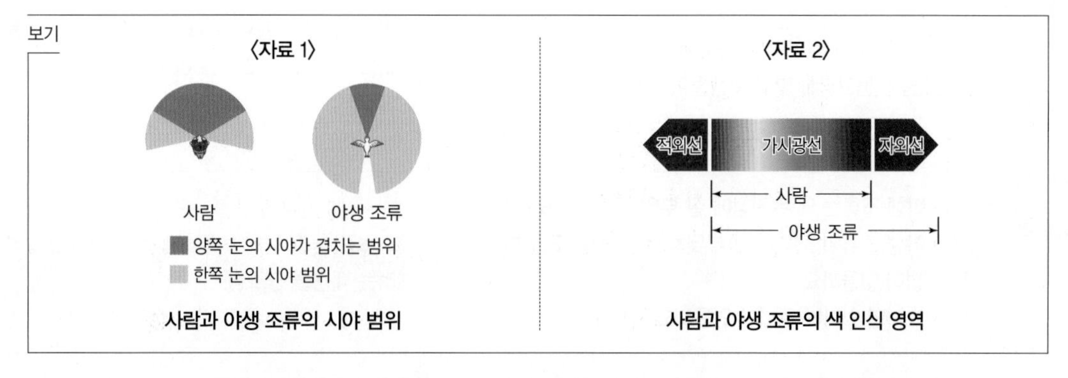

사람과 야생 조류의 시야 범위

사람과 야생 조류의 색 인식 영역

① 〈자료 1〉은 야생 조류의 유리창 충돌로 인한 피해 현황을 보여 주기 위해 ㉠에서 활용하였다.
② 〈자료 1〉은 사람과 야생 조류의 시야 범위가 다름을 설명하기 위해 ㉡에서 활용하였다.
③ 〈자료 1〉은 자외선 반사 테이프의 부착 효과를 보여 주기 위해 ㉢에서 활용하였다.
④ 〈자료 2〉는 야생 조류가 유리창에 충돌하는 원인을 설명하기 위해 ㉠에서 활용하였다.
⑤ 〈자료 2〉는 야생 조류가 자외선 반사 테이프를 장애물로 인식할 수 있음을 설명하기 위해 ㉡에서 활용하였다.

담화 분석

1 이 강연의 중심 내용을 정리해 보자.

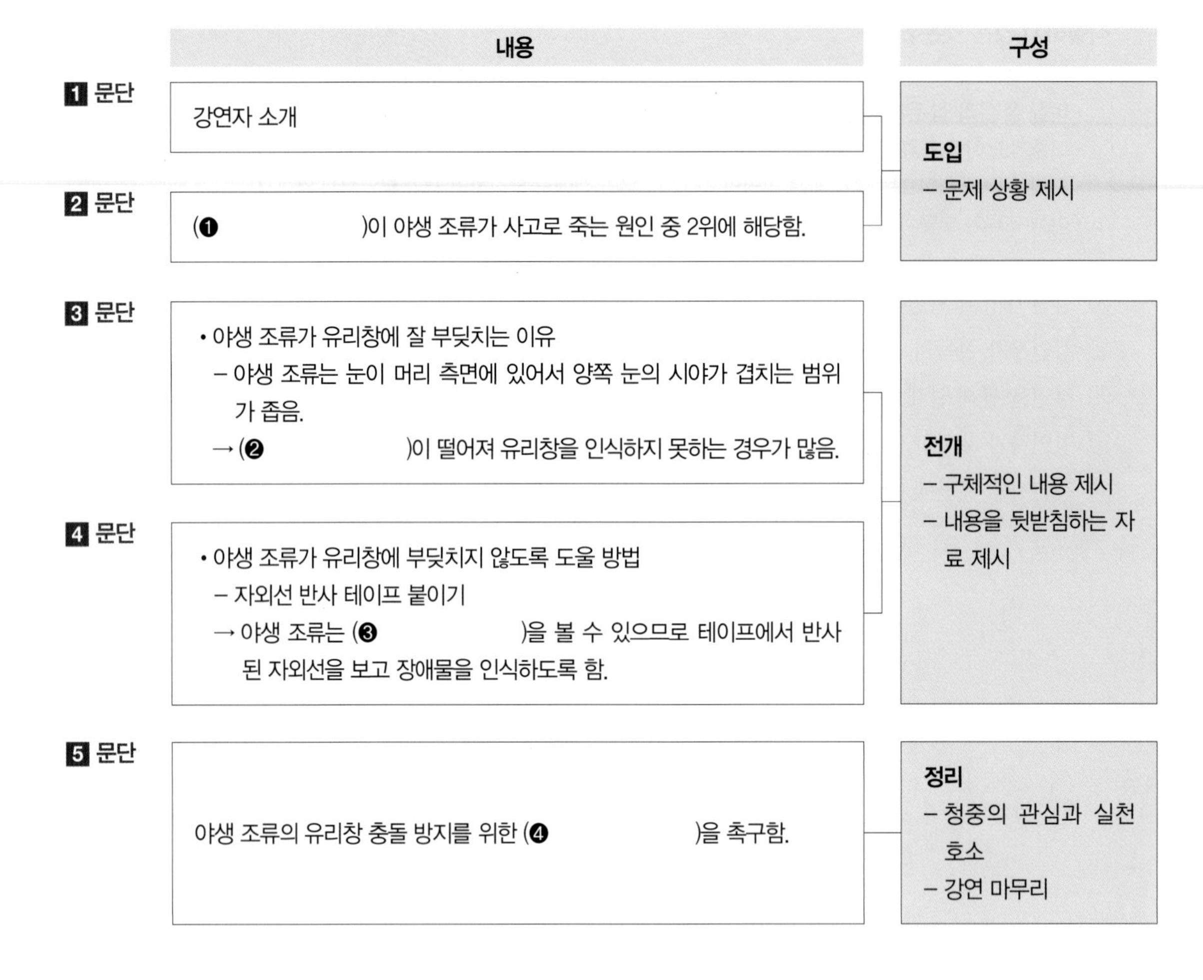

	내용	구성
1 문단	강연자 소개	도입 – 문제 상황 제시
2 문단	(❶)이 야생 조류가 사고로 죽는 원인 중 2위에 해당함.	
3 문단	• 야생 조류가 유리창에 잘 부딪치는 이유 – 야생 조류는 눈이 머리 측면에 있어서 양쪽 눈의 시야가 겹치는 범위가 좁음. → (❷)이 떨어져 유리창을 인식하지 못하는 경우가 많음.	전개 – 구체적인 내용 제시 – 내용을 뒷받침하는 자료 제시
4 문단	• 야생 조류가 유리창에 부딪치지 않도록 도울 방법 – 자외선 반사 테이프 붙이기 → 야생 조류는 (❸)을 볼 수 있으므로 테이프에서 반사된 자외선을 보고 장애물을 인식하도록 함.	
5 문단	야생 조류의 유리창 충돌 방지를 위한 (❹)을 촉구함.	정리 – 청중의 관심과 실천 호소 – 강연 마무리

2 이 강연에 사용된 말하기 전략을 파악해 보자.

2 문단	여러분, 혹시 걷다가 유리문에 부딪친 적 있나요? (대답을 듣고) 네, 몇몇 학생들이 경험했군요.	→ 발표 주제와 관련된 (❶)을 떠올릴 수 있는 질문을 하여 청중의 호기심을 유발함.
3 문단 ~ 4 문단	• 야생 조류는 왜 유리창에 잘 부딪치는 걸까요? • 야생 조류가 유리창에 부딪치지 않도록 도울 방법이 없을까요? • 그러면 얼마나 효과가 있을까요?	→ 스스로 묻고 답하는 방식을 활용하여 전달하려는 내용을 강조함.
3 문단 ~ 4 문단	• (자료 제시) 보시는 것처럼 사람은 양쪽 눈의 ~ 범위가 좁습니다. • (자료 제시) 보시는 것처럼 대부분의 야생 조류는 ~ 볼 수 있습니다. • (자료 제시) 보시는 것처럼 부착 후 야생 조류의 유리창 충돌이 크게 줄었습니다.	→ (❷) 자료를 활용하여 설명하려는 내용을 효과적으로 전달하고, 청중의 이해를 도움.

문제 해결 TIP

청중의 반응을 묻는 문제

강연을 듣는 청중은 강연자의 말에 다양한 반응을 하게 된다. 이때 반응은 대답이나 질문 등 겉으로 드러나는 경우도 있고, 자신의 경험을 떠올려 보거나 정보의 신뢰성 · 주장의 타당성 등을 평가하는 것처럼 겉으로 드러나지 않는 경우도 있다. 청중의 반응을 묻는 문제를 풀 때에는 강연 내용에서 청중의 반응과 관련이 있는 부분을 찾은 후, 둘의 연관성을 판단해야 한다. 특히 청중의 경험이나 구체적인 사례를 〈보기〉로 제시하는 경우가 있으므로, 이를 강연의 내용과 정확하게 연결할 수 있어야 한다.

※ 2번 문제의 선지 ①이 적절한 내용인지 판단해 보자.

사람보다 훨씬 빠른 야생 조류가 유리창에 부딪치면 어떻게 될까요? □□ 연구소에서 발간한 안내서에 따르면 유리창 충돌이 야생 조류가 사고로 죽는 원인 중 2위에 해당한다고 합니다.

야생 조류는 왜 유리창에 잘 부딪치는 걸까요?

• 며칠 전 우리 집 유리창에도 비둘기가 부딪쳐서 놀랐어.

2-① 강연 내용과 관련된 자신의 과거 경험을 떠올리며 들었다.

↳ 〈보기〉에 제시된 청중의 반응이 어떤 유형인지 파악한다.

❶ 청중은 자신의 집 유리창에 비둘기가 부딪쳐서 놀랐던 과거의 경험을 떠올렸다. (○ / ×)

↳ 유리창에 비둘기가 부딪쳐서 놀란 경험과 관련된 부분을 강연의 내용에서 확인한다.

❷ 강연의 내용에서 야생 조류가 유리창에 충돌하여 죽는 사고가 많이 일어난다는 것을 확인할 수 있다. (○ / ×)

❸ 청중의 반응과 강연의 내용이 밀접한 관련이 있으므로 선지 ①은 (적절하다 / 적절하지 않다).

능동적 듣기

• **능동적 듣기:** 강연자의 말을 능동적으로 이해하고 해석하고 평가하는 것

• **능동적인 듣기 방법**

- 자신의 듣기 목적을 분명히 하고, 목적에 맞는 핵심 정보를 효과적으로 파악하여 능동적으로 수용함.
- 강연자의 말하기 전략이나 말하는 내용이 적절한지 비판적으로 판단함.
- 강연 내용 중에서 자신의 듣기 목적에 부합하거나 중요한 내용은 메모하며 들음.
- 이해되지 않거나 보충 설명이 필요한 내용은 질문을 하며 들음.

연습 03

토의

[1~3] 다음은 학생들 간의 토의이다. 물음에 답하시오. [2017-6월 모평]

학생 1: 이번 모둠 과제를 하려면 먼저 『○○의 이해』를 같이 읽어야 하잖아. 내용이 많고 어려워 보이는데 시간도 많지 않아서 걱정이네. 어떻게 하면 좋을지 같이 이야기해 보자. 일단 사회는 내가 볼게.

학생 2: 매주 정해진 분량을 각자 읽고 매주 한 명씩 돌아가면서 책의 내용에 대해 발표를 한 후 질의응답을 하는 방식이 좋겠어. 그러면 발표자는 자신이 맡은 부분의 내용을 깊이 이해할 수 있게 될 거야.

학생 3: 그럴 경우 발표자 외의 다른 사람들은 책을 읽어야 하는 책임감이 덜할 수도 있어. 그래서 말인데, 자유 토의 방식은 어떨까? 구성원들 모두가 매주 정해진 분량의 책을 충분히 잘 읽어 와서 자유롭게 이야기를 나누는 거야.

학생 1: ㉠발표와 질의응답, ㉡자유 토의라는 두 가지 방안이 나왔네. 그럼 어느 방안이 좋을지 말해 보자.

학생 4: 발표와 질의응답 방식으로 하면 책을 깊이 이해할 수 있어. 친구들이 우리 눈높이에서 설명을 해 주니까 이해도 쉬울 거고, 모르는 부분이 있어도 서로 부담 없이 질문으로 해결할 수 있잖아.

학생 5: 그런데 발표자가 내용을 잘못 이해하면 나머지 모두가 오해를 할 위험이 있어. 자유 토의 방식은 모두가 책을 꼼꼼히 읽고 서로 의견을 나누니까 책을 더 정확하게 이해할 수 있지. [A]

학생 2: 하지만 모든 사람이 매주 정해진 분량의 책을 꼼꼼하게 다 읽어 와야 하는 것은 솔직히 부담이 돼.

학생 3: 나는 조금 부담이 되더라도 책을 꼼꼼히 읽고 다른 사람과 자유롭게 많은 이야기를 나누고 싶어.

학생 4: 하지만 자유 토의 방식은 구심점 역할을 하는 사람을 따로 정하지 않아서 토의가 활발히 진행되기가 쉽지 않아. 이에 반해 발표와 질의응답 방식은 발표자가 그 역할을 하면서 논의가 활발해질 수 있어.

학생 2: 그리고 자유 토의 방식으로 할 경우, 책을 안 읽고 오는 사람이 있다면 문제가 돼. 책을 읽고 온 사람들은 활발히 참여하겠지만 안 읽고 온 사람은 소외될 수도 있어. 그러다 한두 명씩 빠지다 보면 모임이 어려워질 거야.

학생 3: 그건 발표와 질의응답 방식도 마찬가지야. 발표자가 준비를 제대로 해 오지 않으면 모임을 할 수가 없잖아. [B]

학생 4: 하지만 그런 상황이 생길 수도 있다는 부담감이 발표자에게 오히려 책임감을 부여하게 되지.

학생 1: 자, 그러면 둘 중에 어느 것이 좋을지 결정해 볼까?

학생 3: 음, 생각해 보니까 자유 토의 방식은 준비에 시간이 많이 필요할 것 같아. 다들 책 내용 모두를 이해하고 싶지만 현실적으로는 책을 꼼꼼하게 다 읽을 시간적 여유가 없을 것 같아. 안 그래?

학생 5: 그러면 발표와 질의응답 방식이 좋겠다는 거지? 내 생각도 마찬가지야. 다들 책 읽기 모임을 처음 하는 상황이라 토의를 하는 것도 익숙하지 않을 거고.

학생 1: 그러면 발표와 질의응답 방식으로 해 보는 게 어때? 문제점도 나타나겠지만, 그것들은 차츰 개선해 나가 보도록 하자. 모두 동의하지? [C]
학생들: (모두 동의를 표한다.)

토의 내용 파악

1 **위 토의의 맥락을 고려할 때, ㉠과 ㉡에 대한 이해로 적절하지 않은 것은?**

① ㉠은 모임마다 주도적인 역할을 하는 특정인이 사전에 결정된다.
② ㉡은 준비 과정에서 각 참여자의 역할이 같다.
③ ㉠과 ㉡ 모두에서는 참여자들이 의견을 상호 교환한다.
④ ㉠과 ㉡ 모두에서는 매주 모임에서 참여자들이 다룰 분량이 정해져 있다.
⑤ ㉠은 참여자들이 사전에 모여서 책을 함께 읽는 방식이고, ㉡은 책을 각자 읽는 방식이다.

말하기 방식 파악

2 **[A], [B]에 대한 설명으로 가장 적절한 것은?**

① [A]에서는 특정 방안의 단점을 언급한 후 다른 방안의 장점을 제시하고 있다.
② [A]에서는 특정 방안의 문제점을 해결할 방안을 언급한 후 다른 방안이 지닌 문제점을 말하고 있다.
③ [A]에서는 특정 방안의 장점을 인정한 후 다른 방안이 그 장점을 더 발전시킬 수 있음을 언급하고 있다.
④ [B]에서는 특정 방안의 한계를 언급한 후 그 방안의 의의를 제시하고 있다.
⑤ [B]에서는 특정 방안의 장단점을 언급한 후 단점을 보완할 수 있는 방법을 제시하고 있다.

토의 과정 분석

3 **위 토의의 흐름으로 볼 때, [C]의 의의를 가장 잘 설명한 것은? [3점]**

① 토의에서 결정된 사항을 이행하기 위한 세부 계획을 결정하였다.
② 예상되는 문제점의 보완을 전제로 특정 방안을 실행하는 데에 합의하였다.
③ 최적화된 결과를 도출하기 위해 제삼의 방안을 절충안으로 결정하였다.
④ 소수 의견 존중을 전제로 특정 방안을 유연하게 실행하는 데에 합의하였다.
⑤ 오류 가능성을 줄이기 위해 특정 방안에 대한 전문가의 의견을 구하는 데에 합의하였다.

담화 분석

1 이 토의의 중심 내용을 정리해 보자.

내용		구성
『○○의 이해』를 같이 읽을 방법		토의 주제 확인
해결 방안 1	해결 방안 2	해결 방안 제안
(❶) 방식	(❷) 방식	
모두 정해진 분량의 책을 읽어 오고 발표자가 발표한 후 질의응답하는 방식	모두 정해진 분량의 책을 읽어 와서 자유롭게 이야기를 나누는 방식	
장점 – 책을 (❸) 이해할 수 있음. – 눈높이에 맞는 설명을 들을 수 있어 이해가 쉬움. – 모르는 부분을 서로 부담 없이 질문할 수 있음. – 발표자가 구심점 역할을 하여 논의가 활발해질 수 있음.	**장점** – 모두가 책을 꼼꼼히 읽고 의견을 나누므로 책을 더 정확하게 이해할 수 있음.	해결 방안 분석 및 평가
단점 – 발표자 외의 사람들은 책임감이 덜할 수 있음. – 발표자가 내용을 잘못 이해하면 모두가 오해할 위험이 있음. – 발표자가 준비를 제대로 해 오지 않으면 진행이 어려움.	**단점** – 모두가 책을 꼼꼼하게 읽어 와야 하는 것은 부담임. – (❹) 역할을 하는 사람이 없어 토의가 활발하게 진행되기 어려움. – 책을 읽어 오지 않으면 소외될 수 있음.	
'발표와 질의응답' 방식으로 결정함.(문제점은 개선해 나가기로 함.)		해결 방안 결정

2 이 토의에 사용된 말하기 전략을 파악해 보자.

학생	발화		전략
학생 1	발표와 질의응답, 자유 토의라는 두 가지 방안이 나왔네. 그럼 어느 방안이 좋을지 말해 보자.	→	(❶) 역할을 하며 토의를 진행함.
학생 5	그런데 발표자가 내용을 잘못 이해하면 나머지 모두가 오해를 할 위험이 있어. 자유 토의 방식은 모두가 책을 꼼꼼히 읽고 서로 의견을 나누니까 책을 더 정확하게 이해할 수 있지.	→	다른 참여자의 의견을 검토하고, 적절한 근거를 들어 자신의 의견을 제시함.
학생 5	그러면 발표와 질의응답 방식이 좋겠다는 거지?	→	(❷)을 통해 다른 참여자의 의사를 확인함.

문제 해결 TIP

말하기 방식을 묻는 문제

토의 참여자가 자신의 의도를 효과적으로 전달하기 위해서 사용한 말하기 방식을 묻는 문제를 풀 때에는 우선 선지에 제시된 말하기 방식을 미리 훑어보도록 한다. 그런 다음에 토의문을 읽으면서 선지에 제시된 참여자의 말하기 방식과 관련된 부분을 찾아보고, 선지의 내용이 적절한지 판단한다.

※ 2번 문제의 선지 ②가 적절한 내용인지 판단해 보자.

> **학생 5**: 그런데 발표자가 내용을 잘못 이해하면 나머지 모두가 오해를 할 위험이 있어. 자유 토의 방식은 모두가 책을 꼼꼼히 읽고 서로 의견을 나누니까 책을 더 정확하게 이해할 수 있지. [A]
>
> 2-② [A]에서는 특정 방안의 문제점을 해결할 방안을 언급한 후 다른 방안이 지닌 문제점을 말하고 있다.

↳ [A]에 특정 방안의 문제점을 해결할 방안이 드러나 있는지 파악한다.

❶ '발표자가 내용을 잘못 이해하면 나머지 모두가 오해를 할 위험이 있어.'에 문제점을 해결할 방안이 드러난다. (O / X)

↳ [A]에서 다른 방안이 지닌 문제점을 말하고 있는지 판단한다.

❷ '자유 토의 방식은 모두가 책을 꼼꼼히 읽고 서로 의견을 나누니까 책을 더 정확하게 이해할 수 있지.'에는 다른 방안이 지닌 문제점이 드러난다. (O / X)

❸ 선지에 제시된 말하기 방식이 토의문의 내용과 관련이 없으므로 선지 ②는 (적절하다 / 적절하지 않다).

토의 참여자의 역할

사회자	• 토의의 의제(주제), 토의 규칙 등을 설명함. • 발언 순서나 토의 방향을 조정하며 토의를 원활하게 진행함. • 토의자에게 발언 기회를 공평하게 제공하고 참여자들 간의 갈등을 조정함. • 토의 내용을 요약하고 정리함.
토의자	• 토의 규칙을 준수하고, 문제에 대한 자신의 의견을 명확하게 제시함. • 다른 참여자의 의견을 경청하고, 문제에 대한 합의점을 찾도록 노력함. • 공동의 목적을 달성하기 위해 상호 협력하는 태도를 가지며 합의된 결과를 수용함.

연습 04

토론

[1~3] 다음은 토론의 일부이다. 물음에 답하시오. [2017 수능]

사회자: 우리 학교 동아리 축제에서 동아리 홍보관은 신입 회원 모집을 위한 홍보 효과가 높기 때문에 동아리들에게 인기가 많습니다. 그러나 홍보관 설치를 위한 공간이 한정되어 있어, 지금까지는 학생회가 홍보관 운영 계획서를 공모하여 심사한 후 홍보관을 운영할 동아리를 선정해 왔습니다. 그런데 기존 방식인 ㉠심사 방식 대신 새로운 방식으로 ㉡추첨 방식을 요구하는 동아리들이 많이 있어, 이번 시간에는 '동아리 축제에서 홍보관을 운영할 동아리를 선정할 때 추첨 방식으로 해야 한다.'라는 논제로 토론을 하겠습니다. 찬성 측 입론해 주십시오.

찬성 1: 동아리 축제에서 홍보관을 운영할 동아리를 선정할 때 추첨 방식으로 해야 합니다. 심사 방식의 평가 기준이 타당하지 않고, 평가자 주관이 개입될 수 있어 평가의 신뢰성이 낮아 학생들의 불만이 높기 때문입니다. 반면에 추첨 방식은 선정 과정에서 평가자의 견해가 반영될 수 없습니다. 또한 추첨 방식으로 한다면 홍보관 운영 동아리로 선정될 수 있는 기회가 모든 동아리에 균등하게 부여될 수 있습니다. 그리고 동아리 홍보관 운영 계획서를 준비하는 과정에서 동아리들이 시간과 노력을 불필요하게 들이는 문제도 해소할 수 있습니다.

사회자: 이번에는 반대 측에서 반대 신문 해 주십시오.

반대 2: 추첨 방식이 기회를 균등하게 부여한다고 말씀하셨는데, 그럴 경우 동아리 홍보관 운영을 더 잘 계획하고 준비한 동아리가 탈락할 수도 있죠. 준비가 덜 된 동아리가 선정된다면 동아리 홍보관 운영의 부실로 이어질 수 있지 않나요? [A]

찬성 1: 그렇지 않습니다. 선정된 동아리들은 새로운 회원을 모집하기 위해 적극적으로 홍보해야 하므로, 홍보관 운영에 최선을 다할 것입니다.

사회자: 이번에는 반대 측에서 입론해 주십시오.

반대 1: 홍보관 운영 동아리 선정을 추첨 방식으로 하는 것에 반대합니다. 기존의 심사 방식은 전체 학생을 대표하는 다수의 평가자가 참여하여 평가자의 주관적 개입을 줄일 수 있고, 평가 기준 역시 매년 학생들의 의견을 수렴하여 개선해 왔기 때문에 그 타당성이 매우 높다고 할 수 있습니다. 또한 심사 방식은 모든 동아리가 홍보관 운영 계획서를 제출할 기회를 공평하게 부여하고 있습니다. 그리고 이 계획서를 준비하는 과정에서 동아리 구성원들이 동아리 축제의 목적에 부합하는 활동을 고민하게 되므로 축제가 내실화될 수 있습니다.

사회자: 이번에는 찬성 측에서 반대 신문 해 주십시오.

찬성 1: 홍보관 운영 계획서를 평가하는 기준이 타당하다고 하셨는데 작년 설문 조사 결과에 따르면 평가 기준 중의 일부가 특정 동아리에게 유리하게 작용한다고 응답한 학생들이 많았습니다. 이런 점에서 평가 기준이 타당하다고 보기 어렵지 않나요? [B]

반대 1: 그 문제는 평가 기준의 일부를 개선하여 해결할 수 있습니다.

입론의 내용 평가

1 위 토론의 입론에 대한 이해로 가장 적절한 것은?

① '찬성 1'은 용어의 개념을 정의함으로써 논의의 범위를 한정하고 있다.
② '찬성 1'은 기존 방식이 유지될 때 발생하는 기대 효과를 중심으로 주장하고 있다.
③ '반대 1'은 논제와 관련된 문제 해결의 시급성을 강조하고 있다.
④ '반대 1'은 기존 방식의 긍정적 측면을 근거로 삼아 새로운 방식을 반대하고 있다.
⑤ '반대 1'은 새로운 방식을 도입할 때 발생할 수 있는 부정적 측면에 대하여 언급하고 있다.

개념 코칭

토론 논제의 유형
- 사실 논제: 어떤 사실이 있었는지 아닌지를 객관적 증거를 통해 논리적으로 입증하는 논제
- 가치 논제: 대상이나 사안이 바람직한지 바람직하지 않은지에 대한 가치 판단을 하는 논제
- 정책 논제: 정책의 구체적 사안에 대해 문제점과 실행 방안을 찾아야 하는 논제

말하기 전략 파악

2 [A]와 [B]에 대한 설명으로 가장 적절한 것은?

① [A]는 상대측이 제시한 사례가 적합한지에 대해 의문을 제기하고, 적합한 사례를 제시할 것을 요구하고 있다.
② [A]는 상대측이 앞서 진술한 내용의 일부를 확인하고, 기존 방식을 고수할 경우 생길 문제점을 제기하고 있다.
③ [B]는 상대측 주장을 뒷받침하는 근거가 믿을 만한지 의문을 제기하고, 출처를 제시할 것을 요구하고 있다.
④ [B]는 상대측이 언급한 내용의 일부를 확인하고, 설문 조사 결과를 근거로 평가 기준의 타당성에 대해 의문을 제기하고 있다.
⑤ [A]와 [B] 모두 상대측이 인용한 전문가의 설명이 적합한지 따지고, 사실 관계를 확인하고 있다.

토론 내용 분석

3 ㉠과 ㉡에 관한 토론의 내용을 분석한 것으로 적절하지 않은 것은? [3점]

① 찬성 측은 평가자의 주관이 개입될 수 없다는 점에서 ㉡이 적합한 방식이라고 주장하고 있군.
② 찬성 측은 시간과 노력이 불필요하게 드는 ㉠의 문제점을 ㉡이 해소할 수 있다는 점에서 ㉡이 적합하다고 주장하고 있군.
③ 반대 측은 홍보관 운영을 더 잘 계획하고 준비한 동아리가 ㉡으로 인해 탈락할 수 있다는 점을 들어 ㉠을 옹호하고 있군.
④ 반대 측은 동아리가 홍보관 운영 계획서를 준비하는 과정을 통해 축제가 내실화될 수 있다고 주장하며 ㉠을 지지하고 있군.
⑤ 반대 측은 ㉡을 도입하면 모든 동아리에게 선정 기회가 균등하게 부여된다는 점을 들어 ㉡이 ㉠보다 더 공평하다고 주장하고 있군.

담화 분석

1 이 토론의 중심 내용을 정리해 보자.

	내용	구성
사회자	• (❶): 동아리 축제에서 홍보관을 운영할 동아리를 선정할 때 추첨 방식으로 해야 한다.	토론의 배경 및 논제 제시
찬성 1	• 추첨 방식을 찬성함. • 추첨 방식을 찬성하는 이유 – 선정 과정에서 (❷)의 견해가 반영될 수 없음. – 홍보관 운영 동아리 선정 기회가 모든 동아리에 균등하게 부여됨. – 홍보관 운영 계획서를 준비하는 시간과 노력을 줄일 수 있음.	찬성 측 입론
반대 2	• 추첨 방식을 찬성하는 이유에 대한 문제 제기 – 준비가 덜 된 동아리가 선정될 경우 홍보관이 부실하게 운영될 수 있음.	반대 측 반대 신문
찬성 1	• 반대 측의 반대 신문에서 제기한 문제에 대한 반론 – 선정된 동아리는 회원 모집을 위해 최선을 다해 홍보관을 운영할 것임.	찬성 측 재반론
반대 1	• 추첨 방식을 반대함. • 심사 방식을 찬성하는 이유 – 다수의 평가자가 참여하여 평가자의 (❸) 개입을 줄일 수 있음. – 평가 기준을 매년 개선해 와서 타당성이 높음. – 모든 동아리에게 홍보관 운영 계획서 제출 기회를 공평하게 부여함. – 계획서를 준비하는 과정을 통해 축제가 내실화될 수 있음.	반대 측 입론
찬성 1	• 심사 방식을 찬성하는 이유에 대한 문제 제기 – 설문 조사 결과 (❹)의 일부가 특정 동아리에 유리하게 작용한다는 의견이 많았음.	찬성 측 반대 신문
반대 1	• 찬성 측의 반대 신문에서 제기한 문제에 대한 해결 방안 제시 – 평가 기준을 개선하여 해결할 수 있음.	반대 측 재반론

2 이 토론에 사용된 말하기 전략을 파악해 보자.

	발화		전략
반대 2	추첨 방식이 기회를 균등하게 부여한다고 말씀하셨는데, 그럴 경우 동아리 홍보관 운영을 더 잘 계획하고 준비한 동아리가 탈락할 수도 있죠.	→	상대방이 언급한 내용의 일부를 확인하고, 그 내용에 (❶)가 있음을 지적함.
찬성 1	작년 설문 조사 결과에 따르면 평가 기준 중의 일부가 특정 동아리에게 유리하게 작용한다고 응답한 학생들이 많았습니다.	→	(❷) 결과를 근거로 제시하여 신뢰감을 줌.

문제 해결 TIP

담화 유형에 따른 특성을 묻는 문제

다른 담화 유형에 비해 토론은 정해진 과정과 규칙이 있기 때문에 토론의 특성을 묻는 문제를 풀 때에는 토론의 개념과 과정, 기본 규칙에 대한 학습을 미리 해 두는 것이 필요하다. 발문에서 '입론'이나 '반대 신문' 등으로 특정 과정을 물을 경우 선지를 먼저 파악하여 해당 과정에서 나올 수 있는 발언의 내용을 체크하는 것이 좋다. 대부분의 문제는 선지의 내용과 토론 내용의 일치 여부를 확인하는 것으로 해결할 수 있으므로, 선지의 내용과 토론 내용을 비교하며 둘이 일치하는지를 파악한다.

※ 1번 문제의 선지 ④가 적절한 내용인지 판단해 보자.

반대 1: 홍보관 운영 동아리 선정을 추첨 방식으로 하는 것에 반대합니다. 기존의 심사 방식은 전체 학생을 대표하는 다수의 평가자가 참여하여 평가자의 주관적 개입을 줄일 수 있고, 평가 기준 역시 매년 학생들의 의견을 수렴하여 개선해 왔기 때문에 그 타당성이 매우 높다고 할 수 있습니다. 또한 심사 방식은 모든 동아리가 홍보관 운영 계획서를 제출할 기회를 공평하게 부여하고 있습니다. 그리고 이 계획서를 준비하는 과정에서 동아리 구성원들이 동아리 축제의 목적에 부합하는 활동을 고민하게 되므로 축제가 내실화될 수 있습니다.

1-④ '반대 1'은 기존 방식의 긍정적 측면을 근거로 삼아 새로운 방식을 반대하고 있다.

↳ 입론에 대한 이해를 묻고 있으므로 '반대 1'의 입론 내용을 확인한다.

❶ '반대 1'은 새로운 선정 방식인 추첨 방식을 반대하고 있다. (○ / ×)

↳ '기존 방식의 긍정적 측면을 근거로 삼아' 새로운 방식을 반대하고 있는지 확인한다.

❷ '반대 1'은 기존 방식인 심사 방식의 긍정적 측면 네 가지를 근거로 들어 추첨 방식을 반대하고 있다. (○ / ×)

❸ '반대 1'의 입론 내용과 선지에 제시된 내용이 일치하므로 선지 ④는 (적절하다 / 적절하지 않다).

토론의 주요 과정

입론	찬성 측과 반대 측에서 자기 측의 주장이 타당함을 논리적 근거를 들어 입증하는 과정
반론	상대측의 주장이 타당하지 않음을 반박하며 자기 측의 주장을 강화하는 과정
반대 신문	• 토론 참여자가 상대측 주장과 근거의 적절성을 평가하기 위해 상대측 토론자가 발언한 뒤에 직접 질의하는 과정 • 상대측 발언의 내용에 대해서만 질문하며, 상대측 논증의 오류나 허점을 지적함. • 논제를 깊이 이해하는 데 도움이 되고, 토론의 흐름을 자기 측에 유리하도록 바꿀 수 있음.

연습 05

대화

[1~2] 다음은 [활동]에 따른 대화의 일부이다. 물음에 답하시오. [2020-11월 고1 학평]

[활동] 『토끼전』에 대해 이야기 나누고, 성찰하는 글 작성하기

학생 1: 『토끼전』의 인물들에 대한 평가는 다양하다고 해. 그런데 나는 인물들에 대한 평가가 어떻게 달라질 수 있는지 잘 모르겠어서, 이 주제로 이야기 나눠 보고 싶어.

학생 2: 그럼 나부터 할게. 나는 용왕의 명령을 따르고자 하는 충성스러운 자라는 긍정적이지만, 자신의 목숨을 위해 타인의 희생을 초래할 명령을 내린 용왕은 부정적이라고 생각해. 어떻게 자기 살겠다고 토끼의 간을 빼앗을 생각을 할 수 있지?

학생 3: 타인의 생명을 존중하지 않는 용왕의 이기적인 태도가 문제라는 거지? (학생 2의 반응을 보고, 고개를 끄덕이며) 나도 그렇게 생각했어. 반면에 토끼는 긍정적인 인물이라고 생각해. 위기에 처했는데도 삶을 포기하지 않고 기지를 발휘하잖아. 나도 토끼처럼 어떤 상황에서도 지혜를 발휘할 수 있는 사람이 되고 싶어. [A]

학생 1: 토끼는 헛된 욕심 때문에 위기에 빠진 게 아닐까? 또 부귀영화를 기대하며 삶의 터전을 버리고 쉽게 수궁으로 간 것을 보면 토끼의 경솔함도 긍정적으로 보긴 어려울 것 같아. 그에 비하면 변치 않는 충성심으로 볼 때, 자라는 신의 있는 인물 같아. 그래서 나는 자라가 배울 점이 많은 인물이라고 생각해.

학생 3: 음, 나는 오히려 자라를 부정적으로 봤어. 임무 수행을 위해 거짓말까지 한 자라의 행동은 윤리적으로 비판받아 마땅해.

학생 1: 그래도 그 거짓말은 용왕을 살려야 한다는 대의를 위한 선의의 거짓말로 봐야 해.

학생 3: 핑계 없는 무덤이 어딨어. 자라는 용왕을 위해 거짓말을 한 거라고 스스로를 합리화하겠지만, 피해는 토끼가 보고 있잖아. 결국 자라의 거짓말은 다른 이를 위기로 몰아넣는 나쁜 거짓말일 뿐이야. 더 나아가 자라의 맹목적인 충성심도 비판받아야 한다고 생각해. 명령이 잘못되었는데도 옳고 그름은 따져 보지 않고 임무를 완수할 방법만 궁리한 거잖아. 큰 죄를 저지르고도 상급자의 명령이니까 따랐을 뿐이라고 말하는 사람들과 다르지 않아. [B]

학생 1: 듣고 보니 그렇네. 신의라는 가치는 삶을 살아가는 데 중요한 요소임은 분명한데, 자라가 좀 더 현명한 방식으로 신의를 지켰다면 더 좋았을 것 같아.

학생 2: 이야기를 나눠 보니 같은 인물에게서 각자 다른 의미를 찾아내는 점이 재미있다. 특히 인물들의 부정적인 측면에 주목해 보니 인물들 모두 옳고 그름에 대한 성찰이 부족했다는 것을 새롭게 알게 되었어.

학생 1: 그러게. 나도 이제 바람직한 삶을 위해 필요한 것이 무엇인지도 조금은 알게 된 것 같아. 그리고 인물에 대해 내린 평가에 대해 다시 생각해 보아야 할 것 같아. 이제 성찰하는 글을 쓰면 되는 거지? 글을 쓰기 위해 어제 메모를 해 보았는데 이야기한 내용을 바탕으로 수정해야겠어.

학생 2: 오늘 한 이야기를 바탕으로 각자 쓰면 되겠다. (학생 3을 바라보며) 너 아까 공책에 필기하던데, 이야기 나눈 내용을 적은 거야?

학생 3: 응. 이야기한 내용을 요약해서 적고, 부족하지만 내 생각도 조금 덧붙였어.

학생 2: ㉠나도 글을 쓰려면 정리 내용이 필요한데, 좀 빌려줘.

말하기 전략 파악

1 [A]와 [B]에 나타난 '학생 3'의 말하기 방식으로 가장 적절한 것은?

① [A]에서는 '학생 2'의 의견을 요약하여 재진술하고 있고, [B]에서는 '학생 1'의 의견을 논거를 들어 보강하고 있다.

② [A]에서는 '학생 2'의 의견에 대한 자신의 이해가 맞는지 확인하고 있고, [B]에서는 '학생 1'의 의견에 대해 근거를 들어 반박하고 있다.

③ [A]에서는 '학생 2'에게 추가적인 정보를 요청하고 있고, [B]에서는 '학생 1'의 의견을 뒷받침할 수 있는 추가적인 사례를 언급하고 있다.

④ [A]에서는 '학생 2'의 의견에 비언어적 표현을 활용하며 공감하고 있고, [B]에서는 '학생 1'의 의견에 관용적인 표현을 활용하며 동의하고 있다.

⑤ [A]에서는 '학생 2'의 의견에 동조한 뒤 화제를 전환하고 있고, [B]에서는 '학생 1'의 의견을 수용한 뒤 화제와 관련하여 현실적 한계를 지적하고 있다.

공손한 표현 적용

2 〈보기〉를 바탕으로 할 때, ㉠을 대신할 수 있는 말로 가장 적절한 것은?

보기

대화를 원활하게 진행하기 위해서는 공손한 표현을 사용하는 것이 필요하다. 즉 상대방에게 부담이 되는 표현은 최소화하고, 상대방에 대한 칭찬은 극대화하는 것이 좋다.

① 네가 공책을 다 보고 나서 시간이 괜찮다면 빌려줄 수 있을까? 너는 정말 필기를 꼼꼼하게 잘하는 것 같아.

② 네가 불편하지 않다면 필기를 볼 수 있을까? 내가 동아리 활동 때문에 바빠서 지금 말고는 볼 시간이 없거든.

③ 네가 지난 활동에서도 정리 자료를 빌려주었으니 이번에도 네가 빌려주는 것이 당연해. 그때 정말 도움이 됐어.

④ 네가 이야기를 하는 동시에 필기를 하다 보니 필기 내용은 부족할거야. 그래도 조금은 도움이 될 수도 있으니 빌려줘.

⑤ 너는 평소에도 글쓰기를 참 잘하더라. 그런데 이번 글쓰기는 수행 평가에도 반영되니 너의 공책이 없으면 난 평가를 망칠 거야.

개념 코칭

공손성의 원리

- 요령의 격률: 상대방에게 부담이 되는 표현은 줄이고, 이익이 되는 표현은 늘린다.
- 관용의 격률: 자신에게 이익이 되는 표현은 줄이고, 부담을 주는 표현은 늘린다.
- 칭찬의 격률: 상대방에 대한 비방은 줄이고, 칭찬은 늘린다.
- 겸양의 격률: 자신에 대한 칭찬은 줄이고, 비방하는 표현은 늘린다.
- 동의의 격률: 자신과 상대방의 의견에서 차이점은 줄이고, 일치점은 늘린다.

담화 분석

1 이 대화의 중심 내용을 정리해 보자.

	내용	구성
학생 2	• '자라'에 대한 평가 – 긍정적: 충성스러움. • '용왕'에 대한 평가 – 부정적: 자신을 위해 타인의 (❶)을 초래함.	『토끼전』의 인물들에 대한 평가
학생 3	• '(❷)'에 대한 평가 – 부정적: 타인의 생명을 존중하지 않고 이기적임. • '토끼'에 대한 평가 – 긍정적: 위기 상황에서 포기하지 않고 기지를 발휘함. • '자라'에 대한 평가 – 부정적: 임무 수행을 위해 거짓말을 함. 맹목적인 충성심을 보임.	
학생 1	• '토끼'에 대한 평가 – (❸): 헛된 욕심 때문에 위기에 빠짐. 경솔함. • '자라'에 대한 평가 – 긍정적: 신의 있음. → 대화를 나눈 후 자라의 부정적인 측면에 대해 인식하게 됨.	
학생 2	• 같은 인물에게서 각자 다른 의미를 찾아내는 것이 재미있음. • 인물들 모두 옳고 그름에 대한 (❹)이 부족했음을 알게 됨.	대화 후의 소감
학생 1	바람직한 삶을 위해 필요한 것이 무엇인지 깨달음.	

2 이 대화에 사용된 말하기 전략을 파악해 보자.

	내용		전략
학생 3	타인의 생명을 존중하지 않는 용왕의 이기적인 태도가 문제라는 거지? (학생 2의 반응을 보고, 고개를 끄덕이며) 나도 그렇게 생각했어.	→	• 상대방의 말을 요약하며 재진술함. • (❶) 표현을 활용함. • 상대방의 의견에 대한 동의를 표시함.
학생 3	핑계 없는 무덤이 어딨어.	→	(❷)을 활용하여 자신의 의견을 효과적으로 전달함.
학생 3	이야기한 내용을 요약해서 적고, 부족하지만 내 생각도 조금 덧붙였어.	→	자신에 대한 칭찬을 최소화하고 겸손하게 표현함.

문제 해결 TIP

말하기 전략을 묻는 문제

대화 참여자들은 원활한 의사소통을 위해 다양한 말하기 전략을 사용한다. 말하기 전략에 대한 문제를 풀 때에는 우선 대화의 주요 화제가 무엇인지 찾고, 화제에 대해 누가, 어떤 의도로 말했는지 살펴본다. 그 다음에 대화에서 활용한 관용 표현이나 준언어적 · 비언어적 표현 등과 같은 말하기 전략을 파악한 뒤 선지의 내용과 일대일로 대응시키면서 일치 여부를 확인하도록 한다.

※ 1번 문제의 선지 ④가 적절한 내용인지 판단해 보자.

학생 3: 타인의 생명을 존중하지 않는 용왕의 이기적인 태도가 문제라는 거지? (학생 2의 반응을 보고, 고개를 끄덕이며) 나도 그렇게 생각했어. 반면에 토끼는 긍정적인 인물이라고 생각해. 위기에 처했는데도 삶을 포기하지 않고 기지를 발휘하잖아. 나도 토끼처럼 어떤 상황에서도 지혜를 발휘할 수 있는 사람이 되고 싶어. [A]

학생 3: 핑계 없는 무덤이 어딨어. 자라는 용왕을 위해 거짓말을 한 거라고 스스로를 합리화하겠지만, 피해는 토끼가 보고 있잖아. 결국 자라의 거짓말은 다른 이를 위기로 몰아넣는 나쁜 거짓말일 뿐이야. 더 나아가 자라의 맹목적인 충성심도 비판받아야 한다고 생각해. 명령이 잘못되었는데도 옳고 그름은 따져 보지 않고 임무를 완수할 방법만 궁리한 거잖아. 큰 죄를 저지르고도 상급자의 명령이니까 따랐을 뿐이라고 말하는 사람들과 다르지 않아. [B]

1-④ [A]에서는 '학생 2'의 의견에 비언어적 표현을 활용하며 공감하고 있고, [B]에서는 '학생 1'의 의견에 관용적인 표현을 활용하며 동의하고 있다.

↳ [A], [B]에 관용 표현이나 준언어적 · 비언어적 표현이 사용되었는지 확인한다.

❶ [A]에 '고개를 끄덕이며'라는 비언어적 표현을, [B]에 '핑계 없는 무덤이 어딨어.'라는 관용적인 표현을 활용하였다. (○ / ×)

↳ [A], [B]에 나타난 말하기 전략이 선지의 내용과 일치하는지 파악한다.

❷ [B]에서는 '핑계 없는 무덤이 어딨어.'라는 관용적인 표현을 활용하여 '학생 1'의 의견에 동의하고 있다. (○ / ×)

❸ 대화의 내용과 선지의 내용이 일치하지 않으므로 선지 ④는 (적절하다 / 적절하지 않다).

개념➕플러스

언어적 · 준언어적 · 비언어적 표현

언어적 표현	말하는 내용과 상황에 어울리는 어휘와 어법에 맞는 표현
준언어적 표현	• 언어적 표현에 덧붙여 의미를 바꾸거나 강조하여 전달함. • 말의 높낮이(억양), 빠르기(속도), 분위기(어조), 말소리의 크기(성량) 등
비언어적 표현	• 언어 표현과는 독립적으로 의미를 표현함. • 표정, 몸짓, 손짓, 시선, 태도, 옷차림 등

발표

[1~3] 다음은 수업 시간 중 학생의 발표이다. 물음에 답하시오. [2022 수능 예시 문항]

북어, 황태, 코다리, 동태. 이처럼 명태는 가공 방식에 따라 여러 이름으로 불리는데요. 명태라는 이름에는 다음과 같은 이야기가 전해진다고 합니다. (만화 제시) 보신 것처럼 명천에 사는 어부 태 씨가 잡았다고 해서 이름이 명태라니 흥미롭지요? 명태를 모르는 분은 없겠지만, 평소 식탁에 자주 오르는 명태가 우리 바다에서 더 이상 잡히지 않는다는 사실을 아는 분은 아마 드물 것입니다. 너무 익숙해서 오히려 무관심했던 명태에 대해 알려 드리고 싶어 명태가 사라져 가는 실태와 그 원인, 그리고 명태를 되찾기 위한 노력을 소개하겠습니다.

명태는 동해에 풍부하게 서식해 (도표 1 제시) 보시는 것처럼 연간 수만 톤씩 잡혔지만 1990년대 들어 어획량이 줄어들더니 2000년부터는 급격히 감소해 최근에는 사실상 없다고 할 수 있습니다. (도표 2 제시) 그래서 보시는 것처럼 우리가 소비하고 있는 명태는 거의 다 외국에서 수입되고 있습니다.

그렇다면 명태는 왜 우리 바다에서 사라지게 되었을까요? 연구자들은 남획을 그 원인으로 꼽습니다. 새끼 명태인 노가리까지 무차별적으로 잡아 명태의 씨가 말랐다는 것입니다. 한편 지구 온난화를 원인으로 보기도 합니다. 동해의 표층 온도 상승이 명태에게 안 좋은 영향을 주었다는 것이지요. (청중의 반응을 살핀 후) 미리 자료를 준비하지 못했지만 말씀드린 내용의 이해를 돕기 위해 인터넷에서 동영상을 하나 찾아 보여 드릴게요. (동영상 재생) 보신 것처럼 명태는 차가운 바다의 표층에 알을 낳기 때문에 표층 온도가 오르고 있는 동해는 명태에게 불리한 바다 환경인 셈이지요.

이에 우리나라에서는 사라진 명태를 되찾기 위해 노력하고 있습니다. 이 중 '명태 살리기 프로젝트'에 대해 연도별로 그 진행 과정을 설명하도록 하겠습니다. (청중의 반응을 살핀 후) 간단히 설명하기를 원하시는 것 같네요. 그럼, 준비한 사진과 내용은 많지만 몇 장의 사진을 중심으로 주요 내용만을 설명하겠습니다. (세 장의 사진을 골라 한 화면에 제시) 첫 사진에 보이는 이 어미 명태로부터 프로젝트는 본격적으로 시작되었습니다. 사례금을 걸 정도로 어렵게 명태를 확보한 연구진은 치어를 인공 부화하는 데 성공하였고, 다음 사진처럼 동해에 명태를 방류하였습니다. 마지막 사진에 보이는 것처럼 적은 수지만 방류했던 명태가 잘 자라고 있음이 확인되어 우리 바다에 명태가 되살아날 가능성을 확인했습니다. 또한 해양 수산부에서는 2019년부터 우리 바다에서의 명태잡이를 금지해 명태를 되찾기 위한 노력을 이어가고 있습니다.

준비한 내용을 다 설명드리지 못했습니다. 발표 내용에 대해 더 알고 싶거나 궁금한 게 있는 분들은 발표 후 제게 질문해 주시거나 제가 발표를 위해 참고한 ○○ 수산 연구소 누리집에 방문해 보시기 바랍니다. 이상 발표를 마치겠습니다.

말하기 계획 파악

1 **위 발표를 위한 계획 중 발표에 반영되지 않은 것은?**

① 명태가 사라져 가는 문제에 관심을 갖게 된 사연을 소개해야겠다.
② 명태가 다양하게 불리는 점을 언급하며 화제를 제시해야겠다.
③ 어미 명태를 확보하는 일이 어려웠다는 점을 언급해야겠다.
④ 명태를 되찾기 위한 우리나라의 노력을 설명해야겠다.
⑤ 명태에 대한 내용을 발표하려는 목적을 밝혀야겠다.

발표 전략 파악

2 **〈보기〉를 바탕으로 위 발표가 진행되었다고 할 때, 학생의 발표 전략으로 적절하지 않은 것은? [3점]**

보기

발표 전 청중 특성 분석	발표 중 청중 반응 분석
㉠ 명태에 대해 흥미가 적음. ㉡ 명태가 우리 바다에서 사라져 가고 있는 상황을 모름. ㉢ 실생활에 도움이 되는 정보를 알기 원함.	㉣ 동해의 표층 온도와 명태의 관련성을 잘 이해하지 못하고 있음. ㉤ '프로젝트' 진행 과정을 간략하게 설명하기를 원하고 있음.

① ㉠을 고려하여, 청중의 흥미를 유발하기 위해 만화를 활용하고 있다.
② ㉡을 고려하여, 명태가 우리 바다에서 사라져 가는 실태를 알려 주기 위해 도표 1을 활용하고 있다.
③ ㉢을 고려하여, 수입산 명태의 원산지를 확인하는 방법을 안내하기 위해 도표 2를 활용하고 있다.
④ ㉣을 반영하여, 앞서 설명한 내용에 대한 청중의 이해를 돕는 정보를 전달하기 위해 동영상을 활용하고 있다.
⑤ ㉤을 반영하여, 발표 분량을 조정하기 위해 발표 전 준비한 사진 중 일부 사진을 선택적으로 활용하고 있다.

반응의 적절성 평가

3 **다음은 두 학생이 위 발표를 들으며 쓴 메모이다. 학생 1과 학생 2가 상대의 메모에 대해 반응한 내용으로 가장 적절한 것은?**

학생 1

- 명태 이름 유래: ㊎천㊏씨
- 명태의 새끼 = 노가리
- 음식점에서 명태의 원산지가 러시아라는 표기를 본 적이 있음.
- ○○ 수산 연구소 누리집

학생 2

- 남획과 지구 온난화
⇒ 명태가 동해에서 사라져 가고 있음. → 명태 살리기 프로젝트 추진
- 명절에 먹었던 동태전이 명태로 만든 것이었군.

① 학생 1: 나처럼 발표 내용을 사실과 의견으로 구분했군.
② 학생 1: 나와 달리 발표 내용 간의 관계를 파악했군.
③ 학생 1: 나와 달리 발표 내용을 일상의 경험과 관련지었군.
④ 학생 2: 나처럼 발표 내용을 유사한 항목으로 범주화했군.
⑤ 학생 2: 나와 달리 발표 방식에 대해 평가했군.

개념 코칭

메모하며 듣기
메모하며 들을 때에는 발표의 핵심 내용을 정리하여 기록하거나 기억하고 싶은 내용, 새롭게 알게 된 내용, 더 알고 싶은 내용, 자신의 생각이나 의견 등을 기록한다.

발표

[1~3] 다음은 학생이 수업 시간에 한 발표이다. 물음에 답하시오. [2021-9월 모평]

떫은맛이 어떤 느낌인지 모르는 사람은 없을 것입니다. 그런데 그 맛이 어떻게 해서 느껴지는지, 떫은맛이 나는 식품이 몸에 어떤 영향을 주는지에 대해서는 잘 모르는 것 같습니다. 그래서 여러분에게 떫은맛에 대해 알려 드리려고 합니다.

과학 시간에 단맛, 짠맛, 신맛 등과 같은 기본적인 맛이 혀의 미각 세포를 통해 느껴진다고 배운 적이 있는데, 기억하시나요? (대답을 듣고) 다들 잘 알고 있네요. 그런데 떫은맛은 입속 점막과 같은 피부 조직이 자극을 받아 느껴지는 촉각에 해당해요. 떫은맛을 내는 성분은 입안에서 혀 점막의 단백질과 결합합니다. 그 과정에서 만들어진 물질이 혀의 점막을 자극하죠. 이 자극 때문에 우리는 입안이 텁텁하다고 느낍니다. 그 텁텁한 느낌을 떫은맛이라고 하는 거죠.

(사진을 보여 주며) 이것은 감의 단면입니다. 과육 사이에 보이는 작고 검은 점들을 본 적이 있으시죠? (대답을 듣고) 네, 다들 본 적이 있는 이 점들이 떫은맛을 내는 성분 중의 하나인 타닌입니다. 덜 익은 감의 타닌은 침에 녹는 성질이 있어 떫은맛을 느끼게 해요. 하지만 감이 익어 가면서 타닌이 침에 녹지 않는 성질로 변하기 때문에 잘 익은 감에서는 떫은맛이 느껴지지 않습니다.

떫은맛이 나는 식품을 적당히 먹으면 건강에 도움이 됩니다. ○○ 연구소의 연구에 따르면, 떫은맛을 내는 타닌이 들어 있는 감과 녹차는 당뇨와 고혈압 등을 개선하는 기능이 있다고 합니다. 다만 떫은맛이 나는 식품을 많이 섭취하면 입이 마르고, 대장에서 수분 흡수율이 지나치게 높아져서 속이 불편할 수 있으니 적당히 섭취하는 게 좋습니다.

떫은맛을 꺼리는 사람도 있지만 떫은맛은 다른 맛과 혼합돼 독특한 풍미를 형성하기도 합니다. 그 풍미 때문에 녹차나 홍차를 즐기는 사람도 많은데요, 발표를 준비하면서 우리 주변에 떫은맛이 나는 식품이 많다는 것을 알게 되었습니다. 떫은맛이 나는 식품에는 무엇이 더 있는지 여러분도 찾아보면 어떨까요? 이상으로 발표를 마치겠습니다.

발표 전략 파악

1 **위 발표에 대한 설명으로 가장 적절한 것은?**

① 발표에 사용할 용어의 개념을 정의한 후 화제를 제시하고 있다.

② 청중의 요청에 따라 발표 내용에 대한 정보를 추가하여 설명하고 있다.

③ 발표 중간중간에 청중이 발표를 들으면서 주의해야 할 점을 안내하고 있다.

④ 발표 내용과 관련된 청중의 경험을 환기하며 청중의 반응을 확인하고 있다.

⑤ 발표 내용에 대한 청중의 이해 여부를 확인하는 질문을 하며 발표를 마무리하고 있다.

내용 생성의 적절성 평가

2 다음은 발표를 하기 위해 작성한 메모와 발표 계획이다. 발표 내용에 반영되지 않은 것은?

	메모		발표 계획
①	청중은 떫은맛의 느낌은 알지만 떫은맛과 관련된 지식은 부족할 것임.	→	떫은맛에 대한 정보를 제공하는 것이 발표의 목적임을 밝혀야지.
②	청중은 기본적인 맛은 미각 세포를 통해 느낀다는 것을 배운 적이 있음.	→	기본적인 맛과 떫은맛이 느껴지는 감각의 차이를 언급하며 떫은맛이 느껴지는 과정을 설명해야지.
③	감의 타닌(과육의 검은 점)이 떫은맛을 냄.	→	떫은맛을 내는 다양한 성분을 분석한 시각 자료를 보여 줘야지.
④	떫은맛이 나는 식품이 건강에 도움을 줌.	→	떫은맛이 나는 식품의 효능과 관련된 연구 결과를 인용해야지.
⑤	떫은맛이 나는 식품은 여러 가지가 있음.	→	떫은맛이 포함되어 풍미를 느낄 수 있는 식품의 예를 언급해야지.

청중의 반응 평가

3 〈보기〉는 위 발표를 들은 학생들의 반응이다. 발표의 내용을 고려하여 학생의 반응을 이해한 내용으로 가장 적절한 것은?

보기

학생 1: 녹차에 타닌이 들어 있다는 사실을 처음 알았어. 녹차의 떫은맛이 물에 우려내는 정도에 따라 달라지는 걸로 봐서 녹차의 타닌은 물에 녹는 성질을 가지고 있겠군.

학생 2: 떫은맛에 대해 관심이 없었는데 쉽게 접하는 과일인 감과 연결해서 설명하니 떫은맛에 관심이 생겼어. 떫은맛이 나는 건 먹어서 좋을 게 없다고 생각했는데 그렇지 않네. 몸에 좋다니 앞으로 적당히 먹어 봐야겠어.

학생 3: 감의 검은 점이 단맛을 내는 것이라고 생각했는데 떫은맛을 내는 성분이었구나. 감이 익어 가면서 그 성분의 성질이 변한다는 점이 흥미로웠어.

① '학생 1'은 발표 내용과 자신이 알고 있던 사실을 비교하며 발표에서 제시한 정보의 문제점을 지적하고 있다.

② '학생 2'는 발표자가 청중에게 익숙한 사물을 소재로 제시한 것에 대해 그 이유를 궁금해하고 있다.

③ '학생 3'은 발표에서 새롭게 알게 된 사실에 대해 추가적인 정보가 필요하다고 판단하고 있다.

④ '학생 1'과 '학생 2'는 모두, 발표에서 직접적으로 언급하지 않은 내용을 추론하고 있다.

⑤ '학생 2'와 '학생 3'은 모두, 발표에서 새롭게 알게 된 정보를 통해 자신이 평소 생각하던 바를 수정하고 있다.

발표

[1~3] 다음은 학생의 발표이다. 물음에 답하시오. [2020 수능]

안녕하세요. 여러분의 필통에는 어떤 필기구가 가장 많은가요? (청중의 답을 듣고) 네, 제 생각대로 볼펜이 많군요. 그럼 사람들은 왜 볼펜을 애용할까요? 값이 싸고 휴대하기 편해서이기도 하지만 또 다른 장점이 있습니다. 그래서 오늘은 볼펜이 사람들에게 널리 사용되는 이유를 말씀드리겠습니다.

먼저 볼펜은 글씨를 쓸 때 종이가 찢어지거나 볼펜 끝부분이 망가지는 일이 적습니다. 이게 왜 장점일까요? (자료 1을 가리키며) 보시는 것처럼 볼펜이 사용되기 이전부터 쓰이던 만년필은 모세관 현상에 의해 힘들이지 않고 글씨를 쓸 수 있습니다. 하지만 펜촉이 날카로워 종이가 찢어지기도 하고, 거친 표면에 글씨를 쓰면 펜촉이 망가지기도 쉽습니다.

아, 질문이 있으시네요. (㉠청중의 질문을 듣고) 겉으로는 잘 보이지 않지만 종이의 섬유소가 가는 대롱의 역할을 하기 때문에 펜촉에 있던 잉크가 모세관 현상에 의해 종이로 흘러가서 쉽게 필기할 수 있는 겁니다. 이해되셨나요? (청중이 고개를 끄덕이는 것을 보고) 네, 그럼 발표를 이어 가겠습니다.

(자료 2를 가리키며) 보시는 것처럼 볼펜은 글씨를 쓸 때 볼과 종이의 마찰에 의해 볼이 구르지요. 이 과정에서 볼의 잉크가 종이에 묻으며 글씨가 써집니다. 그런데 볼펜의 볼이 빠진 경험이 한 번쯤 있으시죠? (자료 3을 가리키며) 보시는 것처럼 볼펜은 잉크가 들어갈 대롱의 끝에 볼을 넣은 후 밑부분을 오므려 볼이 빠지지 않도록 하는데요, 볼이 빠지는 문제를 정밀한 기술로 보완하고 있습니다.

또한 볼펜은 종류가 다양하여 사람들이 필요에 따라 고를 수 있어서 좋습니다. 글자가 물에 잘 번지지 않는 유성 볼펜, 필기감이 부드러운 수성 볼펜, 여러 색을 하나에 담은 다색 볼펜, 글씨를 쓰고 지울 수 있는 볼펜, 우주에서 사용할 수 있는 가압 볼펜 등 선택의 폭이 넓습니다.

볼펜은 신문 기자였던 라즐로 비로가 특허를 낸 이후 상용화되면서 기존 필기구의 단점을 보완하고 사람들의 다양한 요구를 반영하여 꾸준히 사용되고 있습니다. 지금까지, 볼펜이 사람들에게 널리 사용되는 이유를 말씀드렸습니다. 감사합니다.

말하기 방식 파악

1 **위 발표자의 말하기 방식으로 적절하지 않은 것은?**

① 발표 대상의 종류를 열거하여 장점을 소개하고 있다.
② 청중의 대답을 예상하고 질문하여 화제를 제시하고 있다.
③ 청중의 경험을 이끌어 내며 관련된 내용을 설명하고 있다.
④ 내용의 신뢰성을 높이기 위해 전문가의 견해를 인용하고 있다.
⑤ 발표 대상의 특징을 부각하기 위해 다른 대상과 비교하고 있다.

매체 활용의 적절성 평가

2 다음은 위 발표에 활용된 매체 자료이다. 발표를 참고할 때, 발표 내용과 자료를 활용한 이유를 바르게 짝지은 것은? [3점]

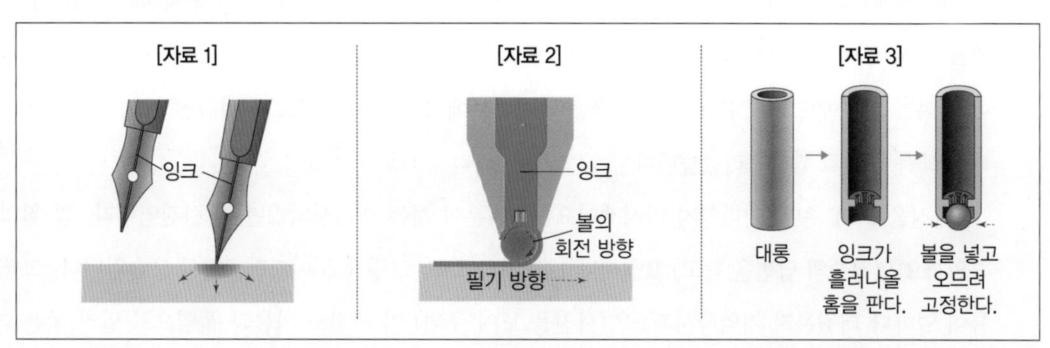

	자료	발표 내용	매체 자료를 활용한 이유
①	자료 1	만년필에 적용된 모세관 현상	표면의 거친 정도에 따라 모세관 현상이 일어나는 정도의 차이를 대비하여 보여 주기 위해
②	자료 2	볼펜의 제작 과정	볼펜의 복잡한 내부 구조를 단순화하여 보여 주기 위해
③	자료 2	볼펜으로 글씨가 써지는 원리	볼이 있는 부분의 단면을 확대하여 볼의 잉크가 종이에 묻는 원리를 보여 주기 위해
④	자료 3	볼펜의 볼을 고정하는 과정	볼펜의 볼을 정밀하게 가공하는 절차를 단계적으로 보여 주기 위해
⑤	자료 3	볼펜에 잉크를 주입하는 방법	잉크가 흘러나오는 과정을 한눈에 확인할 수 있도록 순서대로 보여 주기 위해

말하기 내용 추론

3 위 발표의 흐름을 고려할 때, ㉠으로 가장 적절한 것은?

① 만년필로 종이에 글씨를 수월하게 쓸 수 있는 것이 모세관 현상과 어떤 관련이 있나요?
② 만년필 외에 모세관 현상이 적용되어 손쉽게 필기할 수 있는 필기구에는 무엇이 있나요?
③ 만년필 펜촉의 굵기와 필기할 때 힘을 들이는 정도는 어떤 연관성이 있나요?
④ 만년필로 힘들이지 않고 글씨를 쓰려면 어떤 형태의 펜촉을 사용해야 하나요?
⑤ 종이의 섬유소가 가는 대롱과 같은 역할을 한다는 것이 무슨 의미인가요?

강연

[1~3] 다음은 봉사 동아리 학생들을 대상으로 한 강연이다. 물음에 답하시오. [2022-6월 모평]

안녕하세요. □□ 산림 연구소 연구원 ○○○입니다. 강연 시작에 앞서 먼저 사진을 보실까요? (사진을 보여 주며) 기억나시지요? 지난 겨울 방학에 가로수 지킴이 활동을 하는 여러분의 모습입니다. 이번 여름 방학에도 가로수 지킴이로 활동할 여러분에게 도움을 드리고자 여름철 가로수 고사의 원인과 대책을 주제로 말씀드리겠습니다.

(사진을 보여 주며) 어디인지 아시겠어요? 여러분이 사는 △△시의 2년 전 사진입니다. 몇 월의 모습일까요? (청중의 답변을 듣고) 11월이나 12월이라고요? 그렇게 보이지만 8월의 모습입니다. 그해 여름이 얼마나 더웠는지 기억나시지요? (사진을 보여 주며) 이 사진도 가뭄과 폭염으로 말라 죽은 가로수의 모습입니다. 특히 도시의 가로수가 가뭄과 폭염으로 인한 건조에 취약한 것은 도시의 열악한 토양 환경 때문입니다. 도시의 토양은 물이 스며들기 어려워서 토양 내 수분 함유량이 매우 낮습니다. (그림을 보여 주며) 보시는 바와 같이 차도와 보도의 압력으로 토양 입자 사이의 틈이 줄어들어 있습니다. 이로 인해 뿌리에 충분한 수분이 전달되지 못하는 것이지요. 그래서 건조에 강한 수종을 가로수로 선정합니다. 잔뿌리가 땅 표면 가까이에 분포해서 적은 강우량에도 수분을 잘 흡수할 수 있는 수종을 선택하는 것이지요. 이와 함께 가로수가 건조에 견딜 수 있는 환경을 만들어 주기 위해 가로수의 기존 보호 틀을 확대해 물이 스며드는 면적을 넓히고 잔뿌리가 잘 자라도록 최대한 생육 공간을 확보합니다.

그런데 다들 아시는 것처럼 최근 기후 변화로 가뭄과 폭염이 심해지고 있어 도시의 가로수에 수분을 공급하는 일이 절실합니다. 가로수가 말라 죽지 않도록 땅 표면 아래 20㎝까지 적셔 주려면 2시간 이상은 비가 내려야 하는데 폭염에는 잠시 쏟아지는 소나기로는 턱없이 부족합니다. 살수차를 동원해 물도 뿌리지만 한계가 있습니다. 그래서 사람이 직접 나무마다 물주머니를 매달고 토양 보습제를 투입하는 것입니다. 일일이 수작업해야 하는 일이라 여러분과 같은 자원봉사자의 역할이 매우 중요합니다. 가로수를 지키는 건 여러분이 살아갈 도시를 더욱 건강하게 가꾸는 일입니다. 여러분 덕분에 △△시의 가로수가 올여름에는 말라 죽지 않을 것입니다. 이상 강연을 마칩니다.

개념 코칭

강연자의 역할
강연자는 청중의 요구가 무엇인지 파악해 실질적으로 도움을 줄 수 있는 내용을 전달해야 한다. 강연을 할 때에는 청중의 수준에 맞게 내용을 구성하고 필요한 자료를 다양하게 준비해야 한다.

말하기 방식 파악

1 **위 강연자의 말하기 방식으로 가장 적절한 것은?**

① 강연 대상을 다른 소재에 빗대어 설명하고 있다.
② 강연 내용과 관련한 청중의 경험을 환기하고 있다.
③ 통계 자료를 인용하여 강연 내용을 설명하고 있다.
④ 과거 사례와 최근의 사례를 대조하며 설명하고 있다.
⑤ 강연을 하게 된 소감을 밝히며 강연을 시작하고 있다.

내용 생성의 적절성 평가

2 다음은 동아리 부장이 강연자에게 보낸 전자 우편이다. 이를 바탕으로 세운 강연자의 계획 중 강연에 반영되지 않은 것은?

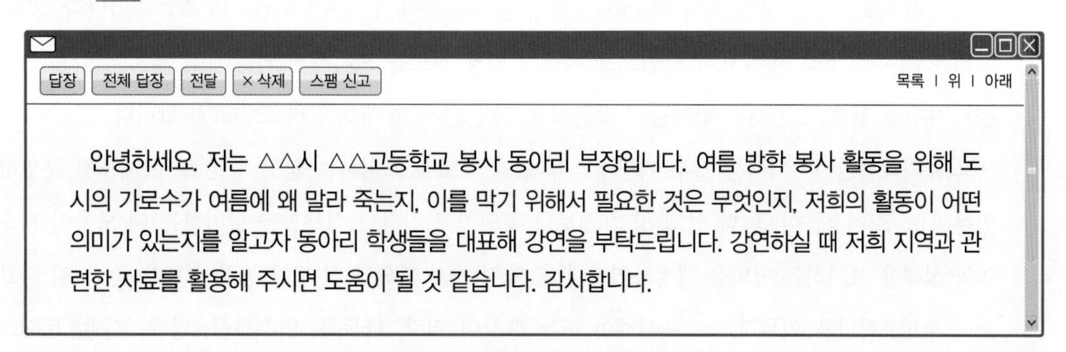
답장 | 전체 답장 | 전달 | × 삭제 | 스팸 신고 | 목록 | 위 | 아래

안녕하세요. 저는 △△시 △△고등학교 봉사 동아리 부장입니다. 여름 방학 봉사 활동을 위해 도시의 가로수가 여름에 왜 말라 죽는지, 이를 막기 위해서 필요한 것은 무엇인지, 저희의 활동이 어떤 의미가 있는지를 알고자 동아리 학생들을 대표해 강연을 부탁드립니다. 강연하실 때 저희 지역과 관련한 자료를 활용해 주시면 도움이 될 것 같습니다. 감사합니다.

① 청중이 여름 방학 봉사 활동에 참여하므로 여름철 가로수 지킴이 활동을 위한 준비 사항을 안내한다.
② 청중이 도시 가로수 고사의 원인을 알고자 하므로 이와 관련한 도시의 토양 환경을 시각 자료를 활용하여 설명한다.
③ 청중이 도시 가로수의 고사를 방지하기 위한 방안을 알고자 하므로 가로수에 수분을 공급하는 다양한 방안을 설명한다.
④ 청중이 봉사 활동의 의의를 알고자 하므로 봉사 활동이 가뭄과 폭염에서 가로수를 보호하는 데 기여한다는 것을 설명한다.
⑤ 청중이 자신의 지역과 관련한 자료의 활용을 희망하므로 △△시의 사진을 보여 주며 질의응답한다.

청중의 듣기 과정 파악

3 다음은 학생이 강연을 들으면서 작성한 메모이다. 이를 바탕으로 학생의 듣기 과정을 이해한 내용으로 적절하지 않은 것은? [3점]

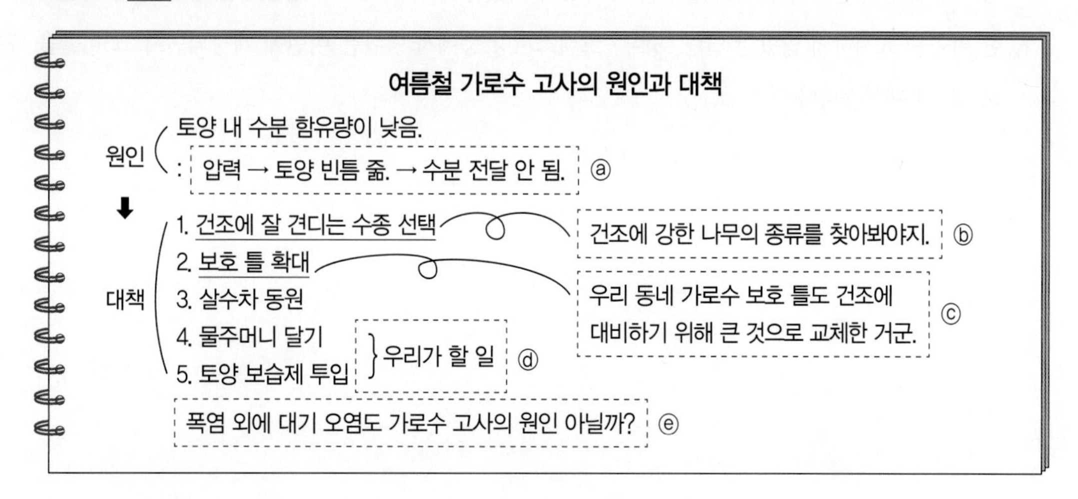

① ⓐ: 화살표를 사용하여 강연 내용을 메모한 것으로 보아, 세부 정보들 사이의 관계를 파악하며 들었겠군.
② ⓑ: 강연 이후의 조사 계획을 작성한 것으로 보아, 강연 내용에서 더 알고 싶은 점을 떠올리며 들었겠군.
③ ⓒ: 동네 가로수의 보호 틀을 교체한 이유를 추측한 것으로 보아, 강연 내용을 자기 경험과 관련지으며 들었겠군.
④ ⓓ: 자신이 할 일을 따로 묶은 것으로 보아, 특정 기준으로 정보를 구분하며 들었겠군.
⑤ ⓔ: 강연 내용에 의문을 제기한 것으로 보아, 강연 내용의 논리적 모순을 확인하며 들었겠군.

강연

[1~3] 다음은 강연의 일부이다. 물음에 답하시오. [2018-9월 모평]

안녕하세요? 영양 성분 표시 제도와 관련해 강연을 하게 된 ○○ 보건소의 △△△입니다. 2018년부터는 개정된 영양 성분 표시 방법으로 식품의 영양 정보를 표시하게 되는데요, 알고 있나요? (학생들의 대답을 듣고) 모른다는 학생들이 많은데요, 오늘은 이에 대해 알려 드리고자 합니다.

식품의약품안전처에서는 일부 가공식품에 영양 정보를 표시하는 영양 성분 표시 제도를 운영하고 있는데요, 소비자들이 좀 더 쉽게 영양 정보를 확인하고 건강한 식생활을 실천하는 데 도움이 되도록 영양 성분을 표시하는 방법을 개정하였습니다. 개정 전과 후의 표시 도안을 같이 보시죠. (시각 자료를 보여 주며) 함량을 의무적으로 표시해야 하는 대상이 열량, 나트륨, 탄수화물, 당류, 지방, 트랜스지방, 포화지방, 콜레스테롤, 단백질인 점은 이전과 변함이 없습니다. 그러나 이를 표시하는 기준은 달라졌습니다. 개정 전에는 한 번에 섭취할 것으로 예상되는 양인 1회 제공량을 기준으로 영양 성분의 함량을 표시했는데요, 업체마다 1회로 보는 양이 달라서 소비자에게 혼란을 줄 수 있었습니다. 그래서 제품의 총 내용량을 기준으로 영양 성분의 함량을 표시하는 것으로 바뀌었습니다. 단, 한 번에 먹기 힘든 대용량 제품은 별도의 표시 기준을 두기로 했습니다.

영양 성분의 표시 순서에도 변화가 있는데요, 개정 전에는 에너지 공급원 순으로 표시했는데 소비자의 관심도가 높고 국민 건강상 중요해진 성분들은 순서를 위로 올려 표시하는 것으로 바뀌었습니다. 예로 나트륨의 표시 위치가 개정 전보다 올라가게 되었는데요, 이는 우리나라 국민이 나트륨을 과도하게 섭취하고 있어 1일 나트륨 섭취량의 관리가 시급하기 때문입니다. 질병관리본부 발표 자료에 따르면 우리나라 국민의 1일 나트륨 섭취량은 세계보건기구 권고량의 2배 수준이라고 합니다.

또한 열량의 표시 방식도 바뀌었는데요, 열량에 대한 소비자들의 관심이 높은 만큼 이를 확인하기 쉽도록 다른 성분들과 분리해 열량을 표시하게 되었습니다. 그리고 그동안 1일 영양 성분 기준치에 대한 비율을 표시하지 않았던 열량, 당류, 트랜스지방 중에서 당류는 이번에 개정되면서 그 비율을 표시하도록 바뀌었습니다.

말하기 방식 파악

1 **위 강연자의 말하기 방식으로 가장 적절한 것은?**

① 강연 중간중간에 자신이 말한 내용을 요약하여 청중의 이해를 돕고 있다.
② 관련 기관의 발표 자료를 인용하여 자신이 언급한 내용을 뒷받침하고 있다.
③ 강연 대상과 관련된 자신의 경험을 사례로 들어 청중의 흥미를 유발하고 있다.
④ 강연 대상을 친숙한 소재에 빗대어 표현함으로써 대상의 개념을 설명하고 있다.
⑤ 청중의 질문에 답을 함으로써 강연 내용과 관련된 청중의 궁금증을 해소하고 있다.

자료 해석의 적절성 평가

2 다음은 강연자가 사용한 시각 자료이다. 시각 자료를 보며 강연을 들은 학생이 떠올린 생각으로 적절하지 않은 것은?

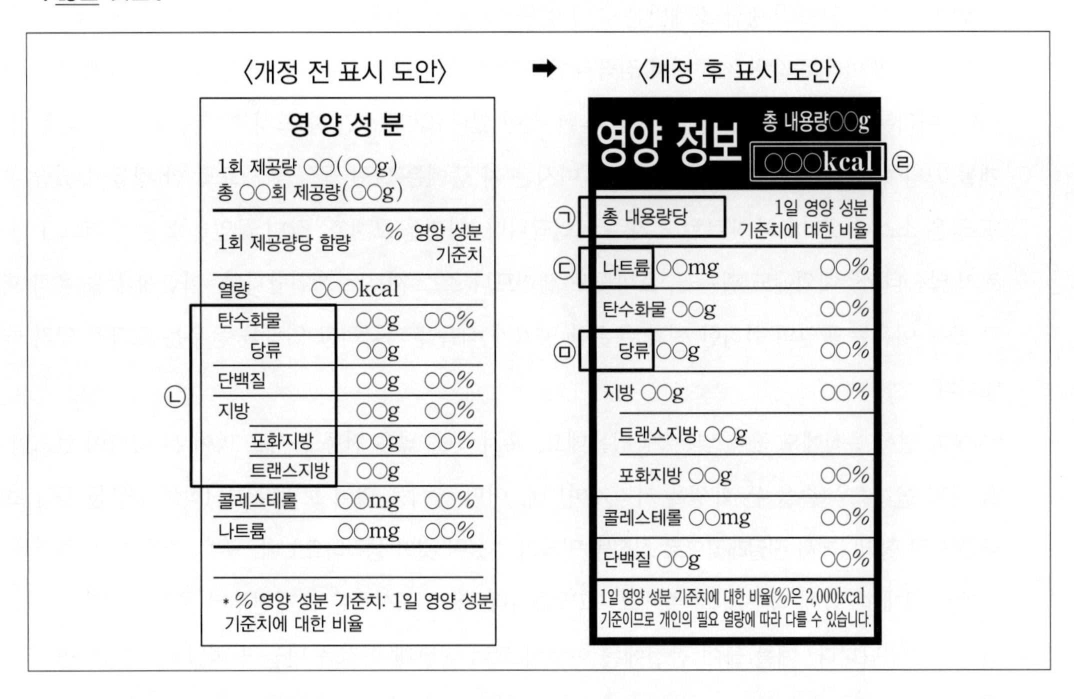

① ㉠은 영양 정보를 확인할 때 소비자의 혼란을 줄이기 위한 함량 표시 기준이구나.
② ㉡은 에너지 공급원 순에 따라 탄수화물, 단백질, 지방을 표시한 것이구나.
③ ㉢은 소비자의 관심도와 국민 건강상의 중요도가 반영되어 이전과 표시 위치가 달라졌구나.
④ ㉣은 소비자들이 확인하기 쉽도록 다른 성분들과 위치를 구분해 표시한 것이구나.
⑤ ㉤은 함량을 의무적으로 표시해야 하는 성분으로 추가되면서 1일 영양 성분 기준치에 대한 비율도 표시하게 되었구나.

질문의 적절성 평가

3 강연 내용에 대한 이해를 바탕으로 추가 설명을 요청하는 학생의 질문으로 적절하지 않은 것은?

① 영양 성분 표시 제도가 일부 가공식품에 적용되고 있다고 하셨는데, 무엇을 기준으로 적용 대상을 결정하나요?
② 식품의약품안전처에서 영양 성분 표시 방법을 바꿨다고 하셨는데, 그 이유는 무엇인가요?
③ 의무적으로 함량을 표시해야 하는 성분들을 말씀해 주셨는데, 비타민이나 칼슘 등은 왜 의무 표시 대상이 아닌가요?
④ 대용량 제품의 경우에는 별도의 표시 기준을 둔다고 하셨는데, 그 기준은 무엇인가요?
⑤ 우리나라 국민의 나트륨 섭취량이 세계보건기구 권고량의 2배 수준이라고 하셨는데, 그 권고량은 얼마인가요?

강연

[1~2] 다음은 강연의 일부이다. 물음에 답하시오. [2017-9월 모평]

여러분 안녕하세요? 방금 소개받은 요리 연구가 ○○○입니다.

'맛있는 꽃'이라는 강연 제목에서 짐작하셨을 텐데 오늘 제 강연은 먹는 꽃, 즉 식용 꽃에 대한 것입니다. 여러분, 꽃을 먹는 것이라고 생각해 본 적이 있나요? 재스민 차 드셔 본 분은요? 아, 몇 분이 고개를 끄덕여 주셨어요. 그래요, 여러분이 마시는 차 중에는 말린 꽃잎을 재료로 한 것들이 있습니다. 또 꽃은 소스나 샐러드의 재료로도 자주 쓰인답니다. 화면을 보시죠. 장미 꽃잎을 올린 샐러드가 참 예쁘지 않습니까? 이외에도 팬지꽃, 호박꽃도 샐러드나 소스 재료로 쓰인답니다. 이렇게 꽃을 음식 재료로 쓰는 이유는 꽃잎의 화려한 색과 은은한 향기가 식욕을 자극하고 입맛을 돋우는 효과가 있기 때문입니다.

우리 전통 음식에도 꽃을 넣은 게 있는데요, 혹시 꽃을 넣은 전통 음식을 먹어 본 학생이 있으면 손을 들어 볼까요? (손을 든 학생을 가리키며) 네, 어떤 음식을 먹어 보았나요? (학생: 강연을 듣다 보니, 어렸을 적 할머니께서 진달래꽃으로 화전을 만들어 주셨던 것이 생각나요.) 네, 좋은 예를 들어 주었네요. 이 학생에게 다 함께 박수를 쳐 주세요. 고맙습니다. 우리 조상들은 오래전부터 꽃으로 다양한 음식을 만들어 먹었답니다. 예를 들어 봄철에는 여럿이 모여 진달래 화전을 만들어 먹었고, 가을이면 국화차를 마시기도 했습니다.

그런데 여러분, 이 말씀은 꼭 드려야겠네요. 철쭉꽃은 화전 재료로 쓰이는 진달래꽃과 비슷하게 생겼지만 절대 드시면 안 됩니다. 독성이 있으니까요. 철쭉꽃뿐만 아니라 아네모네, 은방울꽃 같은 것들도 독성이 있답니다. 그러니 꽃을 먹기 전에 독성이 있는 꽃인지 꼭 확인해야 합니다.

또한 꽃에는 농약이나 오염 물질이 묻어 있는 경우가 있으니 주의해야 합니다. 그리고 꽃에 따라서는 꽃가루가 알레르기를 일으키는 것도 있으니 이런 꽃은 암술, 수술, 꽃받침을 제거하고 꽃잎만 드셔야 해요. 특히 진달래꽃은 수술에 약한 독성이 있으므로 반드시 이를 제거하고 물에 씻어야 한답니다.

말하기 방식 파악

1 **강연자의 말하기 방식에 대한 설명으로 가장 적절한 것은?**

① 질문을 통해 청중의 경험을 이끌어 내어 강연의 내용과 연결 짓고 있다.

② 강연 중간중간에 자신이 말한 내용을 요약하여 청중의 이해를 돕고 있다.

③ 설명 대상에 대한 역사적 사건을 제시하여 청중의 흥미를 유발하고 있다.

④ 자신의 과거 경력을 소개하여 청중이 강연 내용에 대해 신뢰감을 갖게 하고 있다.

⑤ 강연 진행 순서를 처음에 안내하여 청중이 강연 내용을 예측할 수 있도록 하고 있다.

반응의 적절성 평가

2 다음은 강연을 들은 학생이 작성한 학습 활동지이다. 학생의 듣기 활동을 이해한 내용으로 적절하지 않은 것은?

학습 활동지

○ **듣기 전후에 떠올린 생각**

〈듣기 전〉
- 어떤 꽃을 먹을 수 있을까?
- 꽃을 재료로 하는 음식에는 무엇이 있을까? ······ ㉠

〈듣기 후〉
- 진달래꽃과 철쭉꽃의 형태적 차이점은 무엇일까? ······ ㉡
- 학교 화단의 꽃은 함부로 음식 재료로 쓰면 안 되겠군. ······ ㉢
- 동아리 행사로 무엇을 할지 아직 정하지 못해 걱정했는데, 꽃을 재료로 한 음식 만들기를 하면 좋을 것 같아. ······ ㉣

○ **강연을 듣고 정리한 내용**
- 꽃을 재료로 한 음식: 꽃잎 차, 샐러드, 화전 등
- 식용 가능: 장미꽃, 팬지꽃, 호박꽃, 진달래꽃, 국화꽃
  ※ 농약이나 오염 물질 없는 것, 꽃잎만 섭취
- 식용 불가: 철쭉꽃, 아네모네, 은방울꽃 ······ ㉤

① ㉠과 ㉤을 함께 고려할 때 듣기 전 떠올렸던 질문에 대한 답을 강연에서 찾았음을 확인할 수 있다.
② ㉡에서는 들은 내용이 사실과 부합하는지 점검했음을 확인할 수 있다.
③ ㉢에서는 들은 내용을 강연자가 직접 언급하지 않은 대상에 적용하였음을 확인할 수 있다.
④ ㉣에서는 들은 내용을 자신의 문제 해결에 활용하려 함을 확인할 수 있다.
⑤ ㉤에서는 들은 내용을 정보 간의 관련성이 드러나도록 범주화하여 정리했음을 확인할 수 있다.

실전 07 강연

[1~3] 다음은 강연의 일부이다. 물음에 답하시오. [2020-11월 고2 학평]

안녕하세요. 오늘 강연을 맡은 간호사 ○○○입니다. 여러분 주사 맞아 본 경험 있으시죠? 그런데 주사에도 여러 종류가 있다는 사실을 알고 계셨나요? (대답을 듣고) 오늘은 주사의 종류와 특징, 그리고 주사를 맞을 때의 유의 사항에 대해 알려 드리도록 하겠습니다.

(화면을 가리키며) 주사는 일반적으로 약물의 투여 경로에 따라 세 가지 종류로 나눌 수 있는데요. 약물을 피부와 근육 사이에 있는 피하 조직에 투여하는 피하 주사, 피하 조직 아래에 있는 근육에 투여하는 근육 주사, 혈관에 직접 투여하는 정맥 주사가 있습니다.

우선 피하 주사는 적은 양의 약물을 몸속에 천천히 흡수시키고자 할 때 사용합니다. 어떤 약물들은 혈관으로 바로 들어가면 부작용을 초래할 수 있기 때문에 흡수 속도가 느린 피하 조직에 투여하는 것입니다. 근육 주사는 피하 주사보다 더 많은 양의 약물을 빠르게 흡수시키고자 할 때 사용합니다. 근육에는 피하 조직보다 혈관이 더 많이 분포되어 있기 때문인데요. 특히 피하 조직에 투여하면 잘 흡수가 되지 않아 통증을 유발할 수 있는 항생제 같은 약물들은 근육 주사를 사용해야 합니다. 근육 주사는 주로 엉덩이 윗부분이나 팔뚝에 주사하는데, 근육에 약물을 투여하려면 바늘을 깊숙이 찔러 넣어야 하기 때문에 90도 각도로 주사를 놓습니다. 정맥 주사는 약물의 농도와 용량을 일정하게 지속적으로 투여하고자 할 때 사용합니다. 약물을 혈관에 직접 투여하기 때문에 효과가 다른 주사들보다 빨리 나타나고, 통증 없이 다량의 약물을 주입할 수 있습니다. 그래서 주로 링거액을 투여할 때 사용합니다.

이러한 주사들은 주삿바늘의 길이와 모양에도 차이가 있는데요. 피하 주사는 0.9 ~ 1.6 센티미터의 바늘을 사용하지만 근육 주사는 이보다 더 긴 바늘을 사용합니다. 그리고 정맥 주사는 주사를 맞는 동안 주삿바늘이 혈관벽을 손상시킬 우려가 있기 때문에, 피하 주사나 근육 주사에 비해 상대적으로 덜 날카로운 주삿바늘을 사용합니다.

그렇다면 주사를 맞을 때 유의해야 할 사항에는 어떤 것들이 있을까요? 피하 주사의 경우에는 피하 조직의 손상을 막고 약물을 천천히 흡수시켜야 하기 때문에 주사를 맞은 부위를 문지르면 안 됩니다. 반면, 근육 주사를 맞고 나서는 약물의 빠른 흡수를 돕기 위해 주사를 맞은 부위를 가볍게 문질러 주는 것이 좋습니다. 그리고 정맥 주사는 바늘이 삽입되어 있는 부위가 오염되지 않도록 청결을 유지해야 합니다.

오늘 강연 유익하셨나요? 경청해 주셔서 감사합니다.

개념 코칭

강연자의 말하기 전략
강연자가 말하고자 하는 목적을 달성하기 위해 사용하는 전략으로, 청중에게 질문을 던지며 흥미를 유발하거나, 준언어적·비언어적 표현을 활용하거나, 자신의 경험을 예로 들어 말하거나, 청중과 질의응답하는 등의 방식이 있다.

말하기 방식 파악

1 **위 강연자의 말하기 방식으로 가장 적절한 것은?**

① 자료의 출처를 밝히며 강연 내용에 대한 신뢰성을 높이고 있다.
② 강연의 내용을 요약하며 마무리하여 강연의 주제를 강조하고 있다.
③ 청중에게 질문을 던지며 강연의 내용에 대한 관심을 유발하고 있다.
④ 화제와 관련된 실태를 언급하며 화제 선정의 이유를 제시하고 있다.
⑤ 청중을 칭찬하는 말로 강연을 시작하여 청중과 친밀감을 형성하고 있다.

반응의 적절성 평가

2 **다음은 학생들이 강연을 들으며 떠올린 생각이다. 이를 바탕으로 학생들의 듣기 활동을 이해한 내용으로 적절하지 않은 것은?**

> **학생 1:** 내가 알고 있던 것보다 주사의 종류가 다양하구나. 내가 어제 병원에서 맞은 주사는 어떤 주사였을까?
> **학생 2:** 지금까지는 주사를 맞은 부위를 왜 문질러야 하는지 모르고 문질렀는데, 주사의 종류에 따라 주사를 맞은 후의 유의할 점이 다르구나. 주사 맞기 전에 유의할 점은 없을까? 강연이 끝난 후에 간호사 선생님께 여쭤봐야겠어.
> **학생 3:** 주사의 종류에 따라 약물의 흡수 속도가 달라지고, 약물의 특성에 따라 주사도 달라질 수 있다는 말이구나. 그런데 피하 주사를 놓을 때도 주사 각도가 중요할까?

① '학생 1'은 새롭게 알게 된 정보를 기존에 자신이 알고 있던 사실과 비교하며 듣고 있다.
② '학생 2'는 강연을 들으며 생긴 의문점을 해결할 수 있는 방법을 생각하며 듣고 있다.
③ '학생 3'은 강연 내용에 대해 자신이 이해한 내용을 정리하며 듣고 있다.
④ '학생 1'과 '학생 2'는 모두 강연 내용과 관련된 자신의 경험을 떠올리며 듣고 있다.
⑤ '학생 2'와 '학생 3'은 강연에서 언급된 내용 중 실천할 수 있는 방법이 있는지 고민하며 듣고 있다.

청중의 반응 분석

3 **다음은 강연을 들은 후 강연의 내용을 확인하기 위해 만든 학습지의 일부이다. 위 강연을 들은 학생의 반응으로 적절하지 않은 것은? [3점]**

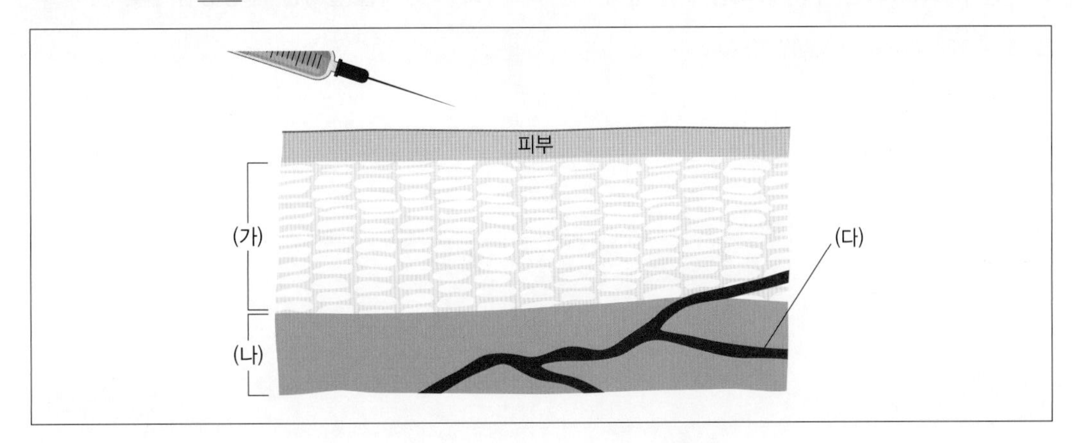

① (가)에 투여하면 통증이 유발될 수 있는 약물들은 (나)에 주사해야겠군.
② (가)보다 (나)에서 약물의 흡수가 빠른 이유는 (나)에 혈관이 더 많이 분포되어 있기 때문이겠군.
③ (가)에 주사를 맞을 때와 달리 (나)에 주사를 맞은 후에는 조직의 손상을 막기 위해 주사 맞은 부위를 문지르지 말아야겠군.
④ (다)에 직접 약물을 투여하면 (가)와 (나)에 주사를 놓을 때보다 약물의 효과가 더 빨리 나타나겠군.
⑤ (다)에 놓는 주사는 혈관벽의 손상을 막기 위해 (가)와 (나)에 놓는 주사보다 덜 날카로운 주삿바늘을 사용하겠군.

연설

[1~3] 다음은 '교내 연설 대회'에 참가한 학생의 연설이다. 물음에 답하시오. [2021-6월 모평]

여러분, 환경의 날 행사 때 교내 방송으로 시청했던 영상을 잠시 떠올려 봅시다. 작은 빙하에 의지한 채 바다를 부유하던 북극곰의 눈물을 보며 모두들 가슴 아파하지 않으셨습니까? 그 눈물은 이산화탄소에 의한 지구 온난화가 빚어낸 비극입니다. 이와 관련하여 저는 연안 생태계의 가치와 보호에 대한 관심을 촉구하고자 합니다.

2019년 통계에 따르면 우리나라의 이산화탄소 배출량은 세계 11위에 해당하는 높은 수준입니다. 그동안 우리나라는 이산화탄소 배출을 줄이려 노력하고, 대기 중 이산화탄소 흡수를 위한 산림 조성에 힘써 왔습니다. 그런데 우리가 놓치고 있는 이산화탄소 흡수원이 있습니다. 바로 연안 생태계입니다.

연안 생태계는 대기 중 이산화탄소 흡수에 탁월합니다. 물론 연안 생태계가 이산화탄소를 얼마나 흡수할 수 있겠냐고 말하는 분도 계실 것입니다. 하지만 연안 생태계를 구성하는 갯벌과 염습지의 염생 식물, 식물성 플랑크톤 등은 광합성을 통해 대기 중 이산화탄소를 흡수하는데, 산림보다 이산화탄소 흡수 능력이 뛰어납니다. 2018년 정부 통계에 따르면, 우리 연안 생태계 중 갯벌의 면적은 산림의 약 4%에 불과하지만 연간 이산화탄소 흡수량은 산림의 약 37%이며 흡수 속도는 수십 배에 달합니다.

또한 연안 생태계는 탄소의 저장에도 효과적입니다. 연안의 염생 식물과 식물성 플랑크톤은 이산화탄소를 흡수하여 갯벌과 염습지에 탄소를 저장하는데 이 탄소를 블루카본이라 합니다. 산림은 탄소를 수백 년간 저장할 수 있지만 연안은 블루카본을 수천 년간 저장할 수 있습니다. 연안 생태계가 훼손되면 블루카본이 공기 중에 노출되어 이산화탄소 등이 대기 중으로 방출됩니다. 그러므로 블루카본이 온전히 저장되어 있도록 연안 생태계를 보호해야 합니다.

㉠지금 우리가 연안 생태계로 눈을 돌리지 않으면 북극곰의 눈물은 우리의 눈물이 될 것입니다. 건강한 지구를 후손에게 물려주기 위해 일회용품 줄이기, 나무 한 그루 심기와 함께 이산화탄소의 흡수원이자 저장고인 지구의 보물, 연안 생태계를 보호하고 그 가치를 알리는 데 동참합시다.

말하기 방식 파악

1 **위 연설자의 말하기 방법으로 적절하지 않은 것은?**

① 청유의 문장을 사용하여 주장이 야기한 논란을 해소한다.
② 통계 자료를 근거로 활용하여 주장의 신뢰성을 강화한다.
③ 예상되는 반론을 언급하여 특정 대상의 가치를 강조한다.
④ 청중과 공유하는 경험을 들어 상황의 심각성을 인식시킨다.
⑤ 비유적 표현을 활용하여 문제 해결에 동참할 것을 촉구한다.

매체 활용의 적절성 평가

2 다음은 위 연설자가 자신의 연설을 홍보하기 위해 작성한 포스터이다. 위 연설을 바탕으로 할 때 적절하지 않은 것은? [3점]

○○고등학교 교내 연설 대회
지구 온난화 대응의 새로운 접근, 연안 생태계!

연설자: △△△

ㅇ 연설 관련 그림 자료

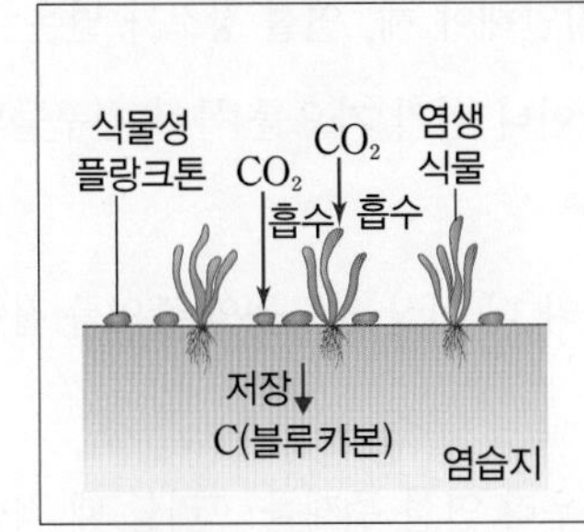

〈연안 생태계〉
연안의 염생 식물과 식물성 플랑크톤은 광합성을 통해 대기 중의 이산화탄소를 흡수하여 갯벌과 염습지에 탄소를 저장함. ……………………… ①

ㅇ 연설 내용

- 우리나라는 이산화탄소 배출량 순위가 높은 편이며 대기 중 이산화탄소를 줄이고자 노력해 왔음. … ②
- 연안 생태계는 대기 중 이산화탄소 감축 효과가 있으며 산림보다 이산화탄소 흡수 능력이 우수함. … ③
- 연안 생태계가 훼손되면 블루카본이 공기 중에 노출되어 문제가 발생함. ……………………………… ④
- 대기 중 이산화탄소 감축을 위한 기존의 방법을 연안 생태계 보호가 대체할 수 있음. ………………… ⑤

연설 내용 이해

3 위 연설을 듣고 그 취지에 공감한 학생이 ㉠에 주목하여 친구들을 설득할 말로 가장 적절한 것은?

① 연안 생태계의 복구에 무심했던 나를 반성했어. 일회용품 사용을 자제하여 연안 생태계를 되살리자.
② 블루카본이 지구 온난화의 원인임을 알았어. 북극곰을 위해 연안 생태계 보호의 중요성을 홍보하자.
③ 북극곰의 모습에서 우리의 미래를 보는 것 같았어. 북극곰을 살리기 위해 산림 조성이 시급함을 알리자.
④ 우리도 북극곰처럼 위기에 처할 수 있어. 이제 연안 생태계의 가치를 알고 이를 보호하기 위해 관심을 갖자.
⑤ 북극곰과 공생하려면 나무 한 그루가 의미 있다는 것을 알았어. 이산화탄소를 줄이기 위해 작은 일부터 실천하자.

실전 09

토의

[1~3] 다음은 학생들의 토의이다. 물음에 답하시오. [2017-9월 모평]

사회자: 이번 교내 학생 연설의 주제는 '사이버 언어폭력 근절을 위해 노력합시다'이고 오늘 ㉠우리가 할 토의 주제는 '사이버 언어폭력 근절을 위한 교내 학생 연설을 어떻게 할 것인가'야. 지금부터 ㉡우리가 할 연설에 대해 토의해 보는데 먼저 연설을 시작할 때 친구들의 ⓐ주의를 집중하게 하는 방법에 대해 얘기해 볼까?

[A]

학생 1: 우선 연설을 할 장소와 연설을 들을 친구들의 특성을 감안해야 해. 연설 장소가 넓은 강당이고, 주제에 대한 관심의 정도가 제각각인 친구들이 대상이니 인기 가요를 틀어 친구들의 주의를 끄는 게 어떨까?

학생 2: 글쎄, 그 방법은 이미 다른 친구들이 여러 번 쓴 방법이라 더 이상 친구들의 주의를 집중시키기 어려워. 가볍고 재미있는 이야기로 시작하는 건 어때?

학생 3: 연설 분위기를 부드럽게 하는 데에는 도움이 되겠지만 우리 연설 주제를 고려할 때 적합하지 않아. 주제와 관련 있는 내용이면 좋겠어. 그래서 말인데, 연설을 시작할 때 연설 주제에 적합한 시를 낭송한 후 사이버 언어폭력의 개념과 사이버 언어폭력 근절의 시급성을 언급하자.

학생 1: 응. 시 낭송은 참신한 방식이니 친구들의 주의를 끄는 데 도움이 되겠네. 주제와도 관련이 있으니 연설 내용 이해에도 도움이 될 거고.

학생 2: 그래. 생각해 보니 그 방법이 좋겠다.

사회자: 그럼, 이제는 사이버 언어폭력 근절을 위해 노력하자는 우리의 ⓑ주장을 뒷받침하기에 적절한 근거와 그 제시 순서에 대해 논의해 보자.

학생 1: 사이버 언어폭력 문제의 핵심은 피해자가 극심한 고통을 겪게 된다는 것이므로 이 점을 첫째 근거로 제시하자. 순식간에 확산되는 사이버 언어폭력으로 인한 피해자의 고통을 핵심 근거로 들어야 해. 피해 사례를 다룬 언론 보도 자료를 보여 주면 친구들이 문제의 심각성을 인식하게 될 거야.

학생 2: 피해자가 겪는 고통을 핵심 근거로 보는 네 의견에는 동의해. 그런데 친구들이 미처 생각하지 못했던 내용을 첫째 근거로 제시하면 어떨까? 가해자는 별다른 죄의식 없이 사이버 언어폭력을 저지르지만 사이버 언어폭력은 처벌받게 되는 범죄 행위라는 점을 첫째 근거로 들어 경각심을 불러일으키자. 관련 법 조항을 자료로 제시하면 더 효과가 있을 거야.

학생 3: 친구들에게 경각심을 준다는 점에서 좋은 근거라고 생각해. 그런데 먼저 친구들이 이 문제에 공감하도록 하는 게 어떨까? 누구나 사이버 언어폭력의 피해자가 될 수 있다는 점을 첫째 근거로 제시하면 친구들이 이 문제에 쉽게 공감할 수 있을 거야. 사이버 언어폭력으로 인한 피해자가 급증하고 있다는 통계 자료를 인용하면서 더 이상 방관해서는 안 된다는 내용으로 호소하는 거지.

학생 1: 지금까지 제안된 근거와 자료는 다 적절하다고 생각되니 모두 채택하자. 단, 순서는 문제의 심각성을 인식할 수 있도록 하는 핵심 근거, 문제에 공감할 수 있도록 하는 근거, 경각심을 불러일으킬 수 있도록 하는 근거의 순으로 제시하면 좋겠어.

학생 2: 좋은 생각이야. 그렇게 하자. 연설 마지막엔 친구들의 행동 변화를 촉구하는 내용으로 마무리 하자.

학생 3: 좋아. 나도 동의해.

사회자: 그럼, 지금까지 ㉢합의된 토의 내용을 반영하여 연설 계획을 정리해 볼게. 이제, 토의를 마치자.

토의 내용 파악

1 ㉠과 ㉡에 대한 설명으로 적절하지 않은 것은?

① ㉠에서는 ㉡을 들을 청중의 특성이 고려되고 있다.
② ㉠에서는 ㉡이 행해지는 공간적 상황이 고려되고 있다.
③ ㉠에서는 ㉡에서 다룰 근거의 제시 순서가 논의되고 있다.
④ ㉠에서는 ㉡의 내용을 효과적으로 전달할 방법이 모색되고 있다.
⑤ ㉠에서는 ㉡의 마무리 부분에서 활용할 비언어적 표현 방법이 논의되고 있다.

참여자의 발화 이해

2 **[A]에 나타난 참여자들의 발화에 대한 이해로 가장 적절한 것은? [3점]**

① 학생 1은 청중의 주의 집중 효과 측면에서 ⓐ에 대한 학생 3의 제안이 적절하지 않다고 판단하였다.

② 학생 2는 청중의 주의 집중 효과 측면에서 ⓐ에 대한 학생 1의 제안이 적절하다고 판단하였다.

③ 학생 3은 연설 주제와의 부합 여부 측면에서 ⓐ에 대한 학생 2의 제안이 적절하다고 판단하였다.

④ 학생 2는 핵심 근거로서의 적합성 측면에서 ⓑ에 대한 학생 1의 제안이 적절하지 않다고 판단하였다.

⑤ 학생 3은 청중의 경각심을 유발하는 측면에서 ⓑ에 대한 학생 2의 제안이 적절하다고 판단하였다.

계획의 적절성 판단

3 **사회자가 ⓒ에 따라 연설 계획을 세운다고 할 때 적절하지 않은 것은?**

① 사이버 언어폭력 행위는 처벌 대상임을 관련 법 조항을 들어 주장의 근거로 제시해야겠어.

② 청중의 주의를 집중시키기 위해 연설을 시작할 때 주제와 관련된 시 작품을 활용해야겠어.

③ 사이버 언어폭력 피해자가 극심한 고통을 겪고 있음을 언론 보도 사례를 활용해 주장의 근거로 제시해야겠어.

④ 사이버 언어폭력 가해자가 늘어날수록 가해자가 별다른 죄의식 없이 사이버 언어폭력을 저지른다는 것을 주장의 근거로 제시해야겠어.

⑤ 누구나 사이버 언어폭력의 피해자가 될 수 있음을 사이버 언어폭력 피해자 관련 통계 자료를 인용해 주장의 근거로 제시해야겠어.

실전 10

토의

[1~3] 다음은 토의이다. 물음에 답하시오. [2017-3월 고3 학평]

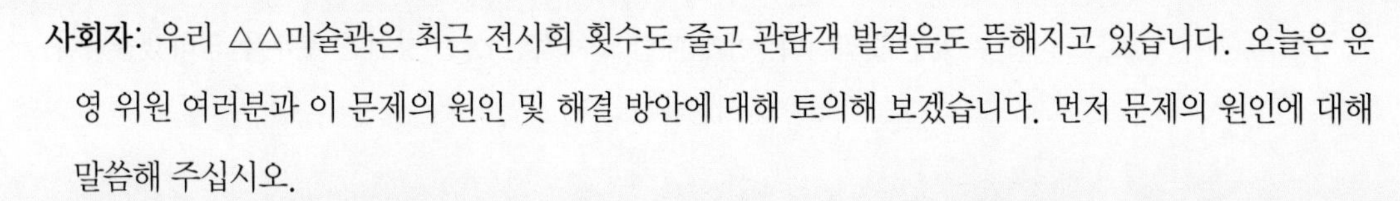

사회자: 우리 △△미술관은 최근 전시회 횟수도 줄고 관람객 발걸음도 뜸해지고 있습니다. 오늘은 운영 위원 여러분과 이 문제의 원인 및 해결 방안에 대해 토의해 보겠습니다. 먼저 문제의 원인에 대해 말씀해 주십시오.

위원 1: 건물이 너무 낡은 데다 전시 공간도 협소해서 전시도 관람도 불편합니다. ――――― [A]

위원 2: 미술관을 전시 공간으로만 활용하는 것도 문제입니다. 전시가 없는 기간은 거의 운영하지 않고 있습니다.

위원 3: 주변의 다른 미술관들에 비해 전시료와 관람료가 너무 높게 책정된 것이 문제입니다.

사회자: 여러 가지 원인을 분석해 주셨는데요, ㉠<u>그럼 이 문제들을 해결하기 위한 방안으로 어떤 것이 있을까요?</u>

위원 3: 다른 전시관보다 전시료와 관람료를 대폭 낮추었으면 좋겠습니다.

위원 2: 전시회가 없을 때에도 사람들이 미술관을 자주 찾을 수 있도록 다채로운 프로그램을 마련해야 합니다.

사회자: ㉡<u>어떻게 프로그램을 다양화할 수 있을까요?</u>

위원 2: 일반인을 대상으로 미술 강좌를 개설하거나 청소년 미술 대회를 여는 방법 등이 있습니다.

위원 1: 현재의 공간을 그대로 활용하는 데는 한계가 있습니다. 지난주에 시에서 미술관을 시 외곽으로 이전하자고 제안을 했습니다. 이 제안을 받아들이면 좋겠습니다. [B]

사회자: 그럼 제안해 주신 방안을 평가해 보고 최적의 방안을 찾아보겠습니다.

위원 2: 미술관을 시 외곽으로 이전하면 접근성이 떨어져 미술관을 찾는 시민들의 불편함이 커지기 때문에 이전을 반대하는 의견이 더 많을 것입니다. 저는 다양한 프로그램을 통해 시민 참여를 확대하는 것이 실현 가능성이 더 높다고 생각합니다. [C]

위원 3: 저도 미술관 이전은 어렵다고 생각합니다. 시에서 제시한 조건으로는 우리가 원하는 넓고 쾌적한 미술관 조성이 쉽지 않을 것입니다.

위원 1: 미술 강좌를 개설하거나 다양한 프로그램을 진행하려면 모두 비용이 많이 들 것입니다. 또 가뜩이나 예산이 부족한 상황에서 전시료와 관람료를 낮추면 예산 확보가 더 어려워질 것입니다. [D]

위원 3: 저는 ○○ 문화 재단에 예산 지원을 신청해 예산을 확보하면 이 문제를 해결할 수 있다고 생각합니다. 예산 지원 사업의 취지가 우리와 같이 어려운 상황에 처한 예술 단체나 시설을 보조하는 것이었습니다. 제안서를 잘 준비하여 지원을 받으면 좋겠습니다.

위원 2: 그게 좋겠네요. 예산 지원을 받는다면 전시료 인하로 작지만 알찬 전시회가 자주 열릴 수 있으며, 관람료도 인하되어 관람객이 크게 증가할 것입니다. 그리고 프로그램도 다양화할 수 있습니다. [E]

위원 1: 저도 동의합니다.

사회자: 좋은 의견들 주셔서 감사합니다. 지금까지 제안해 주신 내용을 토대로 ○○ 문화 재단에 제안

서를 제출해 예산 지원을 받으면 미술관을 이전하지 않고도 프로그램을 다양화하고 전시료와 관람료도 낮출 수 있을 것입니다. 이에 대한 구체적인 실천 방안은 추후 논의하겠습니다.

참여자의 발화 이해

1 **토의 참여자의 발화 [A]~[E]에 대한 설명으로 적절하지 않은 것은?**

① [A]: 사회자의 요청에 따라 미술관의 여건에 초점을 맞추어 문제의 원인을 제시하고 있다.

② [B]: '위원 2'가 제시한 방안의 장단점을 분석하여 단점을 보완하기 위한 대안을 제시하고 있다.

③ [C]: '위원 1'이 제시한 방안을 부정적으로 평가하고 자신의 해결 방안을 옹호하고 있다.

④ [D]: '위원 2'와 '위원 3'이 제시한 방안을 실행할 때 발생할 수 있는 문제점을 경제적 측면에서 지적하고 있다.

⑤ [E]: '위원 3'이 제안한 방안의 시행으로 거둘 수 있는 다양한 효과를 예상하고 있다.

사회자의 질문 의도 파악

2 **㉠과 ㉡에 대한 설명으로 적절한 것은?**

① ㉠은 토의의 진행 순서를 바꾸기 위한 질문이고, ㉡은 토의 참여자의 궁금증을 해소하기 위한 질문이다.

② ㉠은 토의 목적을 환기하기 위한 질문이고, ㉡은 토의 참여자 간의 의견 대립을 조정하기 위한 질문이다.

③ ㉠은 토의의 다음 단계로 넘어가기 위한 질문이고, ㉡은 토의 참여자의 발언 내용을 구체화하기 위한 질문이다.

④ ㉠은 적극적인 토의 참여를 유도하기 위한 질문이고, ㉡은 토의 참여자의 발언 순서를 바로잡기 위한 질문이다.

⑤ ㉠은 토의 참여자에게 발언에 추가할 내용이 있는지 확인하기 위한 질문이고, ㉡은 토의의 국면을 전환하기 위한 질문이다.

토의의 논의 방안 파악

3 다음은 미술관 측에서 ○○ 문화 재단에 제출할 제안서 초안이다. ⓐ~ⓔ 중 위 토의 내용에 부합하지 않는 것은?

제안	△△ 미술관의 예산 지원 요청
제안 이유	△△ 미술관은 최근 관람객이 크게 줄어 운영에 어려움을 겪고 있습니다. 미술관 운영을 활성화하기 위한 다양한 방안을 모색하고 있으나 예산상의 어려움이 있어 귀 재단에 예산 지원을 요청하고자 합니다.
제안 내용	귀 재단에서 예산을 지원해 줄 경우 이를 활용하여 다음과 같은 사업을 하고자 합니다. ㄱ. 시 외곽에 제2 미술관 건립 ⋯⋯ ⓐ ㄴ. 일반인을 대상으로 하는 미술 강좌 개설 ⋯⋯ ⓑ ㄷ. 청소년을 위한 미술 대회 개최 ⋯⋯ ⓒ ㄹ. 전시료와 관람료 인하 ⋯⋯ ⓓ
기대 효과	ㄱ. 전시회 개최 횟수의 증가 ⋯⋯ ⓔ ㄴ. 관람객의 증가 ㄷ. 프로그램의 다양화

① ⓐ ② ⓑ ③ ⓒ ④ ⓓ ⑤ ⓔ

실전 11

토론

[1~3] 다음은 토론의 일부이다. 물음에 답하시오. [2017-7월 고3 학평]

사회자: 지난주에 □□방송국에서 우리 학교를 드라마 촬영 장소로 사용하고 싶다는 의사를 밝혀 왔습니다. 이에 학생들 사이에서, 우리 학교에서 드라마 촬영을 ㉠허가해야 한다는 의견과 ㉡허가해서는 안 된다는 의견이 대립하고 있습니다. 학교에서는 촬영 허가 여부를 결정할 때 학생회의 의견을 적극적으로 반영할 것이라고 합니다. 따라서 이번 시간에는 '우리 학교에서의 드라마 촬영을 허가해야 한다.'라는 논제로 토론을 하겠습니다. 찬성 측 입론해 주십시오.

찬성 1: 우리 학교에서 드라마를 촬영할 수 있도록 허가해야 합니다. 우리 학교를 배경으로 드라마를 촬영한다면 드라마를 시청하는 사람들에게 우리 학교에 대한 긍정적인 인상을 심어 주어 학교 홍보에 큰 도움이 될 것입니다. 특히 이 드라마의 예상 시청자가 주로 청소년이라는 걸 감안하면 홍보 효과는 생각보다 더 클 것입니다. 또한 드라마 촬영은 학교에 대한 학생들의 자긍심도 높여 줄 것입니다. 드라마의 배경으로 나오는 학교의 모습을 보며, 우리 학교가 드라마 촬영 장소로 쓰일 만큼 아름답고 우수한 교육 환경을 지니고 있다는 것에 자부심을 느끼게 될 것이기 때문입니다.

사회자: 이번에는 반대 측에서 반대 신문 해 주십시오.

반대 2: 촬영이 학교 홍보에 도움이 된다고 말씀하셨는데, 드라마에서 학교나 학생들의 모습을 부정적인 이미지로 연출한다면 오히려 역효과가 나지 않을까요? [A]

찬성 1: 그렇지 않습니다. 여러 방송 매체에서 이 드라마의 줄거리와 개요를 공개하였는데, 사제 간의 정을 소재로 학교와 학생들의 모습을 긍정적으로 표현할 것이라고 합니다.

사회자: 이번에는 반대 측에서 입론해 주십시오.

반대 1: 우리 학교에서 드라마를 촬영하는 것에 반대합니다. 왜냐하면 우리 학교의 면학 분위기를 해칠 것이기 때문입니다. 작년에 인근 학교인 △△고등학교에서 드라마를 촬영했던 것을 아십니까? 그 당시 촬영 때문에 소란스러워 수업에 집중하지 못하는 학생들이 많았고, 일부 학생들은 촬영을 구경하느라 수업 분위기를 망쳐 놓았다고 합니다. 결국 촬영 도중에 촬영 허가를 취소할 정도로 그 폐해는 심각했다고 합니다. 우리 학교도 촬영을 허가하게 되면 분명히 이와 유사한 문제 상황을 겪게 될 것입니다. 또한 촬영 관계자와 구경꾼 등 많은 외부인들, 그리고 촬영 관련 차량까지 학교에 수시로 드나들게 될 것이고, 이로 인해 학교 시설이 훼손되거나 각종 안전사고가 발생할 수도 있습니다.

사회자: 이번에는 찬성 측에서 반대 신문 해 주십시오.

찬성 1: 면학 분위기를 해칠 것이라고 하셨는데, 반대 측과 함께 살펴본 촬영 일정에 따르면 우리 학교에서는 주말에만 촬영이 진행되는 것으로 나와 있습니다. 따라서 면학 분위기를 해칠 것이라고 보기는 어렵지 않나요? [B]

반대 1: 주말에도 학교에서 공부를 하는 학생들이 많습니다. 또한 드라마 방영 후에 학교가 유명세를 타면 평일에도 학교를 찾는 사람들로 소란스러워질 것입니다. 따라서 촬영이 주말에 진행된다고 해도 우리의 학습은 방해받을 수밖에 없을 것입니다.

입론의 내용 평가

1 위 토론의 입론에 대한 이해로 가장 적절한 것은?

① '찬성 1'은 전문가의 의견을 인용하여 촬영으로 인한 기대 효과를 언급하고 있다.
② '찬성 1'은 설문 조사 결과를 활용하여 자신의 주장이 타당하다는 것을 강조하고 있다.
③ '반대 1'은 사례를 바탕으로 앞으로 발생 가능한 문제 상황을 제시하고 있다.
④ '반대 1'은 상대의 생각에 일부 동의한 후 그에 대한 자신의 견해를 주장하고 있다.
⑤ '반대 1'은 의문형 진술을 통해 상대의 주장에 대한 자신의 이해 여부를 확인하고 있다.

말하기 전략 파악

2 [A]와 [B]에 대한 설명으로 가장 적절한 것은?

① [A]는 상대측이 사용한 어휘의 개념을 확인하고, 용어 사용의 적절성에 의문을 제기하고 있다.
② [A]는 상대측이 제시한 근거의 사실 관계를 확인하고, 주장을 입증할 수 있는 구체적인 자료를 요구하고 있다.
③ [B]는 상대측이 제시한 자료의 신뢰성에 의문을 제기하고, 자료의 출처를 명확하게 밝힐 것을 요구하고 있다.
④ [B]는 상대측과 공유한 정보를 언급하고, 그 내용을 바탕으로 상대측 주장의 근거에 대해 의문을 제기하고 있다.
⑤ [A]와 [B] 모두 상대측이 제시한 주장의 실효성에 의문을 제기하고, 실현 가능한 대안을 제시할 것을 요구하고 있다.

개념 코칭

상대측 발언을 판단하는 기준

- 신뢰성: 인용된 정보의 내용과 출처가 정확한지, 신뢰할 만한 곳의 자료인지 판단한다.
- 타당성: 결론을 합리적으로 이끌어 냈는지, 주장과 근거가 현실에 부합하는지 판단한다.
- 공정성: 발언 내용이 어느 한쪽에 치우치지 않고 공평한지 판단한다.

토론 내용 분석

3 ㉠과 ㉡에 관한 토론의 내용을 이해한 것으로 적절하지 않은 것은? [3점]

① 찬성 측은 학교 홍보에 좋은 기회가 될 수 있다는 점에서 ㉠을 주장하고 있군.
② 찬성 측은 학생들이 학교에 대한 자부심을 가질 수 있다는 점에서 ㉠을 주장하고 있군.
③ 반대 측은 면학 분위기 조성에 방해가 될 수 있다는 점에서 ㉡을 주장하고 있군.
④ 반대 측은 촬영 일정이 변경되면 평일에도 촬영이 진행될 수 있다는 점에서 ㉡을 주장하고 있군.
⑤ 반대 측은 촬영 과정에서 학교 시설이 훼손되고 안전사고가 발생할 수 있다는 점에서 ㉡을 주장하고 있군.

실전 12

토론

[1~3] 다음은 반대 신문식 토론의 일부이다. 물음에 답하시오. [2017-11월 고2 학평]

사회자: 우리 학교의 학생회장 선거 운동은 포스터 부착, 교문 앞 유세 등을 통해서 실시해 왔습니다. 그런데 기존 선거 운동 방식과 병행하여 공식적으로 SNS 선거 운동을 실시하자는 의견이 제기되고 있습니다. 이에 학생회에서는 'SNS를 활용한 선거 운동을 도입해야 한다.'를 논제로 토론을 실시하고자 합니다. 먼저 찬성 측에서 입론해 주십시오.

찬성 1: 학생회장 선거에 대한 관심을 확대할 수 있도록 SNS를 활용한 선거 운동을 도입해야 합니다. 작년에 후보자와 함께 홍보 포스터를 부착하고 교문 앞 유세에도 참여했었는데 학생들의 호응을 이끌어 내기가 무척 어려웠습니다. SNS는 학생들이 간편하게 이용할 수 있는 친숙한 매체이므로 SNS를 활용한 선거 운동을 도입하면 학생들의 관심을 유도하는 데 효과적일 것입니다.

사회자: 이번에는 반대 측 반대 신문 해 주십시오.

반대 2: 정말 SNS가 모든 학생들에게 친숙한 매체일까요? 혹시 SNS를 사용하지 않는 학생들은 상대적으로 소외감을 느끼지는 않을까요?

찬성 1: 물론 SNS를 사용하지 않는 학생들은 참여가 어려울 수 있지만 전체적으로는 학생들의 관심도를 높일 수 있을 것입니다. 최근 우리 학교의 SNS 사용에 대한 실태 조사 결과 86% 이상의 학생이 SNS를 사용하는 것으로 나타났습니다.

사회자: 이어서 반대 측 입론해 주시기 바랍니다.

반대 1: SNS를 활용한 선거 운동을 도입할 경우 기존의 선거 운동과 SNS를 활용한 선거 운동을 모두 준비해야 하기 때문에 시간과 노력이 더 많이 듭니다. 저도 작년에 선거 운동에 참여했었는데 실제로 많은 시간을 투자해야 했습니다. 그런데 거기다가 SNS상에서 학생들의 반응을 실시간으로 확인하고 댓글을 달아야 한다면 부담이 될 수 있습니다.

사회자: 이번에는 찬성 측 반대 신문 해 주십시오.

찬성 1: SNS상에서는 간단한 소통을 위주로 하는데 그렇게 많은 부담이 될까요?

반대 1: SNS상에서의 소통이 간단한 것은 맞지만 질문과 답변이 연속적으로 오가기도 하고 실시간으로 댓글을 달아야 하는 경우가 많기 때문에 부담이 될 수 있다고 생각합니다.

사회자: 네, 잘 들었습니다. 이번에는 찬성 측 두 번째 입론해 주십시오.

찬성 2: 학생회장 선거에 SNS를 활용한다면 후보자와 학생들 간의 소통이 더욱 활발해질 수 있습니다. 후보자는 학생들에게 자신의 공약을 자세히 알릴 수 있고, 학생들은 질문을 통해 공약의 구체적인 내용을 확인하고 실현 가능성을 판단할 수도 있습니다. 기존 선거 운동 방식은 후보자가 학생들의 의견을 지속적으로 확인하기가 어려웠지만, SNS를 활용하면 이를 보완할 수 있습니다.

사회자: 이번에는 반대 측에서 반대 신문 해 주십시오.

반대 1: SNS상에서는 주로 자신의 견해를 짧게 표현하는 경우가 많은데 이런 과정에서 학생들이 공약에 대한 질 높은 의사소통을 할 수 있을까요?

찬성 2: 자신의 견해를 짧게 표현하는 경우가 많다고 해서 의사소통의 질이 낮다고는 할 수 없습니다. 하나의 의견에 여러 명이 댓글을 달 수도 있고, 그 댓글에 대한 질문과 대답을 서로 올리는 과정에서 다양한 의견과 정보를 확인할 수 있어 소통의 질을 높일 수 있습니다.

사회자: 이어서 반대 측 토론자가 두 번째 입론을 해 주시기 바랍니다.

반대 2: 선거 운동에 SNS를 활용하면 자유롭고 활발한 의사소통을 할 수 있게 된다는 점은 인정합니다. 하지만 자칫 후보 간의 과열 경쟁을 불러일으킬 수 있고 비방과 거짓 정보가 확산되는 등 역기능이 나타날 수 있습니다. 게다가 이에 대한 학교 차원에서의 규제가 현실적으로 쉽지 않고 이미 확산된 거짓 정보나 비방으로 인한 문제를 수습하기도 어렵습니다.

사회자: 이번에는 찬성 측에서 반대 신문 해 주십시오.

찬성 2: ______________________ [가] ______________________

토론 과정 파악

1 위 토론을 이해한 내용으로 적절하지 않은 것은?

① '찬성 1'은 입론에서 자신의 과거 경험을 주장에 대한 근거로 활용하고 있다.

② '찬성 1'은 '반대 2'의 반대 신문에 답변하는 과정에서 구체적인 수치를 활용하여 새로운 방식 도입에 대한 타당성을 강조하고 있다.

③ '반대 1'은 '찬성 1'의 반대 신문에 답변하는 과정에서 기존 방식의 긍정적 측면을 강조함으로써 새로운 방식의 부작용을 제시하고 있다.

④ '찬성 2'는 입론에서 기존 방식의 문제점을 들어 새로운 방식의 도입 효과를 강조하고 있다.

⑤ '반대 2'는 입론에서 상대방의 의견을 일부 인정한 후 자신의 주장을 제시하고 있다.

개념 코칭

반대 신문식 토론
어떤 논제에 대해 찬성 측과 반대 측이 질문을 통해 반박함으로써 승부를 가리는 토론의 유형 중 하나. '교차 심문 토론' 또는 '상호 질의형 토론'이라고도 한다.

내용 생성의 적절성 평가

2 **'반대 2'의 입론을 고려할 때, [가]에 들어갈 발언으로 가장 적절한 것은?**

① SNS에서의 비방과 거짓 정보가 확산되는 것을 규제하기 어렵지 않을까요?

② 비방과 거짓 정보에 대한 규제와 SNS에 의한 과열 경쟁 규제 모두 필요한 것은 아닐까요?

③ 기존 선거 운동 방식에서보다 SNS에서 거짓 정보의 파급력이 더 크다는 사실을 알고 계십니까?

④ 상대 후보에 대한 비방과 거짓 정보 확산이라는 역기능이 SNS만의 문제라고 말할 수 있을까요?

⑤ 학생 스스로 비방이나 거짓 정보에 대한 의식을 개선하면 SNS를 통한 자유로운 의사소통이 불가능하지 않을까요?

자료 활용 방안 파악

3 **〈보기〉의 자료를 위 토론에 활용할 수 있는 방안으로 가장 적절한 것은? [3점]**

보기

동원이론에 따르면 인터넷 이용의 증가는 시민들의 정치 참여를 높이는 역할을 한다. 정치 참여가 어려웠던 사회적 약자나 정치에 무관심했던 시민들이 인터넷이 지닌 정보 습득의 용이성과 상호 작용적 특성으로 인해 정치 관련 정보와 정치적 토론에도 쉽게 접근할 수 있게 되었기 때문이다. 또한 인터넷은 정부와 시민이 의견을 주고받는 전자적 피드백 장치의 역할을 할 수 있다.

– ○○정치 학회 보고서 –

① 인터넷이 정치적 토론에 시민들이 쉽게 접근할 수 있게 한다는 내용을, SNS를 통해 공약의 실현 가능성을 판단할 수 있다는 찬성 1의 근거로 활용할 수 있겠군.

② 인터넷이 상호 작용적 특성을 가지고 있다는 내용을, SNS를 선거 운동에 활용하면 후보자와 학생들 간의 소통을 활발하게 할 수 있다는 찬성 2의 근거로 활용할 수 있겠군.

③ 인터넷이 전자적 피드백 장치의 역할을 한다는 내용을, SNS를 통해 다양한 의견과 정보를 확인할 수 있어 소통의 질을 높일 수 있다는 찬성 2에 대한 반박 근거로 활용할 수 있겠군.

④ 인터넷이 가진 정보 습득의 용이성에 대한 내용을, SNS를 선거 운동에 활용하면 기존 방식보다 시간과 노력이 더 많이 든다는 반대 1의 근거로 활용할 수 있겠군.

⑤ 인터넷이 정치에 무관심했던 시민들의 참여를 이끌어 낼 수 있다는 내용을, SNS를 활용한 선거 운동에 모든 학생들이 관심을 가져야 한다는 반대 2에 대한 반박 근거로 활용할 수 있겠군.

실전 13

면접

[1~3] (가)는 면접 준비를 위한 대화의 일부이고, (나)는 면접의 일부이다. 물음에 답하시오.

[2017-10월 고3 학평]

(가)

학생 1: 신입 부원을 선발하는 면접에서 어떤 질문을 하는 것이 좋을까?

학생 2: 먼저 ㉠우리 창업 동아리에 지원한 동기를 확인해야겠지? 그다음에는, 우리 동아리가 창업 아이디어를 내어 타당한 사업인지 평가하는 활동을 하잖아. 그래서 ㉡지원자가 생각해 본 창업 아이디어가 있는지 확인해 보고 싶어.

학생 1: 좋은 생각이야. ㉢사업 타당성을 평가할 수 있는지도 확인하는 질문을 하면 좋을 것 같아.

학생 2: 질문이 어려울 수 있으니까 지원자의 수준에 맞춰서 질문을 하자.

(나)

면접자: 지원 동기를 말씀해 주시겠어요?

지원자: 저는 디저트 전문점을 창업하는 것이 꿈입니다. 꿈을 이루기 위해서는 창업에 대한 다양한 지식과 경험을 갖추는 것이 필요하다고 생각해서 지원했습니다.

면접자: 디저트 전문점 창업을 꿈꾸게 된 계기가 있나요?

지원자: 어렸을 때부터 디저트를 좋아해서 직접 만들어 보는 취미가 생겼습니다. 제가 만든 것을 주변 사람들이 맛있게 먹는 모습을 보면 행복했습니다. 그래서 디저트 전문점 창업을 목표로 하게 되었습니다. [A]

면접자: 그렇다면 창업 동아리보다는 제과 · 제빵 동아리가 더 나을 것 같은데, 본인 생각은 어떠신가요?

지원자: 제과 · 제빵 동아리는 디저트를 만드는 활동을 주로 합니다. 하지만 창업 동아리는 많은 사람들이 맛있는 디저트를 즐길 수 있게 하는 방안을 연구한다는 점에서 창업 동아리에 더 큰 매력을 느꼈습니다. [B]

면접자: 네, 그럼 디저트 전문점을 창업하기 위한 자신만의 아이디어가 있나요?

지원자: (당황하며) 아이디어요?

면접자: 어렵게 생각하지 마시고, 자신이 평소 창업하고 싶던 디저트 전문점의 모습을 편하게 말씀해 주시면 됩니다.

지원자: 그럼, 말씀 드리겠습니다. 저는 한과와 서양의 쿠키를 접목한 디저트를 판매하는 가게를 창업하고 싶습니다. 그렇게 해서 다른 디저트 전문점과 차별화된 경쟁력을 갖추고 싶습니다. [C]

면접자: (웃으며) 좋은 아이디어군요. 다음 질문 드릴게요. 혹시 사업 타당성이란 말을 들어 보셨나요?

지원자: 네, 책에서 읽어 알고 있습니다.

면접자: 우리 동아리에서는 매월 창업 아이디어를 내고 아이디어의 타당성을 평가하는 활동을 합니다. (종이를 주며) 이 창업 아이디어의 타당성에 대해 이야기해 보시겠어요? 타당성을 평가하실 때는 소비자의 특성, 사업의 지속 가능성, 제품 제작 여건 등의 요소를 고려해 주시겠어요?

모의 창업 아이디어	
• 제품: 주먹밥	• 가격: ××원
• 예상 소비자: 우리 학교 학생	
• 내용: 주먹밥을 만들어 아침에 학교 정문에서 판매	

지원자: (잠시 생각한 후에) 저는 이 사업이 타당하다고 생각합니다. 학생들은 보통 주머니 사정이 여유롭지 못하기 때문에 ××원짜리 주먹밥은 충분히 매력이 있다고 생각합니다.

면접자: 지원자께서는 소비자의 특성을 고려하여 말씀해 주셨는데요, (　　　　　ⓐ　　　　　)

지원자: 일찍 등교하느라 시간이 부족하여 아침밥을 못 먹는 학생이 많습니다. 그렇기 때문에 먹기에 간편한 주먹밥을 판매하는 사업은 충분히 타당성이 있습니다.

면접자: 네, 질문 의도에 부합하는 적절한 답변이었습니다.

개념 코칭

면접 질문의 의도
지원 동기나 직무에 관한 질문은 지원 분야에 대한 목표 의식, 업무에 대한 지식과 이해도 등을 파악하여 지원자의 직무 능력을 확인하고 지원 분야에 적합한지 판단하기 위한 질문이다.

면접자의 질문 전략 파악

1 **(가)의 ㉠~㉢과 관련지어, (나)의 면접자의 질문 전략을 파악한 내용으로 적절하지 않은 것은?**

① ㉠: 지원 동기를 물어본 후 지원자의 답변과 관련하여 더 궁금한 점을 추가로 질문했다.
② ㉡: 지원자가 자신이 제안한 창업 아이디어를 보완해 답변할 수 있도록 답변 방향을 제시하며 질문했다.
③ ㉡: 창업 아이디어에 관한 질문에 당황한 지원자가 긴장을 풀고 답변할 수 있도록 유도했다.
④ ㉢: 지원자가 질문을 이해하는 데 필요한 배경지식을 갖추고 있는지 확인했다.
⑤ ㉢: 모의 창업 아이디어를 구성하여 제시하며 사업 타당성을 평가하는 데 고려해야 할 정보를 제공했다.

지원자의 답변 내용 파악

2 [A]~[C]에 대한 설명으로 가장 적절한 것은?

① [A]: 주변 사람들의 평가를 인용하며 꿈을 정한 계기를 설명하고 있다.

② [B]: 창업 동아리와 제과 · 제빵 동아리의 차이점을 바탕으로 창업 동아리를 선택한 이유를 밝히고 있다.

③ [B]: 창업과 관련된 다양한 동아리 활동의 경험을 열거하며 가입을 희망하는 동아리의 특징을 밝히고 있다.

④ [C]: 다양한 창업 사례로부터 디저트 전문점의 일반적인 특징을 분석한 결과를 제시하고 있다.

⑤ [C]: 디저트 사업의 최신 동향을 제시하며 창업하려는 디저트 전문점의 미래를 긍정적으로 전망하고 있다.

내용 생성의 적절성 평가

3 담화 맥락을 고려했을 때, ⓐ에 들어갈 면접자의 추가 질문으로 가장 적절한 것은?

① 이번에는 소비자의 특성을 제외하고 판매자 특성을 고려하여 타당성을 평가해 주시겠어요?

② 이번에는 본인의 전문성을 살려 제품 제작 측면에서 사업의 타당성을 평가해 주시겠어요?

③ 경제적인 측면 말고 다른 측면에서 소비자의 특성을 고려하여 타당성을 평가해 주시겠어요?

④ 그렇게 평가했다면 그 이유와 함께 구체적인 자료를 제시하면서 타당성을 평가해 주시겠어요?

⑤ 주변에 주먹밥을 파는 가게가 많이 있는데, 가격 경쟁력 측면에서 타당성을 평가해 주시겠어요?

실전 14

대화

[1~2] 다음 대화를 읽고 물음에 답하시오. [2017-6월 고1 학평]

정민: 아인아, 발표 원고 읽어 봤어?

아인: 당연하지. ㉠너, 원고 잘 썼더라. 특히, 우리가 여행을 꿈꾸는 것은 농경 사회 이전까지 생존을 위해 자주 옮겨 다니던 조상으로부터 여행 DNA를 물려받아서일지도 모른다는 부분이 흥미로웠어.

정민: 아니야. ㉡네가 좋게 봐 줘서 그렇지 부족한 부분이 많을 거야.

아인: 내가 쓴 원고는 어땠어?

정민: 잘 읽었는데……. 우리 발표 주제가 '십대를 위한 여행지 소개'인데 우리 주변의 여행지를 너무 많이 소개해서 좀 줄여야겠더라.

아인: 그렇지? 그러면 그 부분을 좀 줄이고 애들한테 설문 조사해서 '여행 가서 해 보고 싶은 일'을 넣을까?

정민: ㉢그런데 그건 발표 주제와 어울리지 않으니까 네가 제안한 설문 조사를 활용해서 '가고 싶은 우리 주변의 여행지 순위'를 알아보는 게 어떨까?

아인: 그래, 설문 조사 결과를 보고 높은 순위 중심으로 소개할 여행지를 정하는 방법도 좋을 것 같아. 역시 너랑 한 팀이라 정말 든든해.

정민: 아냐. ㉣나는 발표할 때 너무 떨어서 실수가 많거든. 나야말로 자신감 있게 발표하는 너랑 한 팀이라 다행이야.

아인: 너 혹시 발표할 생각만 하면 가슴이 뛰고 손에 땀이 나고 그래?

정민: 응. 어떨 땐 머릿속이 하얗게 되면서 열심히 준비한 내용도 기억이 안 나서 발표를 망친 적도 있어.

아인: 그걸 '말하기 불안'이라고 한대. 나도 발표 전에 많이 떠는 편이어서 지난번에 국어 선생님께 고민 상담도 했거든. 그때 선생님께서 알려 주신 방법대로 발표 연습을 하면서 많이 나아졌어.

정민: 진짜? 수업 시간에 너 발표하는 것을 보면 자신감 있어 보이던데. 너도 발표 때 긴장하는구나.

아인: 선생님의 말씀으로는 유명한 연설가들도 모두 '말하기 불안'을 겪는다고 하셨어.

정민: 네 얘기 들으니까 마음이 좀 가벼워지네. 그런데 선생님께서 알려 주신 방법이 대체 뭐야?

아인: 그 방법은 그렇게 어려운 것은 아니야.

[A]

정민: 들어 보니 그렇게 어려운 것은 아니네. 나도 잘할 수 있을 것 같아. 그럼……, 우리 발표 연습은 언제부터 시작할까?

아인: ㉤여행지를 소개하는 부분을 수정하려면 시간이 좀 필요하겠는데……. 미안하지만 네가 괜찮다면 다음 주부터 시작해도 될까?

정민: 그래. 그동안 나도 원고를 좀 더 다듬을게.

대화의 원리 파악

1 ㉠~㉤에 대한 설명으로 적절하지 않은 것은?

① ㉠은 상대방이 쓴 원고의 특정 부분을 언급하며 상대방을 칭찬하고 있다.

② ㉡은 상대방의 평가에 대해 자신을 낮추면서 겸손하게 말하고 있다.

③ ㉢은 상대방의 의견에 대한 문제점을 언급한 후, 의견의 일부를 수용하고 있다.

④ ㉣은 문제의 원인을 자신의 탓으로 돌림으로써 상대방에게 미안한 마음을 전달하고 있다.

⑤ ㉤은 자신의 요구를 일방적으로 전하지 않고 상대방의 의사를 물어봄으로써 양해를 구하고 있다.

말하기 불안 대처 방법 파악

2 [A]에 들어갈 말을 구성한 것 가운데 〈보기〉의 ⓐ에 해당하는 것으로 가장 적절한 것은? [3점]

> 보기
>
> 말하기 불안에 대처하는 방법에는 체계적 둔감화와 인식 전환이 있다. ⓐ체계적 둔감화는 긴장감이 느껴지는 말하기 상황을 떠올리며 긴장된 근육을 이완시키는 연습을 통해 긴장감에 대한 신체의 반응을 둔화시키는 것이다. 인식 전환은 말하기 상황에 대한 부정적 인식을 긍정적으로 바꾸는 것이다.

① 이 발표가 나를 불안하게 만들 만큼 대단한 것인지 질문해 보는 거야. 그럼 불안할 이유가 없다는 것을 알게 될 거야.

② 예전에 발표를 잘하지 못했더라도 성공적으로 발표를 해낸 자신의 모습을 상상해 보는 거야. 그럼 자신감이 생길 거야.

③ 이 발표를 친구들과 좋은 생각을 나누고 자신을 돋보이게 할 수 있는 기회로 받아들여 보는 거야. 그럼 상황을 더 즐길 수 있을 거야.

④ 50미터 달리기를 할 때처럼 가장 떨리는 순간은 발표 직전 뿐이고 막상 시작하면 괜찮을 것이라고 생각해 보는 거야. 그럼 불안한 마음이 줄어들 거야.

⑤ 발표를 상상하면서 심호흡을 천천히 반복한 다음 주먹을 여러 번 쥐었다 폈다 해 보는 거야. 그러면 몸의 긴장이 풀어지면서 마음이 안정될 거야.

실전 15

대담

[1~3] 다음은 라디오 대담의 일부이다. 물음에 답하시오. [2017-3월 고2 학평]

진행자: 최근 동전 없는 사회를 만들자는 논의가 있는데 오늘은 그 이유가 무엇인지, 우려되는 점은 없는지, 관련 부처에 계신 김 과장님과 ○○대학교 최 교수님을 모시고 이야기를 나눠 보겠습니다. 먼저 김 과장님, 동전 없는 사회를 만들자는 이유는 무엇인가요?

김 과장: 요즘 신용 카드 사용이 늘어나면서 현금 거래가 급격히 줄고 있는 상황입니다. 게다가 한 설문 조사에서는 응답자의 46.9%가 동전을 사용하지 않는다고 답했습니다. 그런데 동전을 제조하고 유통하는 데 비용이 여전히 많이 듭니다. 이런 이유로 이미 동전 없는 사회를 실현한 나라들도 있습니다.

진행자: 동전 제조나 유통에 비용이 많이 든다고 하셨는데, 좀 더 구체적으로 설명해 주시겠습니까?

김 과장: 매년 새 동전을 제조하는 데만 500억 원 정도 듭니다. 거기에 유통 비용까지 더하면 1,000억 원 이상 소요됩니다.

진행자: 그럼, 최 교수님께서는 동전 없는 사회에 대해 어떻게 생각하시는지요?

최 교수: 물론 동전을 없애면 동전의 제조와 유통 등에 드는 비용을 줄일 수는 있습니다. 하지만 물가 상승의 우려가 있습니다. 예를 들어 990원짜리 상품이 1,000원으로 인상될 수 있다는 것이죠. 그렇기 때문에 저는 동전 없는 사회를 만드는 것에 찬성할 수 없습니다.

진행자: 네, 동전의 제조와 유통 등과 관련된 비용을 줄일 수 있다는 점에는 두 분 다 같은 의견이시군요. 그러면 김 과장님, 최 교수님께서 제기하신 문제에 대해서는 어떻게 생각하시는지요?

김 과장: 요즘 판매점 간 가격 경쟁이 심화되고 있기 때문에 영업 전략상 가격을 올리기는 어려울 것입니다. 그리고 동전을 교환해 주고 관리하는 데 들어가는 비용을 줄일 수 있어서 가격 상승 요인이 발생한다고 볼 수 없습니다. 이런 경제적 요인들로 인해 최 교수님께서 우려하시는 물가 상승은 일어나지 않을 것입니다.

진행자: 그렇다면 좀 다른 측면에서 살펴볼까요? 동전을 없애면 불편을 겪을 사람들도 있을 것 같은데요. 이번에는 최 교수님께서 먼저 말씀해 주시겠습니까?

최 교수: 당연히 불편을 겪을 사람들이 있지요. 제가 알고 있기로 이를 해결하기 위한 방안으로 카드에 거스름돈을 충전하는 방법을 검토 중이라고 하는데, 카드를 사용하지 않는 분들은 여전히 불편할 것입니다.

김 과장: 통계 자료에 의하면 □□도는 94%, △△시는 85% 이상이 교통 카드를 사용하고 있을 정도로 국민 대다수가 카드를 사용하고 있습니다. 따라서 불편을 겪을 분들은 그리 많지 않을 것으로 예상하고 있습니다.

진행자: 여기서 잠깐, 지금까지 두 분께서 말씀하신 내용에 대해 청취자들의 질문을 받아보겠습니다. 청취자 여러분, 원활한 진행을 위해 게시판의 공지 사항을 꼭 지켜 주시기 바랍니다.

진행자의 역할 파악

1 **대담의 진행자에 대한 설명으로 적절하지 않은 것은?**

① 대담에서 다룰 내용을 소개하며 대담을 시작하고 있다.

② 대담자를 지정하여 발언 기회를 부여하고 있다.

③ 대담 내용과 관련된 구체적인 설명을 요청하고 있다.

④ 대담자들의 공통된 의견을 언급하며 대담을 이어가고 있다.

⑤ 대담 내용을 자신이 정확히 이해하였는지 질문하며 확인하고 있다.

말하기 전략 파악

2 **대담의 진행 과정을 고려하여 두 대담자의 발화를 이해한 것으로 적절하지 않은 것은?**

① 김 과장: 설문 조사 결과를 바탕으로 동전 없는 사회를 만들어야 하는 이유를 설명하고 있다.

② 최 교수: 동전을 없앴을 때 예상되는 문제점을 언급하며 김 과장과 다른 견해를 표명하고 있다.

③ 김 과장: 경제적 요인을 근거로 삼아 최 교수의 의견을 반박하고 있다.

④ 최 교수: 자신이 알고 있는 정보를 바탕으로 진행자가 언급한 내용이 새로운 문제를 야기할 수 있음을 지적하고 있다.

⑤ 김 과장: 통계 자료를 바탕으로 최 교수가 지적한 문제에 대해 반박하고 있다.

질문 내용 파악

3 **대담의 진행자가 선정할 추가 질문으로 가장 적절한 것은?**

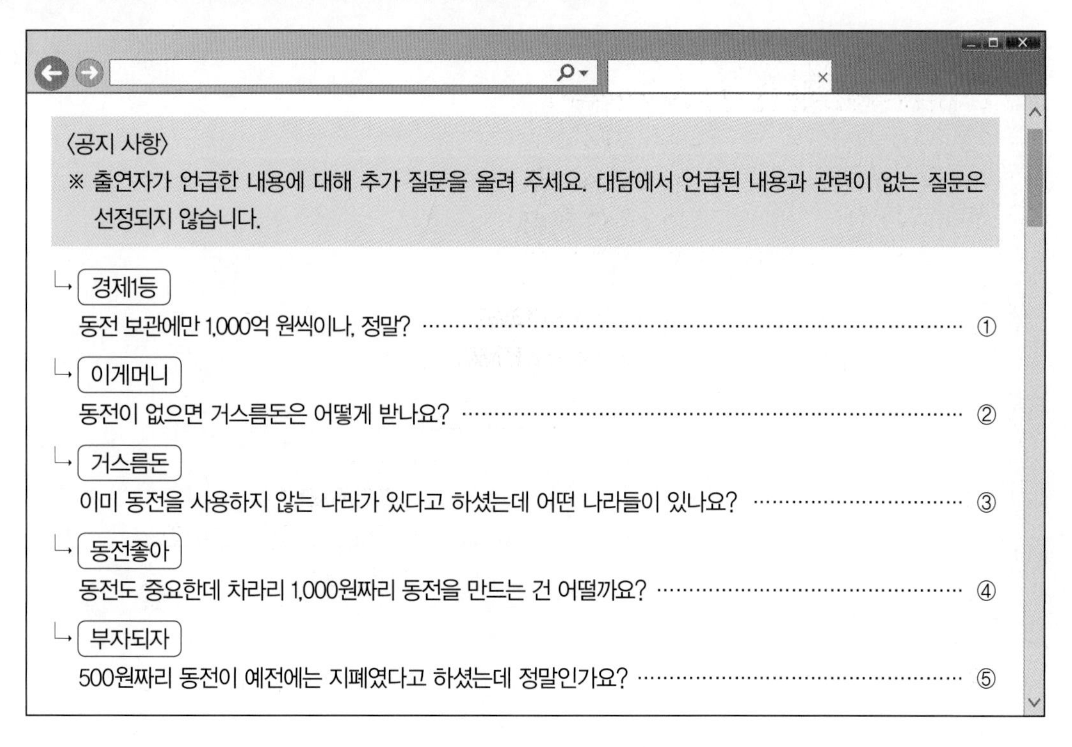

〈공지 사항〉
※ 출연자가 언급한 내용에 대해 추가 질문을 올려 주세요. 대담에서 언급된 내용과 관련이 없는 질문은 선정되지 않습니다.

경제1등
동전 보관에만 1,000억 원씩이나, 정말? ······ ①

이게머니
동전이 없으면 거스름돈은 어떻게 받나요? ······ ②

거스름돈
이미 동전을 사용하지 않는 나라가 있다고 하셨는데 어떤 나라들이 있나요? ······ ③

동전좋아
동전도 중요한데 차라리 1,000원짜리 동전을 만드는 건 어떨까요? ······ ④

부자되자
500원짜리 동전이 예전에는 지폐였다고 하셨는데 정말인가요? ······ ⑤

작문

어떻게 출제되나?

- '계획하기 – 내용 생성하기 – 내용 조직하기 – 표현하기 – 고쳐쓰기'에 따르는 작문 과정에 대한 이해와 전략을 묻는 문제가 출제된다.
- 초고에 사용된 글쓰기 전략, 자료 활용 방안, 고쳐쓰기의 적절성 등을 묻는 문제가 자주 출제된다.

어떻게 공략해야 하나?

- 작문의 각 과정에 따른 개념과 절차를 이해하고, 이를 문제에 적용하는 능력을 길러야 한다.
- 다양한 유형의 문제를 풀면서 실전 감각을 익히고 지문에서 정답과 오답의 근거를 찾는 훈련을 한다.

들어가기

1 계획하기

- 글을 쓰기 전 쓰기 맥락(주제, 목적, 독자, 매체)을 고려하여 글쓰기 전반을 계획하는 과정임.
- 글의 주제, 목적, 예상 독자, 유형 등에 따라 자료를 어떻게 수집하고 내용을 어떻게 생성할 것인지, 글의 조직은 어떻게 구성할 것인지 등 글 전체에 관해 대략적인 계획을 세움.
- 글쓰기 계획을 구체적으로 세우면 글을 쓰는 과정에서 처리해야 할 문제가 좀 더 수월하게 해결됨.

출제 포인트

- 글쓰기 계획이 초고에 반영되어 있는지를 묻는 문제, 제시된 글쓰기 계획과 작성된 글을 비교하여 반영되지 않은 계획이 무엇인지를 파악하는 문제가 출제됨.
- 〈보기〉에 제시된 여러 조건 중 글의 초고에 반영된 것을 묻는 문제가 출제됨.

↳ **해결 TIP**

작성된 글에서 〈보기〉나 선지에 제시된 글쓰기 계획과 관련된 부분을 찾아 〈보기〉나 선지의 설명이 적절한지 판단해야 함. 글의 여러 부분에 걸쳐 글쓰기 계획이 반영되기도 하므로 해당 계획이 반영된 부분을 잘 체크하는 것이 중요함.

2 내용 생성 및 조직하기

1. 내용 생성하기

- 글을 쓰기 위해 다양한 생각을 떠올리고, 관련 자료를 찾아 수집 · 선정하고, 중심 내용과 세부 내용을 생성하는 과정임.
- 수집한 여러 자료 중에서 쓰기 맥락에 맞는 가치 있는 자료를 선정하는 것이 중요함.
- 중심 내용과 세부 내용

중심 내용	글의 전체 짜임을 구성하며 글의 주제를 드러냄.
세부 내용	중심 내용을 뒷받침하여 주제를 선명하게 드러내고 글을 풍부하게 함.

2. 내용 조직하기

- 글의 통일성과 응집성을 고려하여 내용을 조직하고, 주제를 드러내는 데 효과적인 전개 방법을 사용하여 내용을 전개하는 과정임.
- 내용 전개 방법

시간적 순서에 따른 방법	시간의 흐름에 따라 내용을 조직 · 전개하는 방법
공간적 순서에 따른 방법	장소나 공간의 이동에 따라 내용을 조직 · 전개하는 방법
논리적 순서에 따른 방법	논리적 과정과 절차에 따라 내용을 조직 · 전개하는 방법 (원인과 결과, 문제 제기와 해결 방안 등)

3. 표현하기

- 쓰기 맥락을 고려하여 표현 방법 등을 적절하게 활용하면서 글을 쓰는 과정임.
- 주제를 효과적으로 드러낼 수 있는 비유하기, 변화 주기, 강조하기 등의 방법과 속담, 관용 표현, 격언, 명언 등을 적절하게 활용하여 효과적으로 표현함.

출제 포인트

- 제시된 자료 활용 방안이 적절한지를 파악하는 문제가 자주 출제됨.
- 〈조건〉에 따라 글의 중간이나 끝부분에 들어갈 내용이 적절하게 조직되고 생성되었는지를 평가하는 문제가 출제됨.

↳ **해결 TIP**

- 자료 활용의 적절성을 판단할 때에는 각 자료의 내용을 정확하게 분석한 후, 제시된 자료가 글의 내용을 어떻게 뒷받침할 수 있는지 파악해야 함.
- 〈조건〉에 따라 내용이 적절하게 조직 · 생성되었는지 평가하는 문제는 〈조건〉으로 제시된 내용을 파악한 후, 선지의 내용을 분석하여 제시된 〈조건〉의 내용이 모두 반영된 것을 찾아야 함.

3 고쳐쓰기

- 글의 전체적인 흐름을 고려하여 내용을 추가, 수정, 삭제하는 과정임.
- 고쳐쓰기는 보통 초고를 완성한 후에 하지만 계획하기, 내용 생성하기, 내용 조직하기 등 작문의 전 과정에서도 수정하고 보완하는 과정이 이루어짐.
- 고쳐쓰기의 원칙

삭제의 원칙	불필요하거나 중복된 부분, 주제에서 벗어나는 내용, 적절하지 않은 내용, 군더더기 표현 등을 삭제하여 간결하게 함.
첨가의 원칙	부연 설명이 필요한 부분에 내용을 첨가하거나 보충하고, 생략된 내용이 있는 경우에 접속어나 지시어, 빠뜨린 어휘 등을 첨가함.
재구성의 원칙	논리적 흐름이 자연스럽지 못한 부분의 순서를 바꾸거나 문장 구성을 변경하여 글의 전개 양상을 수정함.

- 수준별 고쳐쓰기

글 수준	주제와 글 전체의 통일성, 글 전체의 응집성, 글의 목적, 제목, 예상 독자 등을 고려함.
문단 수준	각 문단의 유기적 연결, 문단의 길이, 내용의 배열 순서 등을 검토함.
문장 수준	문장의 연결, 문장 성분의 호응이나 접속어와 지시어의 사용, 피동문의 적절성 등을 검토함.
단어 수준	문맥에 어울리는 단어, 맞춤법과 띄어쓰기, 번역투 표현 등을 검토함.

출제 포인트

- 고쳐쓰기 방안이 적절한지를 묻는 문제나 고쳐쓰기를 위해 세운 계획이 적절한지를 묻는 문제가 출제됨.
- 원래 문단과 고쳐 쓴 문단을 제시하고 수정 방향을 파악하는 문제가 출제됨.

↳ **해결 TIP**

제시된 고쳐쓰기 방안을 초고에 하나씩 대응하며 살펴본 후, 초고의 내용에서 고쳐 쓸 내용과 선지의 진술이 일치하는지 확인해야 함. 고쳐 써야 하는 이유가 함께 제시되는 경우에는 고쳐쓰기의 이유와 수정 방안이 모두 적절한지 살펴봐야 함.

[1~2] (가)는 학교 신문에 실을 글을 쓰기 위해 학생이 작성한 메모이고, (나)는 이에 따라 쓴 초고이다. 물음에 답하시오. [2020 수능]

(가) 학생의 메모

[작문 상황]

- **목적**: 지역 방언 보호에 대한 관심 촉구
- **주제**: 지역 방언의 보호가 필요하다.
- **예상 독자**: 우리 학교 학생들

[독자 분석]

- 지역 방언이 사라져 가는 실태를 잘 모름. ………………… ㉠
- 지역 방언의 가치에 대한 인식이 부족함. ………………… ㉡

(나) 학생의 초고

세계에서 언어가 사라져 가는 현상은 우리나라 지역 방언에서도 벌어지고 있다. 특히 지역 방언의 어휘는 젊은 세대 사이에서 빠르게 사라져 가고 있는 실정이다. 일례로 한 조사에 따르면 우리 지역의 방언 어휘 중 특정 단어들을 우리 지역 초등학생의 80% 이상, 중학생의 60% 이상이 '전혀 사용하지 않는다.'라고 답했다. 또한 2010년에 유네스코에서는 제주 방언을 소멸 직전의 단계인 4단계 소멸 위기 언어로 등록하였다.

[A] 지역 방언이 사라져 가는 원인은 복합적이다. 서울로 인구가 집중되면서 지역 방언을 사용하는 인구가 감소하였으며, 대중 매체의 영향으로 표준어가 확산되어 가는 것도 한 원인이다.

일부 학생들은 표준어로도 충분히 대화할 수 있다며 지역 방언이 꼭 필요하냐고 말할 수도 있다. 그럼에도 우리는 왜 지역 방언 보호에 관심을 가져야 하는 것일까? 그것은 지역 방언의 가치 때문이다. 지역 방언은 표준어만으로는 표현하기 어려운 감정과 정서의 표현을 가능하게 한다. 그리고 '다슬기' 외에 '올갱이, 데사리, 민물고동'과 같이 동일한 대상을 지역마다 다르게 표현하는 지역 방언이 있는 것처럼 지역 방언은 우리말의 어휘를 더욱 풍부하게 만드는 바탕이 된다.

지역 방언은 우리의 소중한 언어문화 자산이다. 지역 방언의 세계 문화유산 지정이 시급하다. 사라져 가는 지역 방언의 보호에 관심을 기울이자.

글쓰기 계획 파악

1 **㉠, ㉡을 바탕으로 세운 글쓰기 계획 중 (나)에 활용되지 않은 것은?**

① ㉠을 고려하여, 우리 지역 학생들의 지역 방언 사용 실태를 보여 주는 조사 결과를 제시한다.
② ㉠을 고려하여, 소멸 위기 언어로 등록될 정도로 심각한 위기에 처한 지역 방언이 있다는 내용을 제시한다.
③ ㉠을 고려하여, 문제의식을 환기하기 위해 지역 방언으로 인해 의사소통에 어려움을 겪었던 경험을 제시한다.
④ ㉡을 고려하여, 예상되는 반론을 제시하며 지역 방언의 보호에 관심을 가져야 하는 이유를 강조한다.
⑤ ㉡을 고려하여, 지역 방언의 예를 활용하며 지역 방언의 가치를 설명한다.

개념 코칭

독자 분석의 이유
설득하는 글은 독자의 생각이나 태도를 변화시키는 것을 목적으로 하므로, 예상 독자를 고려해야 한다. 독자의 상황이나 배경지식 정도 등에 따라 글의 내용과 전개 방식이 달라질 수 있으므로 글을 쓰기 전에 독자를 분석하여 그 특성을 파악해야 한다.

자료 활용 방안 파악

2 **다음은 [A]를 보완하기 위해 추가로 수집한 자료이다. 자료 활용 방안으로 가장 적절한 것은? [3점]**

[자료 1] 언어 의식 조사
표준어 사용자가 지역 방언 사용자와 대화할 때 받는 느낌

(단위: %)

	2010년	2015년
편하고 친근함.	58.9	42.5
불편하고 어색함.	17.0	19.1
별 느낌 없음.	23.3	38.3
모름/무응답	0.8	0.1

[자료 2] 전문가 인터뷰
“방언 사용 지역에서는 관공서와 학교 등에서나 표준어가 높은 비율로 사용되는 것이 일반적이었어요. 그런데 최근 조사 자료에 따르면, 일상생활에서도 표준어가 상당히 높은 비율로 사용되고 있습니다. 아무래도 표준어가 세련된 느낌을 준다고 생각하기 때문이겠지요.”

① [자료 1]: 지역 방언에 대한 긍정적 느낌의 비율과 부정적 느낌의 비율 변화 양상이 상반된다는 점에서, 지역 방언에 대한 무관심을 원인으로 추가해야겠군.
② [자료 1]: 지역 방언 사용자와 대화할 때 받는 느낌의 순위가 변함이 없다는 점에서, 시대의 변화상을 반영하지 못한 지역 방언 교육 정책을 원인으로 추가해야겠군.
③ [자료 2]: 표준어와 지역 방언을 구분하여 사용해야 한다는 인식이 부족하다는 점에서, 공식적 상황에서의 표준어 사용 교육이 부재한 것을 원인으로 추가해야겠군.
④ [자료 2]: 공식적 상황에서 사용하는 표준어를 일상에서도 사용하려는 경향이 있다는 점에서, 방언을 사용해도 되는 상황에서도 표준어를 쓰려는 태도를 원인으로 추가해야겠군.
⑤ [자료 1]과 [자료 2]: 지역 방언에 대한 표준어 사용자와 지역 방언 사용자의 인식이 서로 다르다는 점에서, 대중 매체의 지역 방언에 대한 편향성을 원인으로 추가해야겠군.

글 분석

1 학생이 쓴 초고의 중심 내용을 정리해 보자.

	내용	구성
1 문단	• (❶)이 사라져 가는 실태 – 우리 지역의 방언 어휘 중 특정 단어들을 초등학생의 80% 이상, 중학생의 60% 이상이 전혀 사용하지 않음. – (❷)에서는 제주 방언을 4단계 소멸 위기 언어로 등록함.	**서론** – 문제 상황 제시
2 문단	• 지역 방언이 사라져 가는 (❸) – 서울로 인구가 집중되면서 지역 방언을 사용하는 인구가 감소함. – (❹)의 영향으로 표준어가 확산됨.	**본론** – 문제에 대한 구체적인 내용 제시
3 문단	• 지역 방언의 가치 – 표준어만으로 표현하기 어려운 (❺)과 정서를 표현할 수 있음. – 우리말의 어휘를 더욱 풍부하게 만드는 바탕이 됨.	
4 문단	사라져 가는 지역 방언의 보호에 관심을 갖자.	**결론** – 주장이나 의견 강조

2 초고에 사용된 쓰기 전략을 파악해 보자.

1 문단	일례로 한 조사에 따르면 우리 지역의 방언 어휘 중 특정 단어들을 우리 지역 초등학생의 80% 이상, 중학생의 60% 이상이 '전혀 사용하지 않는다.'라고 답했다.	→	구체적인 (❶) 결과를 제시하여 문제 상황을 보여 줌.
1 문단	2010년에 유네스코에서는 제주 방언을 소멸 직전의 단계인 4단계 소멸 위기 언어로 등록하였다.	→	권위 있는 기관의 의견을 활용하여 사태의 심각성을 드러냄.
3 문단	일부 학생들은 표준어로도 충분히 대화할 수 있다며 지역 방언이 꼭 필요하냐고 말할 수도 있다.	→	예상되는 (❷)을 제시하여 말하고자 하는 내용을 강조함.

문제 해결 TIP

글쓰기 계획을 파악하는 문제

예상 독자를 분석한 내용을 바탕으로 세운 글쓰기 계획이 초고에 제대로 반영되어 있는지를 파악하는 문제가 자주 출제된다. 글쓰기 계획이 실제 글에 반영되었는지를 파악하는 문제를 풀 때에는 먼저 글쓴이가 글쓰기 계획에서 제시하고자 한 내용이 글의 목적에 부합하는지 파악해야 한다. 그런 다음 글쓰기 계획과 초고를 비교하며 글쓴이가 제시하고자 하는 내용이 글쓰기 계획에 맞게 반영되어 있는지 확인해 본다.

※ 1번 문제의 선지 ①이 적절한 내용인지 판단해 보자.

학생의 초고

일례로 한 조사에 따르면 우리 지역의 방언 어휘 중 특정 단어들을 우리 지역 초등학생의 80% 이상, 중학생의 60% 이상이 '전혀 사용하지 않는다.'라고 답했다.

1-① ㉠을 고려하여, 우리 지역 학생들의 지역 방언 사용 실태를 보여 주는 조사 결과를 제시한다.

↳ 글쓴이가 글쓰기 계획에서 제시하고자 한 내용이 글의 목적에 부합하는지 파악한다.

❶ '우리 지역 학생들의 지역 방언 사용 실태를 보여 주는 조사 결과'는 지역 방언 보호에 대한 관심을 촉구하는 글의 목적과 연관이 있다. (○ / ×)

↳ 글쓴이의 글쓰기 계획이 초고에 반영되어 있는지 확인한다.

❷ '우리 지역 학생들의 지역 방언 사용 실태를 보여 주는 조사 결과'가 초고에 제시되어 있다. (○ / ×)

❸ 글쓴이가 제시하고자 하는 내용이 글쓰기 계획에 맞게 초고에 반영되어 있으므로 선지 ①은 (적절하다 / 적절하지 않다).

작문 맥락

글을 통해 원활하고 의미 있는 의사소통을 하기 위해서는 글을 계획하는 단계에서부터 고쳐 쓰는 단계에 이르기까지 모든 단계에서 작문 맥락을 고려해야 함. 맥락에 따라 구체적인 내용과 표현 방식이 달라지므로 상황에 맞게 맥락을 고려하여 글을 써야 함. 작문 맥락에는 다음과 같은 것들이 있음.

구분	내용
글의 목적	정보 전달, 설득, 사회적 상호 작용, 정서 표현 및 성찰 등 글의 목적에 따라 글의 전개 방식이나 표현 방식 등이 달라짐.
글의 주제	글을 통해 전달하려는 핵심으로, 주제에 대한 글쓴이의 태도나 입장 등에 따라 글의 전개 방식이나 내용이 달라짐.
예상 독자	예상 독자의 나이, 성별, 지식수준, 배경지식의 정도, 글에 대한 흥미, 독자와 글쓴이의 관계 등에 따라 글의 표현 방식이나 어휘 선정 등이 달라짐.

[1~2] 다음을 읽고 물음에 답하시오. [2021-6월 모평]

[작문 상황]

• **작문 목적**: 물 섭취와 관련된 잘못된 인식을 바로잡을 수 있는 올바른 물 섭취 방법에 대한 정보 제공

• **예상 독자**: 학교 학생들

• **전달 매체**: 2020년 6월에 발간될 학교 신문

[수집한 자료 목록]

구분	내용	출처	연도(제작/발행)
〈자료 1〉	전문가가 권하는 물 섭취 방법	○○신문	2019
〈자료 2〉	물 중독 사례	△△방송 다큐멘터리	2014
〈자료 3〉	한국인의 물 섭취 현황	□□병원 보고서	2004
〈자료 4〉	1일 1인당 수돗물 사용량 현황	환경부 연례 보고서	2013

[초고]

학생들은 물 섭취에 대해 어떤 인식을 가지고 있을까? 인터뷰를 통해 만난 우리 학생들은 대부분 물은 많이 마실수록 좋다고 답했다. 물이 관절의 충격을 흡수하며, 장기와 조직을 보호하는 등의 역할을 한다는 점에서 물 섭취는 중요하다. 그러나 물을 많이 섭취한다고 무조건 좋은 것만은 아니다. 그렇다면 바람직한 물 섭취를 위해 유의할 점은 무엇일까?

우선, 한 번에 마시는 물의 양에 유의해야 한다. 단시간 내에 지나치게 많은 양의 물을 마시면 혈액 속 나트륨 농도가 정상 수치 이하로 내려가는 '물 중독'이 발생할 수 있다. 그러면 피로감이 커지고, 두통 또는 어지럼증에 시달리거나, 장기가 붓는 등의 증상이 나타날 수 있다. 한 다큐멘터리에서는 물 중독 환자들의 모습을 보여 주며 그 위험성을 경고하기도 했다.

다음으로, 물을 마시는 때에 대해서도 유의해야 한다. ◇◇대학 연구 팀의 실험이 이를 뒷받침한다. 연구 팀은 먼저 실험 참여자들을 대상으로 목이 마른지 물어보았다. 그런 다음 이들에게 동일한 과제를 부여했다. 이후 관찰을 통해 이들의 물 섭취 유무를 파악하며 과제 수행 능력을 측정했다. 실험 결과는 우리에게 다음과 같은 정보를 제공한다. 목이 마를 때 물을 마신 경우는 물을 마시지 않은 경우보다 과제 수행 능력이 뛰어나다. 이는 일반적인 생각과 같다. 반면 일반적 생각과 달리 목마르지 않은 때 물을 마신 경우는 물을 마시지 않은 경우보다 과제 수행 능력이 떨어진다.

내용 조직의 적절성 평가

1 **위의 '초고'에 반영된 내용 조직 방법으로 적절하지 않은 것은?**

① 1문단에서 물 섭취에 대한 학생들의 인식은 묻고 답하는 구조로 제시한다.

② 1문단에서 물의 인체 내 역할은 원인과 결과의 관계가 드러나도록 제시한다.

③ 2문단에서 물 중독 증상에 대한 부분은 정보를 나열하여 제시한다.

④ 3문단에서 물 섭취에 대한 실험 방법은 그 과정을 순서대로 제시한다.

⑤ 3문단에서 물 섭취에 대한 실험 결과는 비교 · 대조의 방법으로 제시한다.

조건에 맞는 글쓰기 평가

2 **〈보기〉는 '초고'를 읽은 친구의 조언이다. 〈보기〉를 반영하여 '초고'에 마지막 문단을 추가한다고 할 때 가장 적절한 것은?**

보기

글이 마무리되지 않은 느낌이 드니까 중심 내용으로 제시한 두 가지 유의 사항을 모두 포함하는 문장을 추가하는 것이 좋겠어. 그리고 중심 내용에 담긴 정보가 독자에게 어떤 긍정적인 가치가 있는지도 언급하는 게 좋겠어.

① 물은 적당한 양을 필요한 때에 마셔야 좋은 것이다. 물 섭취에 대한 올바른 정보를 이해하고 삶에 적용한다면 건강을 지키며 삶의 질을 높일 수 있을 것이다.

② 언제 마시는가에 따라 물도 독이 될 수 있음을 유의해야 한다. 갈증을 느낄 때 물을 마셔야만 물이 인체에서 수행하는 역할을 활성화하는 데 기여할 수 있다.

③ 물은 인체에 필수적이나 한 번에 많은 물을 마시지는 말아야 한다. 물이 인체에 미치는 영향을 정확히 안다면 물이 지닌 긍정적 가치를 더 많이 발견할 수 있을 것이다.

④ 물 중독 사례와 연구 팀의 실험을 통해 물 섭취 시 유의 사항을 확인하였다. 결국 물을 한 번에 많이 마시면 건강에 해롭고, 목마르지 않은데 마시면 과제 수행 능력이 떨어진다.

⑤ 당연하다고 생각했던 것들이 거짓인 경우도 있는데 물은 많이 마실수록 좋다는 인식도 그러하다. 올바른 물 섭취를 생활화한다면 학습 능력 향상에 도움을 얻을 수 있을 것이다.

개념 코칭

설명문의 끝부분 쓰기 전략

설명문의 끝부분에서는 중간 부분에서 다룬 핵심적인 정보를 요약 · 정리해야 한다. 그리고 그 정보가 가치 있다는 사실을 언급하면 독자가 글에 담긴 정보를 기억하는 데 도움을 줄 수 있다.

글 분석

1 학생이 쓴 초고의 중심 내용을 정리해 보자.

	내용	구성
1 문단	• 물 섭취에 대한 학생들의 인식 – 우리 학교 학생들은 대부분 물은 (❶) 마실수록 좋다고 생각함. → 물을 많이 섭취한다고 무조건 좋은 것은 아님.	**처음** – 독자의 관심 유도 – 화제 제시
2 문단	• 바람직한 물 섭취를 위해 유의할 점 ① – 한 번에 지나치게 많은 양의 물을 마시지 말아야 함. → 혈액 속 나트륨 농도가 정상 수치 이하로 내려가는 (❷)이 발생할 수 있음. → 피로감, 두통, 어지럼증 등의 증상이 나타날 수 있음.	**중간** – 구체적인 내용 제시
3 문단	• 바람직한 물 섭취를 위해 유의할 점 ② – (❸) 때 물을 마셔야 함. → 목이 마를 때 물을 마신 경우에 과제 수행 능력이 뛰어남. → 목마르지 않은 때 물을 마신 경우에 과제 수행 능력이 떨어짐.	

2 초고에 사용된 쓰기 전략을 파악해 보자.

	초고		전략
1 문단	학생들은 물 섭취에 대해 어떤 인식을 가지고 있을까? 인터뷰를 통해 만난 우리 학생들은 대부분 물은 많이 마실수록 좋다고 답했다.	→	묻고 (❶) 형식을 활용해 독자의 흥미를 유발함.
2 문단 ~ 3 문단	우선 ~ 다음으로 ~	→	적절한 표지를 사용하여 문단과 문단을 자연스럽게 연결함.
3 문단	목이 마를 때 물을 마신 경우는 물을 마시지 않은 경우보다 과제 수행 능력이 뛰어나다. 이는 일반적인 생각과 같다. 반면 일반적 생각과 달리 목마르지 않은 때 물을 마신 경우는 물을 마시지 않은 경우보다 과제 수행 능력이 떨어진다.	→	• 물 섭취에 대한 실험 결과를 비교와 (❷)의 방식으로 제시함. • 객관적인 실험 결과를 근거로 제시하여 신뢰성을 높임.

문제 해결 TIP

제시된 조건에 따라 글을 쓰는 문제

제시된 조건에 따라 글을 쓰는 문제를 풀 때에는 먼저 〈보기〉에 제시된 조건을 파악해야 한다. 보통 조건은 '내용 조건'과 '형식 조건'으로 구성되는 경우가 많으므로 내용에 관한 것인지 형식에 관한 것인지를 먼저 파악하고 항목화하여 정리한다. 그런 다음 선지의 내용을 분석하여 〈보기〉에 제시된 조건이 모두 반영된 것을 찾아본다.

※ 2번 문제의 선지 ①이 적절한 내용인지 판단해 보자.

보기

글이 마무리되지 않은 느낌이 드니까 중심 내용으로 제시한 두 가지 유의 사항을 모두 포함하는 문장을 추가하는 것이 좋겠어. 그리고 중심 내용에 담긴 정보가 독자에게 어떤 긍정적인 가치가 있는지도 언급하는 게 좋겠어.

2-① 물은 적당한 양을 필요한 때에 마셔야 좋은 것이다. 물 섭취에 대한 올바른 정보를 이해하고 삶에 적용한다면 건강을 지키며 삶의 질을 높일 수 있을 것이다.

〈보기〉에 제시된 조건을 파악하여 정리한다.

❶ 〈조건 1〉은 '중심 내용으로 제시한 두 가지 유의 사항을 모두 포함할 것.', 〈조건 2〉는 '중심 내용에 담긴 정보가 독자에게 어떤 긍정적인 가치가 있는지 언급할 것.'이다. (○ / ×)

〈보기〉에 제시된 조건이 선지에 모두 반영되어 있는지 파악한다.

❷ 〈조건 1〉은 '물은 적당한 양을 필요한 때에 마셔야 좋은 것이다.'에, 〈조건 2〉는 '건강을 지키며 삶의 질을 높일 수 있을 것이다.'에 반영되어 있다. (○ / ×)

❸ 〈보기〉의 조건들이 충실히 반영되어 있으므로 선지 ①은 (적절하다 / 적절하지 않다).

개념 ✚ 플러스

내용 조직의 일반적인 원리

통일성	• 글의 내용이 하나의 주제와 긴밀하게 연결되어 있어야 함. • 하나의 문단은 하나의 중심 내용으로 통일되어야 함. • 중심 내용을 뒷받침하는 문장이 적절해야 함.
응집성	문장과 문장, 문단과 문단이 서로 긴밀하게 연결되어야 함.
일관성	글의 내용이 논리적으로 자연스럽게 연결되며, 글의 흐름이 일정한 질서에 따라 구성되어야 함.
단계성	'처음 – 중간 – 끝', '서론 – 본론 – 결론', '머리말 – 본문 – 맺음말' 등의 글의 구성 단계가 명확해야 함.

[1~2] (가)는 작문 과제이고, (나)는 (가)를 바탕으로 쓴 학생의 초고이다. 물음에 답하시오. [2021 수능]

(가) 작문 과제

- **작문 목적**: '게임화'에 대한 정보 전달
- **주제**: 다양한 분야에서 활용되고 있는 '게임화'의 특징
- **예상 독자**: '게임화'가 생소한 우리 학급 학생

(나) 학생의 초고

'게임화(gamification)'란 게임적 사고나 게임 기법과 같은 요소를 다양한 분야에 접목시키는 것이다. 이때 게임이란 컴퓨터 게임에 국한되는 것이 아니라 일정한 규칙에 따라 즐기는 놀이를 아우르는 개념이다.

게임화는 먼저 재미와 호기심을 느낄 수 있는 흥미로운 과제를 제공하여 이에 도전하게 만든다. 이후 과제에 참여한 사람들 간의 경쟁을 유도하거나, 목표를 달성하면 성취감과 같은 보상을 받을 수 있게 하여 참여자들이 과제에 몰입할 수 있도록 돕는다. 얼마 전 한국사 수업 시간에 우리나라 지도를 배경으로 윷놀이판을 만들어 모둠별 퀴즈 대결을 펼친 것도 게임화에 해당한다. 역사적 사건에 대한 퀴즈를 맞히면 다음 지역으로 이동하며 전국을 순회하는 과정에서 학생들은 수업에 더욱 몰입하는 모습을 보였다. 이러한 사례는 게임화의 특징을 잘 보여 준다.

한편 게임화는 교육뿐만 아니라 보건, 기업의 마케팅 등 다양한 분야에서 활용되고 있다. 달리기를 하면 달린 거리와 소모 칼로리 등에 따라 보상을 제공하는 과제를 통해 참여자의 건강 증진에 도움을 줄 수 있다. 또한 비행기를 탈 때마다 마일리지를 올려 주고, 누적된 마일리지에 따라 회원의 지위를 차등 부여하는 등 기업의 마케팅 전략으로 활용되기도 한다.

이처럼 게임화는 우리의 실생활과 밀접한 여러 분야에서 활용되고 있다. 무엇보다 중요한 것은 어떻게 게임화를 활용하느냐이다. 게임화를 통해 달성하고자 하는 목적을 고려하여 흥미, 도전, 경쟁, 보상과 같은 게임적 요소를 적절히 활용하는 지혜가 필요한 것이다.

글쓰기 전략 파악

1 (나)에 활용된 글쓰기 전략으로 적절하지 않은 것은?

① 제재에 대한 정보를 전달하기 위해 개념 간의 차이를 중심으로 대조한다.
② 제재의 특징을 드러내기 위해 제재가 가지는 효용적 측면을 부각한다.
③ 제재가 다양한 분야에서 활용되는 양상을 드러내기 위해 사례를 제시한다.
④ 제재에 대한 배경지식이 부족한 예상 독자의 이해를 돕기 위해 용어를 정의한다.
⑤ 제재와 관련한 정보를 효과적으로 전달하기 위해 예상 독자와 공유하고 있는 경험을 활용한다.

내용의 점검과 조정

2 다음은 (나)의 '학생'이 '초고'를 고쳐 쓰는 과정에서 수행한 학습 활동이다. [A]에 들어갈 내용으로 가장 적절한 것은?

학습 활동

• 일상에 대한 성찰을 바탕으로, 자신이 쓴 글을 고쳐 써 보자.

(1) 자신이 쓴 글과 관련한 경험을 떠올려 보자.

지난 한국사 시간에 모둠별로 퀴즈 대결을 하는 과제에 참여했다. 다른 모둠을 꼭 이기고 싶다는 생각에 누구보다 열정적으로 과제에 임했다. 그러다 보니 나도 모르게 같은 모둠의 친구를 다그치며 싫은 소리를 해 버렸다. 집에 와서도 내내 마음이 편치 않아 다음 날 그 친구를 찾아가 미안하다는 말을 건넸다.

(2) (1)에서 작성한 내용을 바탕으로 고쳐 쓸 내용을 생각해 보자.

이번 일로 게임화에 대해 더 깊이 생각해 보게 되었다. 마지막 문단에서 [A] 내용을 제시하여 게임적 요소를 적절히 활용하는 지혜가 필요하다는 점을 강조해야겠다.

① 게임화를 통해 얻을 수 있는 물질적 보상에만 연연할 경우 주객이 전도될 수 있다는

② 게임화를 통해 단순히 흥미만 추구할 경우 상업적으로 변질되는 문제점이 발생할 수 있다는

③ 게임화된 과제에 도전하려는 의욕이 없는 경우 다른 참여자들의 과제 수행을 방해할 수 있다는

④ 게임화를 통해 달성하고자 하는 목적을 고려하지 않을 경우 과제에 대한 몰입이 저해될 수 있다는

⑤ 게임화의 경쟁적 속성이 지나치게 강조될 경우 참여자들 간의 관계에 부정적인 영향을 미칠 수 있다는

글 분석

1 학생이 쓴 초고의 중심 내용을 정리해 보자.

	내용	구성
1 문단	• 게임화의 (❶) – 게임적 사고나 게임 기법과 같은 요소를 다양한 분야에 접목시키는 것	**처음** – 설명 대상 제시
2 문단	• 게임화의 특징 및 활용 사례 – 흥미로운 과제를 제공하여 도전하게 만듦. – 사람들 간의 경쟁을 유도하고, 목표를 달성하면 (❷)을 받을 수 있게 함. – 참여자들이 과제에 (❸)할 수 있도록 도움. → 한국사 수업 시간의 사례 제시	**중간** – 구체적인 내용 제시
3 문단	• 게임화의 (❹) 분야 – 보건: 달리기를 하면 달린 거리와 소모 칼로리 등에 따라 보상을 제공함. – 기업 마케팅: 비행기 탑승 시에 누적한 마일리지에 따라 회원의 지위를 차등 부여함.	
4 문단	게임화를 통해 달성하고자 하는 (❺)을 고려하여 게임적 요소를 적절하게 활용해야 함.	**끝** – 핵심 내용 정리

2 초고에 사용된 쓰기 전략을 파악해 보자.

	초고		쓰기 전략
1 문단	'게임화(gamification)'란 게임적 사고나 게임 기법과 같은 요소를 다양한 분야에 접목시키는 것이다.	→	핵심 정보에 대한 개념을 (❶) 함으로써 독자의 이해를 도움.
2 문단	얼마 전 한국사 수업 시간에 우리나라 지도를 배경으로 윷놀이판을 만들어 모둠별 퀴즈 대결을 펼친 것도 게임화에 해당한다.	→	예상 독자와 공유하고 있는 경험을 제시함으로써 생소한 정보에 대한 이해를 도움.
3 문단	달리기를 하면 달린 거리와 소모 칼로리 등에 따라 보상을 제공하는 과제를 통해 참여자의 건강 증진에 도움을 줄 수 있다. 또한 비행기를 탈 때마다 마일리지를 올려 주고, 누적된 마일리지에 따라 회원의 지위를 차등 부여하는 등 기업의 마케팅 전략으로 활용되기도 한다.	→	다양한 (❷)를 제시함으로써 게임화가 활용되는 다양한 분야를 알 수 있도록 함.

문제 해결 TIP

내용의 점검과 조정을 묻는 문제

내용의 점검과 조정을 묻는 문제는 작성한 초고의 내용을 점검하고, 고쳐 쓰는 과정에서 조건에 맞게 보완해야 할 부분을 파악하는 문제가 자주 출제된다. 이러한 문제를 풀 때에는 제시된 조건(고쳐 쓰는 방법이나 방향)을 먼저 파악한 후 이를 올바르게 반영한 글의 내용을 찾아야 한다. 고쳐 쓴 내용이 〈보기〉에 제시되고 고쳐 쓰는 방법이나 방향을 선지에서 찾는 문제는 선지에서 확인할 수 있는 고쳐 쓰는 이유나 방향을 고쳐 쓴 글에 적용하면서 풀어 본다.

※ 2번 문제의 선지 ①이 적절한 내용인지 판단해 보자.

(1) 자신이 쓴 글과 관련한 경험을 떠올려 보자.

> 지난 한국사 시간에 모둠별로 퀴즈 대결을 하는 과제에 참여했다. 다른 모둠을 꼭 이기고 싶다는 생각에 누구보다 열정적으로 과제에 임했다. 그러다 보니 나도 모르게 같은 모둠의 친구를 다그치며 싫은 소리를 해 버렸다. 집에 와서도 내내 마음이 편치 않아 다음 날 그 친구를 찾아가 미안하다는 말을 건넸다.

(2) (1)에서 작성한 내용을 바탕으로 고쳐 쓸 내용을 생각해 보자.

> 이번 일로 게임화에 대해 더 깊이 생각해 보게 되었다. 마지막 문단에서 [[A]] 내용을 제시하여 게임적 요소를 적절히 활용하는 지혜가 필요하다는 점을 강조해야겠다.

2-① 게임화를 통해 얻을 수 있는 물질적 보상에만 연연할 경우 주객이 전도될 수 있다는

↳ 글을 고쳐 쓰기 위해 제시된 조건인, 초고와 관련된 경험의 내용을 파악한다.

❶ 퀴즈 대결을 할 때 이기고 싶다는 생각에 너무 열정적으로 참여해 친구를 다그쳤다. (○ / ×)

↳ 경험의 내용이 선지에 적절하게 반영되어 있는지 확인한다.

❷ 이기고 싶다는 생각에 경쟁적으로 퀴즈 대결에 참여했던 경험이 선지에 반영되어 있다. (○ / ×)

❸ 게임화의 경쟁적 속성에 대한 내용이 선지에 반영되어 있지 않으므로 선지 ①은 (적절하다 / 적절하지 않다).

개념+ 플러스

고쳐쓰기

고쳐쓰기는 작문의 마지막 단계라고 할 수 있지만, 작문의 전 단계에 걸쳐서 이루어짐. 고쳐쓰기를 할 때 가장 중요한 일은 작문의 맥락에 맞는지를 점검하는 것임. 글의 주제나 목적에 맞지 않는 내용은 없는지, 예상 독자에게 적절하지 않은 내용은 없는지, 글의 유형에 따른 특징은 잘 드러나는지 등을 점검해야 함. 작문의 맥락에 대한 검토가 끝나면 문단과 문단의 관계, 문단 내 문장들의 관계, 자연스러운 문장 여부 확인, 적절한 단어의 사용 등 글의 세부적인 부분까지 모두 점검하고 고쳐 써야 함. 고쳐쓰기 과정에서 다른 사람과 대화를 하면 자신이 미처 생각하지 못했던 부분까지 알게 되어 효과적으로 글을 수정할 수 있음.

[1~3] 다음은 작문 상황과 이를 바탕으로 작성한 학생의 초고이다. 물음에 답하시오.

[2022-6월 모평]

• **작문 상황**: 손 글씨 쓰기의 효과를 소개하는 글을 써서 교지에 실으려 함.

• **학생의 초고**

컴퓨터와 온라인을 기반으로 한 쓰기 환경이 조성됨에 따라, 많은 학생들이 펜을 쥐는 대신에 컴퓨터 자판을 두드리는 일이 일상화되었다. '손 글씨 쓰기'보다 힘이 덜 들고 편리하기 때문에 많은 학생들이 컴퓨터 자판을 이용한 쓰기를 선호한다. 하지만 손 글씨 쓰기의 효과는 생각보다 크다.

컴퓨터 자판으로 글자를 입력할 때에는 '강'을 입력하든 '물'을 입력하든 손가락으로 세 번의 타점을 두드리는 동작에는 큰 차이가 없다. 그러나 손으로 글씨를 쓸 때에는 손의 동선이 그대로 글씨를 이루며 단어마다 다른 궤적이 생기게 된다. 뇌의 시각 처리와 손을 통한 운동 경험, 쓰고자 하는 단어를 떠올리는 과정이 동시에 이루어져 뇌의 다양한 영역이 활성화되는 효과가 생기는 것이다.

손 글씨 쓰기는 컴퓨터 자판을 이용할 때보다 많은 시간이 소요된다. 하지만 이 느림 때문에 사고할 수 있는 시간이 확보된다. 또 느림 때문에 듣는 내용을 기록할 수 있는 양도 적어지므로 내용의 우선순위를 판단하고 체계를 세워 정리하게 된다. 이때 정보의 선별과 구조화라는 고등 사고 과정이 이루어진다. 결과적으로 해당 내용에 대한 이해도가 높아지는 것이다.

최근에는 정서적 효과도 주목받고 있다. 좋은 글귀를 손으로 차분히 따라 쓰는 필사는 자신이 적고 있는 글귀에 몰입하는 경험을 하게 한다. 자신의 손 글씨로 작성된 단 하나뿐인 책을 완성했다는 성취감을 맛보거나, 좋아하는 글을 음미하며 마음이 치유되는 느낌을 받기도 한다.

컴퓨터 자판을 이용한 쓰기는 현대 사회에서 필수적이다. 하지만 편리함이라는 그늘에 가려지기에는 손 글씨 쓰기가 우리에게 주는 효과가 이처럼 다양하다. [A]

● 정답과 해설 24쪽

내용 생성의 적절성 평가

1 다음은 초고를 작성하기 전에 학생이 떠올린 생각이다. ⓐ~ⓔ 중 학생의 초고에 반영되지 않은 것은?

- 손 글씨 쓰기의 개념을 정의하며 글을 시작해야겠어. ……… ⓐ
- 컴퓨터 자판을 이용한 쓰기가 일상화된 배경을 언급해야겠어. ……… ⓑ
- 손 글씨 쓰기와 컴퓨터 자판을 이용한 쓰기의 차이를 예를 활용하여 설명해야겠어. ……… ⓒ
- 컴퓨터 자판을 이용한 쓰기보다 손 글씨 쓰기의 속도가 느린 데서 오는 효과를 설명해야겠어. ……… ⓓ
- 최근에 주목받는 손 글씨 쓰기의 효과를 언급해야겠어. ……… ⓔ

① ⓐ ② ⓑ ③ ⓒ ④ ⓓ ⑤ ⓔ

내용의 점검과 조정

2 다음은 초고를 읽은 교지 편집부 담당 선생님의 조언이다. 이를 반영하여 [A]를 작성한 내용으로 가장 적절한 것은?

"이 글에 제시된 손 글씨 쓰기의 주요 효과를 모두 언급하고 비유적 표현을 활용해서 마무리하면 어떨까요?"

① 손 글씨 쓰기의 다양한 효과를 정확히 알고 이를 상황에 맞게 활용한다면 쓰기의 효율성을 높일 수 있을 것이다.
② 손 글씨 쓰기의 과정, 장점과 한계, 정서적 효과를 통해 손 글씨 쓰기가 동전의 양면과 같음을 기억해야 할 것이다.
③ 손 글씨 쓰기가 우리의 뇌, 이해, 정서에 미치는 긍정적 영향을 고려하여 손 글씨 쓰기의 횟수를 더욱 늘려야 할 것이다.
④ 손 글씨 쓰기는 글을 쓰는 능력을 향상시키고 정서적 효과를 주기에, 그 가치는 시대가 변해도 늘 별처럼 빛날 것이다.
⑤ 손 글씨 쓰기를 통해 뇌의 다양한 영역 활성화, 이해도 향상, 정서적 효과라는 세 가지 빛깔의 진주를 발견할 수 있을 것이다.

자료 활용 방안 파악

3 〈보기〉는 학생이 초고를 보완하기 위해 추가로 수집한 자료이다. 자료의 활용 방안으로 적절하지 않은 것은? [3점]

보기

ㄱ. 전문가 인터뷰

"손으로 글씨를 쓸 때, 전두엽, 후두엽, 측두엽, 두정엽 등의 뇌의 전 영역에 걸쳐 신경 회로가 형성되어 활성화됩니다. 그래서 손 글씨 쓰기는 뇌를 건강하게 해 주는 일종의 뇌 운동이라고 할 수 있습니다."

ㄴ. 연구 자료

65명의 대학생에게 컴퓨터 자판을 이용한 쓰기와 손 글씨 쓰기라는 두 방식으로 강연 내용을 정리하도록 한 후 성취도를 확인했다. 그 결과, 기억 여부를 묻는 '과제 1'에서는 집단 간 차이가 없었으나, 개념의 이해를 묻는 '과제 2'에서는 손 글씨 쓰기 방식으로 정리한 집단이 훨씬 높은 성취를 보였다.

ㄷ. 우리 학교 설문 조사

ㄷ-1. 학습 과제 작성 시 선호하는 쓰기 방식은?

컴퓨터 자판을 이용한 쓰기 72%, 손 글씨 쓰기 28%

ㄷ-2. ㄷ-1에서 응답한 쓰기 방식을 선호한 이유는?

쓰기 방식 / 순위	컴퓨터 자판을 이용한 쓰기	손 글씨 쓰기
1순위	과제 작성을 빠르게 할 수 있어서	내 과제에 애착이 생겨서
2순위	손으로 쓰면 팔이 아프고 귀찮아서	과제에 정성을 쏟을 수 있어서

① ㄱ을 활용하여, 뇌의 다양한 영역이 활성화된다는 2문단의 내용을 구체화한다.

② ㄴ에서 과제 1의 결과를 활용하여, 손 글씨 쓰기가 특정 상황에서 효과적이라는 3문단의 내용을 보강한다.

③ ㄴ에서 과제 2의 결과를 활용하여, 손 글씨 쓰기가 내용 이해도를 높인다는 3문단의 내용을 뒷받침한다.

④ ㄷ-1을 활용하여, 학생들이 컴퓨터 자판을 이용한 쓰기 방식을 선호한다는 1문단의 내용을 보강한다.

⑤ ㄷ-2를 활용하여, 손 글씨 쓰기가 과제를 수행할 때에도 정서적 효과를 준다는 내용을 4문단에 보충한다.

[1~4] (가)는 교지에 실을 조사 보고서의 초고이고, (나)는 (가)를 작성한 학생이 자신의 블로그에 작성한 글이다. 물음에 답하시오.

[2022 수능 예시 문항]

(가)

'걷기'의 가치에 대한 학생 인식 조사 보고서

Ⅰ. 조사 동기 및 목적

최근 사회에서 일고 있는 걷기에 대한 높은 관심과 달리, 우리 학교 학생들의 걷기에 대한 관심은 낮은 것으로 보인다. 이에 학생들이 걷기를 어떻게 생각하는지에 대해 조사하고자 한다.

Ⅱ. 조사 계획

- **조사 대상**: 우리 학교 학생 120명 및 일반 성인 75명
- **조사 기간 및 방법**: 2020. 5. 10.~ 5. 15., 설문지 조사
- **조사 내용**: 걷기 실태 및 가치 인식

Ⅲ. 조사 결과

1. 걷기 실태

'이동 수단으로서의 걷기를 제외하고 30분 이상 걷기를 주 몇 회 하는가?'를 설문한 결과, 학생은 주 1회 이상의 비율이 10.0%에 불과한 반면 ○○ 공원에서 만난 성인은 44.0%로 나타났다. 학생과 달리 성인은 대부분 걷기를 실천하고 있었다.

2. 걷기 가치 인식

가. 걷기의 가치 인식 여부

'걷기가 가치 있는 활동이라고 보는가?'라는 설문에 대해 학생은 91.7%, 성인은 92.0%가 각각 '그렇다'라고 답했다.

나. 걷기의 가치 인식 비교

'걷기의 가치가 무엇이라 생각하는가?'라는 설문에, 가장 높은 응답은 학생이 '체력 증진(80.8%)'인 반면, 성인은 '자기 성찰(32.0%)'이었다. 이러한 성인의 응답은 걷기를 "발로 사색하는 것"(황△△,『걷기 속 □□□』, ◇◇출판사, 2017, p. 10.)이라고 보는 견해와 관련된다. 성인은 자기 성찰, 정서 안정, 체력 증진, 아이디어 생성 등 걷기의 가치를 다양하게 인식한 반면, 학생은 걷기의 가치를 다양하게 인식하지 못하는 것으로 판단된다.

〈걷기의 가치에 대한 학생과 성인의 인식 비교 결과〉

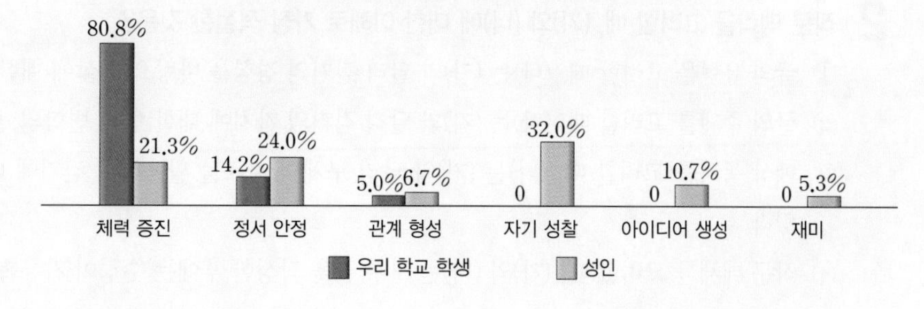

Ⅳ. 결론

[A]

(나)

Blog. ♥공감 80 ▼ 댓글 12 ▼ 공유 수정 삭제 설정▼

나는 평소 잘 걷지 않는 편이다. 그런데 걷기에 대한 조사 보고서를 작성하고 걷기가 내게는 어떤 의미가 있을지 궁금했다. 그래서 집 앞 공원을 걸어 보았다. 천천히 걷다 보니 어떤 진로를 택할지, 과제를 함께하던 친구가 왜 화를 냈는지, 이런저런 생각들이 꼬리를 물고 이어졌다. 한동안 걷다 보니 몇 가지 물음에 해답을 찾게 되어 걷기 전보다 마음이 훨씬 가벼워졌다. 바쁜 일상을 보내느라 정작 중요한 고민들은 미뤄 두기 일쑤였는데, 걷기가 삶을 찬찬히 돌아볼 수 있는 시간을 내게 만들어 준 것이다. 밥을 먹으면 몸이 자라고, 공부를 하면 지식이 자라는 것처럼, 걷기는 앞으로 내 마음을 한 뼘쯤 자라게 해 줄 것 같다.

글쓰기 계획 파악

1 다음은 (가)를 쓰기 위한 글쓰기 계획이다. (가)에 반영되지 않은 것은?

> 보고서를 쓸 때 먼저 ①사회적 추세와는 다른 우리 학교 학생들의 모습이 조사 동기가 되었음을 언급해야겠어. 또 ②조사 결과에 설문지의 질문 내용을 밝혀 제시하고, ③조사 대상별로 소제목을 달아 본문의 내용을 서술하자. 표면적 수치만 나열하기보다 ④학생과 성인의 설문 조사 결과들을 대비하여 조사 결과의 의미를 해석하는 것이 좋겠어. 그리고 ⑤일부 문항의 응답 결과를 비교하여 막대그래프로 표현해야지.

글의 유형 및 내용 이해

2 작문 맥락을 고려할 때, (가)와 (나)에 대한 이해로 가장 적절한 것은?

① 글의 유형을 고려할 때, (나)는 (가)와 달리 걷기의 경험을 바탕으로 삶에 대한 성찰을 표현했다.
② 글의 주제를 고려할 때, (나)는 (가)와 달리 걷기의 가치에 대한 인식 변화의 필요성을 드러냈다.
③ 예상 독자를 고려할 때, (나)는 (가)와 달리 구체적 자료를 활용하여 걷기에 대한 독자의 이해를 돕고 있다.
④ 작문 매체를 고려할 때, (가)와 (나)는 모두 글을 작성한 후에는 수정이 자유롭지 않다.
⑤ 작문 목적을 고려할 때, (가)와 (나)는 모두 걷기를 통한 공동체 문제의 해결 가능성을 강조했다.

내용 생성의 적절성 평가

3 **〈보기〉를 고려할 때, [A]에 들어갈 내용으로 가장 적절한 것은?**

보기

- **친구의 조언**: 결론에는 조사 결과를 요약하고, 이를 바탕으로 학생들에게 실천을 제안하는 내용으로 마무리하면 좋겠어.

① 학생들은 걷기를 정기적으로 실천하는 비율이 높지 않다. 또한 성인에 비해 걷기의 여러 가치 중 특정 가치만을 인식하고 있다.
② 학생들은 걷기를 통해 성찰, 관계 형성, 정서 안정 등 걷기의 다양한 가치를 인식하고 있음을 알 수 있다. 많은 학생들이 걷기를 지속적으로 실천하기를 바란다.
③ 학생들은 성인과 달리 걷기의 가치 중 체력 증진을 가장 우선적으로 인식하고 있다. 학생들이 지금과 같은 걷기의 실천을 통해 신체적 건강을 유지할 수 있기를 바란다.
④ 학생들은 걷기가 가치 있다고 여기지만, 성인에 비해 걷기를 실천하지 않고 그 가치를 다양하게 인식하지 못하고 있다. 학생들이 걷기를 수행하며 걷기의 다양한 가치를 깨달았으면 한다.
⑤ 학생들은 성인에 비해 걷기의 가치를 잘 알고 있지만 이를 다양하게 인식하지 못하고 있다. 학생들이 걷기의 가치를 폭넓게 인식할 수 있도록 하는 사회 · 제도적 방안이 마련되어야 할 것이다.

쓰기 윤리 이해

4 **〈보기〉의 ㉠~㉣ 중, (가)에 반영되지 않은 쓰기 윤리만을 있는 대로 고른 것은?**

보기

선생님: 보고서를 쓸 때에는 다음과 같은 쓰기 윤리를 지켜야 해요. 자료를 직접 조사한 경우 ㉠조사 기간과 조사 대상, 조사 방법을 기술해야 합니다. 그리고 ㉡조사 결과를 과장, 축소, 왜곡하여 해석하지 않도록 주의해야 합니다. 또한 ㉢타인의 글을 인용할 경우 출처를 밝히고, 그 내용과 자신의 글을 명확히 구분해야 합니다. '결론'의 뒤에는 참고 문헌을 제시해야 하는데, ㉣'참고 문헌'에는 보고서에서 인용한 모든 자료를 명시해야 합니다. 이와 같은 내용을 고려하여 보고서를 완성해 봅시다.

① ㉠, ㉡　　② ㉡, ㉣　　③ ㉢, ㉣
④ ㉠, ㉡, ㉢　　⑤ ㉠, ㉢, ㉣

개념 코칭

쓰기 윤리
쓰기 윤리란 글쓴이가 글을 쓰는 과정에서 준수해야 하는 윤리적인 규범으로, 다른 사람의 아이디어나 자료 등을 바르게 인용하고, 조사 결과나 연구 결과를 과장, 축소, 왜곡하지 않아야 한다.

[1~3] (가)는 글을 쓰기 전 학생이 작성한 메모이고, (나)는 (가)를 작성한 학생이 쓴 글이다. 물음에 답하시오. [2021-9월 모평]

(가) 학생의 메모

- **작문 상황**: 교내 학생들에게 인포그래픽에 대해 소개하는 글을 써서 교지에 실으려 함.
- **예상 독자가 궁금해할 만한 내용**
  - 어떤 것을 인포그래픽이라고 할까? ………… ㉠
  - 인포그래픽의 유형을 나누는 기준은 무엇일까? ………… ㉡
  - 비상구 표시등의 그래픽 기호도 인포그래픽일까? ………… ㉢
  - 인포그래픽이 글에 비해서 더 나은 점은 무엇일까? ………… ㉣
  - 인포그래픽이 널리 쓰이게 된 배경은 무엇일까? ………… ㉤

(나) 학생의 글

[그림]과 같이 복합적인 정보의 배열이나 정보 간의 관계를 시각적인 형태로 나타낸 것을 '인포그래픽'이라고 한다.

[그림]

인포그래픽에 대한 높은 관심은 시대의 변화와 관련이 있다. 정보가 넘쳐나고 정보에 주의를 지속하는 시간이 점차 짧아지면서, 효과적으로 정보를 전달할 수 있는 인포그래픽에 주목하게 된 것이다. 특히 소셜 미디어의 등장은 정보 공유가 용이한 인포그래픽의 쓰임을 더욱 확대하였다.

인포그래픽과 유사한 것으로, 비상구 표시등의 그래픽 기호처럼 시설이나 사물 등을 상징화하여 표시한 픽토그램이 있다. 그러나 픽토그램은 인포그래픽과 달리 복합적인 정보를 나타내기 어렵다. 예를 들어 컴퓨터를 나타낸 픽토그램은 컴퓨터 자체를 떠올리게 하지만, 인포그래픽으로는 컴퓨터의 작동 원리도 효과적으로 설명할 수 있다.

인포그래픽은 독자의 정보 처리 시간을 절감할 수 있다. 글은 문자 하나하나를 읽어야 정보를 파악할 수 있지만, 인포그래픽은 시각 이미지를 통해 한눈에 정보를 파악할 수 있다. 또한 인포그래픽은 독자의 관심을 끌 수 있다. 김○○ 박사의 논문에 따르면, 인포그래픽은 독자들이 정보에 주목하는 정도를 높이는 효과가 있다고 한다.

시각적인 형태로 복합적인 정보를 나타냈다고 해서 다 좋은 인포그래픽은 아니다. 정보를 한눈에 파악하게 하는지, 단순한 형태와 색으로 구성됐는지, 최소한의 요소로 정보의 관계를 나타냈는지, 재미와 즐거움을 주는지를 기준으로 좋은 인포그래픽인지를 판단해 봐야 한다. 시각적 재미에만 치중한 인포그래픽은 정보 전달력을 떨어뜨릴 수 있다.

[A] 학생들도 쉽게 인포그래픽을 만들 수 있다. 발표를 하거나 보고서를 작성할 때 인포그래픽을 활용해 보면 어떨까? 발표와 보고서의 전달력이 한층 높아질 것이다.

내용 생성의 적절성 평가

1 ㉠~㉤ 중, (나)에 반영되지 않은 것은?

① ㉠ ② ㉡ ③ ㉢ ④ ㉣ ⑤ ㉤

내용의 점검과 조정

2 〈보기〉는 [A]의 초고이다. 〈보기〉를 [A]로 고쳐 쓸 때 반영한 친구의 조언으로 가장 적절한 것은?

보기

지금까지 인포그래픽에 대해 살펴보았다. 인포그래픽의 여러 특성에 비추어 볼 때 앞으로 인포그래픽이 활용되는 분야는 더욱 늘어날 것이다.

① 예상 독자가 탐구해야 할 문제가 포함되도록 써 보는 게 어때?
② 예상 독자가 얻을 수 있는 효용이 드러나도록 써 보는 게 어때?
③ 글의 내용에 대해 균형 잡힌 관점이 드러나도록 써 보는 게 어때?
④ 글의 도입에서 제기한 문제에 대한 답이 포함되도록 써 보는 게 어때?
⑤ 글의 내용을 설명한 순서대로 요약한 내용이 포함되도록 써 보는 게 어때?

정보 활용 방안 파악

3 다음은 (나)를 읽은 학생이 이를 참고하여 작성한 글의 일부이다. (나)의 정보를 활용한 방식으로 가장 적절한 것은? [3점]

설문 조사 결과 우리 학교 학생의 90%가 학교 정보 알림판을 읽어 본 적이 없었습니다. 그 이유를 물은 인터뷰에서 학생들 대다수는 '알림판에 관심이 안 생겨서'라고 답했습니다.

이러한 문제를 해결하기 위해, 알림판을 인포그래픽으로 만들어 주실 것을 건의합니다. 많은 학생들이 인포그래픽을 선호하며, 인포그래픽이 유용하다는 점도 알고 있습니다. 특히 교지의 글에서 인용한 논문을 찾아보니, 인포그래픽을 활용하면 정보에 주목하는 정도가 글만 활용할 때보다 성별이나 나이와 상관없이 2배 정도 높아졌다고 합니다. 또한 인근 학교에서는 학교 신문에 인포그래픽을 추가했더니 학교 신문을 읽는 학생이 3배 늘었다고 합니다. 건의가 수용되면 알림판에 관심을 갖는 학생들이 많아질 것입니다.

① (나)에 언급된 인포그래픽의 관심 유발 효과와 관련하여, 그 효과가 확인된 인근 학교의 사례를 문제 해결 방안의 근거로 제시하였다.
② (나)에 인용된 인포그래픽 연구 논문과 관련하여, 그 논문의 내용에 대해 추가적으로 조사한 정보를 문제 상황의 내용으로 제시하였다.
③ (나)에 진술된 좋은 인포그래픽의 기준과 관련하여, 그 기준으로 알림판의 정보가 신뢰할 만한지 평가한 결과를 문제 상황의 내용으로 제시하였다.
④ (나)에 언급된 인포그래픽의 사용 목적과 관련하여, 그 사용 목적이 무엇인지 교내 학생들에게 설문한 결과를 문제 상황의 내용으로 제시하였다.
⑤ (나)에 언급된 인포그래픽의 효율성과 관련하여, 그 효율성에 얼마나 공감하는지 교내 학생들에게 인터뷰한 내용을 문제 해결 방안의 근거로 제시하였다.

[1~3] 다음은 탐방 동아리 블로그에 올릴 학생 글의 '초고'이다. 물음에 답하시오. [2021-3월 고2 학평]

보배의 섬, 진도는 참 멀었다. 오후 늦게 할아버지 댁에 도착했다. 반갑게 맞잡은 할아버지의 손이 따뜻하고 묵직했다. 세발낙지 비빔밥으로 저녁을 맛나게 먹었다. 내일 둘러볼 운림산방과 소포마을, 그리고 울돌목 등에 대한 할아버지 말씀을 들으니 마음이 설렜다.

아침 일찍 할아버지와 함께 운림산방으로 향했다. 운림산방은 소치 허련의 화실이다. 소치는 스승인 추사 김정희가 세상을 떠나자 낙향하여 운림산방을 짓고 자연을 벗하여 그림을 그렸다. 운림산방 뒤로 첨찰산이 병풍처럼 둘러 서 있다. 사철 푸르른 첨찰산에 걸친 구름과, 깊은 골짜기를 흘러내린 시내와, 운림산방의 연못에서 피어오른 안개가 어우러져 한 폭의 수묵화로 머릿속에 그려지고 있었다.

첨찰산에 깃든 쌍계사의 동백꽃을 한참 구경하다가 소포마을로 길을 재촉했다. 소포마을은 소포걸군농악, 강강술래, 남도 민요 등이 전승되는 남도 소리의 산실이다. 봄의 기척이 들려오는 들녘에는 파릇파릇한 대파를 뽑아 묶는 농부들이 보인다. 진도 아리랑 한 가락이 긴 밭두렁을 타고 들리는 듯하다.

점심을 먹고 공연 시간에 맞추어 진도향토문화회관에 도착했다. 이곳에서는 매주 토요일 오후 2시에 씻김굿, 진도 북놀이, 판소리 등의 공연이 진행된다. 무대와 객석이 하나가 되는 신명 나는 공연이었다. 공연이 끝날 때 모두 어우러져 북소리 장단에 맞춰 어깨춤을 췄다. 그 여운이 아직도 가슴 가득하다.

진도대교가 놓여 있는 울돌목의 진면목을 보기 위해 해 질 무렵 전망대에 올랐다. 울돌목, 명량(鳴梁)! 좁은 길목을 빠져나가는 물살이 거세고 빨라 마치 물이 울음을 우는 것 같다고 해서 이름 붙여진 곳. 진도대교 밑으로 흐르는 바닷물이 물보라를 일으키며 들끓고 있었다. 정유재란 때 이순신 장군이 해류의 흐름을 이용하여 10여 척의 배로 133척의 왜선을 물리쳤다는 명량해전. 수업 시간에 배운 그 역사의 현장에 내가 서 있다. 영화 '명량'을 보며 선생님은 영웅의 지략과 민초들의 헌신을 역설하셨다. 영화의 한 장면이 눈앞에 펼쳐진다. 왜선들을 마주하고 홀로 선 대장선의 깃발이 펄럭이고 북소리가 들린다.

글쓰기 계획 파악

1 윗글의 글쓰기 계획 중에서 '초고'에 반영되지 않은 것은?

• 글쓰기 계획: 여정에 따라 내용을 전개함.

1. 운림산방
   - 운림산방의 내력에 대한 정보 ……………………㉠
   - 운림산방 주변 경관과 이에 대한 감상
2. 소포마을
   - 소포마을에 전승되는 전통문화
   - 소포마을의 들녘에 봄이 오는 모습 ……………㉡
3. 진도향토문화회관
   - 공연 시간과 내용에 대한 안내 ……………………㉢
   - 공연을 감상하고 난 뒤의 느낌
4. 울돌목
   - 울돌목 지명의 유래와 이에 얽힌 전설 …………㉣
   - 울돌목에서 떠올린 역사적 사실과 수업 내용 …㉤

① ㉠ ② ㉡ ③ ㉢ ④ ㉣ ⑤ ㉤

개념 코칭

기행문의 내용 요소
기행문은 견문을 바탕으로 여행 중에 느낀 감동이나 깨달음을 쓴 글로, 내용 요소에는 여정과 견문, 생각이나 느낌, 여행에 대한 종합적 감상 등이 있다.

매체 언어 활용 방안 파악

2 윗글을 블로그에 싣기 위한 매체 언어의 활용 방안으로 적절하지 않은 것은?

① 1문단에서 탐방 지역의 약도를 시각 자료로 제시하여 여정을 한눈에 볼 수 있도록 한다.
② 2문단에서 운림산방과 첨찰산의 사진을 시각 자료로 제시하여 장소에 대한 독자의 이해를 돕는다.
③ 3문단에서 진도 아리랑을 청각 자료로 제시하여 독자가 직접 진도 아리랑을 들어 볼 수 있는 기회를 제공한다.
④ 4문단에서 진도향토문화회관의 공연 정보를 하이퍼링크로 제시하여 독자가 정보를 탐색할 수 있도록 안내한다.
⑤ 5문단에서 씻김굿의 한 장면을 영상 자료로 제시하며 영웅의 지략과 민초들의 헌신을 실감 나게 전달한다.

조건에 맞는 글쓰기 평가

3 〈보기〉의 '선생님'의 조언에 맞게 글에 추가할 내용을 구성한 것으로 가장 적절한 것은?

보기

선생님: 여정이 마무리되는 시간적 배경을 드러내며 글을 끝맺으면 어떨까? 그리고 글의 전체적인 분위기를 고려하여 색채어와 비유적 표현을 넣었으면 좋겠구나.

① 내 마음에서도 북소리가 들리는 듯하다. 저 멀리 파아란 하늘 아래 도란거리는 섬들이 평화롭다.
② 울돌목을 흐른 바닷물이 금빛 비늘을 퍼덕인다. 섬들 너머로 번지는 붉은 노을에 집으로 향하는 발길이 물든다.
③ 내일은 진도항과 남도진성을 둘러보고, 석양이 아름답기로 유명한 세방낙조에서 이번 여정을 갈무리해야겠다.
④ 흰 물거품이 일렁이는 울돌목 옆에 장군의 웅장한 동상이 서 있다. 그 기상을 가슴에 품고 용장산성으로 향한다.
⑤ 장군의 용맹과 지략이 나라를 구했음을 나는 깨달았다. 다도해의 섬들이 어깨를 토닥이며 조용히 저물고 있었다.

[1~2] 다음은 작문 과제에 따라 작성한 학생들의 글이다. 물음에 답하시오. [2020-9월 모평]

> [작문 과제]
> 일상의 체험을 바탕으로 자신을 성찰하는 글을 써 보자.

[학생의 글]

(가) 학생 1

옥수수 씨앗을 심으러 학교 텃밭에 가는 날이었다. 처음 심어 보는 옥수수라 마음이 설렜다. 그런데 텃밭에는 잡초가 무성했다. 잡초를 뽑고 텃밭의 흙을 정리하느라 흙먼지가 날리고 땀이 흘렀다. 생각보다 일이 많고 힘들었다. 괜히 시작한 것 같아 후회가 되면서 나도 모르게 투덜대며 얼굴을 찡그렸다. 옆에서 나를 지켜보신 선생님께서 "하나의 생명을 심을 때는 심는 사람의 마음도 함께 심는 거란다. 즐거운 마음으로 심어야지."라고 하셨다. 생각해 보니 텃밭에 오면서 느꼈던 설렘은 어느새 투덜댐으로 바뀌어 있었다. 당장의 어려움 때문에 시작할 때의 마음을 잊었던 것은 아닐까? 텃밭에 올 때의 마음으로 옥수수 씨앗을 심으며 선생님의 말씀을 떠올렸다. '하나의 생명을 심을 때는 심는 사람의 마음도 함께 심는 거란다.'

(나) 학생 2

선배와 학교 텃밭에 옥수수 씨앗을 심고 아침저녁으로 살피며 싹이 나기를 손꼽아 기다렸다. 열흘쯤 지나자 선배의 옥수수는 싹이 올라오는데, 내 옥수수의 싹은 아직 보이지 않았다. 마음이 조마조마하여 여러 번 텃밭에 갔다. 선배는 때가 되면 싹이 돋아날 테니까 너무 조급해하지 말고 기다려 보자고 했다. 선배의 말에 나를 되돌아보았다. 왜 그렇게 조급해했던 것일까? 나는 평소 무엇인가를 여유롭게 기다리지 못하고, 결과가 빨리 나오기를 바랄 때가 많았다. 이런 태도는 친구들을 대할 때도 마찬가지였다. 우정을 쌓기 위해서는 서로 알아 가기 위한 기다림의 자세가 필요한데, 빨리 친해지고 싶어서 조급해하며 서운했던 적이 많았다. 기다림의 시간을 소중하게 여기며 성급한 마음을 먹지 말아야겠다고 생각했다. 그렇게 생각한 지 며칠 지나지 않아 옥수수 싹이 어느새 올라와 있었다.

글쓰기 과정 파악

1 **(가)와 (나)를 통해 두 학생의 글쓰기 과정을 이해한 내용으로 적절하지 않은 것은?**

① '학생 1'과 '학생 2'는 모두 타인의 조언을 성찰의 계기로 삼았다.

② '학생 1'과 '학생 2'는 모두 식물이 자라는 모습에서 새로운 의미를 발견하였다.

③ '학생 1'과 '학생 2'는 모두 자신을 돌아보기 위해 스스로에게 질문하는 방식을 사용하였다.

④ '학생 1'은 같은 문장을 다시 인용하며, '학생 2'는 자신이 원했던 상황이 이루어진 모습을 제시하며 글을 마무리하였다.

⑤ '학생 1'은 자신의 감정 변화를 중심으로, '학생 2'는 자신의 태도를 타인과의 관계와 연결 지어 내용을 전개하였다.

개념 코칭

성찰하는 글 쓰기 과정

일상생활의 체험을 관찰하며 자신의 삶을 되돌아보고 삶에 대한 깨달음을 발견한다.

↓

성찰하는 글의 내용을 선정하고 구성에 따라 내용을 조직한다.

↓

일상에서 찾은 체험과 체험을 통해 깨달은 점을 진솔하게 표현한다.

독자의 반응에 대한 평가

2 **〈보기〉는 (가)와 (나)를 읽은 학생들이 나눈 대화의 일부이다. ㉠~㉤에 대한 설명으로 적절하지 않은 것은?**

보기

A: 친구들이 쓴 글 읽어 봤어? 소감이 어때?

B: '학생 1', '학생 2' 모두 학교 텃밭에서 체험한 내용에 대해 쓴 점이 흥미로웠어. '학생 1'은 자신이 느낀 점을 진솔하게 표현한 점이 좋았고, '학생 2'는 결과를 얻기 위해서 기다림의 자세가 필요하다고 한 점이 인상 깊었어.

A: 나도 그렇게 생각해. ㉠그런데 기다림의 자세만으로 목표한 결과를 얻을 수 있다고 생각하니?

B: 그럼. ㉡예전에 수영을 배울 때 빨리 잘하고 싶었지만 생각처럼 되지 않은 적이 있어서 '학생 2'의 생각이 이해되더라. 나도 성급하게 생각하지 말고 꾸준히 연습해야겠다고 마음먹으니까 실력이 늘더라고.

A: ㉢'학생 2'의 생각처럼 여유를 갖고 기다리는 것도 중요하지만 문제점을 고치려는 노력도 중요하지 않을까? 원하는 결과가 나오지 않을 때 그 과정에 문제가 있을지도 모르잖아. ㉣노력에 따라 목표한 결과를 얻는 시기를 앞당길 수도 있어.

B: 그렇게 생각할 수도 있겠다. ㉤같은 글을 읽고 이야기해 보니, 서로의 생각이 어떤 점에서 비슷하고 다른지 알 수 있어서 좋았어.

① ㉠: '학생 2'의 글에 의문을 제기하며 상대의 생각을 묻고 있다.

② ㉡: 자신의 경험을 들어 '학생 2'의 글에 공감하고 있다.

③ ㉢: '학생 2'의 글에 담긴 생각을 인정하면서 자신의 생각을 추가하고 있다.

④ ㉣: '학생 2'의 글과 자신의 생각의 공통점을 근거로 자신의 의견을 강조하고 있다.

⑤ ㉤: '학생 1', '학생 2'의 글을 읽고 대화를 나누는 행위에 대해 이유를 들어 긍정적으로 평가하고 있다.

[1~3] (가)는 작문 과제이고, (나)는 (가)를 바탕으로 쓴 학생의 글이다. 물음에 답하시오. [2020-9월 모평]

(가) 작문 과제

- **주제**: 확증 편향에 빠지지 않기 위한 방안
- **글의 목적**: 확증 편향에 빠지지 않기 위해 노력해야 함을 주장하기
- **예상 독자**: 확증 편향의 개념이 생소한 우리 학교 학생들

(나) 학생의 글

만약 특정 주제에 대해 자신의 생각과 상반되는 증거를 본다면 사람들은 어떻게 반응할까? 미국의 한 심리학자는 사형 제도에 찬성, 반대하는 대학생들에게 사형 제도의 효과에 관한 상반된 연구 결과를 제공한 후 반응을 살피는 실험을 수행하였다. 그 결과 자신의 생각을 지지하는 연구 결과에 대해서는 '역시 그렇지.'라고 반응한 반면, 자신의 생각과 반대되는 연구 결과에 대해서는 받아들이지 않고 여러 이유를 들어 그 연구가 잘못되었을 가능성을 제기하는 반응을 보였다.

이처럼 자신의 생각이나 주장과 일치하는 정보만을 선택적으로 수집하고 그렇지 않은 것은 의도적으로 무시하는 심리적 경향을 확증 편향이라고 한다. 확증 편향에 빠질 경우 비판적 사고를 하기 어려워 비합리적인 판단을 내리기 쉽다. 또한 확증 편향에 의해 형성된 사고방식은 사회적으로 편향된 통념을 형성하여 사회 문제를 야기할 수 있다.

[A] 따라서 확증 편향에 빠지지 않기 위해서는 먼저 반대 입장에서 생각해 보는 자세를 지녀야 한다. 왜냐하면 고려의 대상이 되지 않았던 기존 증거들을 탐색하게 되어 판단의 착오를 줄일 수 있기 때문이다. 진화론을 주장한 찰스 다윈은 자신의 생각이 옳다는 확신이 강해질수록 그와 모순되는 증거들을 더 적극적으로 찾아 나섰기에 학문적 업적을 이룰 수 있었다.

다음으로는 토의와 같은 집단 의사 결정 방법을 거치도록 해야 한다. 이를 통해 확증 편향에 빠질 때 발생할 수 있는 개인의 판단 착오를 발견하여 수정할 수 있으며, 더 나아가 구성원 간 상호 작용을 통해 시너지 효과를 거둘 수 있기 때문이다.

마지막으로 자신의 생각이나 판단의 결과를 책임지는 자세를 지녀야 한다. 자신의 생각이나 판단을 글이나 말로 표현할 때 그것이 불러일으킬 영향을 예상하여 책임감을 가진다면, 판단의 착오를 줄이기 위해 더욱 신중하게 생각하게 될 것이기 때문이다.

물론 확증 편향에 빠지지 않는 것이 쉬운 일은 아니다. 하지만 개인이나 집단이 비합리적으로 판단하거나 서로 갈등하는 일을 막으려면 확증 편향에 빠지지 않기 위한 노력을 지속적으로 기울여야 한다.

글쓰기 계획 파악

1 **(가)를 바탕으로 (나)를 쓰기 위해 세운 글쓰기 계획 중 (나)에 활용된 것은?**

① 주제를 구체화하기 위해 확증 편향의 원인을 개인적 측면과 사회적 측면으로 나누어 제시해야겠다.
② 글의 목적을 강조하기 위해 확증 편향의 문제점에 대한 상반된 견해를 비교하여 설명해야겠다.
③ 글의 목적을 분명히 하기 위해 확증 편향에 빠지지 않기 위한 방안의 한계와 이를 보완할 방향을 제시해야겠다.
④ 예상 독자의 이해를 돕기 위해 확증 편향을 보여 주는 예를 들어 개념을 설명해야겠다.
⑤ 예상 독자의 관심을 반영하기 위해 사회적 쟁점을 두고 우리 학교 학생들 간에 벌어진 논쟁을 제시해야겠다.

개념 코칭

작문 맥락 고려의 중요성
작문 맥락은 글을 쓰는 과정에서 작용하는 주제, 목적, 독자, 매체, 글의 유형 등이 포함된다. 맥락에 따라 구체적인 내용과 표현 방식이 달라지므로 다양한 상황에 맞게 맥락을 고려해 글을 써야 한다.

비판의 적절성 판단

2 **(나)에 제시된, 확증 편향에 빠지지 않기 위한 방안에 대해 〈보기〉를 바탕으로 비판하는 글을 쓰려고 한다. 비판의 내용으로 가장 적절한 것은? [3점]**

보기

갈릴레이는 태양의 흑점 이동과 목성의 위성 존재 등 경험적 사실을 근거로 지동설이 옳음을 주장하였다. 하지만 당시 과학계에서는 천동설을 지지했기에 갈릴레이의 거듭된 증거 제시에도 불구하고 논의를 거쳐 이를 거부하였다. 지동설은 갈릴레이 사후에야 받아들여지게 되었다.

① 자신의 주장과 일치하는 정보만을 선택적으로 수집한다면 비판적 사고에 부정적 영향을 줄 수 있다.
② 집단 구성원 간의 상호 작용이 원활하게 이루어진다면 확증 편향으로 인한 판단의 착오를 줄일 수 있다.
③ 현상에 대해 판단을 내릴 때 책임감 있는 자세를 갖지 않는다면 보고 싶은 대로 보는 관습에서 벗어나기 어렵다.
④ 집단의 의견이 한쪽으로 치우쳐 있다면 집단 의사 결정 방법을 거치더라도 비합리적인 의사 결정이 이루어질 수 있다.
⑤ 가치관이 다양한 세상에서 일관된 자아 정체성을 유지할 수 있는 것은 인간에게 확증 편향이 있기에 가능한 일이다.

내용의 점검과 조정

3 〈보기〉는 [A]의 초고이다. 〈보기〉를 고쳐 쓰기 위해 친구들이 조언한 내용 중 [A]에 반영되지 않은 것은?

보기

반대 입장에서 생각해 보는 자세를 지녀야 한다. 즉, 자신의 판단이 틀릴 수도 있는 이유에 대해 구체적으로 떠올려 보는 것이다. 그러나 반대를 위한 반대는 의사 결정에 역효과를 초래할 수 있다.

① 앞 문단과의 연결 관계를 보여 주기 위해 문단 간의 관계를 알려 주는 표현을 추가하는 게 어때?
② 첫 번째 문장의 내용을 뒷받침하는 근거가 제시되어 있지 않으니까 제시된 방안의 긍정적 효과를 근거로 추가하는 게 어때?
③ 두 번째 문장의 내용이 앞 문장과 유사하니까 두 문장의 핵심어를 포함한 한 문장으로 교체하는 게 어때?
④ 세 번째 문장의 내용이 문단의 통일성에서 벗어나니까 해당 문장을 삭제하는 게 어때?
⑤ 주장의 설득력을 강화하기 위해 역사적 인물의 사례를 주장에 대한 근거로 추가하는 게 어때?

[1~3] (가)는 학생의 일기이고, (나)는 (가)를 쓴 학생이 친구들과 함께 작성한 글의 초고이다. 물음에 답하시오. [2020-6월 모평]

(가)

○월 ○일

환경 동아리 시간에 'PVC가 환경에 끼치는 영향'을 주제로 특강을 들었다. 특강을 통해 PVC가 플라스틱의 일종이라는 것과 정말 많은 물건이 PVC 재질로 만들어져 있다는 것을 알게 되었다. 심지어 나뿐만 아니라 많은 학생들이 가지고 있는 필통에도 PVC가 사용되었다고 한다. 그런데 그 PVC가 환경 문제의 원인이 된다고 한다. 내가 환경을 오염시키고 있었다니! 나 때문에 환경이 오염되면 안 된다는 생각이 문득 들었다. 그래서 동아리 친구들과 이야기를 나눠 보니 친구들도 나와 같은 생각을 하고 있었다. 환경 오염을 조금이라도 줄이기 위해 무엇인가 해야겠다는 생각에 친구들과 함께 의논을 했다.

(나)

안녕하세요? 저희는 □□ 고등학교 환경 동아리 학생들입니다. 저희가 이렇게 글을 쓰게 된 이유는 귀사에서 제조하는 필통에 대해 건의하기 위해서입니다.

저희 학교 학생들은 평소 귀사에서 만든 학용품을 자주 구입합니다. 그런데 ㉠귀사의 필통이 몸체는 PVC 재질이고, 지퍼는 철이어서 문제가 있음을 알게 되었습니다.

저희는 귀사가 필통의 재질을 개선하는 것이 옳다고 생각합니다. ㉡귀사뿐 아니라 여러 회사에서 학용품에 PVC 재질의 플라스틱을 사용하는 경우가 많아, 환경을 오염시킬 수 있기 때문입니다. 그렇지 않아도 ㉢우리나라 국민들의 플라스틱 사용량은 세계적으로 많고 그 증가율도 매우 높다고 합니다. 플라스틱을 완전히 사용하지 않을 수는 없겠으나, ㉣환경에 끼치는 영향 등을 고려한다면 PVC 사용이라도 줄여 가야 할 것입니다. 그러므로 ㉤귀사에서도 필통의 재질을 다른 것으로 바꾸어 주시기를 부탁드립니다.

끝까지 읽어 주셔서 감사합니다.

글의 유형과 기능 파악

1 작문 맥락을 고려할 때, (가)와 (나)에 대한 설명으로 적절하지 않은 것은?

① (가)의 글쓴이와 같은 생각을 하는 사람들이 (나)의 글쓰기 과정에 참여하고 있다.
② (가)에서 언급한 개인의 경험이 동기가 되어 (나)의 사회적 문제 해결의 글쓰기를 이끌어 내고 있다.
③ (가)는 (나)와 달리 예상 독자의 관심사에 대한 분석이 글쓰기에 중요하게 작용하고 있다.
④ (나)는 (가)와 달리 글쓴이의 주장과 그에 대한 논거가 제시되고 있다.
⑤ (가)는 (나)에 비해 글쓴이의 체험을 기록하고 이를 통해 일상을 반성하려는 성격이 두드러진다.

내용 생성의 적절성 평가

2 〈보기〉는 (나)에 대한 학생들의 수정 의견이다. 〈보기〉를 참고할 때, (나)에 추가할 내용으로 가장 적절한 것은?

> 보기
>
> 초고에서는 건의 내용을 언급한 후 글을 읽어 준 것에 감사하는 끝인사로 마무리했잖아. 그런데 글의 설득력을 높이려면 건의 내용을 언급한 후에 건의가 받아들여졌을 때 소비자와 기업 양쪽이 얻게 될 이익을 직접적으로 표현하면 좋겠어.

① 재질을 개선한다면 소비자는 질 좋은 PVC 제품을 구매할 기회를 얻게 되고, 귀사는 제품의 재질을 개선하기 전보다 높은 수익을 얻을 수 있을 것입니다.

② 재질을 개선한다면 소비자는 귀사의 제품을 선택함으로써 자원 재활용에 동참하게 되는 것이며, 그렇게 되면 우리나라의 플라스틱 사용량이 줄어들 것입니다.

③ 재질을 개선한다면 귀사처럼 환경 보호에 동참하는 기업이 늘어나게 됨으로써 소비자는 환경을 오염시키지 않으면서 다양한 제품을 선택할 수 있을 것입니다.

④ 재질을 개선한다면 소비자는 제품을 구입하면서 환경 오염에 대한 부담을 덜 수 있을 것이며, 개선하지 않는다면 귀사에 환경 오염에 대한 부담이 돌아올 것입니다.

⑤ 재질을 개선한다면 소비자는 귀사 제품을 구매하며 환경 보호를 실천했다는 만족감을 얻을 것이고, 귀사는 친환경 기업이라는 신뢰감을 고객에게 주게 되어 매출이 증가할 것입니다.

자료 활용 방안 파악

3 **다음은 (나)를 작성한 후 추가로 수집한 자료이다. 자료를 활용하여 (나)의 ㉠~㉤을 수정 · 보완하고자 할 때 적절하지 않은 것은? [3점]**

㉮ 논문 자료

플라스틱은 가공성이 우수하고 저렴하지만 재활용하지 않고 폐기하는 경우에 분해가 되지 않아 환경 오염을 일으킨다. 플라스틱은 성분에 따라 PVC, PP, PET 등으로 나뉘는데, 염화 비닐이 주성분인 PVC는 질기고 깨지지 않아 투명 지퍼백, 필통 등에 쓰인다. PVC를 부드럽게 하기 위해 첨가하는 프탈레이트는 인체에 유해할 수 있다. 이에 비해 식품 용기, 학용품 등에 사용되는 PP나 음료 병 등에 주로 사용되는 PET는 프탈레이트가 첨가되지 않는다.

㉯ 통계 자료

〈1인당 연간 플라스틱 사용량(kg) 세계 1위~6위 국가〉

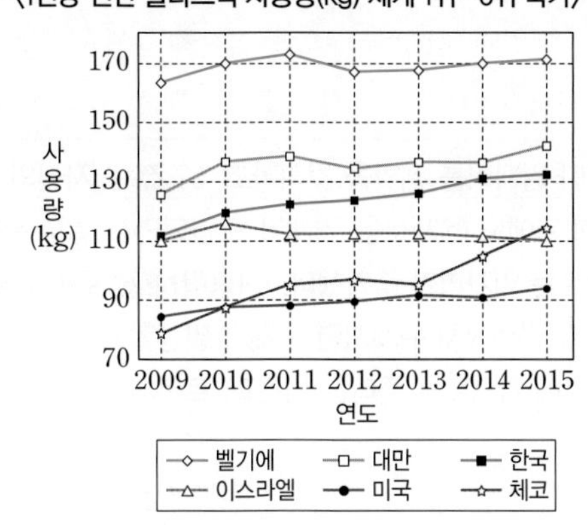

㉰ 보고서 자료

〈재질에 따른 재활용 정도〉

재질		재활용 정도	
		용이함	어려움
플라스틱	PVC		○
	PP	○	
	무색 PET	○	
	유색 PET		○
철		○	

① ㉠: ㉰를 참고하여 문제점을 구체적으로 드러내려면 필통의 지퍼는 재활용이 용이한 재질이지만 몸체는 재활용이 어려운 재질인 것이 문제라고 수정해야겠군.

② ㉡: ㉮를 활용하여 상대방의 입장을 이해함을 드러내려면 PVC로 필통을 만드는 이유가 가격과 가공성 면에서 유리하며 질기기 때문일 것이라는 내용을 추가해야겠군.

③ ㉢: ㉯를 활용하여 정보를 정확하게 제시하려면 우리나라의 1인당 연간 플라스틱 사용량은 2009~2015년 기간 중 세계 3위에 해당할 만큼 많고 그 증가율도 가장 높았다고 수정해야겠군.

④ ㉣: ㉮와 ㉰를 참고하여 문제의 심각성을 드러내려면 PVC는 재활용이 어려워 환경에 부정적인 영향을 끼칠 뿐 아니라, 제조 공정에서 첨가되는 물질이 인체에 해로울 수 있다는 내용을 추가해야겠군.

⑤ ㉤: ㉮와 ㉰를 참고하여 건의 내용을 구체적으로 제시하려면 필통의 재질을 플라스틱으로 유지할 경우에 재활용이 용이하고 프탈레이트가 첨가되지 않는 PP로 바꾸어 달라고 수정해야겠군.

[1~3] 글을 쓰기 위해 (가)의 메모를 작성한 후, (나)의 자료를 수집하고 (다)를 작성하였다. 물음에 답하시오. [2019 수능]

(가) 학생의 메모

- **학습 활동 과제**: 사회적 쟁점에 대해 학급 학생들에게 주장하는 글을 쓴다.
- **학급 학생들에 대한 분석**

• 일부 학생들은 로봇세가 무엇인지 잘 모른다. ··· ㉠
• 로봇세를 도입하려는 목적을 궁금해하는 학생들이 있다. ··· ㉡
• 로봇세를 알고 있는 학생들 중에는 나와 상반되는 견해를 가진 학생들도 있다. ··· ㉢

(나) 학생이 수집한 자료의 일부

한 설문 조사에서 ⓐ전체 응답자 중 86.6%가 로봇이 일자리를 빼앗을 것이라고, 52.2%는 자신의 직업이 로봇으로 인해 위협받게 될 것이라고 응답했다. 과거에도 ⓑ새로운 기계가 도입되면서 일부 분야에서 일자리가 줄어든 경우가 있었지만, 산업 전반적으로는 일자리가 증가했다. …(중략)… ⓒ로봇 기술 중 상당수는 특허권 등록의 대상이므로, ⓓ로봇 기술 개발 경쟁에서 뒤처지면 문제가 발생할 수 있다. …(중략)… ⓔ전문가들 사이에서도 로봇세가 로봇 기술 개발에 악영향을 준다는 의견과, 로봇세가 로봇 산업의 활성화에 도움이 된다는 의견이 있다.

– 로봇 전문 잡지 『○○』 –

(다) 학생의 글

로봇의 발달로 일자리가 줄어들 것이라는 사람들의 불안이 커지면서 최근 로봇세 도입에 대한 논의가 활발하다. 로봇세는 로봇을 사용해 이익을 얻는 기업이나 개인에 부과하는 세금이다. 로봇으로 인해 일자리를 잃은 사람들을 지원하거나 사회 안전망을 구축하기 위해 예산을 마련하자는 것이 로봇세 도입의 목적이다. 하지만 나는 로봇세 도입을 다음과 같은 이유로 반대한다.

로봇세는 공정한 과세로 보기 어렵다. 널리 쓰이고 있는 모바일 뱅킹이나 티켓 자동 발매기도 일자리를 줄였음에도 세금을 부과하지 않았는데 로봇에만 세금을 부과하는 것은 그 기준이 일관되지 않는다는 문제가 있다. 또 로봇을 사용해 이익을 얻은 기업이나 개인은 이미 법인세나 소득세를 납부하고 있다. 로봇을 사용했다는 이유로 세금을 추가로 부과한다면 한 번의 이익에 두 번의 과세를 하는 것이므로 불공평하다.

앞으로 로봇 수요가 증가하면서 로봇 시장의 우위를 선점하기 위한 로봇 기술 개발의 경쟁이 더욱 뜨거워질 것이다. 로봇 기술 중 상당수가 특허권이 인정되는 고부가 가치 기술이기 때문이다. 이러한 상황에서 전문가들은 로봇세를 도입하면 기술 개발에 악영향을 끼칠 수 있다고 말한다. 로봇세를 도입하면 세금에 대한 부담이 늘어나 로봇에 대한 수요가 감소한다. 그렇게 되면 로봇을 생산하는 기업은 기술 개발 의지가 약화되어 로봇 기술의 특허권으로 이익을 창출할 수 있는 기회가 줄어들게 된다. 그래서 로봇 사용이 필요한 기업이나 개인은 선진 로봇 기술이 적용된 로봇을 외국에서 수입해야 하므로 막대한 금액이 외부로 유출되어 국가적으로 손해이다.

[A] 로봇의 사용으로 일자리가 감소할 것이라는 이유로 로봇세의 필요성이 제기되었지만, 역사적으로 볼 때 새로운 기술로 인해 전체 일자리는 줄지 않았다. 산업 혁명을 거치면서 새로운 기술에 대한 걱정은 늘 존재했지만, 산업 전반에서 일자리는 오히려 증가해 왔다는 점이 이를 뒷받침한다. 따라서 로봇의 사용으로 일자리가 줄어들 가능성은 낮다.

우리는 로봇 덕분에 어렵고 위험한 일이나 반복적인 일로부터 벗어나고 있다. 로봇 사용의 증가 추세에서 알 수 있듯이 로봇 기술이 인간의 삶을 편하게 만들어 주는 것은 틀림이 없다. 로봇세의 도입으로 이러한 편안한 삶이 지연되지 않기를 바란다.

글쓰기 전략 파악

1 **㉠~㉢을 고려하여 (다)를 작성했다고 할 때, 학생의 글에 활용된 글쓰기 전략으로 적절하지 않은 것은?**

① ㉠을 고려해, 로봇세의 납부 주체를 포함한 로봇세의 개념을 설명한다.
② ㉡을 고려해, 로봇 사용으로 얻을 수 있는 편안한 삶에 로봇세 도입이 미치는 영향을 드러낸다.
③ ㉡을 고려해, 로봇 사용으로 일자리를 잃은 사람들을 지원하려는 로봇세 도입의 취지를 언급한다.
④ ㉢을 고려해, 로봇세 도입과 로봇 기술 개발의 관계를 제시하여 로봇세의 부정적 측면을 부각한다.
⑤ ㉢을 고려해, 일자리가 증가해 온 역사적 사실을 언급하며 로봇세 도입이 필요하지 않음을 부각한다.

자료 활용 방안 파악

2 **(나)를 활용하여 (다)를 작성했다고 할 때, 학생의 자료 활용에 대한 설명으로 적절하지 않은 것은?**

① ⓐ에 대한 해석을 토대로, 로봇세 도입에 대한 논의는 일자리가 감소할 것이라는 사람들의 우려를 배경으로 한다는 점을 제시했다.

② ⓑ의 사례를 찾아, 이를 로봇의 경우와 비교하여 로봇세가 중복 부과되는 세금이라는 점을 제시했다.

③ ⓒ를 이유로 들어, 로봇 시장을 선점하기 위해 벌어질 경쟁의 양상을 예측하여 제시했다.

④ ⓓ를 구체화하여, 로봇세를 도입하는 경우 국가에 손실이 발생할 수 있음을 제시했다.

⑤ ⓔ에서 한쪽의 의견을 선택하여, 로봇세 부과가 로봇 관련 특허 기술 개발에 걸림돌이 될 수 있음을 제시했다.

내용 생성의 적절성 평가

3 **〈보기〉에서 근거를 찾아 [A]에 대해 반박하는 글을 쓰려고 한다. 글에 담길 내용으로 가장 적절한 것은? [3점]**

> 보기
>
> 로봇 기술의 발전에 따라 로봇의 생산 능력이 비약적으로 향상되고 있다. 이는 로봇 하나당 대체할 수 있는 인간 노동자의 수도 지속적으로 증가함을 의미한다. 로봇 사용이 사회 전반에 빠르게 확산되는 현실을 고려할 때, 로봇 사용으로 인한 일자리 대체 규모가 기하급수적으로 커질 것이다.

① 로봇 기술의 발달을 통해 일자리를 늘리려면 지속적으로 일자리가 늘었던 산업 혁명의 경험에서 대안을 찾아야 한다.

② 로봇의 생산 능력에 대한 고려 없이 과거 사례만으로 일자리가 감소하지 않을 것이라고 보는 것은 성급한 판단이다.

③ 로봇 사용으로 밀려날 수 있는 인간 노동자의 생산 능력을 향상시킬 수 있는 제도적 지원 방안을 마련해야 한다.

④ 로봇세를 도입해 기업이 로봇의 생산성 향상에 기여하도록 해야 인간의 일자리 감소를 막을 수 있다.

⑤ 산업 혁명의 경우와 같이 로봇의 생산성 증가는 인간의 새로운 일자리를 만드는 데 기여할 것이다.

[1~3] 다음은 교지에 실을 동아리 홍보 글을 작성하기 위한 학생의 생각과 초고이다. 물음에 답하시오.

[2019-9월 모평]

(가) [학생의 생각: 예상 독자가 궁금해할 만한 내용]

㉠ 우리 동아리의 특색 있는 활동이 무엇인지 궁금하지 않을까?
㉡ 퍼네이션이 무엇인지 궁금하지 않을까?
㉢ 자신의 진로와 관련이 되는지 궁금하지 않을까?
㉣ 우리 동아리의 선발 기준이 무엇인지 궁금하지 않을까?
㉤ 가입 후 자신이 무슨 활동을 할지 궁금하지 않을까?

(나) [학생의 초고]

그동안 봉사 활동을 해 온 우리 동아리는 다른 봉사 동아리와 달리 특색 있고 재미있는 봉사 활동을 하기 위해 퍼네이션과 같은 기부 활동을 추가하여 운영하고 있습니다.

'퍼네이션(funation)'은 재미(fun)와 기부(donation)를 결합한 말로, 일상에서 재미있게 나눔을 실천할 수 있도록 새로운 형태로 기부하는 봉사 활동입니다. 예를 들어 '아이스 버킷 챌린지'는 얼음물을 뒤집어쓰면서 루게릭병 환자들의 고통을 체험하며 기부금을 모으는 퍼네이션입니다. 주로 연예인들이나 유명 인사가 다음 순번을 지목하여 릴레이로 참여하는 퍼네이션인데, 누리소통망(SNS)을 통해 전 세계로 확대되었습니다. 사람들은 기부를 어렵게 생각하지만 이런 퍼네이션 때문에 요즘은 기부 문화가 확산되고 있습니다.

그런데 학생들은 대개 경제 활동을 하지 않으므로 기부를 자신과는 관련이 없다고 생각하는 경향이 있습니다. 그리고 우리 학교 학생들이 기부를 하지 않는 가장 큰 이유도 경제적 여유가 없기 때문입니다. 그러나 타인에게 도움의 손길을 내밀 때 가장 필요한 것은 나눔의 마음이라고 생각합니다. 우리 동아리가 추구하는 가치는 나눔의 마음이며, 우리 동아리의 선발 기준도 나눔의 마음입니다.

우리 동아리는 학생들이 자신의 관심과 흥미에 맞는 퍼네이션에 자발적으로 참여할 수 있도록 노력하고 있습니다. 최근에는 급식의 잔반을 줄여 절약한 잔반 처리 비용을 결식아동에게 기부하는 '잔반 제로 게임 애플리케이션'을 개발하였습니다.

여러분이 우리 동아리에 가입하면 관심과 흥미에 따라 다양한 퍼네이션을 함께할 수 있습니다. 컴퓨터를 잘하는 학생은 퍼네이션 애플리케이션 개발을, 마케팅에 관심이 있는 학생은 퍼네이션 홍보를 하며 나눔의 경험을 함께할 수 있을 것입니다. 이러한 동아리 활동은 여러분의 진로 탐색에도 도움이 될 것입니다.

[A]

글쓰기 계획 파악

1 (가)의 '학생의 생각'이 (나)에 반영된 내용으로 적절하지 않은 것은?

① 동아리에서 추가한 활동을 제시하여 ㉠을 반영하고 있다.
② 퍼네이션의 개념과 사례를 제시하여 ㉡을 반영하고 있다.
③ 다른 동아리와의 연계 활동을 제시하여 ㉢을 반영하고 있다.
④ 동아리가 추구하는 가치를 제시하여 ㉣을 반영하고 있다.
⑤ 가입한 학생이 할 수 있는 활동을 제시하여 ㉤을 반영하고 있다.

개념 코칭

그래프 자료의 종류
- 막대그래프: 어떤 대상의 항목별 수치를 막대의 길이로 표현한 그래프. 항목 간의 비교나 자료의 변동을 표시할 때 쓰인다.
- 원그래프: 하나의 주제에 대해 각 항목이 차지하는 구성을 백분율로 나타낸 그래프. 수치가 한눈에 들어와 항목들을 비교하기 쉽다.

자료 활용 방안 파악

2 〈보기〉는 (나)를 수정 · 보완하기 위해 찾은 자료이다. 자료 활용 방안으로 적절하지 않은 것은? [3점]

보기

ㄱ. 우리 학교 설문 조사

ㄱ-1. 기부를 하지 않는 이유

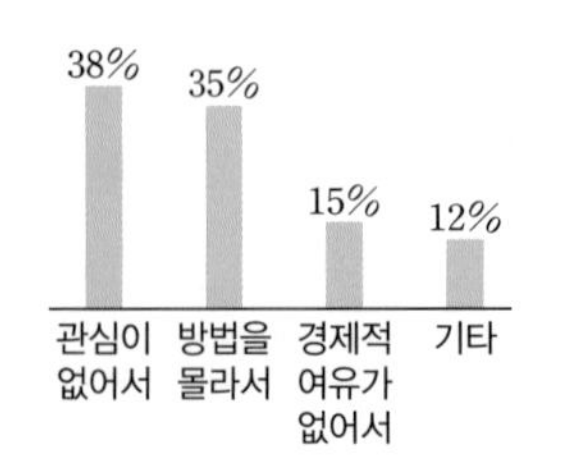

ㄱ-2. SNS 이용 빈도

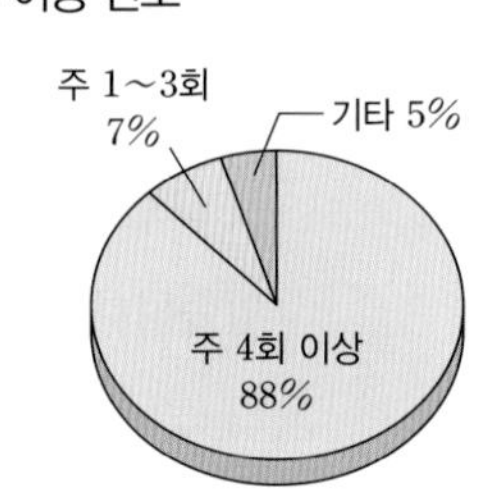

ㄴ. 연구 자료

봉사 활동에 참여하는 청소년들의 경우, 참여 빈도가 높을수록 봉사 활동에 대한 만족도가 증가한다. 또한 자발적으로 봉사 활동에 참여할수록 진로 탐색 기회가 많아져 진로 의식의 성숙도가 높아진다.

ㄷ. 신문 기사

최근 퍼네이션이 SNS를 통해 확산되고 있다. 퍼네이션을 위한 게임 애플리케이션은 재미있고 일상에서 쉽게 접할 수 있어서 많은 사람들이 퍼네이션에 자주 참여하고 있다.

① ㄱ-1을 활용하여, 우리 학교 학생들이 기부하지 않는 가장 큰 이유를 경제적 여유가 없다는 것에서 기부에 관심이 없다는 것으로 수정해야겠어.
② ㄱ-1을 활용하여, 기부 방법을 모르는 우리 학교 학생들에게 '잔반 제로 게임 애플리케이션'을 통해 기부를 체험할 수 있도록 하는 것을 우리 동아리 활동의 내용으로 제시해야겠어.
③ ㄱ-2와 ㄴ을 활용하여, SNS 이용 빈도가 높은 학생일수록 봉사 활동 참여 빈도가 높아져 진로 탐색에 도움이 된다는 내용을 보강해야겠어.
④ ㄴ을 활용하여, 우리 동아리에 가입해 퍼네이션에 자발적으로 참여하면 진로 의식의 성숙도를 높일 수 있음을 제시해야겠어.
⑤ ㄷ을 활용하여, 우리 동아리가 '잔반 제로 게임 애플리케이션'을 개발한 이유는 일상에서 퍼네이션에 자주 참여할 수 있도록 하기 위한 것임을 제시해야겠어.

조건에 맞는 글쓰기 평가

3 [A]에 들어갈 내용을 〈조건〉에 따라 작성한 것으로 가장 적절한 것은?

조건
나눔의 의의를 밝히고, 의문문의 형식으로 동아리 가입을 권유하면서 글을 마무리해야겠어.

① 나눔은 베푸는 마음입니다. 우리 동아리에 가입하면 여러분의 재능과 나눔의 마음이 더해져 우리 주변은 밝아질 것입니다.

② 우리가 생활 속에서 실천할 수 있는 나눔에는 어떤 것이 있을까요? 각자의 자리에서 나눔을 실천할 수 있는 방법을 찾아봅시다.

③ 동아리 활동을 함께하다 보면 친구들 간의 친밀감이 높아집니다. 우리 동아리에서 퍼네이션 게임을 하며 재능을 발견해 보지 않으실래요?

④ 나눔은 내가 베푼 마음이 누군가에게 퍼져 모두를 따뜻하게 만드는 것입니다. 우리 동아리에서 나눔을 실천하는 경험을 해 보지 않으시겠어요?

⑤ 다른 사람이 도움을 필요로 할 때 나의 재능이 함께하면 나눔이 시작됩니다. 자신이 잘할 수 있는 일을 찾기 위해서는 어떻게 하는 것이 좋을까요?

[1~3] 다음을 읽고 물음에 답하시오. [2019-6월 모평]

[초고 작성을 위한 학생의 메모]

• **글의 목적**: 사극을 어떻게 바라볼 것인가에 대한 나의 생각을 밝히려고 함.

• 글을 쓰기 위해 떠올린 생각

– 학생들 사이에 사극에 대한 논란이 있음. ……… ㉠
– 사극의 본질은 주제 의식에 있음. ……… ㉡
– 시청자들이 사극에 흥미를 갖는 원인 ……… ㉢
– 사극은 실제 역사에 대한 관심을 유도함. ……… ㉣
– 역사적 사실의 반영 정도에 따른 사극의 유형 ……… ㉤

[글의 초고]

드라마 '○○'이 인기를 끌면서 사극에 대해 학생들 사이에 논란이 일고 있다. 실제 역사와는 다르지만 재미있었다는 반응과 아무리 드라마이지만 수업에서 배운 내용과 너무 달라서 보기에 불편했다는 반응도 있었다. 이러한 반응을 지켜보면서 사극의 본질과 역할에 대해 다시 생각해 보게 되었다.

[A] 사극은 역사적 사건이나 인물을 소재로 다양한 상상력을 발휘하여 만든 허구적 창작물이다. 따라서 사극의 본질은 상상력을 바탕으로 만들어진 이야기를 통해 구현되는 주제 의식에 있다. 사극에서는 허구를 통해 가치 있는 의미를 담고 그것이 얼마나 시청자의 공감을 살 수 있느냐가 중요한 것이지, 역사적 사실과 얼마나 부합하느냐는 중요하지 않다.

사극에서는 실존 인물에 새로운 성격을 부여하거나, 실재하지 않았던 인물을 등장시켜 극적 긴장감을 더욱 높인다. 이러한 점은 시청자들이 사극에 공감하고 재미를 느끼게 하는 요인이 되어 실제 역사에 대한 관심을 유도하는 역할을 한다. 그리고 이러한 관심은 역사에 대한 탐색으로 이어져 과거의 지식으로만 존재하던 역사를 현재에서 살아 숨 쉬게 만들 수 있다.

한편 일각에서는 시청자들이 사극에서 다뤄지는 상황을 실제 역사로 오해할 수 있다는 우려를 제기한다. 하지만 다큐멘터리와 달리 사극은 정확한 역사적 지식을 전달하기 위해 제작된 것이 아니다. 또한 사극의 영향력이 크기는 하지만 대부분의 시청자들은 사극의 내용이 실제 역사라고 생각하지 않는다.

우리는 실제 역사 속 인물과 사건을 통해 현재의 삶을 성찰하며 지혜를 얻는다. 한편 사극을 통해서는 감동과 즐거움을 얻는다. 이처럼 실제 역사와 사극은 저마다의 가치를 지니며 우리의 삶을 풍요롭게 만들어 주기에 어느 하나도 포기할 수 없다.

[초고 작성 후 수행한 자기 점검]

• **점검 내용**: 초고의 마지막 문단은 [ⓐ] 수정해야 글의 목적이 더 잘 드러날 것 같아.

• 고쳐 쓴 마지막 문단

> 사극은 상상력을 바탕으로 실제 역사를 현실로 소환하면서, 끊임없이 과거와의 대화를 시도한다. 이로 인해 시간적 간극에도 불구하고 우리는 사극에서 재창조된 인물에 공감하거나 그들의 삶을 통해 의미 있는 경험을 하게 된다. 이러한 공감과 경험을 온전하게 즐길 수 있으려면 사극을 실제 역사 그 자체의 재현이 아닌 허구적 창작물로 인식해야 한다.

글쓰기 계획 파악

1 ㉠~㉤ 중, '글의 초고'에 반영되지 않은 것은?

① ㉠ ② ㉡ ③ ㉢ ④ ㉣ ⑤ ㉤

고쳐쓰기의 적절성 평가

2 '고쳐 쓴 마지막 문단'을 고려할 때, ⓐ에 들어갈 내용으로 가장 적절한 것은?

① 사극의 순기능과 역기능을 함께 제시하여 통일성이 약화되므로, 허구적 창작물이 사극의 본질이라는 입장이 부각되도록
② 실제 역사와 사극으로 초점이 분산되어 논지가 흐려지므로, 사극은 상상력을 바탕으로 한 창작물이라는 입장이 부각되도록
③ 실제 역사의 장점을 위주로 제시하여 주장이 분명하게 드러나지 않으므로, 사극이 실제 역사에 긍정적 영향을 미친다는 입장이 강조되도록
④ 실제 역사와 사극의 긍정적 기능을 함께 제시하여 일관성이 부족하므로, 사극의 본질은 실제 역사를 온전히 수용하는 데 있다는 입장이 강조되도록
⑤ 실제 역사 반영이 사극에서 중요함을 제시하여 설득력이 부족하므로 허구적 창작물로서의 사극이 갖는 효용에 주목해야 한다는 입장이 강조되도록

내용 생성의 적절성 평가

3 〈보기〉의 관점에서 [A]에 대해 비판하는 글을 쓰려고 한다. 글에 담길 주장으로 가장 적절한 것은? [3점]

보기

사실로서의 역사와 상상력의 산물로서의 허구라는 두 가지 요소가 사극의 본질이다. 그중 어느 한쪽으로 치우치게 되면 사극은 자신의 정체성에서 멀어지므로 둘 사이의 균형을 유지해야 한다. 이를 위해서는 보편적으로 인정하는 역사적 사실은 유지하고, 역사적 사실들을 연결해 하나의 이야기를 만들어 가는 과정에서 상상력이 발휘되어야 한다.

① 사극은 상상력의 산물로서의 허구를 제외하고 사실로서의 역사를 중심으로 만들어야 한다.

② 사극에서는 상상력을 바탕으로 한 허구를 사실로서의 역사보다 더 가치 있게 바라봐야 한다.

③ 사극에서 상상력은 역사적 사실에 부합하는 범위에서 역사적 사실들 간의 유기성을 부여하는 데 활용해야 한다.

④ 사극에서 시청자의 공감을 유도하는 요인은 허구를 통해서 드러나는 주제 의식이 아니라 사실로서의 역사이다.

⑤ 사극의 본질에 부합하려면 허구적 내용의 재미보다는 역사적 사건과의 유사성에 초점을 맞춰 사극을 제작해야 한다.

실전 11

[1~3] (가)는 학생의 메모이고, (나)는 (가)를 바탕으로 쓴 초고이다. 물음에 답하시오. [2018 수능]

(가) 초고 작성을 위한 메모

- **작문 상황**: 봉사의 날 운영 방식을 글감으로 하여 교지에 글을 게재하려 함.
- **글의 목적**: 예상 독자인 우리 학교 구성원을 설득하는 글
- **주제**: 봉사의 날 운영 방식을 동아리별 봉사 활동으로 전환할 필요가 있다.
- **자료**: 우리 학급 학생들을 대상으로 한 인터뷰

(나) 글의 초고

우리 학교에서는 한 달에 한 번씩 봉사의 날을 지정하여 학급별로 학교 주변의 환경을 정화하는 봉사 활동을 실시해 왔다. 그러나 이러한 운영 방식에 대한 학생들의 개선 요구가 제기되면서 봉사의 날 운영 방식을 동아리별 봉사 활동으로 전환하는 것이 대안으로 제시되었다. 이로 인해 학교 구성원들 사이에서 봉사의 날 운영 방식에 대한 논의가 한창이다.

[A] 우리 학급 학생들을 대상으로 인터뷰를 해 본 결과 실제로 학생들 대다수가 현행 봉사의 날 운영 방식에 대해 만족하지 않았다. 학생들은 그 이유로 참여 의지가 떨어진다는 점을 들었다. 이러한 결과를 바탕으로 할 때 환경 정화 활동과 같이 개인의 의사를 반영하지 않은 획일적인 방식은 학생들의 자발적 참여를 유도하기 어렵다고 할 수 있다.

학생들은 동아리별 봉사 활동의 장점으로 진로와 관심사를 반영한 봉사 활동을 할 수 있다는 점을 언급했다. 동아리별 봉사 활동은 진로와 관심사가 비슷한 학생들이 모인 동아리를 기반으로 하기 때문에 동아리의 특색을 살린 봉사 활동을 할 수 있다. 그 결과 학생들은 획일적인 봉사 활동에서 벗어나 보다 다양한 봉사 활동을 계획하고 실행할 수 있다. 동아리 활동이 위축될 수 있다는 일부 학생들의 우려도 있지만, 이 방식은 현행 봉사의 날 운영 방식에 대한 학생들의 불만을 해소할 수 있는 효과적인 대안이 될 수 있다.

청소년기는 육체적 · 심리적 · 사회적으로 중요한 변화가 나타나고 성장이 이루어지는 시기라는 점에서 의의가 있다. 청소년기에 수행하는 봉사 활동은 청소년들에게 나눔과 배려의 정신을 길러 줄 뿐만 아니라, 스스로 성장할 수 있는 기회를 제공한다는 점에서 의의가 있다.

자료 활용 방안 파악

1 **다음은 [A]를 보완하기 위해 추가로 수집한 자료이다. 자료의 활용 방안으로 적절하지 <u>않은</u> 것은?**

자료

우리 학교 학생 대상 설문 조사 결과

㉮ 현행 봉사의 날 운영 방식에 대한 만족 여부

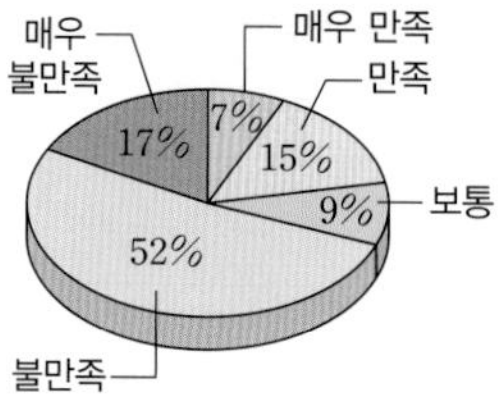

매우 만족 7%
만족 15%
보통 9%
불만족 52%
매우 불만족 17%

㉯ 현행 봉사의 날 운영 방식에 대한 불만족 이유
('매우 불만족', '불만족' 응답자 대상)

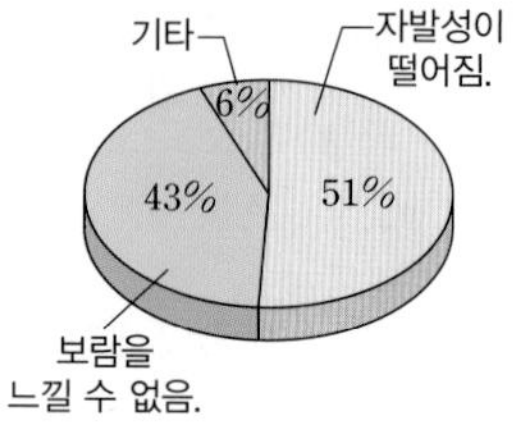

자발성이 떨어짐. 51%
보람을 느낄 수 없음. 43%
기타 6%

㉰ 교육 전문 잡지 『□□□』

동아리별 봉사 활동은 동아리 활동을 통해 계발한 역량을 봉사 활동에서 발휘할 수 있어 학생들에게 성취 경험을 제공하므로 봉사 활동에 대한 학생들의 자발성을 높일 수 있다. 하지만 학생들이 동아리 활동 시간에 봉사 활동 준비를 하는 경우도 있어 동아리의 본래 목적에 맞는 활동이 잘 이뤄지지 않을 수 있다. 따라서 학교에서는 별도의 봉사 활동 준비 시간을 마련해 주는 방안을 고려할 필요가 있다.

① ㉮를 활용해, 현행 운영 방식에 대한 우리 학교 학생들의 만족 여부를 구체적으로 보여 주는 설문 조사의 결과를 추가해야겠어.

② ㉯를 활용해, 현행 운영 방식에 대한 학생들의 불만족 이유에 봉사 활동에서 보람을 느낄 수 없다는 점을 추가해야겠어.

③ ㉰를 활용해, 동아리별 봉사 활동의 도입과 관련한 일부 학생들의 우려에 대해 이를 해결할 수 있는 방안을 추가해야겠어.

④ ㉮와 ㉰를 활용해, 현행 운영 방식의 문제점으로 봉사 활동 준비에 많은 시간이 소요된다는 점을 추가해야겠어.

⑤ ㉯와 ㉰를 활용해, 동아리별 봉사 활동이 학생들에게 성취 경험을 제공하여 불만족 이유 중 가장 비율이 높은 문제의 해결에 도움이 된다는 점을 추가해야겠어.

내용 생성의 적절성 평가

2 **(가)의 사항이 (나)에 반영된 내용으로 가장 적절한 것은?**

① 글감에 대한 논의의 필요성을 드러내기 위해, 봉사의 날 운영 방식이 논의되고 있는 우리 학교 상황을 제시하였다.

② 글의 목적을 강조하기 위해, 자료를 수집한 과정과 우리 학교에 봉사의 날이 도입된 취지를 제시하였다.

③ 예상 독자의 관심을 반영하기 위해, 학교 구성원이 관심을 가질 수 있는 주제를 선정하는 과정을 제시하였다.

④ 글의 주제를 구체화하기 위해, 현행 봉사의 날 운영 방식의 장점을 병렬적으로 열거하여 제시하였다.

⑤ 자료의 객관성을 높이기 위해, 봉사 활동과 관련한 설문 조사 문항과 조사 대상에 대한 정보를 제시하였다.

고쳐쓰기의 적절성 평가

3 **다음은 (나)를 쓴 학생이 교지 편집부장에게 보낸 이메일이다. ㉠에 들어갈 내용으로 가장 적절한 것은?**

답장 | 전체 답장 | 전달 | × 삭제 | 스팸 신고 　　　목록 | 위 | 아래

보내 주신 검토 의견 중 (　　　㉠　　　)해 달라는 말을 고려해 초고의 마지막 문단을 아래와 같이 수정했습니다. 확인 바랍니다.

> 청소년기에 수행하는 봉사 활동은 청소년들에게 나눔과 배려의 정신을 길러 줄 뿐만 아니라, 스스로 성장할 수 있는 기회를 제공한다는 점에서 의의가 있다. 동아리별 봉사 활동을 도입한다면, 학생들이 자발적으로 봉사 활동에 참여하게 되어 봉사 정신을 기를 수 있고 자신들의 진로 관련 역량을 계발하여 자기 성장의 기회를 얻게 될 것이다.

① 청소년기의 의의는 삭제하고, 청소년기 봉사 활동의 의의는 추가

② 청소년기의 의의는 삭제하고, 동아리별 봉사 활동 도입 시 기대 효과는 추가

③ 청소년기의 의의는 삭제하고, 동아리별 봉사 활동 도입을 위한 지원 방안은 추가

④ 청소년기 봉사 활동의 의의는 삭제하고, 동아리별 봉사 활동 도입 시 기대 효과는 추가

⑤ 청소년기 봉사 활동의 의의는 삭제하고, 동아리별 봉사 활동 도입을 위한 지원 방안은 추가

[1~3] 다음을 읽고 물음에 답하시오. [2018-9월 모평]

[작문 상황]

- **작문 과제:** 일상생활에서 많은 사람들이 겪고 있는 문제를 해결하기 위한 건의문 작성하기
- **예상 독자:** ○○시청 시내버스 운행 정책 담당자

[학생의 초고]

안녕하세요? 저는 'A 단지'에 사는 □□고등학교 학생 ◇◇◇입니다. 제가 이렇게 글을 쓰게 된 이유는 시내버스 노선 문제로 어려움을 겪고 있는 A 단지 학생들을 대표하여 개선 방안을 건의하기 위해서입니다.

우리 시의 고등학교들은 시내에 위치한 반면 2016년 2월에 생긴 A 단지는 시 외곽에 있어 이곳에 사는 많은 학생들은 시내버스를 이용해 통학하고 있습니다. 그런데 시내버스를 이용하면 자가용을 이용할 때보다 30분 이상 시간이 더 걸립니다. ○번 버스의 경우 A 단지를 지나 시청, 버스 터미널, 중앙 시장 등 시내 주요 장소뿐만 아니라 여러 곳을 경유하여 □□고등학교에 이릅니다. 시내 고등학교들로 향하는 다른 노선들도 상황은 이와 유사합니다. 통학 시간이 길어서 아침부터 피곤해져 학생들이 수업 시간에 졸게 되는 등 학업에 집중하기가 어렵습니다. 그러다 보니 학생들이 시내버스를 기피하게 되고 부모님의 자가용을 이용해 통학하는 사례가 증가하였습니다. 이로 인해 학부모의 부담이 가중되고, 학교 주변의 교통이 혼잡해지고 있습니다. 결국 이러한 문제가 생긴 원인은 A 단지에서 고등학교들로 향하는 시내버스 노선들이 시내의 너무 많은 정류장을 경유하기 때문입니다.

이 문제를 해결하는 방안은 학생 전용 급행 노선을 신설하는 것입니다. 학생 전용 급행 노선이란 등교 시간에 학생들만 이용할 수 있는 시내버스 노선으로, A 단지에서 출발해서 거점 정류장만을 경유하여 시내 고등학교까지 최단 경로로 운행하는 노선을 말합니다. 급행 노선의 신설을 위해서는 학생들의 수요를 조사하여 인접한 고등학교들을 묶어 하나의 노선으로 정하고, A 단지 이외의 학생들이 많이 타는 곳을 거점 정류장으로 정하면 될 것입니다.

제 건의 내용이 받아들여진다면, [㉠]

글쓰기 전략 파악

1 '학생의 초고'에 대한 설명으로 가장 적절한 것은?

① 건의 내용의 신뢰성을 확보하기 위해 권위자의 견해를 인용하고 있다.
② 건의 내용의 타당성을 높이기 위해 해결 방안의 한계점을 검토하고 있다.
③ 건의 내용의 합리성을 확보하기 위해 여러 가지 해결 방안을 비교하고 있다.
④ 건의 내용의 공정성을 확보하기 위해 예상되는 반론을 함께 제시하고 있다.
⑤ 건의 내용의 실현 가능성을 높이기 위해 구체적인 실행 방안을 제안하고 있다.

내용 생성의 적절성 평가

2 선생님의 조언을 고려할 때, ㉠에 들어갈 내용으로 가장 적절한 것은?

> **선생님:** 건의문의 끝부분에는 건의가 받아들여졌을 때 건의 주체에게 도움이 된다는 점을 밝히고 다른 사람들에게도 도움이 된다는 점을 제시하면 설득력을 높일 수 있어요.

① 수요 조사에 따른 버스 운영으로 시내버스 회사의 이익 창출에 기여하며, ○○시도 시내버스 운영 지원비를 줄일 수 있게 될 것입니다.
② A 단지 학생들이 겪는 등굣길 버스 이용의 불편을 줄일 수 있을 뿐만 아니라 A 단지 학생들의 아침 수면 시간을 확보할 수 있을 것입니다.
③ A 단지 학생들의 등굣길 스트레스를 줄여 줄 수 있으며, 여유롭게 등교할 수 있게 되어 A 단지 학생들이 즐겁게 학교생활을 하는 데에도 기여할 것입니다.
④ 학생들의 자가용 통학으로 인한 학부모들의 부담을 줄일 수 있으며, 자녀들을 데려다 주지 않아도 되어 학부모들이 여유로운 아침 시간을 보낼 수 있을 것입니다.
⑤ 긴 통학 시간으로 인한 A 단지 학생들의 피로감을 줄일 수 있어 학업에 보다 집중할 수 있게 되고, 학교 주변 교통 혼잡을 해결하여 인근 주민들의 불편을 해소할 수 있을 것입니다.

개념 코칭

건의문의 구성
- 처음: 제목, 인사와 자기소개, 건의 목적
- 본문
  - 문제 상황: 사실을 근거로 구체적으로 제시
  - 해결 방안: 공익성, 공정성, 실현 가능성 등을 고려하여 구체적으로 제시
  - 이익이나 기대 효과: 해결 방안을 통해 얻을 수 있는 기대 효과 제시
- 끝: 끝인사, 건의 일자, 서명

자료 활용 방안 파악

3 〈자료〉를 활용하여 '학생의 초고'를 보완하려 한다. 〈자료〉의 활용 방안으로 적절하지 않은 것은? [3점]

자료

(가) 인터뷰

"학교까지 가는 버스가 너무 많은 곳을 돌아서 시간이 오래 걸려서 힘들어요. 그러다 보니 아침에 일찍 집을 나서야 되고, 종종 아침밥도 못 먹고 갈 때가 있어요."

– □□고등학교 학생 –

(나) 'A 단지' 고등학생들의 등교 수단 이용률

등교 수단 / 조사 시점	자가용	시내버스	기타
2016년 6월	25.2%	66.7%	8.1%
2016년 12월	44.4%	47.8%	7.8%
2017년 6월	53.2%	38.5%	8.3%

– □□고등학교 학생자치회 –

(다) 신문 기사

△△시가 3월부터 고등학교 학생 전용 급행 노선을 본격적으로 운행하였다. 등교 급행 노선은 오전 7시 30분부터 9시까지 통학생들이 집중된 지역에서 학교까지 일부 정류장만 경유하여 운행하는 것으로 기존 40분대 통학 시간을 20분대로 줄였다. 이로 인해 시내버스로 통학하는 학생의 비율이 급행 노선 운행 전보다 증가하였다.

① (가)의 학생 경험을 제시하여 등굣길 시내버스 노선 문제의 실태를 보여 주어야겠군.

② (나)의 시내버스 이용률 변화 추이를 활용하여 학생들의 시내버스 기피 현상이 심화되고 있음을 보여 주어야겠군.

③ (가)와 (나)를 활용하여 자가용 이용률 증가가 시내버스 이용 불편의 원인이 될 수 있다는 점을 보여 주어야겠군.

④ (나)와 (다)를 활용하여 학생 전용 급행 노선이 자가용 이용률을 감소시키는 데 도움이 될 수 있음을 제시해야겠군.

⑤ (가)와 (다)를 활용하여 학생 전용 급행 노선이 학생 불편 해소에 기여할 수 있음을 강조해야겠군.

실전 13

[1~3] (가)는 학교 신문에 기고한 학생의 글이고, (나)는 (가)를 읽은 후 다른 학생이 같은 신문에 기고한 반박 글이다. 물음에 답하시오. [2018-6월 모평]

(가)

우리 학교는 내년도 학사 일정을 수립하기 위해 학생들의 의견을 수렴하였다. 그 과정에서 여름 방학 기간을 현행 4주에서 2주로 단축하자는 주장이 제기되었다. 하지만 여름 방학 기간을 단축하자는 주장에는 다음과 같은 문제점이 있다.

첫째, 여름 방학의 의미가 제대로 실현되기 어렵다. 여름 방학은 1학기가 끝나고 휴식을 취하면서 몸과 마음의 여유를 찾아 2학기를 준비한다는 점에서 의미가 있다. 그런데 여름 방학 기간이 단축되면 그만큼 여유를 찾는 시간이 줄어들게 된다.

둘째, 학생들이 원하는 프로그램에 참여하기 어렵다. 우리 학교의 많은 학생들은 여름 방학 기간에 외부 기관에서 운영하는 교외 청소년 프로그램에 참여하고 싶어 한다. 그런데 여름 방학 기간이 단축되면 개학 이후에 시작되는 프로그램에는 참여할 수 없게 된다.

셋째, 학교 시설을 개선할 수 있는 기간을 확보하기 어렵다. 학교 시설을 보수하거나 설치하는 일이 2주 이상 걸리는 경우 방학을 활용한다. 그런데 여름 방학 기간이 단축되면 학교 시설 공사를 완료하지 못한 상태에서 2학기를 시작하게 되므로 생활이 불편하게 될 가능성이 매우 크다.

학교는 학생들이 여유를 갖고 자율적으로 활동에 참여하며 편안한 환경에서 생활할 수 있도록 충분한 시간을 확보해 주어야 한다. 따라서 현재의 여름 방학 기간을 유지해야 한다.

(나)

학교 신문에 여름 방학 기간 단축을 반대하는 글이 실린 후 학생들 사이에서 찬성과 반대의 다양한 의견들이 오가고 있다. 그 글에서 제시한 근거들을 반박하고자 한다.

첫째, 여름 방학 기간을 유지한다고 해서 여름 방학의 의미가 실현되는 것은 아니다. 대다수의 학생들은 오히려 학기 중보다 학습 부담이 커져서 여름 방학 기간에 여유를 갖고 휴식을 취하지 못한다. 그러므로 2주로 줄여도 문제가 되지 않는다.

둘째, 여름 방학 기간을 단축해도 학생들은 원하는 프로그램에 참여할 수 있다. 2학기가 시작된 후에도 개인 체험 학습을 신청하면 원하는 프로그램에 얼마든지 참여할 수 있다.

셋째, 오랜 시일이 필요한 공사는 겨울 방학 기간을 활용하고 시급한 공사의 경우 기간을 단축할 수 있는 방안을 모색하면 된다. 불가피하게 학기 중에 공사를 하게 되더라도 불편 없이 진행할 수 있다. 실제로 우리 학교에서 지난 학기 중 특별실 보수 공사를 하였지만 불편 없이 진행되었다.

[A] 여름 방학 기간을 단축해야 하는 이유는 다음과 같다. 수업 공백이 줄어들어 지난 학기의 수업 내용을 잘 기억할 수 있게 되어서 학습이 연속적으로 이루어질 수 있다. 그리고 겨울 방학 시작을 앞당길 수 있어 학년 말의 비효율적인 학사 운영을 피하는 데에도 도움을 준다. 인근 고등학교에서는 이미 여름 방학 기간을 단축하여 운영하고 있는데, 학생들의 만족도가 높다고 한다.

학교가 학생들의 여유로운 생활을 보장해 주어야 한다는 주장도 타당한 측면이 있지만, 학교가 해야 할 더 중요한 일은 수업의 연속성 확보와 학사 운영의 효율성 제고라고 생각한다. 따라서 이를 실현하려면 여름 방학 기간을 단축해야 한다.

글쓰기 계획 파악

1 〈보기〉는 (가)를 쓰기 위해 떠올린 생각이다. (가)에 반영된 생각만을 〈보기〉에서 있는 대로 고른 것은?

보기
ㄱ. 여름 방학 기간에 학교 측에서는 무슨 일을 할까?
ㄴ. 여름 방학 기간을 단축했을 때 얻을 수 있는 이점은 무엇일까?
ㄷ. 여름 방학 기간을 단축했을 때 발생할 수 있는 문제는 무엇일까?
ㄹ. 여름 방학 기간을 유지하자는 주장에 대해 어떤 반론이 제기될 수 있을까?

① ㄱ, ㄴ ② ㄱ, ㄷ ③ ㄴ, ㄹ
④ ㄱ, ㄷ, ㄹ ⑤ ㄴ, ㄷ, ㄹ

글쓰기 전략 파악

2 (나)에 사용된 쓰기 전략이 아닌 것은?

① 여름 방학 기간 단축에 대하여 (가)로 인해 촉발된 반응을 제시하고 글을 쓰는 목적을 밝힌다.
② 여름 방학의 의미가 현실과 차이가 있다는 점을 들어 (가)의 주장을 비판한다.
③ 학생들이 원하는 프로그램에 참여하기 어렵다는 (가)의 주장을 반박하며 이를 뒷받침할 수 있는 근거를 제시한다.
④ 학기 중 공사가 불편을 초래한다는 (가)의 주장을 비판하며 이를 뒷받침하는 사례를 제시한다.
⑤ 학생들의 여유로운 생활을 보장해야 한다는 (가)의 주장을 일부 수용하고 자신의 의견을 추가하여 절충안을 제시한다.

자료 활용 방안 파악

3 (가)를 쓴 학생이 (나)를 반박하는 글을 쓰려고 한다. [A]를 비판하기 위한 자료 활용 방안으로 가장 적절한 것은? [3점]

① 학교 시설 공사로 통행에 불편을 겪었던 학생의 인터뷰를, 학기 중 공사가 불편 없이 진행된다는 주장을 반박하는 근거로 제시해야겠어.
② 개인이 신청할 수 있는 체험 학습 일수를 제한하고 있는 학교 규정을, 학기 중에도 체험 학습 참여가 얼마든지 가능하다는 주장을 반박하는 근거로 제시해야겠어.
③ 학기 중보다 여름 방학 기간에 더 많은 휴식을 취한다는 신문 기사를, 여름 방학 기간을 유지할 때 학생들의 만족도가 높다는 주장을 반박하는 근거로 제시해야겠어.
④ 여름 방학 기간을 단축했지만 학년 말 학사 운영이 비효율적이었던 다른 학교 사례를, 여름 방학 기간 단축이 학사 운영과 무관하다는 주장을 반박하는 근거로 제시해야겠어.
⑤ 여름 방학 기간이 2주, 4주인 두 학교 학생들이 지난 학기의 수업 내용을 기억하는 정도에 차이가 없다는 조사 결과를, 여름 방학 기간과 학습 연속성이 관련 있다는 주장을 반박하는 근거로 제시해야겠어.

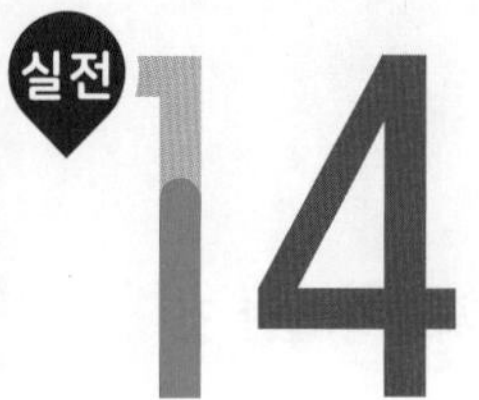

[1~3] 다음을 읽고 물음에 답하시오.

[2017 수능]

학생의 작문 계획

- **예상 독자**: 학급 학생들
- **주제**: 새로운 광고 기법에 대한 이해와 비판적 인식 촉구
- **글의 구성**
  - 1문단: 새로운 광고 기법의 등장 배경을 제시해야겠어.
  - 2문단: 검색 광고에 대해 살펴야겠어.
  - 3문단: 기사형 광고에 대해 살펴야겠어.
  - 4문단: ㉠새로운 광고 기법의 문제점을 언급하고, 이 광고 기법에 대한 매체 이용자들의 비판적 인식을 촉구해야겠어.

초고

[A] 우리는 인터넷, 신문, 잡지 등의 다양한 매체를 이용하면서 수많은 광고에 노출된다. 이러한 광고는 다양한 매체에서 여러 유형으로 나타나는데, 이는 매체 발달에 따라 매체별 광고 기법도 다양해졌기 때문이다. 하지만 매체 이용자들은 이러한 광고를 불필요한 정보로 판단해 회피하는 경향이 있다. 이에 대응하여 매체 이용자들이 거부감 없이 광고를 수용하도록 하는 새로운 광고 기법이 등장하고 있다.

인터넷에서 이용자들의 눈길을 끄는 광고 기법으로 검색 광고를 들 수 있다. 검색 광고는 검색창에 검색어를 입력하면 검색 결과와 함께 검색어와 관련된 다양한 광고가 노출되도록 하는 광고이다. 검색 광고는 불특정 다수에게 노출되는 기존 인터넷 광고와 달리 특정 대상에게만 노출되지만, 검색 결과와 비슷한 형태로 제시되므로 이용자들에게 마치 유용한 정보인 것 같은 착각을 일으킨다.

[B] 신문이나 잡지 등에서 새롭게 사용되는 광고 기법으로 기사형 광고를 들 수 있다. 형식이나 내용이 기사와 확연히 구분되었던 기존 광고와 달리 기사형 광고는 기사처럼 보이는 광고를 말한다. 기사형 광고는 기사처럼 보이기 위해 제목에서 특정 제품명을 드러내지 않으며, 전문가 인터뷰나 연구 자료 인용을 통해 유용한 정보를 제공하는 것처럼 꾸며 독자의 관심을 끈다. 그러면서 가격, 출시일 등의 제품 정보를 삽입하여 독자의 소비 심리를 자극한다. 하지만 이러한 점 때문에 독자들이 기사형 광고를 기사로 오인할 수 있으므로 '특집', '기획' 등의 표지를 사용하는 것이 제한되어 있다. 또한 기자가 작성한 글로 착각하지 않도록 글 말미에 '글 ○○○ 기자'와 같은 표현도 사용하지 못하도록 되어 있다.

광고를 접할 때 매체 이용자들은 이러한 광고 기법들의 문제점을 정확히 인식할 필요가 있다. 검색 광고와 기사형 광고는 모두 [㉡]

글쓰기 계획 파악

1 〈보기〉는 [A]를 작성하는 과정에서 떠올린 생각이다. ⓐ~ⓓ가 [A]의 내용에 반영된 순서로 적절한 것은?

보기

ⓐ 매체 이용자들의 광고 회피 경향에 대응해 새로운 광고 기법이 등장함을 제시해야겠어.
ⓑ 다양한 매체에서 여러 유형의 광고가 나타나는 이유를 예상 독자가 궁금해할 수 있으므로 그 이유를 제시해야겠어.
ⓒ 예상 독자가 자신의 경험을 떠올릴 수 있도록 예상 독자들이 광고를 접하고 있는 매체들을 구체적으로 제시해야겠어.
ⓓ 매체 이용자들이 광고에 대해 보이는 태도를 제시할 필요가 있어.

① ⓐ－ⓒ－ⓑ－ⓓ
② ⓑ－ⓒ－ⓐ－ⓓ
③ ⓑ－ⓒ－ⓓ－ⓐ
④ ⓒ－ⓑ－ⓓ－ⓐ
⑤ ⓒ－ⓓ－ⓑ－ⓐ

개념 코칭

기사형 광고의 특징
- 제목에서 특정 제품명을 드러내지 않는다.
- 전문가 인터뷰나 연구 자료를 인용한다.
- 가격, 출시일 등의 제품 정보를 삽입하여 독자의 소비 심리를 자극한다.
- '특집, 기획' 등의 표지나 '글 ○○○ 기자'와 같은 표현을 사용하는 것이 제한된다.

자료 활용 방안 파악

2 [B]의 내용을 바탕으로, 기사형 광고에 대해 발표하고자 한다. 다음 기사형 광고의 활용 방안으로 적절하지 않은 것은? [3점]

□□신문

좋은 물이 장수의 비결

○○ 대학에서는 최근 물과 장수의 관계를 밝힌 연구 논문을 발표했다. 이 논문에 따르면 국내 장수 마을 사람들의 장수 비결은 그 지역에서 나는 물과 관련이 깊다고 한다. 다른 지역 물에 비해 장수 마을의 물은 유익한 미네랄이 풍부한 것으로 조사되었다. △△샘물은 미네랄의 함량이 국내 최장수 마을의 물과 유사한 것으로 나타났다. △△샘물은 상품화되어 11월 2일 출시된다.

제품 용량 500 ml, 1,000원

① '물과 장수의 관계'를 연구한 논문을 인용한 것은, 독자들의 관심을 끌기 위한 기법의 예로 발표에서 활용할 수 있겠군.
② '△△샘물'이라는 제품명을 제목에 나타내지 않은 것은, 독자들에게 광고처럼 보이기 위한 기법의 예로 발표에서 활용할 수 있겠군.
③ '특집', '기획' 등의 표지를 사용하지 않은 것은, 독자들이 기사로 오인하지 않도록 하는 제한 사항을 따른 예로 발표에서 활용할 수 있겠군.
④ '△△샘물'이라는 특정 제품에 대한 출시일과 가격 정보를 제시한 것은, 독자들의 소비 심리를 자극하기 위한 기법의 예로 발표에서 활용할 수 있겠군.
⑤ '글 ○○○ 기자'와 같은 정보를 명시하지 않은 것은, 독자들이 기자가 작성한 글로 착각하지 않도록 하는 제한 사항을 따른 예로 발표에서 활용할 수 있겠군.

조건에 맞는 글쓰기 평가

3 **㉠을 바탕으로 초고의 마지막 문단을 완성하고자 한다. ㉡에 들어갈 내용으로 가장 적절한 것은?**

① 매체 이용자들에게 광고를 불필요한 정보로 판단하게 하여 회피하게 한다. 따라서 기업은 매체 이용자들을 현혹하는 광고를 비판적으로 점검하며 기업 윤리를 지킬 필요가 있다.

② 광고 내용이 불특정 다수에게 노출된다는 점에서 매체 이용자들에게 거부감을 준다. 따라서 매체 이용자들은 주체적으로 광고를 분별할 수 있는 비판적 태도를 기를 필요가 있다.

③ 기존 광고에 비해 매체 이용자들의 거부감이 낮은 편이어서 부작용이 적다. 따라서 매체 이용자들은 기존 광고의 부작용을 인식하고 비판적으로 매체의 정보를 수용할 필요가 있다.

④ 검색 대상과 제품이 달라 매체 이용자들이 잘못된 정보를 바탕으로 제품 구매를 하도록 유도한다. 따라서 정부는 이러한 광고들을 강력히 규제하여 소비자들을 보호할 필요가 있다.

⑤ 광고를 유용한 정보인 것처럼 오인하게 만들어 매체 이용자들에게 착각을 유도한다. 따라서 매체 이용자들은 필요한 정보와 광고를 구별할 수 있는 비판적 안목을 기를 필요가 있다.

[1~3] 다음을 읽고 물음에 답하시오. [2017-9월 모평]

〈교지 편집부의 요청 내용〉

우리 학교 학생들을 대상으로 '정보 통신 기술의 발달에 따른 우리나라 농업의 미래'에 대해 글을 써 주세요.

〈글을 쓰기 전에 떠올린 생각〉

- 예상되는 미래 농업의 모습을 제시해야겠어. ··· ⓐ
- 농업의 중요성에 대해 언급하며 글을 시작해야겠어. ··· ⓑ
- 농업에 도입될 정보 통신 기술에 대해 언급해야겠어. ··· ⓒ
- 농업 발전을 위한 정보 통신 기술 관련 정책이 어떻게 변화할지 설명해야겠어. ··· ⓓ
- 정보 통신 기술의 발달로 해결할 수 있는 현재 농업의 문제 상황을 제시해야겠어. ··· ⓔ

〈초고〉

인류 역사에서 가장 오래된 산업이자 인류의 운명과 함께할 산업은 무엇일까? 신석기 시대 이래 지속적으로 발전되어 온 농업은 인류의 생존과 직결된 가장 기본적인 산업이다. 이제 농업은 정보 통신 기술 기반의 빅 데이터 활용 기술과 환경 제어 기술의 발달과 함께 빠르게 변화하고 있다.

[A] 기상과 병충해 같은 농업 관련 정보를 수집, 처리, 활용하는 빅 데이터 활용 기술이 농업에 도입되면 농산물의 생산량을 적절하게 조절하는 것이 가능해져 농가가 안정적인 수익을 올릴 수 있다. 지금까지는 농산물을 기를 때 기상 상태나 병충해와 같은 외부 환경으로 인한 피해가 생산량에 미치는 영향이 컸기 때문에 생산량을 예측하고 조절하는 것이 어려웠다. 이로 인해 농산물 가격이 폭등하거나 폭락하는 경우가 많았다. 농업과 관련된 빅 데이터가 더 많이 축적되고 이를 실시간으로 활용할 수 있게 된다면 계획적인 생산과 체계적인 관리가 가능해질 것이다. 실제로 농업 관련 빅 데이터를 활용해 농사를 지은 농가의 생산성이 향상된 사례도 있다.

[B] 재배 환경 정보를 실시간으로 수집 · 처리하여 최적화된 정보에 따라 재배 환경을 조절하고 자동 재배 시설을 제어하는 기술이 도입되면 실내에서의 대규모 농업도 가능해진다. 온도와 습도, 이산화탄소 농도, 빛의 양 등 농작물 성장에 필수적인 요소들을 자동으로 조절해 주는 시설이 완비된 식물 공장이 확산되면 농업은 이전과 달리 장소의 제약에서 벗어날 수 있다. 또한 식물 공장을 고층 건물 형태로 지으면 공간이 한정된 도시에서도 좋은 품질의 농작물을 대량으로 생산할 수 있다. 도심 곳곳의 고층 건물에서 층마다 농산물을 재배하는 모습을 영화가 아닌 현실에서 보게 될 것이다.

발달된 정보 통신 기술이 농업에 도입되면 농가는 안정적인 수익을 올릴 수 있고, 도시의 고층 건물에서도 대규모로 농작물을 재배하는 것이 가능할 것이다. 어업과 같은 전통적인 산업에서도 농업과 유사한 발전 양상을 보일 것이다. 이러한 상황 속에서 우리 농업은 계속 발전할 것이다.

글쓰기 계획 파악

1 ⓐ~ⓔ 중 〈초고〉에 반영되지 않은 것은?

① ⓐ ② ⓑ ③ ⓒ ④ ⓓ ⑤ ⓔ

자료 활용 방안 파악

2 〈보기〉는 학생이 초고를 쓰기 위해 수집한 자료의 일부이다. ㉠~㉤의 활용에 대한 설명으로 적절하지 않은 것은? [3점]

보기

- 과수원 농사를 짓는 ㉠○○ 농가는 빅 데이터를 활용한 관리 시스템을 도입한 이후 생산량은 25% 이상 향상되었고, 운영비는 10% 이상 줄어들었다. … (중략) … 기상 관련 정보가 축적될수록 ㉡가뭄 피해, 수해, 냉해를 최소화할 수 있다.

  – 『□□농업신문』 –

- 도시에서 농작물을 인공적으로 생산하는 식물 공장이 ㉢미래 식량 위기의 대안으로 급부상되고 있다. 식물 공장의 특징은 다음과 같다. 첫째, ㉣한정된 공간에서의 토지 이용 효율이 높다. 둘째, 환경 조절 장치를 통해 ㉤농작물이 자라는 데 필수적인 환경을 인위적으로 조절한다.

  – 과학 잡지 『△△△』 –

① ㉠의 정보를 이용하여 [A]에서 정보 통신 기술 도입의 긍정적 사례로 제시하였다.
② ㉡의 현상을 포괄하여 [A]에서 생산량의 예측과 조절이 어려웠던 원인을 제시하는 데 활용하였다.
③ ㉢의 규모를 예측하여 [B]에서 식물 공장의 경제적 효과를 제시하는 데 활용하였다.
④ ㉣의 실현 가능한 모습을 구체화하여 [B]에서 식물 공장의 형태에 대한 정보로 제시하였다.
⑤ ㉤의 요소들을 찾아 [B]에서 식물 공장의 시설에 대한 정보를 제시하는 데 활용하였다.

표현의 적절성 파악

3 〈보기〉는 초고를 읽은 편집부의 검토 의견과 이에 따라 학생이 고쳐 쓴 글이다. [가]에 들어갈 내용으로 가장 적절한 것은?

보기

[편집부의 검토 의견]
초고 잘 읽었습니다. ([가])을 고려하여 마지막 문단을 고쳐 주시면 좋겠습니다.

[고쳐 쓴 글]
발달된 정보 통신 기술이 농업에 도입되면 농가는 안정적인 수익을 올릴 수 있고, 도시의 고층 건물에서도 대규모로 농작물을 재배하는 것이 가능할 것이다. 물론 이와 같은 기대가 실현되기 위해서는 높은 초기 투자 비용 등 많은 문제점들을 해결해야 한다. 이러한 문제점들을 하나씩 해결해 나갈 때 우리 농업은 계속 발전할 수 있을 것이다.

① 수식 관계가 어긋나는 문장, 정보 통신 기술 적용의 확장 가능성
② 글의 흐름에 어긋나는 문장, 정보 통신 기술 적용의 확장 가능성
③ 글의 흐름에 어긋나는 문장, 미래를 낙관적으로만 바라보고 있는 문제점
④ 주술 호응이 어긋나는 문장, 미래를 낙관적으로만 바라보고 있는 문제점
⑤ 주술 호응이 어긋나는 문장, 전통 산업을 사양 산업으로만 인식하고 있는 문제점

융합

어떻게 출제되나?

- 대화, 토의, 토론, 면접 등 상호 소통하는 유형의 담화가 제시되고, 그 담화를 바탕으로 쓴 초고가 지문으로 제시된다.
- 화법이나 작문 단독 지문과 유사한 문제도 출제되지만, 글을 계획하는 단계부터 고쳐 쓰는 단계까지 전 과정에서 담화와 글이 어떻게 연계되어 있는지 파악하는 문제가 출제된다.

어떻게 공략해야 하나?

- 화법이나 작문 단독 지문과 유사한 유형의 문제를 풀 때에는 화법이나 작문의 핵심 개념을 바탕으로 지문의 내용과 선지를 대응시켜 적절성을 판단한다.
- 화법과 작문이 연계된 유형의 문제를 풀 때에는 담화와 글의 내용과 선지의 일치 여부를 확인하며 적절성을 판단한다.

[1~3] (가)는 한 학생이 학교 홈페이지 '자유 게시판'에 올린 글이고, (나)는 이를 바탕으로 학생회 학생들이 나눈 대화이며, (다)는 학생회 학생들이 작성한 건의문이다. 물음에 답하시오. [2021-6월 모평]

(가)

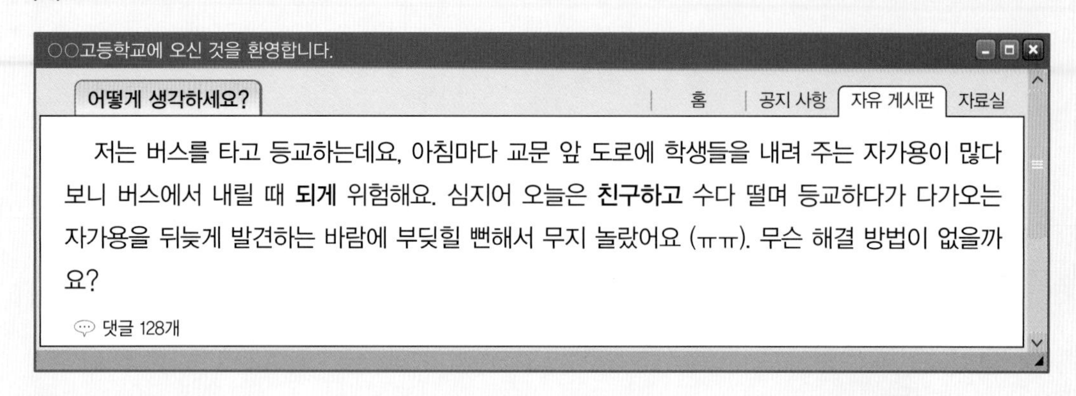
○○고등학교에 오신 것을 환영합니다.

어떻게 생각하세요? | 홈 | 공지 사항 | 자유 게시판 | 자료실

저는 버스를 타고 등교하는데요, 아침마다 교문 앞 도로에 학생들을 내려 주는 자가용이 많다 보니 버스에서 내릴 때 **되게** 위험해요. 심지어 오늘은 **친구하고** 수다 떨며 등교하다가 다가오는 자가용을 뒤늦게 발견하는 바람에 부딪힐 뻔해서 무지 놀랐어요 (ㅠㅠ). 무슨 해결 방법이 없을까요?

댓글 128개

(나)

학생 1: 어제 학교 **홈피** '자유 게시판'에 올라온 글 봤어?

학생 2: 아, 등굣길 문제?

학생 3: 나도 봤어. 조회 수도 엄청나고, 댓글을 보니 공감하는 애들이 **되게** 많더라.

학생 1: 그래서 말인데, 안전한 등굣길을 만들기 위해 학생회 차원에서 건의문을 써서 게시하는 건 어때?

학생 3: (고개를 끄덕이며) 좋은 생각이야.

학생 1: 내 생각엔 첫째로, 일단 학생들이 **학교 올 때** 자가용 이용은 자제하자고 제안하면 좋겠어.

학생 2: 그런데, 자가용 등교는 대부분 사정이 있는 거 아닐까? 다리를 다쳤거나 집이 너무 멀거나 하는.

학생 1: 내 기억에 차에서 내리는 애들 중 다리가 불편해 보이는 경우는 별로 없던데? 집도 멀지 않은 데 차 타고 오는 애들도 많이 봤고.

학생 3: 어떤 방법으로 학교에 오든 그건 개인의 선택에 맡겨야 할 문제 아닐까?

학생 1: 그렇다 해도 댓글 보면 많은 애들이 자가용 등교 때문에 등굣길이 안전하지 않다고 여기는 건 분명해 보여. 누군가의 선택이 다른 많은 사람들을 불편하게 한다면 그건 문제가 있다고 봐야지.

학생 2: 그렇다고 특별한 사정이 있는 애들까지 자가용 등교를 미안해하게 만들 필요는 없잖아?

학생 3: 그럼 글 쓸 때 이런 경우는 이해해 주자고 따로 언급하는 건 어때?

학생 1: 그 정도면 괜찮겠다. 자가용을 이용하지 않았을 때 남은 물론 자기한테도 좋은 점이 있다는 것도 알려 주면 좋겠어.

학생 3: 응. 그리고 다른 사람의 자가용 등교 때문에 위험했던 적이 있는 학생들은 그 기억을 떠올리게 해 주자. 실제 자가용 등교로 인한 사고가 얼마나 많은지 자료도 찾아 제시하고.

학생 2: 그래. 그럼 이제 등굣길 안전을 위해 추가로 제안할 게 뭐가 있을지 생각해 보자. 아, 등굣길에 주변을 살피며 걸어야 한다는 건 어때?

학생 1: 나도 **너하고** 같은 생각 했는데. 그럼 **우리** 지금까지 이야기한 내용을 정리해서 학교 게시판에 올려 보자.

● 정답과 해설 39쪽

(다)

학생 여러분, 안녕하세요? 제28대 학생회입니다.

오늘 아침 여러분의 등굣길은 어떤 모습이었나요? 안전했나요?

㉠최근 학교 **홈페이지**에 올라온 글처럼, 여러분도 **학교에 올 때** 누군가 등교에 이용한 자가용으로 인해 놀라거나 위험에 처한 적이 있을 것입니다. ㉡자가용 등교는 자신의 등굣길은 편하게 해 주지만 다른 학생들의 등굣길을 혼잡하고 위험하게 만들기도 합니다. ㉢□□경찰서의 자료에 따르면, 우리 지역 학교 앞 교통사고 발생률은 일과 시간과 대비하여 등교 시간에 67% 정도 높다고 합니다. 여러분이 타고 온 차도 다른 학생들에게 해가 될 수 있습니다. 특히 우리 학교 앞 도로는 유난히 좁다 보니 횡단보도에 정차하는 경우도 많아 **몹시** 위험합니다.

㉣물론 걷기가 불편하거나 집이 많이 먼 경우는 자가용 등교가 불가피할 수 있습니다. 그러나 이런 경우가 아니라면, 안전한 등굣길을 위해 우선 자가용 이용을 자제하는 것이 필요합니다.

또한 안전한 등굣길을 만들려면 주변을 살피며 걷는 습관도 필요합니다. 휴대 전화를 보거나 이어폰을 꽂고 걷다 보면 차가 오는 것을 보지 못해 위험해질 수 있기 때문입니다.

우리가 조금만 노력하면, 차에 놀라며 걷는 대신 **친구와** 함께 여유로운 발걸음으로 교문을 들어서는 아침 풍경을 만들 수 있습니다. 또, 자가용을 이용할 필요가 없게 부지런히 등교 준비를 하다 보면 규칙적인 생활 습관도 갖게 될 것입니다.

㉤여러분은 안전한 등굣길을 만들고 싶지 않으신가요? 그러려면 자가용 이용은 자제하고 주변을 살피며 걸어 주세요. 다 함께, 평화로운 등교 장면을 상상이 아닌 현실로 만듭시다.

긴 글 읽어 주셔서 감사합니다.

2020년 △월△일 / ○○고등학교 학생회

글의 성격 파악

1 (가)~(다)를 비교하여 이해한 내용으로 적절하지 않은 것은?

① 개인의 경험을 이야기하는 (가)보다 공식적인 성격이 강한 (다)에서 격식을 갖춘 표현이 더 두드러지게 나타나는군.

② (나)의 '홈피'와 (다)의 '홈페이지'를 비교해 보면, (다)에서는 줄인 말을 되도록 쓰지 않는 문어적인 특징을 확인할 수 있군.

③ (가), (나)는 (다)와 달리 의사소통 참여자들이 시간과 공간을 모두 공유하는 상황이므로 (가), (나)에는 언어적 표현 외에 비언어적 표현도 함께 나타나는군.

④ (나)의 '학교 올 때', '우리'와 (다)의 '학교에 올 때', '우리가'를 비교해 보면, (나)에서는 조사의 생략이 문어보다 자유롭게 허용되는 구어적인 특징을 확인할 수 있군.

⑤ (가)는 (다)처럼 문어 상황이지만 (가)의 '되게', '친구하고', (나)의 '되게', '너하고', (다)의 '몹시', '친구와'를 비교해 보면, (가)에서는 (나)에서처럼 구어적인 특징을 확인할 수 있군.

개념 코칭

구어(口語), 문어(文語)
구어는 일상적인 대화에서 쓰는 말이고, 문어는 글에서 쓰는 말이다. 구어는 문장 구조가 단순하고, 문장 성분이나 조사 등 생략된 표현이 많으며, 줄인 말을 많이 쓴다.

글쓰기 전략 파악

2 **〈보기〉를 참고할 때, ㉠~㉤에 대한 반응으로 가장 적절한 것은?**

보기

글을 쓸 때는 설득 전략과 표현 방식을 활용하여 설득 효과를 높일 수 있다. 논리적 추론을 강조하는 이성적 설득 전략에는 전문가 소견이나 객관적 자료 활용하기, 예상 반론을 언급하고 필자의 주장이 우위에 있음을 드러내기 등이 있다. 독자의 감정에 호소하는 감성적 설득 전략에는 독자의 공감을 얻기 위해 독자나 필자의 경험을 언급하기 등이 있다. 또한 표현 방식으로는 이중 부정이나 설의법 등이 활용된다.

① ㉠에서 현안과 관련한 예상 독자의 경험을 언급한 것은 필자의 주장이 전문가의 의견에 부합함을 강조하고 있다고 볼 수 있겠어.

② ㉡에서 필자의 경험을 제시하고 그와 대비되는 예상 독자의 경험을 제시한 것은 독자의 감정에 호소하여 설득의 효과를 높이고 있다고 볼 수 있겠어.

③ ㉢에서 구체적인 수치를 사용하여 현황을 보여 준 것은 객관적인 자료를 제시하여 이성적 설득 전략을 활용한 것으로 볼 수 있겠어.

④ ㉣에서 예상 독자가 제기할 수 있는 이견을 언급한 것은 그 의견이 실현 불가능한 것임을 밝혀 필자의 주장이 우위에 있음을 드러내기 위한 것으로 볼 수 있겠어.

⑤ ㉤에서 현재의 상황이 지속됨으로써 발생할 결과를 설의적인 표현으로 제시한 것은 표현 방식을 활용하여 설득적 효과를 높이고 있는 것으로 볼 수 있겠어.

내용 조직의 적절성 평가

3 **〈보기〉는 (나)를 반영하여 (다)를 쓸 때 적용한 내용 전개 과정이다. 〈보기〉의 ⓐ~ⓔ에 따라 (나)와 (다)를 관련지어 이해한 내용으로 적절하지 않은 것은?**

보기

주의 환기	→	문제 상황 제시	→	해결 방안 제시	→	예상 효과 구체화	→	행동 촉구
ⓐ		ⓑ		ⓒ		ⓓ		ⓔ

① ⓐ: (나)에서 안전한 등굣길 만들기를 화제로 삼았던 것을 반영하여, (다)에서는 이와 관련한 독자의 일상을 떠올려 보게 함으로써 화제에 대한 주의를 환기하고 있다.

② ⓑ: (나)에서 자가용 등교로 인해 등굣길이 위험하다는 인식을 드러낸 것을 반영하여, (다)에서는 자가용 등교가 학교 주변 환경과 맞물려 심각한 문제가 되고 있음을 제시하고 있다.

③ ⓒ: (나)에서 자가용 이용이 불가피한 학생이 있음을 언급한 것을 반영하여, (다)에서는 집이 먼 경우 부지런히 등교 준비를 해야 한다는 것을 해결 방안으로 제시하고 있다.

④ ⓓ: (나)에서 자가용 등교 자제가 자신에게도 좋은 점이 있음을 알려 주자고 한 의견을 반영하여, (다)에서는 자가용 이용을 자제했을 때 예상되는 긍정적 변화를 구체화하고 있다.

⑤ ⓔ: (나)에서 등굣길 안전을 확보하기 위한 방법으로 언급한 제안들을 반영하여, (다)에서는 등교 시에 유념할 행동 방향을 제시하며 독자가 이를 실천하도록 촉구하고 있다.

글 분석

1 (나)와 (다)의 중심 내용을 정리해 보자.

(나) 대화

학생회 차원에서 안전한 등굣길을 만들기 위한 (❶)을 작성하자.

〈건의문의 내용〉
- 학교에 올 때 (❷) 이용을 자제하자고 제안하기
- 불가피한 경우 자가용 등교를 이해해 주자고 언급하기
- 자가용을 이용하지 않았을 때 좋은 점 알려 주기
- 자가용 등교 때문에 위험했던 경험 상기하고, 자가용 등교로 인한 사고 발생 자료 제시하기
- 등굣길 안전을 위해 주변을 살피며 걸어야 한다는 제안 추가하기

(다) 건의문

처음	주의 환기	• 인사말 • 등굣길의 모습을 떠올리게 하여 안전성에 대해 생각해 보게 함.
중간	문제 상황 제시	• 자가용 등교의 위험성 제시 – 학교 앞 교통사고 발생률이 일과 시간 대비 (❸)에 67% 정도 높음. – 학교 앞 도로가 좁아 횡단보도에 정차하는 경우 위험함.
	해결 방안 제시	• 불가피한 경우를 제외하고 자가용 이용을 자제하는 것이 필요함. • 주변을 살피며 걷는 습관이 필요함.
	예상 효과 구체화	• 친구와 여유롭게 등교할 수 있음. • (❹)인 생활 습관을 기를 수 있음.
끝	행동 촉구	안전한 등굣길을 위해 자가용 이용은 자제하고 주변을 살피며 걷자고 제안함.

문제 해결 TIP

내용 조직과 관련된 연계 문제

내용 조직이나 내용 전개 과정을 묻는 문제는 두 지문을 연계해서 파악해야 하는 경우가 많다. 우선 담화와 글 중 무엇을 기준으로 어떤 활동을 하는 것인지 확인한 뒤, 담화의 내용이 글에 어떻게 적용되고 있는지 또는 글의 내용이 담화에 어떻게 적용되고 있는지 파악하고, 선지는 그것을 적절하게 설명하고 있는지 판단하도록 한다.

※ 3번 문제의 선지 ③이 적절한 내용인지 판단해 보자.

> (나) 학생 2: 그런데, 자가용 등교는 대부분 사정이 있는 거 아닐까? 다리를 다쳤거나 집이 너무 멀거나 하는.
> (다) 물론 걷기가 불편하거나 집이 많이 먼 경우는 자가용 등교가 불가피할 수 있습니다.
>
> 3-③ ⓒ: (나)에서 자가용 이용이 불가피한 학생이 있음을 언급한 것을 반영하여, (다)에서는 집이 먼 경우 부지런히 등교 준비를 해야 한다는 것을 해결 방안으로 제시하고 있다.

↳ (나)에서 자가용 이용이 불가피한 학생이 있음을 언급했는지 확인한다.

❶ (나)에서 사정이 있어 자가용 이용이 불가피한 학생이 있다고 언급하고 있다. (○ / ×)

↳ (다)에서 집이 먼 경우 부지런히 등교 준비를 해야 한다는 것을 해결 방안으로 제시하고 있는지 확인한다.

❷ (다)에서 집이 먼 경우 부지런히 등교 준비를 해야 한다고 제시하고 있다. (○ / ×)

❸ (다)와 관련된 선지의 내용이 글의 내용과 일치하지 않으므로 선지 ③은 (적절하다 / 적절하지 않다).

[1~3] (가)는 모둠 과제를 수행하기 위한 학생들의 토의이고, (나)는 이를 바탕으로 작성한 글의 초고이다. 물음에 답하시오. [2019-6월 모평]

> **[모둠 과제 안내장]**
> • **과제:** 다른 지역의 학생들에게 우리 도시를 소개하는 글 쓰기.
> • **조건:** 우리 도시의 특색 있는 장소나 행사를 포함할 것.

(가)

학생 1: 자, 어떤 내용으로 글을 쓸지 논의해 보자. 나는 분식으로 유명한 맛나거리에 대해 쓰고 싶은데, 어때?

학생 2: 요즘 음식으로 유명한 △△거리, □□길처럼 비슷한 장소가 다른 지역에도 많잖아.

학생 3: 그럼 맛나거리 대신에 반딧불이 축제를 소개하자. 우리 도시가 청정하다는 점을 드러낼 수 있잖아.

학생 1: 그게 좋겠다. 반딧불이 축제에 대해 조사해 올게.

학생 2: 응, 알겠어. 그리고 사랑미술관도 소개하자. 거기서 운영하는 유화 그리기 수업이 우리 도시에서만 하는 거라 특색 있어 보이던데.

학생 1: 그 수업은 어른들만을 대상으로 하는 거잖아.

학생 3: 사랑미술관의 다른 활동 중에 학생들을 대상으로 하는 게 있는지 더 찾아봐야 할 것 같아.

학생 2: 알겠어. 그러면 방금 이야기한 점을 고려해서 사랑미술관에 대해 조사해 올게. [A]

학생 3: 우리 도시의 특색 중에 전통이 드러나는 산할머니 제당과 거기서 열리는 문화제도 소개하자.

학생 1: 좋은 생각이야. 그 내용에 산할머니 전설과 사랑시 명칭의 유래도 추가하는 건 어떨까?

학생 3: 알겠어. 그 내용도 조사해 올게.

학생 2: 참, 바람맞이 언덕이 사진 찍기에 좋다던데. 우리 도시의 특색은 아니지만 제당 근처니까 바람맞이 언덕도 소개하자.

학생 3: 그리고 제당에서 언덕까지 찾아가는 길도 안내하면 좋겠어.

학생 1, 2: 좋아. [B]

학생 3: 혹시 더 논의할 사항이 있어?

학생 2: 수집한 내용들을 나열해서 쓰기만 하면 평범한 글이 될 것 같은데, 어떻게 하면 인상적인 글을 쓸 수 있을까?

학생 1: 독자들이 찾아가기 쉽도록 이동 경로가 드러나게 글을 조직하는 건 어때?

학생 3: 좋은 생각이야. 그리고 우리 도시를 상징하는 반딧불이 그림에 말풍선을 달고 거기에 문구를 넣자. 사랑시의 전통, 자연, 예술 분야의 특색을 모두 드러내고, 사랑시를 방문하면 얻을 수 있는 좋은 점도 문구에 포함하면 좋겠어.

학생 1: 그럼 문구는 어떻게 표현하는 게 좋을까?

학생 2: 대조의 표현 방식을 사용하는 건 어때?

학생 1, 3: 응, 좋아.

학생 1: 그럼 다음 주에는 함께 글을 써 보자.

(나)

[C] 사랑시의 이야기는 사랑시 터미널에서 버스로 20분 거리에 위치한 '산할머니 제당'에서 시작한다. 이 제당은 사랑시의 전통적 특색을 드러내는 곳으로 사랑시 명칭의 유래와도 관련된 곳이다. 전설에 따르면, 하늘에서 내려온 여인이 아들 네 쌍둥이를 낳았는데, 그 네 아들[四郎(사랑)]은 평생 효를 다해 어머니를 모셨고, 훗날 그 여인은 하늘로 올라가 마을을 지켜 주는 산할머니신이 되었다고 한다. 그래서 예부터 우리 도시는 효를 으뜸으로 여기며, 산할머니신을 섬기는 전통을 이어받아 이곳에서 해마다 문화제를 열고 있다. 제당 뒤편으로 난 길을 따라가다 정자를 지나 5분 정도 더 올라가면 '바람맞이 언덕'에 도착한다. 언덕 중앙에는 사랑시에서 가장 오래된 은행나무가 있다. 노을이 질 무렵 바람맞이 언덕과 어우러진 풍경이 아름다워 사람들이 사진을 찍기 위해 많이 찾고 있다.

바람맞이 언덕에서 오른편으로 난 길을 따라 20여 분 걷다 보면 '사랑미술관'이 나온다. 이곳은 우리 도시로 이주한 예술가들이 사랑시 사람들의 일상적인 모습과 청정한 자연의 모습을 담은 작품들을 전시하고 있다. 특히 화가들이 학생들을 대상으로 직접 자신들의 작품을 해설해 주고 있어 관심을 끌고 있다.

사랑미술관에서 10분 정도 걸으면 숲이 우거진 공간이 나오는데, 이곳에서는 매년 여름에 '반딧불이 축제'가 열린다. 반딧불이 축제에서는 깨끗한 환경에서만 사는 반딧불이를 직접 보며 아름다운 반딧불을 즐길 수 있다. 여름날 사랑미술관에 들렀다가, 해가 지면 반딧불이 축제장에 가 보는 것도 좋다.

바쁜 학교생활로 인한 긴장을 풀고 즐거운 추억을 쌓을 수 있는 곳이 필요하다면 맑고 깨끗한 자연환경이 돋보이는 도시, 전통과 예술이 공존하는 도시인 사랑시의 이야기를 따라 길을 떠나 보자.

토의 내용 파악

1 [A]에 대한 이해로 적절하지 않은 것은?

① '학생 2'가 △△거리, □□길을 언급한 것은 맛나거리가 사랑시만의 특색이 드러나는 곳이 아니라는 판단에 따른 것이군.

② '학생 3'이 반딧불이 축제를 소개하자고 한 것은 '학생 2'의 발언을 고려하여 대안을 제시한 것이군.

③ '학생 2'가 사랑미술관을 소개하자고 한 것은 모둠 과제 안내장에 제시된 조건을 고려하여 제안한 것이군.

④ '학생 1'이 유화 그리기 수업에 대해 언급한 것은 독자가 학생이라는 점을 고려해야 한다는 판단에 따른 것이군.

⑤ '학생 3'이 사랑미술관의 다른 활동을 언급한 것은 '학생 1'이 제시한 대안의 적절성을 판단하여 평가한 것이군.

내용 생성의 적절성 평가

2 [B]를 바탕으로 [C]를 작성했다고 할 때, [C]에 반영된 내용으로 가장 적절한 것은?

① 산할머니 제당과 문화제를 소개하자는 의견을 반영하여, 제당과 문화제에서 열리는 다양한 행사를 안내한다.

② 산할머니 전설을 추가하자는 의견을 반영하되, 산할머니의 일화가 담긴 은행나무도 함께 소개한다.

③ 사랑시 명칭의 유래를 추가하자는 의견을 반영하되, 사랑시의 명칭이 변화되어 온 과정도 설명한다.

④ 사랑시의 전통을 보여 주는 바람맞이 언덕을 소개하자는 의견을 반영하여, 해마다 문화제가 열리는 이유를 설명한다.

⑤ 제당에서 바람맞이 언덕으로 찾아가는 길을 안내하자는 의견을 반영하여, 정자를 거쳐서 가는 경로를 소개한다.

조건에 맞는 글쓰기 평가

3 (가)와 (나)를 바탕으로 할 때, ⓐ에 들어갈 내용으로 가장 적절한 것은?

① 효의 고장, 사랑시로 오시겠어요? 바람맞이 언덕에서 별빛처럼 피어나는 반딧불을 보면 텅 빈 가슴이 빛으로 가득 찰 거예요.

② 산할머니 전설이 남아 있는 사랑시에는 효의 전통과 함께 맑고 깨끗한 자연 풍경이 있어요. 아름다운 예술이 가득한 사랑시로 오세요.

③ 사랑시의 맑고 깨끗한 자연을 담은 그림을 감상하면서 화가의 해설을 들어 보세요. 효의 전통을 느낄 수 있는 산할머니 전설이 가족의 소중함을 깨닫게 해 줍니다.

④ 효의 정신이 담긴 산할머니 전설과 화가들의 작품 이야기가 있는 청정한 사랑시로 오세요. 어두운 여름밤을 수놓는 밝은 반딧불을 보면 여러분들 마음속에 여유가 생길 거예요.

⑤ 사랑스러운 반딧불이와 오순도순 함께 떠나는 사랑시 여행. 눈은 시원하게 마음은 따뜻하게, 사랑시의 평범한 사람들의 일상이 오롯이 담긴 미술 작품을 천천히 둘러보십시오.

글 분석

1 (가)와 (나)의 중심 내용을 정리해 보자.

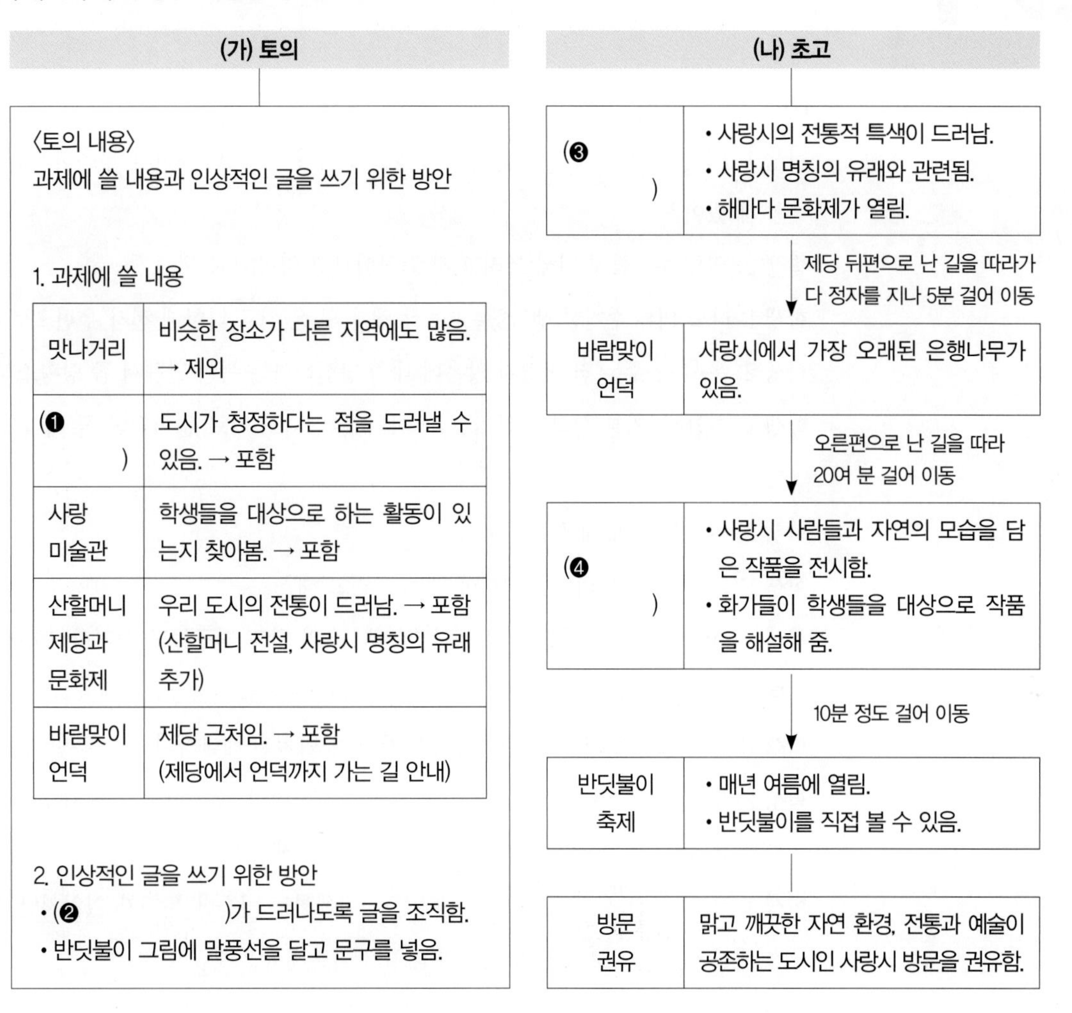

(가) 토의

〈토의 내용〉
과제에 쓸 내용과 인상적인 글을 쓰기 위한 방안

1. 과제에 쓸 내용

맛나거리	비슷한 장소가 다른 지역에도 많음. → 제외
(❶)	도시가 청정하다는 점을 드러낼 수 있음. → 포함
사랑 미술관	학생들을 대상으로 하는 활동이 있는지 찾아봄. → 포함
산할머니 제당과 문화제	우리 도시의 전통이 드러남. → 포함 (산할머니 전설, 사랑시 명칭의 유래 추가)
바람맞이 언덕	제당 근처임. → 포함 (제당에서 언덕까지 가는 길 안내)

2. 인상적인 글을 쓰기 위한 방안
- (❷)가 드러나도록 글을 조직함.
- 반딧불이 그림에 말풍선을 달고 문구를 넣음.

(나) 초고

(❸)	• 사랑시의 전통적 특색이 드러남. • 사랑시 명칭의 유래와 관련됨. • 해마다 문화제가 열림.

↓ 제당 뒤편으로 난 길을 따라가다 정자를 지나 5분 걸어 이동

바람맞이 언덕	사랑시에서 가장 오래된 은행나무가 있음.

↓ 오른편으로 난 길을 따라 20여 분 걸어 이동

(❹)	• 사랑시 사람들과 자연의 모습을 담은 작품을 전시함. • 화가들이 학생들을 대상으로 작품을 해설해 줌.

↓ 10분 정도 걸어 이동

반딧불이 축제	• 매년 여름에 열림. • 반딧불이를 직접 볼 수 있음.
방문 권유	맑고 깨끗한 자연 환경, 전통과 예술이 공존하는 도시인 사랑시 방문을 권유함.

문제 해결 TIP

내용 생성과 관련된 연계 문제

담화를 바탕으로 글의 내용을 생성하는 문제를 풀 때에는 선지에 담화와 글의 내용이 모두 제시되어 있는지를 파악하도록 한다. 선지의 내용이 담화나 글의 내용과 일치하는지 파악한 다음, 담화의 내용이 글에 적절하게 연계되어 반영됐는지를 판단한다.

※ 2번 문제의 선지 ①이 적절한 내용인지 판단해 보자.

> [B] 학생 3: 우리 도시의 특색 중에 전통이 드러나는 산할머니 제당과 거기서 열리는 문화제도 소개하자.
> [C] 산할머니신을 섬기는 전통을 이어받아 이곳에서 해마다 문화제를 열고 있다.
>
> 2-① 산할머니 제당과 문화제를 소개하자는 의견을 반영하여, 제당과 문화제에서 열리는 다양한 행사를 안내한다.

↳ 선지의 내용이 담화의 내용([B])과 일치하는지 파악한다.

❶ [B]에 산할머니 제당과 거기서 열리는 문화제를 소개하자는 내용이 제시되어 있다. (○ / ×)

↳ 선지의 내용이 글의 내용([C])과 일치하는지 파악한다.

❷ [C]에 제당과 문화제에서 열리는 다양한 행사가 안내되어 있다. (○ / ×)

❸ 선지의 내용이 글의 내용과 일치하지 않으므로 선지 ①은 (적절하다 / 적절하지 않다).

[1~5] (가)는 학생들의 대화이고, (나)와 (다)는 대화에 참여한 학생들이 작성한 초고이다. 물음에 답하시오.

[2022-6월 모평]

(가)

학생 1: 이번 과제가 '공동체 문제의 해결을 위한 글을 써서 독자와 공유하기'잖아. 과제에 대해 생각 좀 해 봤어?

학생 2: 의류 수거함에 대해 쓰려고 자료 찾아보고 있어. 너는?

학생 1: 나도 의류 수거함 생각했는데. 잘 됐다. 찾은 자료 나한테 전자 우편으로 보내 줘.

학생 2: 음……, 주는 건 어렵지 않은데 네가 당연하다는 듯이 말해서 좀 당황스러워.

학생 1: 미안해. 기분 상하게 하려던 건 아니었어. 나도 자료 준비되면 줄 테니까 공유 좀 부탁해도 될까?

학생 2: 알겠어. 그렇게 하자. [A]

학생 1: 그런데 넌 왜 의류 수거함에 대해 쓰려고 해?

학생 2: 평소에도 문제가 많다고 생각했는데, 우리 학교 친구들도 수거함이 관리될 필요가 있다고 하더라고.

학생 1: 나도 그렇게 생각해. 수거함이 망가진 채 방치된 데다가 수거함 주변에 옷들이 버려져 있잖아.

학생 2: 맞아. 의류 수거함 주변이 쓰레기장이 되고 있어. 수거함에 수거 대상이 아닌 물품과 쓰레기들도 많고. 너는 수거함이 그렇게 된 원인이 뭐라고 생각해?

학생 1: ㉠<u>얼마 전 신문 기사를 봤는데 ○○시에서도 비슷한 문제가 있었지만 시청이 적극 노력해서 잘 해결했다는 걸 보면 우리 시청의 대처가 미흡해서인 것 같아.</u>

학생 2: ㉡<u>○○시청은 어떤 노력을 한 거야?</u>

학생 1: 파손된 수거함을 수리하고 시민들에게 올바른 수거함 사용법을 알리는 캠페인도 했대.

학생 2: ㉢<u>그러니까 네 말은 우리 시청이 적극적으로 나서지 않은 게 원인이라는 거지?</u>

학생 1: 맞아. 공공의 문제 해결에는 시청의 영향력이 크니까.

학생 2: ㉣<u>그 말도 맞지만 이용자의 탓이 더 크지 않을까?</u> 아무리 시청이 관리를 잘 해도 이용자들이 함부로 사용하면 궁극적으로는 문제가 해결되지 않으니까.

학생 1: 하지만 시청이 수거함의 올바른 이용 방식을 안내하는 게 먼저 아닐까? 안내대로 의류를 올바르게 배출하면 선별하는 데 드는 시간과 비용을 줄일 수 있잖아.

학생 2: ㉤<u>나는 이 문제를 해결하려면 이용자부터 변화해야 한다고 생각하는데 너는 다르게 접근하는구나.</u> 그럼 해결 방안을 구상해서 각자 글을 써 보자.

학생 1: 좋아. 나는 시청 누리집 게시판에 시청의 조치를 촉구하는 글을 올릴 거야.

학생 2: 그러면 나는 우리 학교 학생을 대상으로 우리가 할 수 있는 방안에 대해 글을 써서 학교 신문에 실어야지.

학생 1: 좋아. 그렇게 하자.

(나) 학생 1의 초고

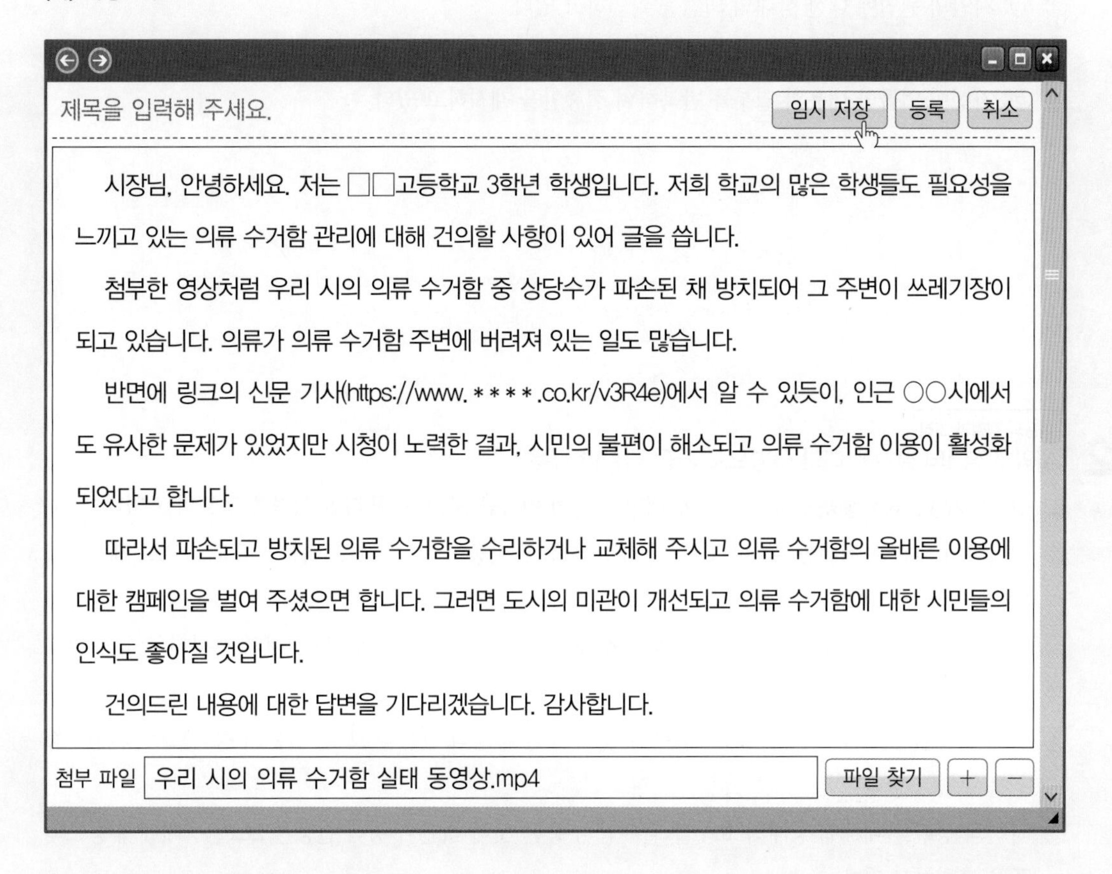
제목을 입력해 주세요.

임시 저장 | 등록 | 취소

시장님, 안녕하세요. 저는 □□고등학교 3학년 학생입니다. 저희 학교의 많은 학생들도 필요성을 느끼고 있는 의류 수거함 관리에 대해 건의할 사항이 있어 글을 씁니다.

첨부한 영상처럼 우리 시의 의류 수거함 중 상당수가 파손된 채 방치되어 그 주변이 쓰레기장이 되고 있습니다. 의류가 의류 수거함 주변에 버려져 있는 일도 많습니다.

반면에 링크의 신문 기사(https://www.****.co.kr/v3R4e)에서 알 수 있듯이, 인근 ○○시에서도 유사한 문제가 있었지만 시청이 노력한 결과, 시민의 불편이 해소되고 의류 수거함 이용이 활성화되었다고 합니다.

따라서 파손되고 방치된 의류 수거함을 수리하거나 교체해 주시고 의류 수거함의 올바른 이용에 대한 캠페인을 벌여 주셨으면 합니다. 그러면 도시의 미관이 개선되고 의류 수거함에 대한 시민들의 인식도 좋아질 것입니다.

건의드린 내용에 대한 답변을 기다리겠습니다. 감사합니다.

첨부 파일 | 우리 시의 의류 수거함 실태 동영상.mp4 | 파일 찾기 | + | −

(다) 학생 2의 초고

수거 대상이 아닌 물품과 쓰레기로 의류 수거함이 몸살을 앓고 있다. 수거함 주변이 쓰레기장이 된 곳도 있다. 이에 의류 수거함의 올바른 이용에 대한 관심이 요구되고 있다.

우리는 왜 의류 수거함을 올바르게 이용해야 할까? 첫째, 도시의 미관과 환경을 개선할 수 있다. 둘째, 다시 입기에 충분한 의류가 재사용되는 비율을 높일 수 있다. ⓐ외국은 기부와 판매 등의 방식을 통해 의류를 재사용하고 있다. 셋째, 의류를 자원으로 재활용하는 과정에 도움이 된다. 우리나라는 섬유 원료나 산업 자재의 자원으로 재활용될 수 있는 물품을 주로 수작업을 통해 선별한다. 따라서 올바르게 배출하면 선별 과정에서의 비용과 시간을 크게 줄일 수 있다.

그렇다면 학생인 우리가 할 수 있는 일은 무엇일까? 우선 의류 수거함 안이나 그 주변에 쓰레기를 버려서는 안 된다. 의류 수거함은 쓰레기통이 아니다. 다음으로 수거함에 넣을 수 있는 물건과 그렇지 않은 물건을 구분해서 넣어야 한다. ⓑ예를 들어 배출할 의류가 물에 젖었다면 반드시 말려야 한다. 이때 의류 수거함에 넣을 물건의 상태를 확인해야 한다. 이물질이 묻었다면 제거 후 배출하고 오염이 심하면 폐기하도록 한다.

의류 수거함을 올바르게 이용하는 일이 어른들만의 일은 아니다. 우리 학생들의 관심과 작지만 큰 실천이 모인다면 나눔과 공유라는 사회적 가치를 실현할 수 있을 것이다.

대화 내용 평가

1 **대화의 흐름을 고려할 때, ㉠~㉤에 대한 설명으로 적절하지 <u>않은</u> 것은?**

① ㉠: 사안의 원인을 묻는 상대에게 신문 기사의 내용을 근거로 답하고 있다.

② ㉡: 상대가 언급한 신문 기사의 내용에 대한 세부적인 정보를 상대에게 요청하고 있다.

③ ㉢: 사안의 원인에 대한 상대의 의견을 확인하고 있다.

④ ㉣: 상대의 의견을 인정하며 상대와 다른 견해를 드러내고 있다.

⑤ ㉤: 자신이 언급한 내용의 일부를 반복하며 절충안을 제시하고 있다.

내용의 점검과 조정

2 **[A]의 학생 1의 발화에 대한 설명으로 가장 적절한 것은?**

① 상대에게 바라는 행동을 제안한 것에 대한 긍정적 반응을 보고, 구체적인 의견을 덧붙이고 있다.

② 상대와의 의견을 최대한 일치시킨 것에 대한 긍정적 반응을 보고, 세부 내용을 추가적으로 제시하고 있다.

③ 상대에게 의사를 명료하게 드러내지 않은 것에 대한 부정적 반응을 보고, 상대의 정서에 적극 공감하고 있다.

④ 상대에게 원하는 바를 일방적으로 요구한 것에 대한 부정적 반응을 보고, 질문의 방식으로 상대의 동의를 구하고 있다.

⑤ 자신의 상황을 내세워 상대의 요구를 일부만 수용한 것에 대한 부정적 반응을 보고, 상대에게 동조의 뜻을 표현하고 있다.

내용 생성의 적절성 평가

3 **(가)의 대화 내용이 (나), (다)에 각각 반영된 양상으로 적절하지 <u>않은</u> 것은?**

① (가)에서 학생 2가 글감 선정의 이유에 대해 언급한 내용이 (나)의 1문단에 학생 다수가 문제 해결의 필요성을 느끼고 있음을 밝히는 내용으로 제시되었다.

② (가)에서 학생 2가 의류 수거함의 상태에 대해 언급한 내용이 (다)의 1문단에 문제 제기의 내용으로 제시되었다.

③ (가)에서 학생 1이 신문 기사에 대해 언급한 내용이 (나)의 3문단에 건의를 뒷받침하는 사례로 제시되었다.

④ (가)에서 학생 1이 시청의 영향력에 대해 언급한 내용이 (나)의 2문단에 건의 수용의 기대 효과로 제시되었다.

⑤ (가)에서 학생 1이 의류를 올바르게 배출하는 일의 장점에 대해 언급한 내용이 (다)의 2문단에 의류 수거함을 올바르게 이용해야 하는 이유로 제시되었다.

작문 맥락 파악

4 **작문 맥락을 고려할 때 (나), (다)에 대한 이해로 적절하지 않은 것은?**

① 글의 유형 면에서, (나)는 구체적이고 실행 가능한 방안을 제시하며 공동체의 문제 해결을 요구하는 형식의 글이다.

② 작문 매체 면에서, (나)는 필자가 언급한 내용을 예상 독자가 확인할 수 있도록 글의 특정 정보가 다른 자료에 연결되게 하고 있다.

③ 예상 독자 면에서, (다)는 문제 해결의 당위성을 강조하기 위해 지역 공동체의 모든 구성원을 독자로 상정하고 있다.

④ 글의 주제 면에서, (다)는 공동의 실천으로 해결할 수 있는 문제 상황과 그 해결 방안을 중심 내용으로 제시하고 있다.

⑤ 작문 목적 면에서, (나)와 (다)는 예상되는 긍정적인 효과를 근거로 제시하며 예상 독자를 설득하고 있다.

고쳐쓰기의 적절성 평가

5 **〈보기〉를 점검 기준으로 할 때 ⓐ, ⓑ를 고쳐 쓰기 위한 방안으로 가장 적절한 것은?**

보기

㉮ 앞뒤 문장 간의 관계는 긴밀한가?
㉯ 주장을 뒷받침하는 논거인가?

① ㉮를 기준으로, ⓐ를 '여전히 다른 사람들이 입던 옷을 재사용하는 일을 꺼리는 사람들이 많기 때문이다'로 수정한다.

② ㉮를 기준으로, ⓑ를 '그러나 배출할 의류가 물에 젖었다면 반드시 말려야 한다'로 수정한다.

③ ㉮를 기준으로, ⓑ를 '의류와 가방, 담요 등은 가능하지만 솜이불과 베개, 신발 등은 넣어서는 안 된다'로 수정한다.

④ ㉯를 기준으로, ⓐ를 '왜냐하면 주변 친구들 중에는 의류 수거함에 쓰레기를 넣는 친구들이 없기 때문이다'로 수정한다.

⑤ ㉯를 기준으로, ⓑ를 '왜냐하면 이용자들이 재활용 가능 여부를 구분하는 일은 어렵기 때문이다'로 수정한다.

[1~4] (가)는 '활동 1'에 따른 대화이고, (나)는 '활동 2'에 따라 학생이 쓴 초고이다. 물음에 답하시오.

[2022 수능 예시 문항]

'한 학기 한 권 읽기' 독후 활동

[활동 1] 인상 깊은 인물을 선정하여 다양하게 이야기해 보기
[활동 2] 인상 깊은 인물을 중심으로 서평 쓰기

(가)

민지: 『레 미제라블』을 읽어 본 적은 없었는데, 이번 기회에 만나게 되어 좋았어. 여기에는 당시 프랑스 사회의 다양한 모습과 문제들, 그것에 대한 작가의 고민이 담겨 있는 것 같아. ㉠너희들은 어떤 인물이 가장 인상적이었어?

재민: 음……. 난 주인공 장 발장이 인상적이었어. 가난한 시골 일꾼에서 범죄자, 시장으로 삶의 변화가 심했고, 그만큼 내면의 성장이 드러난 인물인 것 같아서.

준수: 나도 장 발장이 위기에 처할 때마다 응원하며 읽게 되더라고. 근데 난 미리엘 주교가 가장 기억에 남아. 장 발장이 은그릇을 훔친 것을 알면서도 경찰에게 자신이 준 선물이라고 말해서 그를 위기에서 구해 주잖아. 오히려 두고 간 물건이 있다고 말하면서 은 촛대마저 내주는 장면이 감동적이었거든.

민지: 맞아. 준수도 주교에게 깊은 인상을 받았구나. 그는 장 발장이 새 삶을 찾게 되는 계기를 마련해 주었어. 죄를 벌하는 게 능사만은 아닌 것 같아.

준수: 응. 나도 그렇게 생각해. ㉡그럼, 우리 미리엘 주교를 인상 깊은 인물로 정하면 어떨까?

재민: 좋은 생각이야. 나도 주교가 장 발장에게 변화의 계기를 준 인물이라 흥미로웠거든. 작가인 빅토르 위고에 대해 좀 찾아봤는데 프랑스의 변혁기에 정치 활동을 하면서 사회적 약자에 대한 애정, 인도주의를 담아내는 작품을 많이 썼더라고. 장 발장을 용서한 주교의 모습은 이런 작가의 생각을 잘 보여 주는 것 같아.

준수: 와, 작가에 대해서도 알아봤네. 대단하다. ㉢근데 미리엘 주교의 행동을 다른 관점에서도 한번 생각해 볼 수 있을 것 같은데? 장 발장은 남의 물건을 훔쳤으니 주교는 그의 죄를 덮어 줄 것이 아니라 정당한 법 집행이 이루어질 수 있도록 해야 한다고 말이야.

민지: 맞아. 법을 지켜야 한다는 면에서 보면, 미리엘 주교의 행동이 바람직하지 않다고 볼 수 있겠네. 모두가 주교처럼 범죄자를 대한다면 법이 필요가 없어지고 사회가 혼란에 빠질 수도 있고 말이야.

재민: 함께 이야기하니까 주교의 행동과 작품에 대해 다양한 생각을 할 수 있어서 좋네. ㉣다음 독후 활동은 '인상 깊은 인물을 중심으로 서평 쓰기'가 맞지?

준수: 응. 이야기한 내용을 바탕으로 각자 서평을 쓰면 되겠다.

민지: 좋아. 근데, 난 자료를 더 찾아보고 글을 쓰고 싶은데……. ㉤재민아, 아까 작가에 대해 알아본 책이나 자료를 빌려 줄 수 있을까?

재민: 응. 언제 필요한데?

민지: (부드러운 목소리로) 주말에는 할머니 댁에 가야 해서, 혹시 목요일까지 줄 수 있겠니? ──[A]

재민: 그래. 아직 못 읽은 부분이 있어서 얼른 읽고 빌려 줄게.

민지: 고마워. 아까 보니까 작품 이해에 도움이 되는 자료들을 잘 정리해 놓았더라.

재민: (머리를 긁적이며) 아니야. 정리를 잘하진 못했는데 좋게 봐 줘서 고마워. ――――――― [B]

(나)

'레 미제라블'이라는 제목의 의미는 무엇일까? '불쌍한 사람들'이라는 뜻이다. 배경이 된 당시 프랑스는 국가 재정이 바닥났고, 흉작과 물가 폭등으로 사람들의 삶은 힘겨웠다. 가난한 장 발장의 모습은 시대 현실을 잘 보여 준다. 장 발장이 은그릇을 훔친 것을 알고도 죄를 덮어 준 사람이 미리엘 주교이다.

주교의 행동은 장 발장을 새사람으로 거듭나게 만들었다. 세상의 법은 19년 동안 장 발장의 자유를 박탈했지만 그는 교화되지 않았고 결국 주교의 사랑이 그를 바꾸어 놓았다. 한편 다른 관점에서 보면, 주교의 행동은 법의 집행을 어렵게 하여 사회를 혼란에 빠뜨릴 수 있으므로 바람직하지 않다고 주장할 수 있다. 하지만 세상의 모든 이치를 법으로만 판단할 수는 없다. 주교의 행동이 감동을 주는 이유는 법, 상식과 같이 일상적이고 예측 가능한 판단을 뛰어넘었기 때문이다.

그럼에도 불구하고 주교의 행동은 사회적 약자에 대한 인도주의적 애정이며 한 사람에 대한 이해를 바탕으로 한 종교적 용서이다. 조카들을 위해 빵을 훔친 후에, 전과자의 낙인이 찍힌 그를 사회는 차갑게 외면했다. 그를 따뜻하게 받아 준 사람이 주교였으며 그의 죄를 용서해 준 모습에는 사회적 약자와 인도주의에 대한 작가의 생각이 담겨 있다.

이 작품은 장 발장의 죽음으로 마무리된다. 그는 마지막 순간에 "항상 서로 많이 사랑해라. 이 세상에 그 밖에 다른 것은 별로 없느니라."라고 딸에게 말한다. 이렇듯 그가 사랑의 힘을 믿게 된 것은 미리엘 주교가 있었기 때문이다. 작가는 서문에서 "지상에 무지와 빈곤이 존재하는 한, 이 책 같은 종류의 책들도 무익하지는 않으리라."라고 말했다. 무지와 빈곤의 세상을 살아갈 수 있게 하는 사랑의 힘. 『레 미제라블』이 여전히 우리에게 생명력을 지니는 이유이다.

대화 내용 파악

1 ㉠~㉤에 대한 이해로 적절하지 <u>않은</u> 것은?

① ㉠: '활동 1'을 하기 위해 인상 깊은 인물에 대한 친구들의 생각을 묻고 있다.
② ㉡: 인상 깊은 인물을 누구로 선정할 것인지에 대해 친구들에게 자신의 의견을 제안하고 있다.
③ ㉢: 인물에 대해 다른 관점에서 생각해 보자는 의견에 의문을 제기하면서 화제를 전환하고 있다.
④ ㉣: 자신이 알고 있는 '활동 2'에 대한 정보를 친구들에게 확인하고 있다.
⑤ ㉤: 자신에게 필요한 책이나 자료를 빌려 줄 것을 친구에게 부탁하고 있다.

표현 전략과 대화의 원리 파악

2 다음을 참고하여 [A], [B]에 나타난 표현 전략과 대화의 원리를 연결한 것으로 가장 적절한 것은?

표현 전략	ⓐ 준언어적 표현　　　ⓑ 비언어적 표현
대화의 원리	㉮ 상대의 처지를 고려하면서 상대가 부담스럽지 않게 말하기 ㉯ 상대를 배려하며 문제의 원인을 자신의 탓으로 돌려서 말하기 ㉰ 자신에 대한 칭찬을 최소화하고 자신을 낮추어 말하기

	표현 전략	대화의 원리
① [A]	ⓐ	㉰
② [A]	ⓑ	㉮
③ [B]	ⓐ	㉯
④ [B]	ⓑ	㉯
⑤ [B]	ⓑ	㉰

내용 생성의 적절성 평가

3 **다음은 (가)에 참여한 학생들이 (나)에 대해 상호 평가한 내용이다. (가)와 (나)를 바탕으로 할 때, 평가한 내용으로 적절하지 않은 것은?**

〈상호 평가 활동지〉

[잘한 점]
- 1문단: '활동 1'에 언급된, 작품의 사회적 배경을 구체화하여 이를 장 발장의 상황과 연결시킨 점 ……… ①
- 1문단: '활동 1'에 언급되지 않았던, 작품 제목에 대한 정보를 추가하여 문답의 방식으로 제목의 의미를 제시한 점 ……… ②
- 2문단: '활동 1'에 언급된, 작가에 관한 내용을 활용하여 미리엘 주교의 행동이 지닌 한계를 제시한 점 … ③
- 4문단: '활동 1'에 언급되지 않았던, 작품 서문의 내용을 추가하여 작품의 의미를 강조하며 마무리한 점 ……… ④

[수정할 점]
- 3문단: 앞 문단과의 관계를 드러내는 담화 표지를 적절하게 사용하지 못한 점 ……… ⑤

글쓰기 전략 파악

4 **〈보기〉를 바탕으로 할 때, (나)에 나타난 쓰기 전략으로 적절하지 않은 것은? [3점]**

보기

비평하는 글을 쓸 때에는 관점을 수립하여 주장이 잘 드러나도록 쓰는 것이 중요하다. 이때 필자의 관점은 일관성 있게 유지해야 한다. 관점에 따라 주장을 명료하게 드러내기 위해서는 주장을 뒷받침하는 근거를 수집하여 체계적으로 조직해야 한다. 또한 선택하지 않은 관점의 단점이나 문제점을 근거로 활용하면 필자의 관점을 강화할 수 있다.

① 장 발장의 말을 인용하여 미리엘 주교로 인해 변화한 그의 모습을 보여 줌으로써, 미리엘 주교의 행동에 대해 긍정하는 관점을 드러냈다.
② 사회적 약자를 애정으로 대한 미리엘 주교의 행동을 근거로 들어, 필자의 주장을 뒷받침하였다.
③ 미리엘 주교의 행동이 장 발장에게 미친 긍정적 영향을 근거로 들어, 미리엘 주교의 행동은 바람직하다는 주장을 뒷받침하였다.
④ 조카들을 위해 빵을 훔친 장 발장의 행동을 근거로 들어, 미리엘 주교의 행동은 바람직하지 않다는 주장을 뒷받침하였다.
⑤ 미리엘 주교의 행동에 대해 반대하는 관점의 단점으로, 세상의 모든 이치를 법으로만 판단할 수는 없음을 제시하여 필자의 관점을 강화하였다.

[1~4] (가)는 비평문 쓰기 모둠 활동 중 학생들이 나눈 대화이고, (나)는 이를 바탕으로 작성한 글의 초고이다. 물음에 답하시오. [2021 수능]

비평문 쓰기 모둠 활동
[활동 1] 모둠 활동을 통해 비평문에서 다룰 현안과 관점 정하기 [활동 2] 우리 학교 학생들을 예상 독자로 하여 [활동 1]의 결과를 바탕으로 초고 작성하기

(가)

학생 1: 오늘은 내가 모둠장 할 차례니까 진행해 볼게. 지난번에 비평문에서 다룰 현안에 대해 각자 찾아보기로 했잖아. 의견 나눠 볼까?

학생 2: 그래, ㉠시사성이 있으면서도 우리 학교 학생들도 고민해 볼 만한 현안을 다루기로 했었지?

학생 3: 맞아. 나는 우리 학교 학생들의 독서 실태 개선으로 하는 게 좋을 거 같은데.

학생 2: ㉡근데 그건 교지에서 다룬 적이 있어서 내용이 겹치지 않을까?

학생 3: 그러네. 그럼 어떤 걸로 하지?

학생 1: 얼마 전에 읽은 신문 기사 중에 장소의 획일화에 대한 내용이 인상적이었거든. 그건 어때?

학생 2: ㉢장소의 획일화에 대해 조금 더 얘기해 줄래?

학생 1: 응. 장소가 본모습을 잃고 다른 장소와 유사하게 변한 것을 말해.

학생 3: 그렇구나. 우리 학교 근처에 있던 골목길도 다른 지역과 비슷한 ○○ 거리로 변해 버렸잖아. 우리의 추억이 깃든 장소인데. ㉣이것도 장소의 획일화 아닐까?

학생 1: 그래, 그게 장소 획일화의 사례 중 하나라고 볼 수 있을 것 같아.

학생 2: 그러고 보니 우리 학교 학생들도 경험했을 만한 내용이네. 장소의 획일화를 현안으로 다뤄 보자.

학생 3: 좋아. 근데 장소의 획일화가 나쁜 점만 있을까? 인기 있는 명소를 따라 해서 획일화되더라도 관광객이 늘어나면 이익이 될 수도 있잖아.

학생 1: 물론 이익이 될 수도 있겠지. 근데 획일화된 장소는 금방 식상해져 관광객이 줄어들지 않을까? 그렇게 되면 이익 역시 줄어들게 될 거고.

학생 2: 나도 그렇게 생각해. 그럼 장소의 획일화에 대해 부정적 관점으로 비평문 쓰기를 해 보자.

학생 3: 응. ㉤그럼 장소의 획일화로 어떤 문제들이 생길 수 있는지 더 생각해 볼까?

학생 1: 아무래도 장소의 다양성이 줄어드니까 가 볼 만한 장소가 줄어들겠지. 다른 문제점도 있을 텐데, 내가 자료 수집하면서 더 조사해 볼게. 다른 역할도 나눠 볼까?

학생 2: 초고는 내가 써 볼게. 초고 다 쓰면 검토 부탁해.

학생 3: 나도 자료를 찾는 대로 정리해서 공유할게.

(나)

제목: 이곳저곳 같은 장소, 장소의 획일화 무엇이 문제인가

우리 학교 학생이라면 학교 인근의 변화된 모습을 본 적이 있을 것이다. 학생들이 즐겨 찾던 골목길이 사라지고, 개성 없는 ○○ 거리가 자리 잡았다. 추억이 담긴 골목길이 전국의 수많은 ○○ 거리 중 하나가 되어 버렸다. 이처럼 장소가 고유한 특성을 잃고 다른 장소와 동질화된 것이 장소의 획일화이다. 이러한 장소의 획일화는 바람직하지 않다.

장소가 획일화되면 장소에서 느끼는 정서적 유대가 훼손된다. 장소는 물리적 환경으로서의 공간과는 구별되며, 인간과 밀접한 관계를 형성한다. 지리학자 에드워드 렐프는 '나의 장소'라고 느낄 수 있는 진정한 장소가 인간에게 중요하다고 밝히며, 장소에 대한 정서적 유대를 강조하였다. 인간과 장소의 관계가 장소의 획일화로 훼손되면, 장소는 더 이상 애착의 대상이 되지 못하며 안정감을 주지 못한다.

또한 장소가 획일화되면 장소를 통해 얻을 수 있는 경험의 다양성도 줄어든다. 인기 있는 장소를 따라 하면, 장소 고유의 특성이 사라져 경험의 다양성이 줄어드는 것이다. 교내 학술제에서 소개된 '우리 동네 보고서'를 보면, 학교 근처 골목길에서 일어난 변화가 최근 우리 동네 곳곳으로 퍼지고 있음을 확인할 수 있다. 이렇듯 장소가 획일화되어 차별성이 사라지게 되면 경험을 할 수 있는 장소 선택의 폭이 좁아진다.

그런데 장소의 획일화가 불가피하다고 주장하는 이들도 있다. 그들은 경제적 효과를 얻기 위해서는 유행하는 장소를 따라 할 수밖에 없다고 말한다. 그러나 이는 적절한 주장이 아니다. 어딜 가나 비슷한 장소에 싫증을 느낀 사람들은 더 이상 그곳을 찾지 않게 되고, 그로 인해 기대했던 경제적 효과도 지속되기 어렵기 때문이다.

장소의 가치는 장소가 가진 고유한 특성에 기인한다. △△ 재래시장에서는 전통적인 모습으로 장소의 고유성을 살려 상인과 방문객들에게 큰 호응을 얻고 있다. 이처럼 장소의 획일화에서 벗어나 각 장소에서만 느낄 수 있는 고유한 가치를 지키고 키우려는 노력이 필요하다.

대화 내용 파악

1 대화의 흐름을 고려할 때, ㉠~㉤에 대한 이해로 적절하지 않은 것은?

① ㉠: 상대가 언급한 내용을 구체화하여 확인하고 있다.

② ㉡: 상대의 제안에 대한 자신의 견해를 밝히고 있다.

③ ㉢: 상대의 의견에 대해 추가 정보를 요청하고 있다.

④ ㉣: 상대에게 자신의 생각이 맞는지 확인하고 있다.

⑤ ㉤: 상대의 의도를 정확히 파악했는지 확인하고 있다.

대화의 표현 전략 파악

2 다음은 '학생 1'이 [활동 1]을 준비하면서 작성한 메모이다. ㉮~㉲ 중 (가)의 '학생 1'의 발화에서 확인할 수 있는 내용만을 고른 것은?

- 모둠 활동 시작
  - [활동 1]과 관련해 지난 활동에서 논의된 사항 환기 ········· ㉮
- 비평문에서 다룰 현안 선정
  - 교지에 실린 비평문을 참고 자료로 제시 ········· ㉯
  - 매체에서 찾은 현안 제안 ········· ㉰
- 현안에 대한 관점 선정
  - 관점을 선정할 때 유의할 점 안내 ········· ㉱
- 모둠 활동 마무리
  - [활동 2]와 관련해 모둠원들의 역할 분담 제안 ········· ㉲

① ㉮, ㉯, ㉰ ② ㉮, ㉰, ㉲ ③ ㉮, ㉱, ㉲
④ ㉯, ㉰, ㉱ ⑤ ㉰, ㉱, ㉲

글쓰기 계획 파악

3 **'학생 2'가 (가)를 바탕으로 세운 글쓰기 계획 중, (나)에 반영되지 않은 것은?**

- 제목
  [활동 1]에서 선정한 현안이 드러나게 제목을 구성해야겠군. ······ ①
- 1문단
  [활동 1]에서 예상 독자도 접했을 만하다고 논의된 경험을 제시하며 글을 시작해야겠군. ······ ②
- 2문단
  [활동 1]에서 언급되지 않았던 전문가의 견해를 인용하여 현안에 대한 사회적 인식의 변화에 대해 설명해야겠군. ······ ③
- 3문단
  [활동 1]에서 언급된 문제점과 관련하여, 장소의 획일화가 확산되고 있음을 보여 주는 추가 자료를 활용해야겠군. ······ ④
- 4문단
  [활동 1]에서 제기되었던 의견을 반영하여 서술해야겠군.
- 5문단
  [활동 1]에서 다뤄지지 않았던 사례를 추가하여 장소의 획일화에서 벗어나기 위한 노력이 필요함을 부각해야겠군. ······ ⑤

내용의 점검과 조정

4 **다음은 선생님의 모둠 활동 안내이다. 이에 따라 (나)를 평가한 내용으로 적절하지 않은 것은? [3점]**

선생님: 오늘은 모둠에서 작성한 비평문의 초고를 평가해 볼게요. 다음의 평가 기준에 따라 각 모둠별로 평가해 봅시다.

ⓐ 현안에 대한 주장이 분명하게 드러나는가?
ⓑ 현안에 대한 관점이 일관되는가?
ⓒ 필자의 주장을 뒷받침할 근거를 제시하였는가?
ⓓ 필자가 선택하지 않은 관점을 비판할 근거를 제시하였는가?

① ⓐ를 고려할 때, 장소의 획일화는 바람직하지 않다는 주장을 명시적으로 드러내고 있어.
② ⓑ를 고려할 때, 장소의 획일화에 대해 부정적으로 생각하는 관점을 일관되게 유지하고 있어.
③ ⓒ를 고려할 때, 획일화된 장소에 식상함을 느낀 사람들이 장소의 선택권을 요구했다는 점을 근거로 제시하고 있어.
④ ⓒ를 고려할 때, 장소가 획일화되면 인간이 장소에서 느끼는 정서적 유대와 안정감이 훼손된다는 점을 근거로 제시하고 있어.
⑤ ⓓ를 고려할 때, 장소의 획일화를 통해 얻으려는 경제적 효과가 지속되기 어렵다는 점을 비판의 근거로 제시하고 있어.

[1~4] (가)는 텔레비전 방송의 인터뷰이고, (나)는 (가)를 시청하고 산림 치유 프로그램에 참여한 학생이 쓴 수기이다. 물음에 답하시오. [2021-9월 모평]

(가)

진행자: 산림 치유에 대해 알아보고자 ◇◇ 국립 산림 치유원의 산림 치유 지도사 이○○ 님을 모셨습니다. 안녕하세요.

지도사: 안녕하세요.

진행자: 시청자 분들께 산림 치유와 산림 치유 프로그램에 대해 간단히 소개해 주시겠어요?

지도사: 산림 치유란 피톤치드, 나뭇잎의 초록색 등과 같은 숲의 환경 요소로 심신의 건강을 회복시키는 것입니다. 산림욕, 숲 치료라고들 하시는데요, 공식 명칭은 산림 치유입니다. 산림 치유원과 치유의 숲에서는 숲 명상, 숲 체조 등의 활동으로 구성된 다양한 산림 치유 프로그램을 운영하고 있습니다. 저희가 운영하고 있는 숲 명상 사례를 잠시 보여 드리겠습니다. (동영상 제시) 시청자 분들께서는 화면을 보시면서, 숲의 소리에 귀 기울여 보세요. 숲의 짙은 녹음과 맑은 새소리에 마음이 편안해지실 겁니다.

진행자: (동영상을 보고 나서) 숲에서의 활동이 실감 나게 느껴지네요. 실제로 체험하면 훨씬 좋겠습니다. 중 · 장년층이 주로 이런 활동에 참여할 거라고 많은 분들이 생각하시는데, 실제로는 그렇지 않죠?

지도사: 청소년부터 노년층까지 폭넓은 연령층이 참여합니다. 최근에는 청소년 대상 프로그램의 인기가 높습니다.

진행자: 제 생각에는 청소년들이 학업 등으로 힘들어하는 경우가 많아져서 그런 것 같네요. 산림 치유 프로그램에 참여하면 어떤 점이 좋나요?

지도사: 요즘 스트레스 때문에 힘들어하는 분들이 많으시죠? 진행자께서도 스트레스 때문에 힘들었던 적 있으신가요?

진행자: 네, 업무 처리가 생각만큼 잘 진행되지 않아서 스트레스를 받았던 적이 있습니다. 그럴 땐 좀 힘들죠.

지도사: 스트레스는 마음을 지치게 하죠. 그럴 때 산림 치유 프로그램이 도움이 될 수 있습니다. (표 제시) 이 표는 저희가 프로그램 참가자의 스트레스 정도를 조사한 자료인데요, 참가 전과 후를 비교해 보면 두 집단 모두 스트레스 점수의 평균값이 절반 이하로 감소했음을 알 수 있습니다.

진행자: 산림 치유 프로그램의 효과를 잘 알 수 있네요.

지도사: 진행자께서도 참여하시면 스트레스가 줄어들고 마음이 좀 편해지실 겁니다. 꼭 한번 참여해 보세요.

진행자: 네, 그러겠습니다. 그러면 프로그램 운영 장소에 대해 알려 주시겠어요?

지도사: (그림 제시) 이렇게 한 곳의 산림 치유원과 스물일곱 곳의 국공립 치유의 숲이 여러 시 · 도에 분산돼 운영되고 있습니다. 적절한 장소를 골라 참가 신청을 하고 이용하시면 됩니다.

진행자: 말씀하신 참가 신청은 어떻게 할 수 있나요?

지도사: △△ 누리집에 신청 방법과 프로그램 정보가 안내되어 있으니, 그에 따라 신청하시면 됩니다.

진행자: 끝으로 시청자 분들께 한 말씀 해 주시죠.

지도사: 숲은 마음을 토닥여 주는 친구입니다. 숲으로 오세요.

진행자: 오늘 좋은 말씀 감사합니다.

(나)

내성적인 성격 때문에 고민이 많았다. 내 생각을 표현하고 친구들에게 말을 거는 것이 쉽지 않아 속상했고, 스트레스를 받았다. 그러던 중 산림 치유에 대한 방송 인터뷰를 보게 되었다. 인터뷰에서는 산림 치유 프로그램이 스트레스를 낮춰 준다고 했다. 그런 점이 나에게 도움이 될 것 같아 산림 치유 프로그램에 참여하기로 마음먹었다.

내 생각과 달리 인터뷰에서는 산림 치유 프로그램에 어른들만 참여하는 것이 아니라고 했다. '내 또래의 다른 청소년들도 산림 치유 프로그램을 많이 찾는구나.' 하고 생각했다. 그런데 인터뷰 내용만으로는 내게 맞는 청소년 프로그램이 언제, 어디서 열리는지 알 수 없었다. 그래서 인터뷰에서 알려 준 누리집에 들어가 보니 자세한 내용을 확인할 수 있었다. □□ 치유의 숲에서 운영하는 산림 치유 프로그램의 하나인 '쉼숲' 프로그램이 마음에 들었다.

'쉼숲' 프로그램에서 제일 좋았던 활동은 '나무와 대화하기'였다. 내 마음에 드는 나무를 하나 골라 그 나무와 20분 동안 대화하는 활동이었다. 나무에 귀를 대고 숲의 소리를 들어 보기도 하고, 그동안 하지 못했던 이야기를 나무에게 털어놓기도 했다. 친구들에게 나를 표현하지 못해 답답했던 것, 그런 내 모습 때문에 힘들었던 일들을 이야기했다. 그러고 나니 마음이 후련해지면서 고민하던 나 자신의 모습을 한 발짝 물러서서 바라볼 수 있었다. 인터뷰에서 숲을 '마음을 토닥여 주는 친구'라고 했던 말이 마음에 와닿았다.

[A]

1 의사소통 방식 파악

(가)에 나타난 의사소통 방식으로 적절하지 않은 것은?

① '진행자'는 '지도사'의 답변에 자신의 의견을 덧붙이고 있다.
② '지도사'는 '진행자'가 잘못 이해하고 질문한 내용을 바로잡아 주고 있다.
③ '진행자'는 '지도사'의 답변에 대한 추가 정보를 요청하는 질문을 하고 있다.
④ '진행자'는 자신의 경험을 언급하며 '지도사'의 질문에 대해 답변하고 있다.
⑤ '지도사'는 기대되는 긍정적인 결과를 언급하며 '진행자'의 참여를 권유하고 있다.

자료 활용 방안 파악

2 〈보기 1〉은 '지도사'가 받은 전자 우편의 내용이고, 〈보기 2〉는 '지도사'가 인터뷰를 위해 준비한 자료이다. ㉠~㉢의 활용 계획 중 (가)에 드러나지 않은 것은? [3점]

보기 1

방송국입니다. 인터뷰 질문을 보내 드리니, 답변과 자료를 준비해 주세요. 추가 질문이 있으면 다시 연락 드리겠습니다.

[질문 1] 산림 치유와 산림 치유 프로그램을 간단히 소개해 주시겠어요?

[질문 2] 산림 치유 프로그램의 긍정적 효과에 대해 소개해 주시겠어요?

[질문 3] 프로그램 운영 장소에 대한 정보를 알려 주시겠어요?

보기 2

㉠ [동영상]

• 내용: '숲 명상' 참가자들이 숲에서 새소리 등 숲의 소리를 들으며 명상하는 장면(1분 분량)

㉡ [표]

산림 치유 프로그램 참가자 집단의
스트레스 점수 평균값 변화

참가자 집단	참가 전 점수 평균값	참가 후 점수 평균값
A 직업군	36.6점	12.4점
B 직업군	34.3점	10.8점

※ 32~49점 구간: '스트레스 관련 질환 주의군'에 해당함.

㉢ [그림]

① [질문 1]에 대한 답변 과정에서 ㉠을 제시하며, 실제 산림 치유 프로그램 활동을 간접 체험해 보도록 안내해야겠군.

② [질문 1]에 대한 답변 과정에서 ㉠을 제시하여, 영상과 소리를 통해 산림 치유 프로그램 활동을 생생하게 전달해야겠군.

③ [질문 2]에 대한 답변 과정에서 ㉡을 제시하여, 수치 변화로 알 수 있는 산림 치유 프로그램의 효과를 보여 줘야겠군.

④ [질문 2]에 대한 답변 과정에서 ㉡을 제시하며, 많은 직장인이 스트레스 관련 질환 주의군에 속한다는 점을 언급해야겠군.

⑤ [질문 3]에 대한 답변 과정에서 ㉢을 제시하며, 산림 치유 프로그램 운영 장소의 수와 분포에 대한 정보를 제공해야겠군.

내용 생성의 적절성 평가

3 (가)와 (나)를 고려할 때, 학생이 글을 쓰기 위해 떠올렸을 생각으로 적절하지 않은 것은?

① 인터뷰에서 숲을 비유적으로 표현했는데, 그 어구를 활용해 산림 치유 프로그램이 나에게 도움이 되었음을 제시해야겠다.

② 인터뷰에서 산림 치유 프로그램이 스트레스 해소에 좋다고 했는데, 그 점이 프로그램에 참여하는 계기였음을 밝혀야겠다.

③ 인터뷰에서 산림 치유 프로그램에 청소년들도 참가한다고 했는데, 이 말을 듣고 산림 치유 프로그램에 대한 기존의 생각이 바뀌었음을 밝혀야겠다.

④ 인터뷰에서 숲의 환경 요소가 심신에 좋은 영향을 준다고 했는데, 산림 치유 프로그램에서 만난 다른 사람들도 좋은 영향을 받았음을 언급해야겠다.

⑤ 인터뷰에서 청소년을 대상으로 하는 산림 치유 프로그램의 운영 시기와 장소에 대한 정보를 얻지 못했는데, 이에 대한 구체적 정보를 누리집에서 찾을 수 있었음을 언급해야겠다.

내용의 점검과 조정

4 다음을 고려할 때, [A]에 들어갈 내용으로 가장 적절한 것은?

> [글쓰기 과정에서의 자기 점검]
> 체험의 의미가 부각되도록 '쉼숲' 프로그램에 참여하기 전과 후의 내 마음 상태를 모두 표현해야겠어. 그리고 삶의 자세에 대한 다짐을 나타내야지.

① 주말에 집에만 틀어박혀 지내던 나는 이제 주말이 오면 종종 숲으로 향한다. 숲이 내가 믿고 기댈 수 있는 친구가 되었기 때문이다.

② 고민거리를 지니고 있던 나는 나무와 대화를 나눈 후 마음의 짐을 덜어 낼 수 있었다. 산림 치유의 효과를 실감한 뜻깊은 시간이었다.

③ 인터뷰에서 알게 된 산림 치유 프로그램을 직접 경험해 보니 정말 만족스러웠다. 앞으로 힘든 일이 생길 때마다 숲을 찾아가 숲의 응원을 받고 와야겠다.

④ 이제 나는 집에 돌아와 다시 일상을 보내고 있다. 나를 따뜻하게 맞아 주던 숲을 기억하면서 나도 다른 사람들에게 향기로운 사람이 되려고 노력할 것이다.

⑤ 성격 때문에 속상해하던 나는 나무와 대화를 나누고 나서, 속상했던 마음이 풀리고 내 성격을 인정하게 되었다. 이제 내 모습을 아끼며 살아갈 것이다.

[1~4] (가)는 '활동 1'에 따른 대화이고, (나)는 '활동 2'에 따라 '지민'이 쓴 초고이다. 물음에 답하시오.

[2021-3월 고3 학평]

독후 활동 [활동 1] 책에서 인상적이었던 내용에 대해 이야기 나누기 [활동 2] '활동 1'을 바탕으로 교훈을 주는 글쓰기

(가)

지민: 선생님께서 추천해 주신 책 다들 읽었지? 나는 지금까지 인식하지 못했던 우리들의 사고 경향에 대해 생각해 볼 수 있어 좋았는데, 너희들은 어땠어?

홍철: ㉠이 책이 내가 이해하기 너무 힘든 내용을 다루고 있지는 않은지 확인하려고 목차를 봤더니 걱정이 많이 되더라. 그런데 막상 읽어 보니 쉽게 설명을 잘 해 놓았더라.

윤주: 응. ㉡이 책은 우리의 사고 경향을 일곱 가지로 나눠 각 장에서 한 가지씩 설명하는 방식으로 구성되어 있어서 내가 하루 1장씩 일주일간 읽으려고 계획했었어. 그런데 3일 만에 다 읽었어.

지민: 어떤 내용이 흥미로웠는지 말해 줄래?

윤주: 배가 정박할 때 닻을 펄에 박아 두면 배가 일정 범위를 벗어나지 못하잖아. 그것처럼 우리도 주어진 기준에 얽매여 폭넓게 사고하지 못한다고 한 부분이 흥미로웠어.

홍철: 나는 우주 왕복선 챌린저호의 폭발 사고에 대한 내용이 기억에 남아. 보고 싶은 것만 보고 받아들이고 싶은 것만 받아들이는 성향이 특정한 판단을 강화하여 유용한 정보를 놓치고 오류를 범하게 만든다는 것이었어.

지민: ㉢(메모를 살피며) 3장에서 다룬 '정박 효과'와 5장에서 다룬 '확신의 덫'이 인상적이었다고 말하는 거구나.

윤주: (목소리를 높여) 우아! 그건 책의 내용을 메모해 둔 거야?

지민: 응, 맞아. 책을 읽으면서 책의 내용을 메모해 두면 독후 활동을 할 때 유용하거든. (메모를 살피며) 나는 책의 서문에서 '그 누구도 정답만을 말할 수는 없다.'라고 한 작가의 말이 인상적이었어.

홍철: ㉣나도 이 책의 작가가 우리에게 개방적인 자세를 가져야 한다는 교훈을 전해 주고 있다는 생각이 들었어.

지민: 나도 그렇게 생각해. 그래서 말인데, 우리가 독후 활동 중 '활동 2'를 해야 하잖아. 정박 효과나 확신의 덫을 일으키는 사고 경향의 문제점을 설명하고 우리가 가져야 할 바람직한 자세에 대해 서술하는 것이 좋겠지?

홍철: 음, 그런데 이 책에서도 언급하고 있듯이 그러한 사고 경향이 나쁜 것만은 아니야.

윤주: ㉤내가 이 책을 읽는 과정에서 더 알고 싶은 내용이 생겨서 책을 읽은 뒤에 이 책의 참고 문헌에 나와 있는 책도 찾아 읽었거든. 그 책에서도 그런 점을 언급하고 있더라.

지민: 그렇구나. 내가 초고에 그 점도 언급하도록 해 볼게.

홍철: 그런데 윤주야, (엄지손가락을 치켜들며) 그새 다른 책까지 찾아 읽어 보다니 대단하다.

윤주: (겸연쩍은 표정을 지으며) 내가 할 일이 없어서 그래.

지민: (간절한 눈빛으로) 윤주야, 초고를 쓸 때 참고하려고 그러는데, 내일까지 책 내용을 요약해 서 줄 수 있니?

윤주: (안타까운 표정을 지으며) 그 책을 그냥 도서관에 반납해 버렸는데 어떡하지?

지민: (상냥한 말투로) 괜찮아. 내가 관련된 자료를 찾아볼게.

[A]

윤주: 응. 도울 일이 있으면 말해 줘.

(나)

10만 원이라는 가격표가 붙은 물건을 3만 원에 살 수 있다면 우리는 이 물건을 사야 할까, 말아야 할까? 아마 우리 중 대부분은 물건의 가격이 합당한 것인가를 생각하지 않고 10만 원이라는 가격표에 얽매여 지갑 열기를 주저하지 않을 것이다. 배가 항구에 정박할 때 닻을 펄에 박아 두면 배가 일정 범위를 벗어나지 못하는 것처럼 초기에 제시된 기준이나 상황을 벗어나는 것이 쉽지 않기 때문이다. 심리학에서는 이를 '정박 효과'라고 부른다. 정박 효과는 비단 소비의 측면뿐만이 아니라 우리의 일상생활에서 흔히 일어난다. 우리는 일상에서 어떤 사람의 첫인상을 통해 그 사람의 성격을 판단해 버리는 일이 많은데, 이때의 직관적 판단은 진위 여부를 확인하는 데 오랜 시간이 걸리고 그것이 틀린 것일지라도 쉽게 바뀌지 않는다. 이 역시 정박 효과와 관련이 있다.

우리는 자신의 판단이 옳다는 것을 확인시켜 주는 정보만을 받아들이려고 하는 사고 경향도 가지고 있다. 이러한 사고 경향은 '확신의 덫'에 빠지는 문제를 일으킨다. 우주 왕복선 챌린저호의 폭발 사고는 이러한 문제를 잘 보여 준다. 챌린저호는 발사된 지 약 72초 만에 폭발하였는데, 챌린저호의 폭발 가능성이 충분히 예견되었음에도 불구하고 관련 전문가들이 자신들의 기대와 상충하는 정보를 무시해 버렸다는 사실이 원인 규명 조사 과정에서 밝혀졌다. 전문가들조차 보고 싶은 것만 보고 믿고 싶은 것만 믿음으로써 잘못된 판단을 내리는 확신의 덫에 빠졌던 것이다. '답은 정해져 있고 너는 대답만 하면 돼.'라는 뜻을 가진 '답정너'라는 신조어를 떠올려 보면 확신의 덫에 빠져 있는 것이 어떤 것인지 쉽게 이해할 수 있다.

아마 누군가는 정박 효과나 확신의 덫과 같은 문제를 일으킬 수 있는 직관적 판단과 자기 확신을 긍정적으로도 볼 수 있다는 반응을 보일 수 있다. 정보 부족과 시간 제약의 한계가 있는 상황에서 직관적 판단은 인지적 부담을 줄여 주고 의사 결정의 효율성을 높여 준다. 또한 어떠한 판단에 대한 자기 확신은 일을 적극적으로 추진할 수 있게 해 준다. 그러나 이러한 사고 경향은 터무니없거나 편향된 판단을 이끌어 낼 수 있다. 그러므로 우리는 이러한 문제점을 인지하고 예방하기 위해 노력해야 한다. 첫째, 누구든지 자신의 판단의 오류 가능성에 대해 인정할 수 있어야 한다. 그 누구도 정답만을 말할 수는 없다. 둘째, 다른 사람들의 말을 경청할 줄 알아야 한다. 내 생각과 다른 생각도 수용할 수 있는 개방적인 자세는 경청에서부터 나온다. 이러한 두 자세를 통해 우리는 보다 합리적인 판단을 할 수 있고 나 자신과 타인, 세계를 올바르게 이해할 수 있다.

대화 내용 파악

1 ㉠~㉤에 대한 이해로 적절하지 않은 것은?

① ㉠: 책을 읽기 전에 미리 책의 내용 수준을 가늠하고자 하였음을 알 수 있다.

② ㉡: 책의 구성을 고려하여 책 읽기 계획을 세웠음을 알 수 있다.

③ ㉢: 책을 읽는 과정에서 책의 내용을 메모하였음을 알 수 있다.

④ ㉣: 책에 드러난 글쓰기 형식에 대해 평가하였음을 알 수 있다.

⑤ ㉤: 책을 읽은 뒤에 책의 내용과 관련하여 확장적 독서를 하였음을 알 수 있다.

준언어적 · 비언어적 표현 파악

2 [A]의 발화에 대한 설명으로 가장 적절한 것은?

① '홍철'의 발화에는 상대방을 칭찬하는 언어적 표현을 강화하는 비언어적 표현이 사용되었다.

② '윤주'의 첫 번째 발화에는 상대방에게 자신을 낮추는 언어적 표현을 보완하는 준언어적 표현이 사용되었다.

③ '지민'의 첫 번째 발화에는 상대방의 의견과 일치점을 찾고자 하는 언어적 표현을 부각하는 준언어적 표현이 사용되었다.

④ '윤주'의 두 번째 발화에는 상대방에게 이익이 되도록 제안하는 언어적 표현을 강조하는 비언어적 표현이 사용되었다.

⑤ '지민'의 두 번째 발화에는 언어적 표현이 담고 있는 내용이 자신의 의도와 다른 것임을 드러내는 준언어적 표현이 사용되었다.

내용 조직의 적절성 평가

3 (가)를 바탕으로 (나)를 설명한 내용으로 적절하지 않은 것은?

① (가)에 언급되지 않은 첫인상 판단에 대해 설명하여 정박 효과가 일상생활에서 흔히 일어난다는 점을 부연하였다.

② (가)에 언급된 챌린저호의 폭발 사고에 대해 정보를 추가하여 확신의 덫에 빠지는 문제를 설명하였다.

③ (가)에 언급되지 않은 신조어를 예로 들어 확신의 덫에 대한 이해를 도왔다.

④ (가)에 언급된 작가의 말을 직접 인용하여 시간 제약이 있는 상황에서 합리적 판단을 이끌어 내는 방법을 제시하였다.

⑤ (가)에 언급되지 않은 경청의 중요성에 대해 밝혀 개방적인 자세의 필요성을 강조하였다.

글쓰기 전략 파악

4 **〈보기〉와 관련하여 (나)에 나타난 쓰기 전략을 분석한 내용으로 적절하지 않은 것은?**

보기

글쓰기는 필자와 독자의 의사소통을 위한 것이다. 글쓰기에서 필자가 전달하려는 내용이 독자에게 의미 있는 것으로 받아들여지기 위해서는 독자의 공감을 유도하는 것이 중요한데, 이때 사용할 수 있는 전략은 다양하다. 대표적으로 ⓐ1인칭 대명사를 사용하여 필자와 독자가 동일한 특성을 지니고 있는 관계임을 나타내어 독자와의 거리감을 좁히는 전략, ⓑ물음이나 독창적 표현 등을 사용하여 독자의 주의를 환기하는 전략, ⓒ글의 내용이 독자의 상황과 관련되어 있음을 밝히는 전략, ⓓ독자의 반응을 예측하여 글 속에서 미리 대응하는 전략, ⓔ독자에게 의미가 있을 만한 정보나 문제 해결 방법 등을 제시하는 전략 등이 있다.

① ⓐ와 관련하여, 필자와 독자를 모두 포함하는 '우리'라는 표현을 사용함으로써 필자와 독자의 거리감을 좁혔다.
② ⓑ와 관련하여, 상품을 구매하는 일상적 상황을 가정한 물음을 제시함으로써 독자의 주의를 환기했다.
③ ⓒ와 관련하여, 판단의 오류를 인정하지 않으려고 하는 사회적 이유를 분석하여 독자가 자신의 문제 상황을 알 수 있게 했다.
④ ⓓ와 관련하여, 직관적 판단과 자기 확신의 긍정적 측면에 내재된 문제점을 언급하여 예상되는 독자의 반응에 대응하는 입장을 제시했다.
⑤ ⓔ와 관련하여, 터무니없거나 편향된 판단을 예방하기 위해 필요한 태도를 설명함으로써 독자에게 문제 해결 방법을 알려 주었다.

[1~4] (가)는 지역 신문에 실린 기사문이고, (나)는 (가)의 보도 이후에 개최된 협상이다. 물음에 답하시오.

[2020-10월 고3 학평]

(가)

□□ 백화점 주변의 극심한 교통 혼잡 해결되려나

구청 측과 □□ 백화점 측은 지난 9월 7일 구청에서 만나, 백화점 방문 차량으로 인해 발생하고 있는 문제들을 해결하기 위해 함께 노력하기로 큰 틀에서 합의했다.

구청 측은 최근 □□ 백화점을 방문하는 차량이 크게 증가함에 따라 교통 혼잡으로 인해 민원이 폭증하는 문제가 발생하고 있음을 지적했다. 이에 따라 구청 측은 □□ 백화점에 해결책을 조속히 마련할 것을 요청할 예정이며, 필요한 부분이 있다면 구청도 적극적으로 협조할 것이라고 말했다. 한편, 백화점 측도 문제 해결을 위해 적극적으로 나서겠다고 밝혔다. 다만 주차장 확보라는 근본적인 문제 해결이 쉽지 않다는 점을 걱정하며 구청 측의 협조가 필요함을 강조하였다.

□□ 백화점 주변의 교통량을 분석한 교통 연구소의 최근 자료에 의하면 백화점이 입점한 이후 그 전보다 주변 도로의 주말 평균 교통량이 45%나 증가했고, 평균 정체 시간도 20분이나 증가한 것으로 나타났다. ㉠이 자료에서는 주말에 백화점으로 유입되는 차량의 수가 백화점의 주차 수용력을 40% 초과하기 때문에 주차장 추가 확보가 시급하다고 분석했다.

인근 아파트 주민 김 모 씨는 백화점을 방문하는 차량으로 인해 생활에 불편을 겪는 일이 많다면서 이번 협상을 통해 문제가 해결되기를 바란다고 말했다. 양측은 세부적인 해결 방안을 협의하기 위해 이달 내 추가 협상을 진행하기로 하였다.

(나)

구청 측: 오늘은 문제 해결을 위한 세부적인 방안에 대해 논의하겠습니다. 아시다시피, 최근 백화점 방문 차량이 많아지면서 주변의 교통 혼잡이 심각한 상황입니다. 주차장 10부제를 운영하여 백화점 방문 차량의 수가 줄어들 수 있도록 조치해 주시기 바랍니다. [A]

백화점 측: 고객의 입장을 먼저 생각해야 하는 저희 입장에서는 쉬운 선택이 아니지만 상황의 심각성을 고려하여 주차장 10부제 운영을 적극적으로 검토해 보겠습니다. 대신 백화점 앞을 지나는 버스 노선을 증설해 주셨으면 합니다.

구청 측: 그 문제는 여러 입장에 따라 이해관계가 복잡하고 또 다른 교통 혼잡을 유발할 수 있어 곤란합니다.

백화점 측: ⓐ그렇다면 백화점 앞을 지나는 기존 마을버스의 배차 간격을 줄여 주시면 좋겠습니다.

구청 측: 그것은 마을버스 회사와 협의해 추진해 보도록 하겠습니다. 그런데 백화점 방문자들이 인근 아파트의 주차장을 무단으로 이용하는 경우도 있고 백화점으로 진입하려는 차량들이 아파트 입구를 막아 아파트 차량의 진출입을 방해하는 경우도 많습니다. 이에 대한 해결책도 마련해 주시기 바랍니다. [B]

백화점 측: 그럼 무단 주차 예방을 위해 현수막을 부착하고 고객 알림 문자를 발송하는 등의 조치를 하겠습니다. 또한 주차 안내 요원을 백화점 외부에도 배치해 차량의 동선을 관리하도록 하겠습니다.

구청 측: 협조해 주신다니 감사합니다. 그렇지만 무엇보다 교통 혼잡의 문제를 근본적으로 해결하기 위해서는 백화점 내부에 주차장 추가 확보가 필요합니다. △△ 백화점처럼 건물 옥상에 주차 공간을 마련하는 것도 한 방법이 될 것입니다. [C]

백화점 측: 저희도 옥상 주차장을 검토하였으나 설계상의 문제로 추진이 어려웠습니다. 그래서 백화점 외부에 새로운 부지를 찾고 있는데, 쉽지 않은 상황입니다. 서면으로 요청드린 바와 같이 구청 측에서 도와주시면 좋겠습니다.

구청 측: 저희도 문제 해결 방안을 고심해 보았습니다. ○○ 유수지 주변 공터를 주차장으로 이용하는 것은 어떻습니까? 백화점과 떨어져 있기는 하지만 도보로 이동은 가능한 거리이므로 괜찮지 않겠습니까? [D]

백화점 측: ○○ 유수지는 백화점과 떨어져 있기 때문에 손님들의 편의를 최우선으로 생각해야 하는 저희들 입장에서는 쉬운 선택이 아닙니다. 주차장 부족 현상은 주로 주말에 일어나므로 주말에 한해 백화점 가까이에 위치한 구청 주차장을 개방해 주시는 것은 어떻습니까?

구청 측: 주말에 구청의 지하 주차장은 비어 있는 경우가 많아 안 되는 것은 아니지만, 출입구가 좁고 시설도 노후화되어 많은 차량이 오갈 경우 안전 문제 등이 우려됩니다. 따라서 면밀한 검토가 필요합니다. [E]

백화점 측: 그렇다면 저희가 구청 주차장의 시설을 개선하고 주말에는 안전 요원도 배치하도록 하겠습니다.

구청 측: 그렇게 하면 지역 주민들의 편의도 향상될 수 있겠네요. 그럼 그 방안을 적극적으로 검토해 보겠습니다.

백화점 측: 대신 우리 백화점 방문자에 한해 주차 요금을 면제해 주셨으면 합니다.

구청 측: 백화점 주차장을 무료로 운영하지 않는 상황에서 구청 주차장을 무료로 운영할 경우 이곳으로 너무 많은 차량이 몰려 또 다른 문제가 발생할 것입니다.

백화점 측: ⓑ<u>그럼 백화점 방문자에 대해 주차 요금을 할인해 주시면 어떻습니까?</u>

구청 측: 지하 주차장 개방 여부에 대한 검토가 우선적으로 이루어져야 할 것으로 보입니다. 주차 요금 책정 등 구체적인 운영 방안은 차후에 논의하는 것이 좋겠습니다.

백화점 측: 네, 좋습니다. 긍정적 결과를 기대하겠습니다.

글쓰기 계획 파악

1 **다음은 기자가 취재 과정에서 작성한 메모이다. (가)에 반영되지 않은 것은?**

> **[구청 측과 백화점 측 협상 취재]**
>
> 〈구청 측과의 인터뷰〉
> • □□ 백화점 방문 차량으로 인한 민원 발생 …… ①
> • 문제 해결을 위한 노력 요청 및 협조 의향 …… ②
>
> 〈백화점 측과의 인터뷰〉
> • 문제 해결을 위한 의지 표명 및 협조 당부 …… ③
>
> 〈교통 연구소 자료 수집 및 지역 주민 인터뷰〉
> • □□ 백화점 관련 교통 상황 통계 …… ④
> • 시설 개선을 통한 주차 문제 해결 사례 …… ⑤

내용의 점검과 조정

2 **〈보기〉는 ㉠의 초안이다. 기자가 〈보기〉를 ㉠과 같이 수정한 이유로 가장 적절한 것은?**

> 보기
>
> 이 자료에서는 □□ 백화점의 주차장 추가 확보가 시급하다고 분석했다. 그리고 주말에 백화점으로 유입되는 차량의 수가 백화점의 주차 수용력을 40% 초과한다고 했다.

① 주요 개념에 대한 정보를 추가하기 위해
② 주관적인 의견이 담긴 부분을 삭제하기 위해
③ 한 측의 입장으로 치우친 정보를 수정하기 위해
④ 긴 문장을 나누어 내용을 효과적으로 표현하기 위해
⑤ 문제 원인과 해결 방안의 순서에 따라 정보를 재배치하기 위해

협상 전략 파악

3 다음은 '구청 측'에서 협상을 준비하는 과정에서 작성한 협상 계획서의 일부이다. 다음을 참고하여 [A]~[E]를 이해한 내용으로 적절하지 않은 것은? [3점]

논의할 내용	세부 내용
⋮	⋮
백화점 방문 차량 관련 민원	백화점 방문자들의 차량 증가에 따른 교통 혼잡 ······ ㉮
	백화점 방문자들의 아파트 주차장 무단 이용 ······ ㉯
	인근 아파트 차량의 진출입 방해 ······ ㉰
주차장 공간 확보	백화점 내부에 새로운 주차 공간 확보 ······ ㉱
	백화점 외부에 새로운 주차 공간 확보 ······ ㉲
⋮	⋮

① [A]는 ㉮와 관련된 문제의식을 드러내며 상대측에 요구 사항을 제시하고 있다.
② [B]는 ㉯, ㉰와 관련된 문제 상황을 언급하며 문제 해결을 위한 방안을 마련할 것을 상대측에 요구하고 있다.
③ [C]는 ㉱의 필요성을 언급하며 다른 사례를 참고하여 문제를 해결할 것을 제안하고 있다.
④ [D]는 ㉲와 관련하여 대안을 제시하면서 이에 대한 상대측의 수용 의사를 묻고 있다.
⑤ [E]는 ㉱, ㉲와 관련된 상대측의 요구 사항을 수용하면서 그에 상응하는 요구 조건을 직접 제시하고 있다.

개념 코칭

협상 참여자의 역할
- 상대측을 설득하여 자기 측의 이익을 최대화하기 위해 노력해야 한다.
- 참여하는 양측이 양보와 타협을 바탕으로 모두 만족할 수 있는 대안을 도출하기 위해 협조해야 한다.

발화의 의미와 기능 파악

4 (나)의 담화 흐름을 고려할 때, ⓐ와 ⓑ의 공통점으로 가장 적절한 것은?

① 상대측이 제시한 문제점에 대해 추가적인 설명을 요구하는 발화이다.
② 상대측의 제안을 수용할 경우 예상되는 부작용에 대해 언급하는 발화이다.
③ 상대측이 지적한 문제점을 고려하여 요구 사항을 수정하여 제시하는 발화이다.
④ 상대측이 제기할 수 있는 의견을 가정하며 그 의견의 타당성 여부를 묻는 발화이다.
⑤ 상대측의 제안을 수용하기 어려운 이유를 들어 상대측에게 양보를 요구하는 발화이다.

[1~4] (가)는 토론의 일부이고, (나)는 청중으로 참여한 학생이 '토론 후 과제'에 따라 쓴 초고이다. 물음에 답하시오. [2020 수능]

(가)

사회자: 이번 시간에는 '인공 지능을 면접에 활용하는 것이 바람직하다.'라는 논제로 토론을 진행하겠습니다. 찬성 측이 먼저 입론해 주신 후 반대 측에서 반대 신문해 주십시오.

찬성 1: 저희는 인공 지능을 면접에 활용하는 것이 바람직하다고 생각합니다. 인공 지능을 활용한 면접은 인터넷에 접속하여 인공 지능과 문답하는 방식으로 진행됩니다. 지원자는 시간과 공간에 구애받지 않고 면접에 참여할 수 있는 편리성이 있어 면접 기회가 확대됩니다. 또한 회사는 면접에 소요되는 인력을 줄여, 비용 절감 측면에서 경제성이 큽니다. 실제로 인공 지능을 면접에 활용한 ○○회사는 전년 대비 2억 원 정도의 비용을 절감했습니다. 그리고 기존 방식의 면접에서는 면접관의 주관이 개입될 가능성이 큰 데 반해, 인공 지능을 활용한 면접에서는 빅 데이터를 바탕으로 한 일관된 평가 기준을 적용할 수 있습니다. 이러한 평가의 객관성 때문에 많은 회사들이 인공 지능 면접을 도입하는 추세입니다.

[A]
반대 2: 기존 면접에서는 면접관의 주관이 개입될 여지가 있다고 하셨는데요, 회사의 특수성을 고려해 적합한 인재를 선발하려면 오히려 해당 분야의 경험이 축적된 면접관의 생각이나 견해가 면접 상황에서 중요한 판단 기준이 돼야 하지 않을까요?

찬성 1: 면접관의 생각이나 견해로는 지원자의 잠재력을 판단하기 어렵습니다. 오히려 오랜 기간 회사의 인사 정보가 축적된 데이터가 잠재력을 판단하는 데 적합하기 때문에 인공 지능 면접이 신뢰성도 높습니다. 회사 관리자들을 대상으로 한 설문 조사에서도 잠재력 파악에 인공 지능을 활용한 면접을 신뢰한다는 비율이 높게 나왔습니다.

사회자: 이번에는 반대 측에서 입론해 주신 후 찬성 측에서 반대 신문해 주십시오.

반대 1: 저희는 인공 지능을 면접에 활용하는 것이 바람직하다고 보지 않습니다. 먼저 인공 지능을 활용한 면접은 기술적 결함이 발생할 수 있습니다. 이로 인해 면접이 원활하지 않거나 중단되어 지원자들에게 불편을 줄 수 있고, 지원자들의 면접 기회가 상실될 수 있습니다. 또한 인공 지능을 활용한 면접은 당장의 비용 절감 효과에 주목해서는 안 되고 장기적인 관점에서 보아야 합니다. 현재의 경제성만 고려하면 미래에 더 큰 경제적 가치를 창출할 인재를 놓치게 돼 결국 경제적이지 않습니다. 마지막으로 인공 지능의 빅 데이터는 왜곡될 가능성이 있습니다. 빅 데이터는 사회에서 형성된 정보가 축적된 결과물로서 특정 대상과 사안에 치우친 것일 수 있습니다. 이러한 이유로 △△회사는 인공 지능을 활용한 면접을 폐지했습니다.

[B]
찬성 1: △△회사는 인공 지능을 활용한 면접을 폐지했지만, 통계 자료에서 보다시피 인공 지능을 면접에 활용하는 것은 확대되고 있는 추세이지 않습니까?

반대 1: 경제적인 이유로 인공 지능 면접이 활용되고 있지만, 인공 지능을 활용한 면접의 한계가 드러난다면 이를 폐지하는 기업들이 늘어나게 될 것입니다.

토론 후 과제: 논제에 대한 자신의 입장을 밝히고, 이를 확장하여 '인간과 인공 지능의 관계'에 대해 주장하는 글 쓰기

(나) 학생의 초고

인공 지능을 면접에 활용하는 것은 바람직하지 않다. 인공 지능 앞에서 면접을 보느라 진땀을 흘리는 인간의 모습을 생각하면 너무 안타깝다. 미래에 인공 지능이 인간의 고유한 영역까지 대신할 것이라고 사람들은 말하는데, 인공 지능이 인간을 대신할 수 있을까? 인간과 인공 지능의 관계는 어떠해야 할까?

인공 지능은 인간의 삶을 편리하게 돕는 도구일 뿐이다. 인간이 만든 도구인 인공 지능이 인간을 평가할 수 있는지에 대해 생각해 볼 필요가 있다. 도구일 뿐인 기계가 인간을 평가하는 것은 정당하지 않다. 인간이 개발한 인공 지능이 인간을 판단한다면 주체와 객체가 뒤바뀌는 상황이 발생할 것이다.

인공 지능이 발전하더라도 인간과 같은 사고는 불가능하다. 인공 지능은 겉으로 드러난 인간의 말과 행동을 분석하지만 인간은 말과 행동 이면의 의미까지 고려하여 사고한다. 인공 지능은 빅 데이터를 바탕으로 결과를 도출해 내는 기계에 불과하므로, 통계적 분석을 할 뿐 타당한 판단을 할 수 없다. 기계가 타당한 판단을 할 것이라는 막연한 기대를 한다면 머지않아 인간이 기계에 예속되는 상황이 벌어질지도 모른다.

인공 지능은 사회적 관계를 맺을 수 없다. 반면 인간은 사회에서 의사소통을 통해 관계를 형성한다. 이 과정에서 축적된 인간의 경험이 바탕이 되어야 타인의 잠재력을 발견할 수 있다.

말하기 과정 파악

1 **(가)의 입론을 쟁점별로 정리한 내용으로 적절하지 않은 것은?**

[쟁점 1] 인공 지능을 활용한 면접은 편리한가?
▶ 찬성 1: 때와 장소에 얽매이지 않고 면접에 참여할 수 있는 점을 들어 입장을 분명히 밝히고 있다. ▶ 반대 1: 기술적 결함으로 인한 문제 상황을 제시하여 지원자가 오히려 불편할 수 있음을 강조하고 있다. ……①

[쟁점 2] 인공 지능을 활용한 면접은 경제적인가?
▶ 찬성 1: 면접에 소요되는 인력을 줄임으로써 경제적 효과가 큼을 비용 절감의 사례를 통해 강조하고 있다. …② ▶ 반대 1: 경제적 가치를 창출할 인재를 놓치게 되는 점을 들어 장기적으로는 경제적이지 않음을 밝히고 있다. …③

[쟁점 3] 인공 지능을 활용한 면접에서의 평가는 객관적인가?
▶ 찬성 1: 면접관의 주관에 영향을 받지 않고 일관된 평가 기준을 적용할 수 있어 객관적임을 밝히고 있다. ……④ ▶ 반대 1: 빅 데이터에 근거하지 않고 왜곡된 정보를 바탕으로 평가하므로 객관적이지 않음을 강조하고 있다. …⑤

말하기 목적 추론

2 **[A], [B]에 대한 설명으로 가장 적절한 것은?**

① [A]의 반대 2는 상대측이 제시한 근거의 적절성에 의문을 제기하며 적합한 사례를 요구하고 있다.

② [A]의 찬성 1은 상대측의 이의 제기에 대해 반박하며 자료를 통해 자신의 주장이 타당함을 강조하고 있다.

③ [B]의 찬성 1은 상대측의 진술 내용에 이의를 제기하며 사실관계를 확인할 수 있는 자료를 추가로 요청하고 있다.

④ [B]의 반대 1은 상대측이 제시한 근거 자료의 출처를 확인하고 새로운 정보를 통해 향후 전망을 제시하고 있다.

⑤ [A]의 찬성 1과 [B]의 반대 1은 모두 상대측이 언급한 의견에 이의를 제기하고 실현 가능한 방안을 추가하고 있다.

글쓰기 전략 파악

3 **다음은 (가)에 청중으로 참여한 학생이 (나)를 쓰기 위해 작성한 과제 학습장의 일부이다. (나)에 반영되지 않은 것은?**

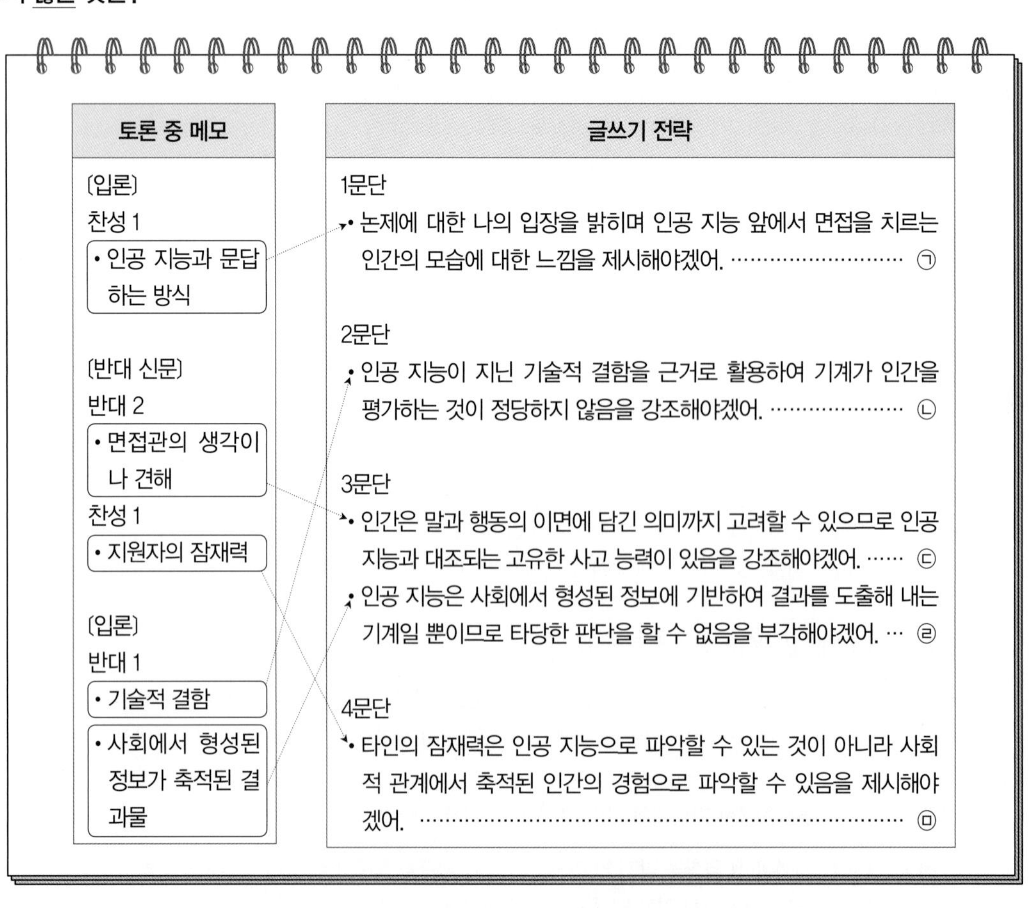

토론 중 메모	글쓰기 전략
(입론) 찬성 1 • 인공 지능과 문답하는 방식 (반대 신문) 반대 2 • 면접관의 생각이나 견해 찬성 1 • 지원자의 잠재력 (입론) 반대 1 • 기술적 결함 • 사회에서 형성된 정보가 축적된 결과물	1문단 • 논제에 대한 나의 입장을 밝히며 인공 지능 앞에서 면접을 치르는 인간의 모습에 대한 느낌을 제시해야겠어. ………… ㉠ 2문단 • 인공 지능이 지닌 기술적 결함을 근거로 활용하여 기계가 인간을 평가하는 것이 정당하지 않음을 강조해야겠어. ………… ㉡ 3문단 • 인간은 말과 행동의 이면에 담긴 의미까지 고려할 수 있으므로 인공 지능과 대조되는 고유한 사고 능력이 있음을 강조해야겠어. …… ㉢ • 인공 지능은 사회에서 형성된 정보에 기반하여 결과를 도출해 내는 기계일 뿐이므로 타당한 판단을 할 수 없음을 부각해야겠어. … ㉣ 4문단 • 타인의 잠재력은 인공 지능으로 파악할 수 있는 것이 아니라 사회적 관계에서 축적된 인간의 경험으로 파악할 수 있음을 제시해야겠어. ………… ㉤

① ㉠ ② ㉡ ③ ㉢ ④ ㉣ ⑤ ㉤

● 정답과 해설 47쪽

내용 생성의 적절성 평가

4 〈보기〉를 바탕으로 (나)의 끝부분에 새로운 문단을 이어 쓴다고 할 때, 그 내용으로 가장 적절한 것은?

보기

- **친구의 조언**: 1문단에서 제기한 첫째 물음에 대해 너의 입장을 드러내야 할 것 같아. 둘째 물음에 대해서는 2문단에 썼던 두 단어를 활용하여 인간과 인공 지능의 관계를 드러내는 게 좋겠어.

① 인공 지능은 인간의 고유한 영역을 대신할 수 없다. 인공 지능과 인간의 의사소통을 통한 사회적 관계 형성은 불가능하다.

② 인공 지능은 인간을 대신하기보다는 보조하는 도구이어야 한다. 그러므로 인간은 인공 지능과 공존할 수 있는 길을 모색해야 한다.

③ 인공 지능은 인간보다 우위에 있을 수 없다. 그러나 인공 지능이 지속적으로 발전하고 있으므로 인간이 객체가 되는 날이 머지않았다.

④ 인공 지능은 인간을 대체할 수 없다. 인간의 삶을 결정하는 주체는 인간이고 인공 지능은 인간이 이용하는 객체일 뿐임을 명심해야 한다.

⑤ 객체인 인공 지능을 이용하는 인간의 태도가 무엇보다 중요하다. 인간은 인공 지능과의 소통을 통해 자신의 삶을 주체적으로 이끌어 가야 한다.

[1~4] (가)는 지역 신문에 실린 기사문이고, (나)는 (가)의 보도 이후에 지역 사회에서 개최된 협상이다. 물음에 답하시오. [2020-6월 모평]

(가)

'전통 한옥의 멋' 솔빛 마을이 달라진다

솔빛 마을, 시청과 한옥 관광지 조성에 합의

시청 측과 솔빛 마을 주민 측은 △월 △일 시청에서 회동해, 지역 경제 활성화와 전통 한옥의 가치 전파를 위한 한옥 관광지 조성 사업을 연내 추진하는 데 큰 틀에서 합의했다.

시청 측은 솔빛 마을의 한옥이 타 지역 한옥에 비해 규모가 크고 보존 상태가 양호해 사업 경쟁력이 충분할 것이라고 말했다. 또한 전통 문화 체험 프로그램 운영, 둘레 길 조성, 마을 진입로 정비 등을 추진할 계획이라고 밝혔다.

주민 측도 사업이 마을 발전과 한옥의 가치 전파에 기여할 것이라고 말했다. 다만 한옥 관광지로 조성된 인근 ○○ 마을에서 발생한 과잉 관광 현상이 솔빛 마을에서 되풀이되지는 않을지 걱정했다.

지역 연구소 자료에 의하면 2010년 이래 ○○ 마을의 마을 소득과 관광객 수는 각각 연평균 약 5%, 7%씩 증가했다. ㉠그러나 관광객 수가 마을이 감당할 수 있는 방문 인원의 최대치인 관광 수용력을 초과했다. 이로 인해 주민들은 각종 문제에 봉착했고, 그에 따라 올해 4월 기준 ○○ 마을의 토착 거주 인구는 8년 전 대비 12% 감소했다.

주민 측은 ○○ 마을을 타산지석으로 삼아 예상되는 문제를 최소화할 방안을 마련해 이를 시청 측과 논의할 것이라고 말했다. 양측은 세부적인 사업 추진 계획을 협의하기 위해 이달 내 추가 협상을 진행한다.

(나)

시청 측: 지난 협상 후 기사를 통해 여러분의 입장을 확인했습니다. 성공적인 사업 진행을 위해 주민들의 적극적인 협조가 필요합니다. 우선 주민들의 한옥을 관광객들에게 개방해 주시기 바랍니다. ⓐ관광객에게 한옥 내부를 직접 관람하는 기회를 제공하면 관광객의 만족도를 높일 수 있지 않겠습니까?

주민 측: 저희도 사업이 성공적으로 진행되기 위해 노력할 것입니다. 그러나 한옥 내부를 개방하면 주민들의 사생활이 침해받아 삶의 질이 저하될 것입니다. 결국 ○○ 마을처럼 오랫동안 거주했던 주민들이 떠난 자리가 관광업에 종사하는 외지인들로 채워져, 전통 마을로서의 모습도 퇴색될 것입니다. [A]

시청 측: 이해합니다. 저희도 모든 한옥을 개방해 달라는 것은 아닙니다. 희망하는 주민들에 한하여 한옥을 개방하되 가능하면 많이 동참해 주십사 하는 것입니다. 개방을 허락하실 경우에도 예약한 관광객에게만 관람을 허용하고, 한옥 관광 도우미가 동행하여 미개방 영역이 침해되지 않도록 관리하겠습니다. 그렇게 하면 여러분이 우려하시는 바는 발생하지 않을 것입니다.

주민 측: 한옥 내부 관람을 않고 골목길 관람만 한다 해도 많은 관광객이 한곳에 몰리면 현재의 마을 여건상 개방 여부와 상관없이 주민들의 삶이 침해될 것입니다. 많은 관광객이 다닐 만큼 길이 넓지도 않고요. 결국 지역 주민의 삶의 질과 관광객의 여행 경험의 질이 동시에 악화될 것입니다. [B]

시청 측: 한옥 내부 관람 인원은 매일 일정 수 이하로 제한하고, 단체 관광은 마을 관광 에티켓 교육을 이수한 경우에만 실시하도록 하겠습니다. 또한 실시간 정보 안내판을 설치하여 관광객의 동선이 분산되도록 유도하겠습니다. ⓑ이 방법으로 특정 장소에 관광객이 몰리는 것을 방지할 수 있지 않겠습니까?

주민 측: 그 정도 계획은 마을의 여건을 고려할 때 받아들일 수 있는 현실적인 방안이라 봅니다. 그러면 한옥 개방 시간은 오후 5시까지로 제한해 주십시오. 또한 한옥 관광 도우미로 지역 어르신들을 우선 채용해 주십시오. [C]

시청 측: 지역민 일자리 창출이라는 측면에서 채용 건은 수용할 수 있습니다. 대신 개방 시간은 늘려 주시길 바랍니다. 야간 개방에 대한 관광객들의 호응이 클 것이므로 관광 산업이 활성화될 것입니다. ⓒ그러면 주민들의 소득도 증대되지 않을까요?

주민 측: 개방 시간을 연장하면 주민들의 피로도가 높아질 것입니다. 그것을 상쇄할 만한 대가를 얻는다면 주민들이 연장에 찬성하겠지만, 실질적으로 개방 시간 연장의 이득은 관광 산업에 종사하는 일부에게만 돌아갈 것입니다. 야간 개방으로 주민들의 불만이 커지면 시청 측도 부담이 되지 않겠습니까? [D]

시청 측: 그러면 야간은 아니더라도 오후 7시까지 개방은 고려해 주십시오. 그 후는 주민들의 생활을 배려하여 관광객들의 방문을 엄격히 제한하겠습니다.

주민 측: 그렇게 하신다면 그 점은 주민들과 다시 상의해 보겠습니다. 대신 관광 산업 발전으로 증대된 세수는 반드시 주민 생활 복지 개선에 사용해 주십시오. 노인 회관 시설 개 · 보수와 주민 문화 시설 마련에 중점적으로 활용해 주신다면 개방 시간과 관련해 주민들의 동의를 얻을 수 있을 것입니다. [E]

글쓰기 계획 파악

1 다음은 기자가 (가)를 작성하기 전 취재 계획을 메모한 것이다. (가)에 반영되지 않은 것은?

> **[기사 내용]** 솔빛 마을 한옥 관광지 조성 사업
> **[조사 방법]** 관계자 취재, 관련 기관 문헌 자료 수집
>
> 〈시청 측과 주민 측 협상 취재〉
> • 사업 추진 목적 및 양측 합의 사항
>
> 〈시청 측과의 인터뷰〉
> • 사업 경쟁력에 대한 판단 ········· ①
> • 사업 추진 계획 ········· ②
>
> 〈솔빛 마을 주민 측과의 인터뷰〉
> • 사업 추진에 따른 기대 및 우려 사항 ········· ③
>
> 〈지역 연구소 자료 수집〉
> • ○○ 마을 한옥 관광지 사업 관련 통계 ········· ④
> • 관광지 운영에 따른 피해 경감 사례 ········· ⑤

내용의 점검과 조정

2 〈보기〉는 ㉠의 초안이다. 〈보기〉를 ㉠과 같이 수정한 이유로 가장 적절한 것은?

> 보기
> 그러나 관광객 수가 마을의 관광 수용력을 초과했다. 이로 인해 주민들은 각종 문제에 봉착했고, 그에 따라 올해 4월 기준 ○○ 마을 토착 거주 인구는 8년 전 대비 12% 감소했다.

① 독자의 관심도를 고려하여 인과 관계에 따라 정보를 배열하기 위해
② 독자의 이해도를 고려하여 주요 개념에 대한 정보를 추가하기 위해
③ 글의 통일성을 고려하여 주제와 관련이 없는 정보를 삭제하기 위해
④ 글의 응집성을 고려하여 맥락에 적합하지 않은 담화 표지를 수정하기 위해
⑤ 글의 가독성을 고려하여 긴 문장을 두 문장으로 나누어 간결하게 표현하기 위해

협상 전략 파악

3 다음은 솔빛 마을 주민 측에서 협상을 준비하는 과정에서 작성한 협상 계획서의 일부이다. 다음을 참고하여 [A]~[E]를 이해한 내용으로 적절하지 않은 것은?

논의할 내용	세부 내용	대응 전략
⋮	⋮	⋮
과잉 관광 문제 – 관광 수용력을 중심으로	개인 생활 침해, 공동체 구성원의 이탈과 같은 상황에 대처하지 못할 우려 … ㉮	
	관광객이 기대하는 관광 경험의 질적 수준을 유지하지 못할 우려 …… ㉯	
	동시에 방문할 수 있는 관광객 규모를 넘을 우려 …… ㉰	
지역민을 위한 현안	일자리 창출 …… ㉱	
	생활 복지 개선 …… ㉲	
⋮	⋮	⋮

① [A]에서는 ㉮와 관련된 문제 상황을 언급하며 상대측의 요구에 대한 입장을 제시하고 있다.
② [B]에서는 ㉯와 관련된 문제의식을 드러내며 상대측 의견에 대해 부정적으로 전망하고 있다.
③ [C]에서는 ㉰와 관련된 상대측 계획에 대한 수용 가능성을 언급하면서 추가적인 요구 사항을 제시하고 있다.
④ [D]에서는 ㉱에 대한 입장을 드러내면서 상대측에 그에 대한 대안을 요구하고 있다.
⑤ [E]에서는 ㉲에 대한 필요성을 드러내며 상대측의 요구에 대한 수용 가능성을 언급하고 있다.

발화의 의미와 기능 파악

4 (나)의 담화 흐름을 고려할 때, ⓐ~ⓒ의 공통점으로 가장 적절한 것은?

① 논의할 대상을 제한하여 상대방에게 선택할 것을 권유하는 발화이다.
② 예상되는 효과를 언급하며 상대방에게 자신의 의도를 전달하는 발화이다.
③ 상대방이 제기할 수 있는 의견을 가정하며 그 의견의 타당성 여부를 묻는 발화이다.
④ 상대방과 공유하고 있는 정보에서 자신이 파악하지 못한 부분에 대하여 설명을 요구하는 발화이다.
⑤ 상대방과 공동으로 기대하는 상황이 발생할 조건을 제시하며 기대가 충족되지 않을 가능성을 부정하는 발화이다.

[1~5] (가)는 공개 토론 장면의 일부이며, (나)는 청중으로 참여한 학생이 학교 신문에 실을 글이다. 물음에 답하시오. [2019-9월 모평]

(가)

사회자: 지금부터 '학생회장 선거에 결선 투표제를 도입해야 한다.'라는 논제로 공개 토론을 시작하겠습니다. 먼저 찬성 측 첫 번째 토론자 입론하십시오.

찬성 1: 우리 학교는 단순 다수제로 학생회장을 선출하고 있습니다. 그런데 학생들의 투표율이 낮아, 선출된 학생회장의 대표성에 대해 논란이 제기되고 있습니다. 이를 해결하기 위해 학생회장 선거에 결선 투표제를 도입해야 한다고 생각합니다. 결선 투표제는 과반의 득표자가 없을 때, 다수표를 얻은 사람들을 후보자로 올려 과반의 득표로 선출하는 방식입니다. 이를 도입하면 선거에 대한 관심이 고조되고 투표율이 높아져 대표성을 인정받는 학생회장이 선출될 것으로 기대됩니다. 또한 1차 투표와 결선 투표를 거치면서 서로 다른 의사가 수렴되므로 후보자의 자질과 능력도 향상될 것입니다.

사회자: 반대 측 두 번째 토론자 반대 신문이 있겠습니다.

반대 2: 투표 과정을 더 거친다고 후보자가 지닌 자질과 능력도 향상될까요?

찬성 1: 그렇다고 후보자의 자질과 능력이 향상되지는 않겠지요.

사회자: 반대 측 첫 번째 토론자 입론해 주십시오.

반대 1: 저는 결선 투표제 도입에 반대합니다. 단순 다수제는 후보자 중 최다 득표자가 당선되는 방식입니다. 학생회장 선거의 투표율을 높여야 하는 것에는 공감하지만, 결선 투표제를 도입한다고 해서 이 문제가 해결된다고 생각하지 않습니다. 오히려 단순 다수제는 투표권을 한 번만 행사할 수 있기 때문에 후보자를 더 신중하게 결정하게 되는 민주적 절차입니다. 무엇보다 결선 투표제를 도입할 때 발생할 수 있는 가장 큰 문제는 학교에서 시행하기 번거롭다는 것입니다. 결선 투표를 하게 되면 시간을 또 내야 하고, 투표소도 다시 설치해야 하는 등 시간과 비용의 측면에서 비효율적입니다.

사회자: 찬성 측 첫 번째 토론자 반대 신문이 있겠습니다.

찬성 1: 단순 다수제가 최선의 후보자를 신중하게 선택하게 만드는 민주적 절차라고 하셨는데, 결선 투표제도 1차 투표는 단순 다수제와 같은 방식으로 진행됩니다. 이 과정을 한 번 더 거치면 더 민주적이지 않을까요?

반대 1: 그렇다면……, 그런 점에서는 더 민주적일 수도 있겠네요.

사회자: 반대 측 첫 번째 토론자 반론해 주십시오.

반대 1: 결선 투표제는 선거에 대한 관심을 유발할 수는 있지만, 후보자들 간의 담합이 발생할 수 있습니다. 따라서 이것은 진정한 민주적 합의라고 보기 어렵습니다.

사회자: 찬성 측 첫 번째 토론자 반론하십시오.

찬성 1: 반대 측에서 시간과 비용 문제를 제기하셨는데, ○○고등학교처럼 투표 방식을 변경하여 해결한 경우가 있습니다. 이 학교는 학생들이 언제든지 홈페이지에 접속해 투표할 수 있도록 했기 때문에 투표소 재설치 등의 비용도 거의 들지 않았다고 합니다.

(나)

이번 토론회는 대표성 높은 학생회장을 선출하기 위해 개최된 것이다. 토론에 대한 의견을 밝혀 학교의 중요한 의사 결정에 참여하고자 한다.

찬성 측은 입론에서 결선 투표제를 도입하면 과반을 득표한 사람이 학생회장으로 선출되므로 대표성을 갖게 된다고 주장한다. 그런데 사회 시간에 배운 A 나라는 결선 투표제를 실시했지만 1차 투표율보다 결선 투표율이 낮아 당선자의 득표율은 전체 유권자의 34%였다. 결국 당선자는 전체 유권자의 34%만의 대표성을 얻은 것이다. 따라서 투표율이 낮은 경우, 찬성 측의 근거는 타당하지 않다고 생각한다. 한편, 반대 측은 입론에서 단순 다수제가 1회만 투표하므로 더 신중하게 투표권을 행사하는 민주적 절차라고 주장하나, 주장과 근거의 관련성이 입증되지 않아 설득력이 부족하다. 또한 우리 학교는 현재 이 제도를 시행하고 있지만 투표율이 낮은 문제 상황이 발생하여 이 토론이 시작된 것이다. 반대 측은 투표율이 낮은 문제 상황은 인식하고 있지만 현 제도를 유지할 때 문제 상황을 해결할 방안을 제시하지 않아 자신의 주장을 뒷받침할 근거를 보여 주지 못하였다.

토론 단계에 따른 발언의 적합성에 대해 살펴보면, 입론 단계에서 반대 측은 상대측의 주장을 반박하며 자신의 주장을 강화할 수 있다. 이 토론에서 반대 측은 상대측이 주장하는 투표 제도를 도입할 때 발생할 수 있는 문제점을 지적하고 있다. 이는 상대측의 주장을 반박하며 자신의 주장을 강화하는 것이므로 입론 단계에 적합하다. 한편, 반론 단계에서 반대 측은 찬성 측이 제시한 투표 제도의 도입으로 생기는 담합의 가능성을 문제점으로 제시한다. 그런데 상대측과는 달리 사례나 증거를 들어 자신의 주장을 입증하지 못하고 있으므로 적합하지 않다.

나는 이 토론을 보면서 '대표성은 어떻게 생기는 것일까?'에 대한 의문이 들었다. 이를 해결하기 위해 관련 서적을 찾아보니 국민은 국가의 의사를 최종적으로 결정하는 주권을 가지고 있다고 한다. 그러나 국민 모두가 의사 결정에 직접 참여할 수 없으므로 선거를 통해 의사 결정을 할 사람을 선출한다. 따라서 다수의 지지를 받을수록 당선자의 대표성은 높아진다.

대표성 높은 학생회장을 선출하기 위해서는 선거 방식 개선에 대한 논쟁도 중요하지만 투표율을 높이기 위한 다양한 해결 방안의 모색이 필요하다고 생각한다. 투표는 권리이자 의무라는 생각으로 적극적으로 참여할 때, 우리는 대표성 높은 후보자를 선출하게 될 것이다.

이번 토론회는 토론 참여자와 청중 모두에게 민주적 의사 결정의 과정을 경험하게 해 준 의미 있는 시간이었다. 학교의 중요한 문제 해결을 위해 논쟁하고 공동체의 일원으로서 의견을 나누는 것은 민주적 의사소통의 첫걸음이라고 생각한다.

토론 참여자의 공통점 추론

1 (가)에서 찬성 측과 반대 측이 공통으로 인정하고 있는 내용으로 가장 적절한 것은?

① 학생회장 선거에서 투표율을 높여야 한다.

② 학생회장 선거 홍보 방법을 다양화해야 한다.

③ 학생회장 선거에 새로운 투표 제도를 도입해야 한다.

④ 무효표를 줄이기 위해 선거 홍보 기간을 늘려야 한다.

⑤ 선거 기간이 길어지면 후보자의 자질과 능력이 향상된다.

말하기 방식 파악

2 (가)의 토론자들의 말하기 방식에 대한 설명으로 적절하지 않은 것은? [3점]

① '반대 2'는 반대 신문에서, 상대방이 말한 내용을 지적하여 상대방 스스로 자신의 생각이 잘못되었음을 인정하게 하고 있다.

② '반대 1'은 입론에서, 상대방이 제기한 문제점에 대한 원인을 다양하게 분석해 자신의 주장을 강조하고 있다.

③ '찬성 1'은 반대 신문에서, 상대방이 한 말을 언급하며 질문함으로써 자신이 원하는 답변을 이끌어 내고 있다.

④ '반대 1'은 반론에서, 상대방의 주장이 받아들여질 경우 예상되는 문제점을 거론하며 상대방의 주장에 대해 반박하고 있다.

⑤ '찬성 1'은 반론에서, 상대방이 제기하는 문제점을 해결할 수 있는 대안으로 사례를 제시하고 있다.

말하기 전략 평가

3 〈보기〉의 ㉠~㉤ 중, '찬성 1'의 입론에서 언급하지 않은 것은?

> 보기
>
> 대체로 입론에서는 ㉠문제 상황을 제시하고, 문제의 원인을 분석하며, ㉡문제를 해결할 수 있는 방안을 제시한다. 또한 ㉢용어의 개념을 제시하고, ㉣예상되는 반박에 대비한 해결 방안을 제시하기도 한다. 끝으로 ㉤자신의 주장이 관철되었을 때의 기대 효과를 제시하여 주장의 정당성을 입증한다.

① ㉠ ② ㉡ ③ ㉢ ④ ㉣ ⑤ ㉤

글쓰기 계획 파악

4 다음은 (나)를 쓰기 위한 글쓰기 계획이다. (나)에 반영되지 않은 것은?

- 토론회가 개최된 목적과 관련하여 글을 쓴 동기를 밝히며 글을 시작해야겠어. ············ ①
- 찬성 측의 발언 내용에 대해 배경지식을 가지고 판단한 내 생각을 써야겠어. ············ ②
- 토론을 들으며 생긴 의문점에 대해 자료를 찾아 정리한 내 생각을 써야겠어. ············ ③
- 찬반 양측의 입장 중 내 입장을 선택하고, 내 입장과 반대되는 주장에 대한 비판의 내용을 담아야겠어. ············ ④
- 토론회의 의의에 대해 내 생각을 밝히고, 문제 해결의 과정에서 토론의 필요성을 제시하며 글을 마무리해야겠어. ············ ⑤

내용 생성의 적절성 평가

5 다음은 (나)의 필자가 글을 쓰기 위해 정리한 토론 평가 항목이다. 글을 쓴 후, 이를 바탕으로 (나)를 점검한 내용으로 적절하지 않은 것은?

토론 평가	㉮ 찬성 측 입론에서 제시한 내용의 타당성 평가 ㉯ 반대 측 입론에서 제시한 내용의 타당성 평가
	㉰ 입론 단계에서 발언한 내용의 적합성 평가 ㉱ 반론 단계에서 발언한 내용의 적합성 평가

① ㉮: 필자는 찬성 측이 입론에서 제시한 내용과 부합하지 않는 사례를 들어, 찬성 측의 입론 내용이 타당하지 않다고 평가하였다.

② ㉯: 필자는 반대 측이 입론에서 주장한 투표 횟수와 신중한 투표권 행사 사이의 연관성을 입증하지 않았다는 점을 들어, 반대 측의 입론 내용이 타당하지 않다고 평가하였다.

③ ㉯: 필자는 반대 측이 입론에서 현행 투표제를 유지할 때 문제 상황을 해결할 방안을 제시하지 않은 점을 들어, 반대 측의 입론 내용이 타당하지 않다고 평가하였다.

④ ㉰: 필자는 반대 측이 입론 단계에서 상대측의 주장대로 투표가 시행되었을 때 예상되는 문제점을 지적하여 반박했다는 점을 적합하다고 평가하였다.

⑤ ㉱: 필자는 반대 측이 반론 단계에서 자신의 주장을 입증하는 근거를 들고 있다는 점을 적합하다고 평가하였다.

[1~4] (가)는 학교 신문에 실을 기사문의 초고이고, (나)는 (가)를 수정하기 위한 회의이다. 물음에 답하시오.

[2019 수능]

(가)

[표제] 성금 마련을 위해 모두가 함께해

[전문] 지난 10월 4일 우리 학교 선생님들과 학생들은 K 군을 돕기 위해 응원 메시지를 달고 사제동행 마라톤 행사를 함께했다.

[본문] 선생님 32명과 학생 174명이 함께 달린 이 행사는 K 군(2학년)의 쾌유를 기원하기 위해 학생회가 주최하였다. 한 달 전 교실에서 쓰러져 입원한 K 군의 소식이 알려지자 학생들이 병원비 모금을 위해 자발적으로 나서서 의미가 컸다. 또한 행사 참가자들은 모두 5천 원씩의 성금을 내고 학교 인근 △△공원 일대 4km 구간을 완주했다.

이날 행사에 참가한 학생들은 평소 마라톤을 즐겼던 K 군을 생각하며 응원 메시지를 가슴에 달고 뛰었다. △△공원을 찾은 많은 시민들은 이 모습을 보고 학생들과 선생님들에게 힘내라며 응원을 보냈다. 이날 많은 시민들이 △△공원을 찾았다. 마라톤이 끝난 뒤, 행사의 취지에 공감하며 성금을 기탁한 시민도 있었다. K 군의 담임선생님은 "친구를 돕기 위해 학생회가 앞장선 모습이 무척 감동적이었다."라고 말했다.

(나)

학생 1: 사제동행 마라톤 행사를 다룬 기사문을 검토할게.

학생 2: 이 기사문은 네가 작성한 거지?

학생 3: 응, 초고라서 부족한 게 많을 것 같아.

[A]

학생 1: 우선 표제와 전문에 대해 논의하자. 표제를 수정하고, 전문은 육하원칙 중 빠진 내용을 추가해야 할 것 같아.

학생 3: ㉠<u>네 말을 들으니 전문은 어떤 내용을 추가해야 할지 알겠는데, 표제는 어떤 문제가 있는지 좀 더 말해 줄래?</u>

학생 1: 표제는 중심 소재를 담고 있어야 하는데 현재 표제에는 어떤 행사가 열렸는지 드러나지 않잖아.

학생 3: 그러게, 표제에 그런 문제가 있었구나.

학생 1: 그리고 행사의 의미를 비유적 표현을 활용해서 써 보는 건 어때?

학생 2: 그러면 한눈에 기사 내용을 알아보기 어렵잖아. 대신에 참가 인원수를 적자.

학생 1: ㉡<u>네 말대로 하면 행사 규모에 초점이 맞춰져서 행사의 의미를 드러내려는 기사문의 의도가 살지 않으니, 그렇게 하면 안 될 것 같아.</u>

학생 3: 두 의견을 들어 보니, 네 의견대로 중심 소재를 담고 화합이라는 행사의 의미를 드러낼 수 있도록 비유적 표현을 활용해서 표제를 다시 작성하는 게 좋을 것 같아.

학생 1, 2: 응, 그래.

학생 1: 다음으로 본문에 대해 논의하자.

학생 3: ㉢선생님과 학생이 한마음으로 행사에 참여한 모습이 드러나게 쓰려 했는데, 어때?

학생 2: 응, 그 점은 잘 드러나게 쓴 것 같아. 그런데 선생님들도 응원 메시지를 직접 써서 가슴에 달고 뛰셨는데 본문에 그 내용을 빠뜨린 것 같아. 수정이 필요해.

학생 3: 그 부분은 일부러 그렇게 쓴 건데, 이상해?

학생 2: 왜 그렇게 표현했는지 궁금해.

학생 3: 응원 메시지에 대한 아이디어를 학생들이 제안한거라 학생의 역할을 강조하면 좋겠다고 생각해서 그랬어.

학생 2: 실제 사실에 대한 부분은 정확히 다뤄야지. 개인적인 관점에 따라 정보를 누락하면 안 돼.

학생 1: 맞아. 정보를 객관적으로 전달해야지.

학생 3: 그러게. 내가 잘못 생각했네. 수정해 올게.

[B]

학생 1: ㉣그런데 이번 행사는 그 의미가 중요한 만큼 본문의 마지막 부분에 화합을 드러내는 내용을 담기로 하지 않았어?

학생 3: 아, 맞다. 지난 회의에서 그러자고 했는데 잊었네. 거기에 학생 인터뷰를 넣기로 했었는데 그것도 안 넣고.

학생 1: 응, 학생회장이 행사를 주최하면서 어려웠던 점에 대해 말한 인터뷰 있잖아. 그걸 넣으면 될 것 같아.

학생 2: 행사 이후 결과에 대한 내용도 포함되면 좋겠어.

학생 3: 고마워. 지금까지 나온 의견 모두 반영해서 써 볼게.

학생 1: 그런데 글의 분량도 생각해야 할 것 같아.

학생 2: ㉤기사문이 실릴 지면이 한정되어 있으니까 추가로 작성할 내용은 많지 않아야 하지 않을까?

학생 1: 지금 다시 읽어 보니 본문에 불필요하게 중복된 내용의 문장이 있어. 그걸 삭제하면 글의 분량이 줄어들 것 같아.

학생 3: 지면의 크기도 염두에 두면서 기사를 써야 하는구나. 알겠어. 그렇게 할게.

학생 2: 아, 그리고 성금을 5천 원씩 낸 건 학생이었고, 선생님은 만 원씩 내셨어. 사실에 맞게 본문을 수정해 줘.

학생 3: 그렇게. 처음 써 본 기사문이라 부족한 게 많아.

학생 1, 2: 괜찮아. 기사 쓰느라 고생했어.

개념 코칭

기사문의 구조
- 표제: 내용 전체를 압축한 제목으로, 사실이나 사건의 핵심을 한눈에 보여 준다.
- 부제: 표제를 보충하여 구체적인 정보를 주는 작은 제목
- 전문: 기사의 핵심 사건을 육하원칙에 따라 요약하여 제시하는 기사의 첫 부분
- 본문: 전달하고자 하는 사실이나 사건을 구체적으로 자세하게 서술하는 부분

고쳐쓰기의 적절성 평가

1 '학생 3'이 (나)를 참고하여 (가)를 고쳐 쓰기 위해 세운 계획으로 적절하지 않은 것은?

- **표제 수정하기**
  → '작은 물방울들 하나 되어 희망 만든 사제동행 마라톤'으로 수정해야겠군. ……… ㉮
- **전문 수정하기**
  → '지난 10월 4일 △△공원 일대에서 우리 학교 선생님들과 학생들은 K 군을 돕기 위해 응원 메시지를 달고 사제동행 마라톤 행사를 함께했다.'로 고쳐야겠군. ……… ㉯
- **본문 수정하기**
  → 첫째 문단 마지막 문장을 '또한 행사 참가자들 중 선생님은 1만 원씩, 학생은 5천 원씩의 성금을 내고 학교 인근 △△공원 일대 4km 구간을 완주했다.'로 수정해야겠군. ……… ㉰
  → 둘째 문단 첫 문장을 '이날 행사에 참가한 학생들은 평소 마라톤을 즐겼던 K 군을 생각하며 응원 메시지를 직접 써서 가슴에 달고 뛰었다.'로 고쳐야겠군. ……… ㉱
  → 둘째 문단에서 '이날 많은 시민들이 △△공원을 찾았다.'를 삭제해야겠군. ……… ㉲

① ㉮ ② ㉯ ③ ㉰ ④ ㉱ ⑤ ㉲

내용 생성의 적절성 평가

2 (나)를 바탕으로 할 때, (가)의 마지막 부분에 추가로 작성할 내용으로 가장 적절한 것은?

① 학생회장은 "행사 홍보가 힘들었지만 즐거운 경험이었다."라고 밝혔다. 선생님과 학생 누구도 중도에 포기하지 않고 함께 달린 의미 있는 행사였다.
② 학생회장은 "준비 기간이 짧아서 부족한 점이 있었지만 무사히 마무리되어 기뻤다."라고 밝혔다. 행사에서 모인 성금은 다음 날 학생회장이 대표로 K 군 가족에게 전달했다.
③ 학생회장이 계획하고 준비한 이번 행사는 선생님과 학생들이 한마음으로 참여한 인상적인 행사였다. 행사 이후 K 군 가족은 성금을 전달받고, 학교에 감사의 뜻을 전했다.
④ 학생회장은 "장소 섭외가 힘들었지만 뜻깊은 경험이었다."라고 밝혔다. 선생님과 학생들이 한마음이 되어 성공적으로 행사를 마쳤고, 모금된 성금은 K 군 가족에게 전달됐다.
⑤ 학생회장은 "어려운 친구를 생각하며 기쁘게 완주했다."라고 밝혔다. 선생님과 학생들이 함께 달리며 뜻을 모을 수 있었던 행사였으며, 학생회에서 성금을 K 군 가족에게 전달했다.

발화의 의미와 기능 파악

3 **대화의 흐름을 고려할 때, ㉠~㉤에 대한 이해로 적절하지 않은 것은?**

① ㉠: 상대의 제안 중에서 추가적인 정보가 필요한 부분에 대한 설명을 상대에게 요청하는 발화이다.

② ㉡: 상대의 제안은 기사문에서 강조하려는 바와 달라지게 한다고 판단하여 반대 의사를 상대에게 전달하는 발화이다.

③ ㉢: 화합의 모습을 표현하려는 의도가 본문에 나타나는지에 대한 상대의 생각을 확인하는 발화이다.

④ ㉣: 본문의 마지막 부분의 작성에 대해 논의했던 사항이 무엇인지를 상대에게 환기하는 발화이다.

⑤ ㉤: 글의 분량을 언급한 상대의 의견에 대해 지면의 크기를 이유로 들어 상반된 의견을 드러내는 발화이다.

담화의 유형과 성격 파악

4 **[A], [B]의 담화에 대한 설명으로 가장 적절한 것은?**

① [A]에서 '학생 3'은 '학생 1'과 '학생 2'의 의견이 대립하는 상황에서 양측에 절충안을 제시하고 있다.

② [B]에서 '학생 2'는 '학생 3'의 의견은 비판하고 있고, '학생 1'의 의견은 지지하고 있다.

③ [A]에서 '학생 3'은 '학생 1'의 의견을, [B]에서 '학생 3'은 '학생 2'의 의견을 수용하고 있다.

④ [A]와 [B]에서는 모두 '학생 1'이 '학생 2'의 의견의 타당성을 인정하고 있다.

⑤ [A]와 [B]에서는 모두 '학생 2'가 '학생 1'이 제시한 의견을 점검하고 있다.

실전 11

[1~4] (가)는 동아리 학생들의 회의 중 일부이고, (나)는 이를 바탕으로 작성한 글의 초고이다. 물음에 답하시오. [2020-3월 고3 학평]

(가)

학생 1: ㉠교지 담당 선생님께서 교지의 건강 상식 코너에 실을 글을 우리 의학 동아리에서 써 주었으면 좋겠다고 하셨거든. 그래서 이번 시간에는 교지에 실을 글을 어떻게 쓰면 좋을지에 대해 논의해 보자.

학생 2: 그래, 좋아. 그럼 먼저 글의 제재부터 정하도록 하자.

학생 3: 나는 요즘 유행하고 있는 독감을 글감으로 삼으면 좋겠는데, 너희들 생각은 어때?

학생 2: 보건 선생님께서 지난달에 학생 전체를 대상으로 독감 예방 교육을 하셨잖아. 아마 많은 학생들이 독감 예방법에 대해서는 잘 알고 있을 거야. 학생들에게 새롭게 알려 줄 것이 없을까?

학생 1: 그럼 척추 건강에 대한 정보를 알려 주는 것이 어떨까? 근래에 교지에서 다룬 적이 없고 보건 교육을 통해서도 제시된 적이 없어서 척추 건강에 대해 구체적으로 잘 알지 못하는 학생들이 많을 거야.

학생 3: 좋아. 우리가 하루 중 대부분의 시간을 앉아서 보내다 보니 목이나 허리가 뻐근하다고 느끼는 경우가 많잖아. 척추 건강에 대한 정보는 많은 학생들이 알고 싶어하는 내용일 거야.

학생 2: 척추 건강에 대한 정보는 너무 어렵지 않을까? 전문적인 용어나 개념이 많으면 학생들이 이해하기가 힘들거야.

학생 3: ㉡척추 건강에 대해 알려 주는 전문 잡지의 기사와 텔레비전 프로그램을 본 적이 있는데, 모두 특별히 어려운 내용은 없었어.

학생 2: 좋아. 그럼 이제 어떤 내용으로 구성할지에 대해 이야기해 보자.

학생 3: ㉢얼마 전에 척추 질환을 앓고 있는 청소년들의 수가 증가하는 추세를 보인다는 기사를 읽었어. 이를 활용하여 글의 시작 부분에서 척추 질환의 원인을 알고 예방하기 위한 노력이 필요하다고 말하자.

학생 2: 그래. 그다음에는 어떤 내용이 이어져야 할까? 척추 질환의 원인부터 구체적으로 설명해야 하지 않을까?

학생 1: 맞아. 학생들의 생활 습관에 초점을 맞추어서 원인을 설명하는 것이 좋겠어.

학생 2: ㉣척추 건강은 생활 습관과 관련이 깊기 때문에 그렇게 쓰면 학생들이 생활 습관을 점검하는 데 도움이 될 거야.

학생 1: 그다음에는 척추 질환의 증상에 대해 자세히 알려 주어야 하지 않을까?

학생 2: ㉤그보다는 제시된 원인을 바탕으로 척추 질환을 예방하는 방안을 제시해야 글의 흐름이 자연스러울 거야.

학생 1: 알았어. 그럼 예방하는 방안으로 척추 건강을 위한 올바른 자세와 운동 방법에 대해 소개하자.

학생 2, 3 : 응, 그래.

● 정답과 해설 52쪽

(나)

한 조사 기관에 따르면, 해마다 척추 질환으로 병원을 찾은 청소년들이 연평균 5만 명에 이르며 그 수가 지속적으로 증가하고 있다. 청소년의 척추 질환은 성장을 저해하고 학업의 효율성을 저하시킬 수 있다. 그렇기 때문에 적절한 대응 방안이 마련되지 않으면 문제가 더욱 심각해질 것이다. 따라서 청소년 척추 질환의 원인을 알고 예방하기 위한 노력이 필요하다.

전문가들은 앉은 자세에서 척추에 가해지는 하중이 서 있는 자세에 비해 1.4배 정도 크기 때문에 책상 앞에 오래 앉아 있는 청소년들의 경우, 척추 건강에 적신호가 켜질 가능성이 매우 높다고 말한다. 또한 전문가들은 청소년들의 운동 부족도 청소년 척추 질환의 원인이라고 강조한다. 척추 건강을 위해서는 기립근과 장요근 등을 강화하는 근력 운동이 필요하다. 그런데 실제로 질병관리본부의 조사에 따르면, 청소년들 가운데 주 3일 이상 근력 운동을 하고 있다고 응답한 비율은 남성이 약 33%, 여성이 약 9% 정도밖에 되지 않았다.

청소년들이 생활 속에서 비교적 쉽게 척추 질환을 예방할 수 있는 방법은 무엇일까? 첫째, 바른 자세로 책상 앞에 앉아 있는 습관을 들여야 한다. 의자에 앉아 있을 때는 엉덩이를 의자 끝까지 밀어 넣고 등받이에 반듯하게 상체를 기대 척추를 꼿꼿하게 유지해야 한다. 또한 책을 보기 위해 고개를 아래로 많이 숙이는 행동은 목뼈가 받는 부담을 크게 늘려 척추 질환을 유발하므로 책상 높이를 조절하여 목과 허리를 펴고 반듯하게 앉아 책을 보는 것이 좋다. 둘째, 틈틈이 척추 근육을 강화하는 운동을 해 준다. 허리를 곧게 펴고 앉아 어깨를 뒤로 젖히고 고개를 들어 하늘을 본다. 그리고 발을 어깨보다 약간 넓게 벌리고 서서 양손을 허리에 대고 상체를 서서히 뒤로 젖혀 준다. 이러한 동작들은 척추를 지지하는 근육과 인대를 강화시켜 척추가 휘어지거나 구부러지는 것을 막아 준다. 따라서 이런 운동은 척추 건강을 위해 반드시 필요하다.

1 발화의 의미와 기능 파악

㉠~㉤에 대한 설명으로 적절하지 않은 것은?

① ㉠: 회의 안건을 제시하게 된 이유에 대해 설명하고 있다.
② ㉡: 자신의 경험을 토대로 상대방의 우려를 해소하고 있다.
③ ㉢: 앞서 논의된 내용을 자신이 제대로 이해했는지 확인하고 있다.
④ ㉣: 상대방의 제안이 지닌 효용성에 대해 언급하고 있다.
⑤ ㉤: 상대방이 제시한 의견에 대해 이의를 제기하고 있다.

담화의 구조와 기능 파악

2 (가)에 대한 이해로 적절하지 않은 것은?

① '학생 1'이 척추 건강에 대한 정보를 알려 주자고 한 것은 '학생 2'의 발언을 고려하여 대안을 제시한 것이다.

② '학생 3'이 '학생 1'의 제안에 동의한 것은 척추 건강에 관한 정보가 독자의 관심을 끌 수 있다고 본 것이다.

③ '학생 2'가 내용의 수준과 관련된 언급을 한 것은 독자의 이해를 고려한 것이다.

④ '학생 3'이 척추 질환의 원인을 알아야 한다고 한 것은 '학생 2'의 제안이 지닌 한계를 보완하고자 한 것이다.

⑤ '학생 1'이 생활 습관에 초점을 맞추어 원인을 설명하자고 한 것은 '학생 2'의 제안을 구체화하는 방향을 제시한 것이다.

글쓰기 계획 파악

3 (가)를 바탕으로 (나)를 작성했다고 할 때, (나)에 반영된 내용으로 적절하지 않은 것은?

① 척추 질환의 발병 여부를 알 수 있는 증상에 대해 알려 주며 척추 질환의 위험성을 제시한다.

② 척추 근육을 강화할 수 있는 운동법을 제시하고 척추 건강을 위한 운동의 필요성을 강조한다.

③ 척추 질환을 앓고 있는 청소년의 연평균 인원을 제시하여 청소년 척추 질환에 대한 문제의식을 환기한다.

④ 앉은 자세에서 척추에 가해지는 하중에 대해 언급하며 청소년에게 척추 질환이 많이 발생하는 원인을 설명한다.

⑤ 의자에 앉아 있을 때와 책을 볼 때의 바른 자세에 대해 알려 주어 척추 질환의 예방을 위한 올바른 생활 습관을 안내한다.

내용의 점검과 조정

4 〈보기〉를 바탕으로 (나)의 끝부분에 새로운 문단을 이어 쓴다고 할 때, 그 내용으로 가장 적절한 것은?

보기

• **선생님의 조언**: 척추 건강이 청소년들에게 중요한 이유를 제시하고 척추 건강을 위한 노력을 강조하는 내용으로 마무리해 보렴. 이때 비유적 표현을 활용하여 표현 효과를 높이는 것도 필요해.

① 청소년뿐만 아니라 컴퓨터 앞에 오래 앉아 있는 직장인들도 바른 자세로 앉아 있는 습관을 들여야 한다. 또한 꾸준한 운동을 하여 척추가 휘어지거나 구부러지는 것을 막도록 하자.

② 우리 몸의 보배인 척추가 건강해야 신체적 성장이 원활해지고 학업의 효율성을 높일 수 있다. 척추 질환을 예방하기 위해 바르게 앉고 꾸준히 운동하는 습관을 기르도록 하자.

③ 척추는 몸에서 가장 중요한 기관이다. 척추 질환을 방치할 경우, 심폐 기능과 소화 기능에도 장애가 생길 수 있으므로 척추 질환이 발생하지 않도록 유의하자.

④ 고정된 자세를 오래 유지하거나 목을 움츠리고 있는 것은 척추 건강에 독이 된다. 그리고 턱을 괴고 있는 습관 역시 척추 질환을 유발할 수 있다.

⑤ 질병의 치료를 위해서는 운동을 꾸준히 하는 것이 중요하다. 올바른 생활 습관은 건강에 제일 좋은 보약이다.

실전 12

[1~3] (가)는 '또래 상담 요원 모집 공고문'에 따라 학생이 작성한 자기소개서이고, (나)는 (가)를 바탕으로 실시한 면접의 일부이다. 물음에 답하시오. [2018-9월 모평]

> **[또래 상담 요원 모집 공고문]**
>
> 2017년 △△구 청소년 상담 복지 센터에서 또래 상담 요원을 모집합니다. 또래 상담에 관심 있는 학생들의 많은 지원 바랍니다.
>
> • **모집 대상**: △△구 지역 내 고등학생
> • **신청 방법**: 자기소개서를 작성하여 △△구 청소년 상담 복지 센터 홈페이지에 제출
> • **선발 방법**: 자기소개서 및 면접

(가)

친구 관계로 힘든 시기를 보내고 있을 때, 저는 또래 상담을 받으면서 많은 위안을 얻은 적이 있습니다. 이를 통해 상담의 중요성을 깨닫게 되었고, 저도 친구들과 고민을 나누며 함께 성장할 수 있는 또래 상담 요원이 되고 싶다는 생각을 하게 되었습니다. 그러던 중 '또래 상담 요원 모집 공고문'을 보고 지원하게 되었습니다.

작년부터 참여한 공부방 봉사 활동은 상담에서 신뢰와 친근감이 중요하다는 것을 알려 준 의미 있는 활동이었습니다. 공부방 봉사 활동은 초등학생들의 공부를 도와주는 활동인데, 학습 내용을 중심으로 열심히 준비해 갔지만 제 생각만큼 잘 진행되지 않았습니다. 그 이유를 고민해 보니 서로에 대한 친밀감을 형성할 겨를도 없이 무언가를 가르쳐 주려고만 했던 것이 문제라는 생각이 들었습니다. 그래서 수업 내용 중 어려운 것은 없었는지, 혹시 공부 외에 힘든 점은 없는지 서로 마음을 터놓고 이야기를 나눠 보았습니다. 그러자 아이들이 다가오기 시작했고 이후 수업도 잘 진행되었습니다. 이를 통해 공부방 봉사 활동은 물론, 상담을 할 때에도 상호 간의 신뢰와 친근감이 중요하다는 생각을 하게 되었고 상담에 대해 더 관심을 갖게 되었습니다. 이는 앞으로 좋은 또래 상담 요원이 되는 데 도움을 주리라 생각합니다.

최근에는 상담 관련 내용을 공부하기 위해, 상담 선생님께 추천을 받은 『상담 심리학의 기초』란 책을 읽어 보았습니다. 이 책에 소개된 여러 이론 중 저는 로저스의 인간 중심적 상담 이론을 흥미롭게 읽었습니다. 로저스는 상담자의 태도를 설명하면서, 상담자에게는 피상담자에 대한 공감적 이해의 태도가 필요하다고 보았습니다. 저는 또래 상담 요원 역시 또래 친구들의 고민에 대한 공감적 이해의 태도를 갖추어야 한다고 생각합니다.

제가 또래 상담을 받으면서 얻은 가장 큰 힘은 또래 친구가 전해 주는 정서적 위로였습니다. 만약 제가 또래 상담 요원으로 선발된다면 친구의 이야기와 고민을 경청하면서 공감해 줄 수 있도록 노력하겠습니다.

(나)

면접 대상자: 안녕하십니까? 지원자 김○○입니다.

면접자: 안녕하세요? 긴장한 것 같은데요, 편안한 마음으로 답변하면 됩니다.

면접 대상자: 네, 잘 알겠습니다.

면접자: 다양한 상담의 유형이 있는데, 청소년들에게 또래 상담이 왜 필요하다고 생각하나요?

면접 대상자: 네. 요즘 청소년들은 많은 고민을 안고 있는데요, 제가 본 설문 조사 결과에 따르면 청소년이 고민을 이야기하고 싶은 대상 1순위가 친구였습니다. 또래 상담은 생각의 눈높이가 맞는 또래 친구와 함께 고민을 나눌 수 있다는 점에서 청소년들에게 꼭 필요한 상담이라고 생각합니다. [A]

면접자: 평소 또래 상담에 대해 많은 생각을 했군요. 인간 중심적 상담 이론에서 제시한 상담자의 태도에 대해 좀 더 자세히 설명해 줄 수 있을까요?

면접 대상자: 네. 『상담 심리학의 기초』란 책을 보면 인간 중심적 상담 이론에서의 상담자의 태도가 세 가지로 제시되어 있는데요, 공감적 이해의 태도 외에도 상담자는 피상담자를 진정성 있게 대해야 하며 피상담자에 대한 긍정적 존중의 태도를 지녀야 한다고 했습니다. [B]

면접자: 잘 알고 있네요. 혹시 상담에서 말하는 '래포'가 무엇인지 알고 있나요?

면접 대상자: 래포의 개념을 말씀하시는 건가요?

면접자: 네. 맞습니다.

면접 대상자: 래포란 상호 간에 신뢰하며 감정적으로 친근감을 느끼는 인간관계를 말합니다. 상담은 마음을 열고 진솔하게 이야기를 나눌 수 있어야 하는 활동이므로 래포는 상담이 이뤄지기 위한 중요한 요소라고 생각합니다.

면접자: 신뢰와 친근감을 뜻하는 래포는 진솔하게 이야기를 나눌 수 있게 하는 상담의 중요한 요소라는 말이군요. 이번에는 상담 상황을 하나 말씀드리겠습니다. 또래 친구가 최근 성적이 많이 떨어져 부모님께서 자신에 대해 실망하시는 모습을 보며 우울해하고 있습니다. 이 경우에 어떻게 상담을 하겠습니까?

면접 대상자: 먼저 또래 친구와 마음을 터놓고 이야기할 수 있도록 신뢰와 친근감을 형성한 뒤 친구의 어려움에 공감해 주며 상담을 하겠습니다. [C]

내용 생성의 적절성 평가

1 (가)에 반영된 내용만을 〈보기〉에서 있는 대로 고른 것은?

보기

자기소개서는 자신을 알리고자 하는 의도로 다른 사람에게 자신을 드러내는 글이다. 자기소개서에는 ㉠지원 동기, ㉡성장 배경 및 가정 환경, ㉢성격의 장단점, ㉣지원 분야와 관련된 의미 있는 활동, ㉤지원자의 다짐 등의 내용이 포함될 수 있다.

① ㉠, ㉡
② ㉠, ㉣
③ ㉢, ㉤
④ ㉠, ㉣, ㉤
⑤ ㉡, ㉢, ㉣

내용 조직 전략 파악

2 (가)의 글쓰기 방법에 대한 설명으로 가장 적절한 것은?

① 구체적인 경험을 제시하여 지원 분야에 대한 관심을 드러내고 있다.
② 지원 분야와 관련된 학업 계획을 언급하여 지원자의 의지를 드러내고 있다.
③ 지원 분야에 대한 분석 결과를 인용하여 지원자의 잠재력을 드러내고 있다.
④ 비유적 표현을 활용하여 지원 분야에 대한 지원자의 포부를 드러내고 있다.
⑤ 지원자에 대한 전문가의 평가를 활용하여 지원 분야에 대한 전문성을 드러내고 있다.

면접 전략 파악

3 〈보기 2〉는 면접 대상자의 사고 과정 중 일부이다. 〈보기 1〉을 참고하여 [A]~[C]에 대한 질문 분석과 답변 전략을 연결한 것으로 가장 적절한 것은? [3점]

보기 1

면접은 질문을 통해 면접 대상자의 지식, 성품, 능력 등을 평가하기 위한 공적 대화이다. 질문에 효과적으로 답변하기 위해 면접 대상자에게는 질문의 의도를 정확하게 분석하고, 그에 따라 적절한 답변 전략을 수립하기 위한 사고의 과정이 요구된다.

보기 2

[질문 분석]	[답변 전략]
ⓐ 자기소개서에서 제시한 내용과 관련하여 추가적인 설명을 요구하는군. ⓑ 지원 분야의 필요성에 대해 근거를 들어 답할 것을 요구하는군. ⓒ 지원 분야와 관련한 상황을 제시하며 수행 능력을 확인하고자 하는군. ⋮	㉮ 자기소개서에서 언급한 내용을 제시된 상황에 적용하여 답변해야겠군. ㉯ 자기소개서에서 언급한 책의 내용을 바탕으로 자세하게 답변해야겠군. ㉰ 자기소개서에서 언급하지 않은 설문 조사 결과를 근거로 들어 답변해야겠군. ⋮

	질문 분석	답변 전략
① [A]	ⓑ	㉯
② [A]	ⓒ	㉰
③ [B]	ⓐ	㉮
④ [B]	ⓐ	㉯
⑤ [C]	ⓒ	㉰

개념 코칭

면접에서의 효과적인 답변 전략

- 질문의 의도를 명확히 파악하여 답변한다.
- 구체적인 사례나 경험을 제시하여 답변한다.
- 자신의 견해를 논리적으로 전개하여 답변한다.
- 정중하면서도 어법에 맞게 표현하며 답변한다.

[1~4] (가)는 활동지의 '활동 1'에 따라 학생들이 실시한 독서 토의의 일부이고, (나)는 '활동 2'에 따라 '민호'가 작성한 글의 초고이다. 물음에 답하시오. [2018 수능]

활동지

활동 1 다음의 내용을 바탕으로 토의해 보자.

『허생의 처』에서 허생은 집안을 전혀 돌보지 않고 자신의 이상만을 추구한다. 이 때문에 허생의 처는 홀로 집안의 생계를 힘겹게 꾸려 나가지만 빈곤한 형편에서 벗어나지 못한다. 이러던 중 허생의 처는 행복하지 않은 자신의 처지를 한탄하며 허생과 갈등한다. 두 인물은 삶에서 중요시하는 행복의 조건이 서로 달라 갈등한다고도 볼 수 있다. 허생은 세상의 이치를 밝히고자 독서에만 전념한 것으로 보아 여기에서 자신의 행복을 찾고 있다고 볼 수 있다. 그렇다면 허생의 처가 추구하는 행복의 조건은 무엇일까?

활동 2 토의 내용을 참고하여 자신의 삶을 성찰하는 글을 써 보자.

(가)

현지: 오늘은 내가 진행할게. (활동지를 나눠 주며) 지난 시간에 『허생의 처』를 읽었으니, 이번 시간에는 '허생의 처가 추구하는 행복의 조건은 무엇인가?'라는 주제로 토의하려고 해. 활동지를 통해 주제와 관련된 내용을 확인했으면, 지금부터 토의를 시작해 보자.

[A]

민호: 행복의 조건은 지혜나 도덕적 선과 같은 내적 조건과 부나 명예와 같은 외적 조건으로 나눌 수 있잖아. 허생의 처는 빈곤한 형편에 놓여 있기 때문에 행복하지 않았다고 생각해. 이런 이유로 볼 때, 허생의 처는 외적 조건인 부를 추구하는 사람이라고 볼 수 있어.

영수: 과연 그럴까? 허생의 처는 생존을 위한 기본적 요건을 충족하고자 한 것으로 볼 수 있어. 그런 점에서 허생의 처가 외적 조건인 부를 추구하는 사람이라고 볼 수는 없을 것 같아.

민호: 듣고 보니 그러네. 허생의 처가 행복의 외적 조건인 부를 추구하고 있다고 보는 건 적절하지 않을 수 있겠어.

현지: 정리하면, 허생의 처가 추구한 행복의 조건을 외적 조건이나 내적 조건으로만 접근하는 건 적절하지 않을 수 있겠네. 그렇다면 허생의 처가 추구한 행복의 조건을 다른 측면에서는 어떻게 접근할 수 있을까?

[B]

민호: 허생의 처가 추구하는 행복의 조건은 가족 구성원의 관계라는 측면에서 접근해 볼 수 있겠어. 허생의 처는 홀로 가정 생계를 꾸려야 하는 부담을 일방적으로 강요받고 있고 허생은 허생의 처의 힘겨움을 외면하고 있어. 이 때문에 허생의 처는 행복하지 않다고 느끼는 것 같아.

영수: 맞아. 허생의 처가 추구하는 행복의 조건을 가족 구성원의 관계라는 측면에서 더 살펴보면, "나는 내 남편이 하는 일을 모르고, 남편은 제 아내인 나를 모르고……."라고 허생의 처가 남편에 대해 한탄하는 대목을 볼 때 허생의 처는 가족 간의 소원한 관계도 행복하지 않은 이유로 여기는 것 같아.

현지: 정리하면, 결국 허생의 처는 강요된 희생과 소원한 가족 관계라는 두 가지 이유 때문에 행복하지 않았던 것이고, 가족 구성원 간의 바람직한 관계를 행복의 조건으로 추구했다고 볼 수 있겠어.

(나)

『허생의 처』를 읽고 허생의 처가 빈곤한 형편에 힘들어하고 한탄하는 모습을 통해, 나는 허생의 처가 행복의 외적 조건을 추구하고 있다고 여겼다. 하지만 토의를 통해 허생의 처는 단지 생존을 위한 기본적인 요건이 충족되기를 바랐을 뿐, 물질적인 부를 추구했다고 보기 어렵다는 사실을 깨닫게 되었다.

그런데 생계와 관련된 문제만 해결된다면 허생의 처는 행복해질 수 있었을까 하는 의문이 들었다. 허생은 자신의 이상을 추구하느라 독서에만 전념하여 가정을 외면했다. 이 때문에 허생의 처는 생계에 대한 부담을 홀로 떠안게 되었고, 남편인 허생과 소원해지면서 가족 구성원으로서의 유대감 또한 느낄 수 없었던 것이다. 결국 허생의 처가 행복해지기 위해서는 가족 구성원 간의 바람직한 관계 역시 중요한 조건이었던 것이다.

그동안 나는 돈을 많이 벌거나 좋은 직업을 갖는 등 행복의 외적 조건만이 나를 행복으로 이끌어 줄 것이라 생각했다. 하지만 ㉠이 조건만이 행복을 위한 조건의 전부가 아니라는 것을 깨닫게 되었다. 그리고 그동안 부모님의 희생을 당연하게 여기며 살아 온 것은 아닌지, 공부나 친구를 핑계로 가족과의 관계를 소원하게 만든 것은 아닌지 반성하게 되었다.

토의 계획 파악

1 **다음은 '현지'가 (가)를 준비하면서 떠올린 생각이다. ㉮~㉲ 중 (가)에서 확인할 수 있는 것을 고른 것은?**

> 이번 독서 토의는 어떻게 진행하는 게 좋을까? 우선 토의와 관련된 활동지를 나눠 주고, ㉮시작할 때 토의 주제를 언급하는 게 좋겠어. 그리고 참여자들이 고루 의견을 제시할 수 있도록 ㉯발언 순서를 지정해 줘야지. ㉰근거 없이 의견만을 이야기할 때는 근거를 함께 제시하도록 요구해야겠어. 토의 흐름을 이해할 수 있도록 ㉱토의 내용을 정리해 주고, ㉲질문을 통해 다른 관점에서 생각해 보도록 유도하는 것도 좋을 것 같아.

① ㉮, ㉯, ㉱　② ㉮, ㉰, ㉲　③ ㉮, ㉱, ㉲
④ ㉯, ㉰, ㉲　⑤ ㉰, ㉱, ㉲

토의 내용 파악

2 [A], [B]를 이해한 내용으로 가장 적절한 것은?

① [A]: '영수'는 '민호'에게 추가적인 근거를 요구하기 위해 질문하고 있다.

② [A]: '영수'는 '민호'의 의견을 수용하면서 또 다른 근거를 제시하고 있다.

③ [A]: '영수'는 '민호'의 의견에 동의하면서 그 의견을 재진술하고 있다.

④ [B]: '영수'는 '민호'의 의견을 받아들이며 이를 보완하는 의견을 추가하고 있다.

⑤ [B]: '영수'는 '민호'의 의견에 대해 논리적 오류를 지적하면서 상반된 의견을 제시하고 있다.

내용 생성의 적절성 평가

3 다음은 (가)를 반영하여 (나)를 작성하기 위한 '민호'의 작문 계획이다. (나)에 반영된 내용으로 적절하지 않은 것은?

1문단

- 허생의 처가 추구한 행복의 조건이 외적 조건이라고 한 기존의 내 의견과, 토의를 통해 수정된 내 생각을 함께 써야겠어. ······ ①

2문단

- 허생의 처가 행복하지 않은 이유를 생계 문제를 중심으로 파악했던 의견에 의문을 제기하고 이에 답하는 식으로 써야겠어. ······ ②
- '영수'가 허생의 처의 말을 인용하면서 개진한 의견을 포함하여 허생의 처가 행복해지기 위한 조건을 써야겠어. ······ ③

3문단

- 나와 '영수'가 허생의 처의 행복을 가족 간 관계의 측면에서 논의한 내용을 바탕으로, 내가 기존에 갖고 있던 행복에 대한 생각이 편협했음을 깨달았다는 내용을 써야겠어. ······ ④
- 허생의 처가 왜 행복하지 않은지에 대해 나와 '영수'가 동의했던 두 가지 이유 중 강요된 희생을 주된 이유로, 소원한 관계를 부차적 이유로 구별하고 이에 비추어 나의 삶을 반성하는 내용을 써야겠어. ······ ⑤

● 정답과 해설 54쪽

자료 활용 방안 파악

4 〈보기〉는 '민호'가 (나)를 쓴 후 찾은 자료이다. (나)의 문맥에 따라 〈보기〉를 활용하여 ㉠을 구체화할 수 있는 방안으로 가장 적절한 것은? [3점]

보기
- 한 경제학자는 ⓐ소득이 높아질수록 행복 수준도 상승할 것이라는 사람들의 기대와는 달리, ⓑ소득이 일정 수준을 넘어서면 소득이 더 증가해도 행복 수준은 더 이상 상승하지 않는다고 주장했다.
- OECD 국가 간 행복 비교 연구에서는 ⓒ행복 수준을 조사하기 위해 물질적 풍요 수준, 가족이나 친구와 같은 인간관계에서의 만족 수준 등을 종합적으로 고려한다.

① ⓐ를 활용하여, 행복을 위한 조건인 물질적 부의 수준은 사람마다 다를 수 있다는 내용으로 구체화한다.

② ⓑ를 활용하여, 일정 소득 수준을 넘어선 물질적 부의 추구가 행복의 조건에 해당하지 않는다는 내용으로 구체화한다.

③ ⓒ를 활용하여, 행복을 위한 조건으로 물질적 부도 고려해야 하지만 가족 구성원 간의 바람직한 관계 형성도 고려해야 한다는 내용으로 구체화한다.

④ ⓐ와 ⓒ를 활용하여, 행복을 위한 조건인 바람직한 가족 관계를 형성하려면 일정 수준 이상의 소득이 보장되어야 한다는 내용으로 구체화한다.

⑤ ⓑ와 ⓒ를 활용하여, 행복을 위한 조건인 물질적 부를 추구할 경우 가족 간의 관계가 소원해질 수 있다는 내용으로 구체화한다.

실전 14

[1~4] (가)는 학생들이 발명가를 대상으로 한 인터뷰이고, (나)는 이를 참고하여 '학생 1'이 '학습 활동' 과정에서 작성한 설명문의 초고이다. 물음에 답하시오. [2018-6월 모평]

(가)

학생 1: 안녕하세요? 학생 발명가이신 선배님께 궁금한 게 많습니다. 먼저 발명이 무엇인지부터 말씀해 주세요.

발명가: 네. 발명은 전에 없던 기술이나 물건을 새롭게 생각하여 만들어 내는 것이라고 할 수 있지요.

학생 2: ㉠새롭게 생각하여 전에 없던 기술이나 물건을 만든다는 게 쉽지 않은데요, 선배님의 발명품이 궁금해요.

발명가: (발명품을 꺼내며) 네, 이걸 보여 드리죠. 설탕, 소금과 같은 양념을 담는 통들이 어디 있는지 찾지 못해 곤란한 때가 많았어요. ㉡그래서 통의 뚜껑과 본체를 여러 개로 나눈다는 아이디어를 생각해 냈습니다. 통 하나에 여러 가지 양념을 담을 수 있게 말이죠.

학생 2: 간단하면서도 유용하네요. 저도 발명을 하고 싶은데 아이디어가 잘 떠오르지 않아서 힘들어요. 도움이 될 만한 게 있다면 알려 주세요.

발명가: 아이디어 창출 중심 모형이 도움이 될 것 같네요. 이것은 세 단계로 구성됩니다. 체험 단계에서는 발명의 주제가 되는 물건을 탐색하며 발명에 대한 호기심을 가져 보고, 인지 단계에서는 그 물건에 담긴 과학적 원리를 학습합니다. 이 두 단계를 통해 주제가 되는 물건에 대한 이해를 높입니다. 발명 단계에서는 그러한 이해를 바탕으로 물건을 개선할 아이디어를 창출합니다. 이때 도움을 얻기 위해 기존의 다른 발명품들을 참고할 수 있습니다.

학생 1: 아직 이해가 잘 안 되는데요. ㉢예를 들어 설명해 주실 수 있을까요?

발명가: 좋습니다. (가방에서 필통을 꺼내며) 필기구로 말씀드리죠. 여기 연필, 볼펜, 자가 있지요? 필기구를 발명 주제로 정했다면, 체험 단계에서는 필기구만 골라 만지고 분해하며 호기심을 가져 봅니다.

학생 2: ㉣그럼 다음 단계에선 과학적 원리를 공부하겠군요.

발명가: 네, 인지 단계에서는 필기구에 담긴 과학적 원리를 공부하지요. 다음으로 발명 단계에서는 필기구를 개선할 아이디어를 창출합니다. 아까 기존의 다른 발명품을 참고한다고 했는데요, ㉤이를테면 자가 발전 기능이 있는 손전등에 전자기 유도 법칙이 이용됐다는 것을 참고할 수 있습니다. 참고한 내용을 통해 빛을 내는 볼펜이라는 아이디어를 생성할 수 있지요.

학생 1: 그렇군요. 끝으로 미래의 발명가 후배들에게 한 말씀 부탁드려요.

발명가: 주변 사물에 호기심을 갖고 개선할 점이 있는지 살펴보세요. 과학적 원리를 바탕으로 개선 방법을 찾다 보면 좋은 아이디어가 떠오를 것입니다.

학생 1, 2: 네, 감사합니다.

[학습 활동]
1. 정보 전달을 목적으로 발명 동아리 소식지에 글 쓰기
2. 상호 평가를 통한 고쳐 쓰기

(나)

학생들은 발명을 어려워한다. 그 이유는 새로운 아이디어를 떠올리기가 어렵기 때문이다. 이를 해결하기 위해 사용할 수 있는 것이 아이디어 창출 중심 모형이다. 이것은 아이디어를 떠올리는 데 어려움을 겪는 학생들에게 도움을 줄 수 있고, 그로 인해 쉽게 발명에 다가설 수 있게 한다. 그렇다면 아이디어 창출 중심 모형은 어떤 단계로 이루어질까?

먼저 체험 단계에서는 발명에 대한 호기심을 유발한다. 예를 들어 자전거라는 발명 주제가 제시되면 자전거를 눈으로 살피고 손으로 만진다. 그리고 직접 자전거를 타 보이기도 하고, 자전거를 분해해 보이기도 하면서 탐색된다.

그 후 인지 단계에서는 자전거에 적용된 과학적 원리를 학습한다. 커브를 도는 쪽으로 자전거를 기울여야 하는 것은 원심력 때문이고, 울퉁불퉁한 길을 부드럽게 달릴 수 있는 것은 타이어의 탄성력 때문임을 알 수 있다. 이런 내용을 친구들과 이야기하면서 발명 주제인 자전거를 깊이 이해하게 된다. 이때 자전거를 탔던 즐거운 추억을 떠올려 감상문을 써 보는 것도 좋다.

마지막으로 발명 단계에서는 자전거에 대한 이해를 바탕으로 그것의 개선 방안을 생각한다. 즉 자전거가 아닌, 자동으로 공기가 채워지는 튜브를 참고해 물에 뜨는 자전거라는 아이디어를 창출할 수 있는 것이다. 개선 방안을 생각할 때는 기존의 다른 발명품을 참고할 수 있다.

말하기 방식 파악

1 **㉠~㉤의 말하기 방식으로 적절하지 않은 것은?**

① ㉠: 상대방의 말을 재진술하며 자신의 생각을 드러내고 있다.

② ㉡: 설명 대상에 대한 과학적 상식을 제시하여 상대방의 흥미를 유발하고 있다.

③ ㉢: 물음의 형식을 활용하여 자신의 요구를 상대방에게 전하고 있다.

④ ㉣: 상대방이 언급한 정보를 이용하여 다음 내용을 예측하고 있다.

⑤ ㉤: 구체적 사례를 제시하여 앞의 발화를 보충하고 있다.

말하기 내용 추론

2 **다음은 (가)에 참여한 '학생 1'이 (나)를 쓰기 위해 '학생 2'와 나눈 대화의 일부이다. (가)와 (나)를 고려할 때, ⓐ에 들어갈 말로 가장 적절한 것은? [3점]**

> 학생 2: 선배님의 말씀을 활용해서 글을 쓴다고 했잖아. 어떤 내용을 글에 포함할 거니?
> 학생 1: 선배님은 ______ⓐ______

① 발명품을 만드는 데 어려움을 겪었다고 하셨지. 나도 발명 도중에 겪었던 어려움을 글에 포함해야겠어.

② 주변 사물에 호기심을 갖고 개선점을 찾아보라고 하셨지. 나는 개선이 필요한 주변 사물의 문제점을 글에 포함해야겠어.

③ 모형의 각 단계를 양념 담는 통으로 설명하셨지. 나는 다른 물건을 이용해 모형을 설명하는 내용을 글에 포함해야겠어.

④ 기존의 다른 발명품을 참고할 수 있다고 하셨지. 나도 기존의 다른 발명품을 참고하여 아이디어를 창출하는 내용을 글에 포함해야겠어.

⑤ 발명은 아이디어를 통해 새로운 물건을 만드는 것이라고 하셨지. 나도 창출한 아이디어를 이용하여 새로운 물건을 제작, 완성하는 과정을 글에 포함해야겠어.

조건에 맞는 글쓰기 평가

3 다음 선생님의 조언에 따라 (나)에 내용을 추가하고자 할 때, 가장 적절한 것은?

> **선생님**: 설명문의 끝부분을 쓸 때에는 먼저 중심 내용이 잘 드러나도록 요약해야 합니다. 그리고 중심 내용이 지닌 의의를 덧붙이며 글을 마무리하면 좋습니다.

① 이처럼 아이디어 창출 중심 모형은 발명을 처음 시작하는 사람에게 좋은 안내가 될 수 있다. 또한 주위 사물을 꼼꼼하게 관찰하는 태도를 길러 준다.

② 이처럼 아이디어 창출 중심 모형은 체험, 인지, 발명 단계로 이루어진다. 발명 단계 이후에는 체험 단계 이전에 학습한 발명 기법을 떠올리며 아이디어를 창출한다.

③ 이처럼 아이디어 창출 중심 모형은 주변의 사물들 중에서 발명 주제를 선정하는 것이다. 이렇게 주제를 선정하면 손쉽게 아이디어를 구상할 수 있다는 장점이 있다.

④ 이처럼 아이디어 창출 중심 모형은 체험 단계, 인지 단계, 발명 단계가 순서대로 진행된다. 이 모형의 단계를 따라 하면 쉽게 아이디어를 생성할 수 있고 이를 통해 발명에 대한 자신감을 가질 수 있다.

⑤ 이처럼 아이디어 창출 중심 모형은 발명에 대한 호기심을 떠올리는 체험 단계, 과학적 원리를 탐구하는 인지 단계, 발명 아이디어를 창출하는 발명 단계로 이루어진다. 그리고 이후에는 아이디어를 구현한 제품을 만드는 적용 단계가 있다.

내용 조직의 적절성 평가

4 (나)에 대한 '학생 2'의 상호 평가 내용으로 적절하지 않은 것은?

'학생 2'의 평가 내용	
잘한 점	비교의 방법을 사용하여 중심 화제의 의미를 구체적으로 설명한 점 ······① 글의 흐름이 잘 드러나도록 문단의 앞부분에 순서를 알려 주는 표지를 사용한 점 ······②
수정할 점	2문단에서 표현이 어색한 문장을 사용한 점 ······③ 3문단에서 글의 흐름과 어긋나는 문장을 사용하여 통일성을 떨어뜨린 점 ······④ 4문단에서 앞뒤 문장의 위치를 잘못 배열하여 내용의 연결이 자연스럽지 않은 점 ······⑤

개념 코칭

글의 통일성과 응집성

- 통일성: 글의 문장(또는 문단)들이 내용적 측면에서 하나의 주제를 향해 유기적으로 연결되어야 한다.
- 응집성: 글의 문장(또는 문단)들이 형식적 측면에서 자연스럽게 연결되어야 한다. 주로 지시 표현, 대용 표현, 접속 표현을 통해 이루어진다.

[1~4] (가)는 지역 라디오 방송의 대담이고, (나)는 (가)를 들은 후 구청 민원 게시판에 올리기 위해 쓴 건의문의 초고이다. 물음에 답하시오. [2018-3월 고2 학평]

(가)

사회자: 안녕하십니까? 지역 문제 해결을 위한 기획 대담 '안녕, 우리 동네'입니다. 오늘의 화제는 '도로 소음, 문제와 대책'으로, 이에 대해 전문가들의 의견을 들어 보겠습니다. 환경공학과 박□□ 교수님과 도시정책학과 김△△ 교수님을 모셨습니다. 박 교수님, 최근 도로 소음이 문제가 되는 이유는 무엇인가요?

박 교수: 소음은 수질 오염이나 대기 오염과 달리 축적되지 않고 발생과 동시에 소멸하는 특성이 있어 그동안 큰 문제로 인식되지 않았습니다. 하지만 최근 들어 차량이 증가하고 도로가 늘어나면서 상시적으로 발생하는 도로 소음이 신체적 · 정신적 피해를 끼치고 있어 문제가 되고 있습니다.

사회자: 상시적인 도로 소음이 피해를 주기 때문에 문제라는 말씀이군요. 김 교수님, 이와 관련된 법적 규제는 없는지요?

김 교수: 현재 환경정책기본법이나 소음 · 진동 관리법 등을 통해 소음을 규제하고 관리하고 있습니다. 예를 들어, 공동 주택 도로변 소음의 법적 허용 기준을 주간 68dB, 야간 58dB로 정하고, 이 기준을 초과하는 경우 개선 명령을 내리거나 과태료를 부과하고 있습니다.

사회자: 그렇다면 소음 발생이나 소음으로 인한 피해를 애초에 줄일 수 있는 방안은 없을까요? 먼저 박 교수님께서 말씀해 주시기 바랍니다.

박 교수: 현재 주로 사용되고 있는 도로 소음 저감 기술에는 방음벽, 방음 터널 등이 있는데, 이 방법들은 도로에서 도로 주변으로 퍼지는 소리를 물리적으로 차단하는 기술이라고 할 수 있습니다. 방음벽의 경우 설치 비용이 상대적으로 적게 든다는 장점이 있지만, 대체로 5m 이하로 설치되어 주변 건물이 6층 이상의 높이일 경우 방음 효과가 적다는 단점이 있습니다. 또 방음 터널의 경우에는 소음원 자체를 감싸는 구조로 되어 있어 방음의 효과가 탁월하지만, 초기 설치비 및 유지비가 많이 들고 입 · 출구부에서 소음이 크게 발생한다는 단점이 있습니다.

사회자: 그런 단점을 보완할 수 있는 새로운 기술은 없는지요?

박 교수: 비교적 최근에 개발된 저소음 포장 공법이 있습니다. 일반적으로 도로 소음의 90%는 차량 타이어 홈에 들어간 압축 공기가 도로와 마찰하는 과정에서 발생하는데, 이 기술을 사용하면 마찰 소음을 줄여 최대 9dB 정도의 소음을 줄일 수 있습니다. 또한 주변 건물에 방음 창호를 설치하면 최대 35dB 정도의 소음을 줄일 수 있어 효과적입니다.

사회자: 그렇군요. 이어서 김 교수님께서 정책적인 측면에서 말씀해 주시기 바랍니다.

김 교수: 도로 소음 발생을 줄이기 위해, 앞서 박 교수님께서 언급하신 저소음 포장 공법을 활용하여 도로를 포장할 경우 정책적인 지원을 하고 있습니다. 또한 주거지가 밀집된 지역과 같이 소음 피해의 가능성이 큰 지역을 소음 집중 관리 지역으로 지정하여 소음이 40dB을 넘지 않도록 주변 도로를 달리는 차량의 속도를 제한하거나 방음 시설을 설치하는 등 소음 피해를 막는 방안이 시행되고 있습니다.

사회자: 네. 오늘 두 분 말씀 잘 들었습니다. 감사합니다.

● 정답과 해설 56쪽

(나)

안녕하십니까? 저는 A시 ○○동에 살고 있는 학생입니다. 평소 우리 동네의 도로 소음 문제가 심각하다고 생각하고 있었는데, 도로 소음 문제와 관련한 라디오 대담을 듣고 대책 마련을 요구하고자 민원 게시판에 글을 올리게 되었습니다.

우리 동네는 도시 고속화 도로에 인접해 있습니다. 그러다 보니 저를 비롯한 많은 주민들은 고속화 도로를 이용하는 차량들이 하루 종일 일으키는 소음으로 인해 일상생활에 심각한 지장을 받고 있습니다. 고속으로 달리는 자동차들이 상시적으로 일으키는 소음은 반드시 해결되어야 할 문제라고 생각합니다.

대담에서 들은 전문가의 말에 따르면 소음 집중 관리 지역으로 지정된 곳의 경우 소음이 40dB을 넘지 않도록 자동차 주행 속도를 제한하거나 방음 시설을 설치해 준다고 합니다.

우리 동네 곳곳에도 수직 일자형 방음벽이 설치되어 있지만 높이가 낮아 고층 아파트에 사는 주민들에게는 효과가 별로 없는 것 같습니다. 동네 주민들이 체감하는 도로 소음 피해가 심각한데도, 이에 대한 실질적인 대책은 부족해 보입니다.

소음으로 인해, 가장 편안한 공간이 되어야 할 집이 가장 불편한 공간이 되고 있습니다. 이렇게 느끼는 사람이 저뿐만은 아닐 것입니다. 우리 동네의 고속화 도로로 인한 소음 피해를 줄일 수 있는 방안을 시급히 마련해 주실 것을 건의합니다.

사회자의 역할 파악

1 사회자의 역할에 대한 설명으로 적절하지 않은 것은?

① 대담 참여자 간의 의견 차이를 조정하고 있다.
② 대담의 화제를 제시하고 발언자를 소개하고 있다.
③ 대담 내용의 흐름에 맞게 발언자를 지정하고 있다.
④ 발언자가 말한 내용을 정리하며 대담을 이어가고 있다.
⑤ 발언 내용과 관련하여 추가적인 정보를 요청하고 있다.

발언 내용 파악

2 대담 참여자들의 발언에 대한 설명으로 적절하지 않은 것은?

① 박 교수는 소음의 특성을 밝히고 최근에 도로 소음이 문제가 되고 있는 원인을 설명하고 있다.

② 박 교수는 장단점을 거론하며 소음 저감 기술을 설명하고 있다.

③ 박 교수는 소음 저감 기술의 효과를 구체적인 수치를 활용하여 제시하고 있다.

④ 김 교수는 박 교수의 의견을 듣고 기존 소음 저감 기술의 한계를 언급하고 있다.

⑤ 김 교수는 박 교수가 설명한 새로운 기술과 관련하여 정책적인 지원이 이루어지고 있음을 언급하고 있다.

글쓰기 계획 파악

3 〈보기〉는 학생이 (나)를 쓰기 전에 떠올린 생각이다. 학생의 초고에 반영된 것끼리 골라 묶은 것은?

보기

㉠ 대담의 내용을 활용하여 실질적인 대책의 필요성을 드러내야겠어.
㉡ 제안하려는 대책이 실현될 경우를 가정하여 기대되는 효과를 언급해야겠어.
㉢ 도로 소음 발생의 원인을 다각도로 분석하여 원인별로 해결 방안을 제시해야겠어.
㉣ 도로 소음 문제를 심각하게 느끼는 사람이 혼자만이 아님을 거듭 언급하여 문제의 심각성을 부각해야겠어.

① ㉠, ㉡ ② ㉠, ㉢ ③ ㉠, ㉣ ④ ㉡, ㉣ ⑤ ㉢, ㉣

자료 활용 방안 파악

4 〈보기〉를 활용하여 (나)를 보완하기 위한 방안으로 적절하지 않은 것은? [3점]

보기

㉮ 연구 자료

1. 건강에 악영향을 미치는 최소 소음 기준

건강상의 악영향	최소 소음 기준
수면 방해	32dB
불쾌감 유발과 생활 방해	42dB
학습과 기억의 방해	50dB
고혈압증 등의 건강 침해	
심장 질환 유발	60dB

– 유럽환경청 보고서(2010년) –

2. 꺾임형 방음벽 기술의 효과

꺾임형 방음벽 기술은 기존의 방음벽 상단에 소음원 방향으로 60° 꺾인 벽을 추가 설치하는 것으로, 기존의 수직 일자형 방음벽 위로 넘어가는 음의 회절을 방해하여 아파트 고층의 소음 피해를 줄이는 데 도움을 줄 수 있다.

– 한국소음진동공학회 보고서(2011년) –

㉯ 설문 조사 분석 자료

A시 ○○동 주민들을 상대로 조사한 '우리 동의 문제 중에 가장 시급한 문제가 무엇인가?'라는 설문에 '고속화 도로 주변 소음 문제'라는 대답을 한 주민이 75% 이상이었음. 이렇게 대답한 주민 가운데 약 80%가 6층 이상의 아파트 고층에 사는 사람들이었음.

㉰ 지역 신문 기사

A시 ○○동을 지나는 고속화 도로 인근 아파트 고층에서 측정한 소음이 최대 80dB로 나타나 상당히 높은 것으로 확인되었다. ○○동은 고층 아파트가 밀집된 지역이기 때문에 소음 집중 관리 지역으로 지정되어 있고, 그에 따라 최고 속도가 제한되어 있다. 그럼에도 불구하고 차량들이 제한 속도를 초과하여 달리는 것이 소음 발생의 주된 원인으로 지적되고 있다.

① ㉮ – 1과 ㉰를 활용하여 현재 고속화 도로 주변의 소음이 주민들에게 건강상의 악영향을 미칠 수 있다는 내용을 추가해야겠어.

② ㉮ – 2와 ㉯를 활용하여 현재 설치된 방음벽으로는 고층 아파트의 소음 저감에 한계가 있음을 지적하고 꺾임형 방음벽이 대안이 될 수 있음을 제안해야겠어.

③ ㉯를 활용하여 많은 주민들이 고속화 도로 소음 문제를 심각하게 인식하고 있다는 것을 구체적인 수치로 뒷받침해야겠어.

④ ㉰를 활용하여 우리 동네 부근 고속화 도로를 지나는 차들이 속도 제한을 잘 지킬 수 있도록 단속을 강화해 달라는 요구를 글에 추가해야겠어.

⑤ ㉰를 활용하여 우리 동네가 소음 집중 관리 지역으로 지정되어 있음에도 불구하고 차량들이 제한 속도를 지키지 않는 이유를 제시해야겠어.

모의고사

- 모의고사 1회
- 모의고사 2회
- 모의고사 3회

모의고사 1회

● 정답과 해설 57쪽

[1~3] 다음은 학생의 발표이다. 물음에 답하시오. 2020-6월 모평

여러분, '탈'이라고 하면 무엇이 떠오르세요? (청중의 대답을 듣고) 저는 며칠 전에 『세계 여러 나라의 탈』이라는 책을 읽었는데요, 인상적인 탈이 있어서 여러분께 소개하고자 발표 주제로 선정했습니다. 발표를 준비하던 중 마침 국어 시간에 '봉산 탈춤'을 배워서 발표를 준비하는 데 도움이 되었습니다.

여러분, (화면 1을 가리키며) 이 탈의 이름을 아세요? (청중의 반응이 없자) 안동에서 볼 수 있는 탈이에요. (대답을 듣고) 하회탈이라고 말씀하신 분들이 많군요. 흔히들 그렇게 알고 계시는데 정확히는 하회탈 중 양반탈입니다. '봉산 탈춤'의 양반탈과 달리 눈 아래부터 귀 위까지 이어진 선이 눈꼬리와 겹쳐 미소를 만드는데, 단순한 얼굴형에 특별한 장식이나 화려한 색채 없이 눈썹, 눈, 코, 입을 선으로 표현한 것이 인상적입니다. "양반은 냉수 마시고도 이 쑤신다."라는 말에 담긴 허풍과 여유가 동시에 느껴지지 않나요?

(화면 2를 가리키며) 이 탈은 중국의 장수 관우 탈인데요, 무엇이 가장 먼저 보이세요? (청중의 대답을 듣고) 저는 용이 새겨진 복잡한 모양의 관에 시선이 갔습니다. 양반탈이 이마 부분까지만 표현돼 있는 것과 달리 관우 탈은 머리에 쓴 관까지 표현돼 있습니다. 그리고 보시는 것처럼 얼굴이 강렬한 붉은색이어서 무시무시하면서도 화려한 느낌을 줍니다. 얼굴과 머리 부분을 모두 이용해 관우의 박력과 위엄을 드러내고 있는 것이 인상적입니다.

마지막은 아프리카 카메룬의 탈입니다. 일반적으로 아프리카의 탈은 과장과 생략이 특징입니다. (화면 3을 가리키며) 보시는 것처럼 이 탈도 추상적으로 보일 만큼 과감한 생략이 인상적인데요, 단순한 곡선과 직선으로 표현된 커다란 눈이 작은 코와 대비되어 더 두드러져 보입니다.

지금까지 소개한 탈들을 (화면 4를 가리키며) 이렇게 정리해 보았습니다. 선을 활용하여 단순하게 표현된 왼쪽 탈들, 화려한 장식에 다소 복잡한 오른쪽 탈이 보이시죠? 이 차이가 탈의 용도 때문은 아닌지 궁금하여 기회가 되면 '탈의 용도에 따른 모양'이란 주제로 탐구해 보려 합니다. 여러분도 한번 조사해 보시면 어떨까요? 이만 발표를 마치겠습니다. 감사합니다.

1 위 발표에 대한 설명으로 가장 적절한 것은?

① 도입부에서 발표에 사용될 용어의 개념을 설명하며 화제를 제시하고 있다.
② 수업 시간의 경험이 발표 주제 선정의 동기가 되었음을 밝히고 있다.
③ 전문가의 말을 인용하며 발표 내용에 대한 신뢰도를 높이고 있다.
④ 청중에게 질문을 던지고 청중의 반응을 확인하며 추가 정보를 제시하고 있다.
⑤ 발표 내용에 대한 청중의 이해도를 확인하며 마무리하고 있다.

2 다음은 위 발표에 반영된 매체 자료 활용 계획이다. 발표를 참고할 때 A, B에 들어가기에 가장 적절한 것은? [3점]

제시 순서	내용 구성
화면 1 → 화면 2 → 화면 3	A
↓	↓
화면 4	B

	A	B
①	사용된 색채를 중심으로 각각의 탈 소개하기	탈들의 형태상 차이점이 부각되도록 구분하여 제시하기
②	형태적 특징을 중심으로 각각의 탈 소개하기	탈들의 복잡성이 대비되도록 유형화하여 제시하기
③	인상적이었던 순서를 밝히며 각각의 탈 소개하기	탈들의 공통점이 드러나도록 순서를 변경하여 제시하기
④	지리적으로 인접한 순서를 밝히며 각각의 탈 소개하기	탈들의 관이 가진 장식성이 대비되도록 제시하기
⑤	표현된 선의 유사성을 중심으로 각각의 탈 소개하기	탈들의 선의 형태에 따른 분류 기준이 드러나도록 제시하기

3 〈보기〉는 위 발표를 들으며 떠올린 생각들이다. 〈보기〉의 듣기 활동을 이해한 내용으로 적절하지 않은 것은?

보기

- 저 탈이 하회탈인 줄 알았는데, 하회탈의 한 종류였구나. 양반탈 말고 다른 하회탈도 설명해 주겠지?
- 나도 관우 탈을 박물관에서 봤을 때에 정말 화려하다고 생각했었어.
- 발표자가 말한 대로 '탈의 용도에 따른 모양'에 대해 조사해 보면 좋을 것 같아.

① 발표 내용을 예측하며 능동적인 태도로 듣고 있다.
② 발표를 들으며 갖게 된 의문을 해결하며 듣고 있다.
③ 발표자가 제안한 탐구 주제를 긍정적으로 수용하며 듣고 있다.
④ 발표 내용과 관련된 경험을 떠올리며 발표자의 설명에 공감하며 듣고 있다.
⑤ 발표를 통해 알게 된 새로운 정보를 활용하여 기존 지식을 수정하며 듣고 있다.

[4~7] (가)는 설문 조사를 위한 학생회의 회의이고, (나)는 (가)를 바탕으로 작성한 안내문의 초고이다. 물음에 답하시오.

2020-7월 고3 학평

(가)

학생 1: 동아리 발표회를 12월에서 10월로 바꾸고 전시 위주로만 진행되던 행사에 다른 프로그램을 추가하여 행사 내용을 다양화하자는 의견에 대해 우리 반 친구들과 동아리 후배들은 좋은 생각이라고 하더라.

학생 2: 그래? 우리 반 친구들은 동아리 발표회에 3학년이 참여하기 어렵고, 참여 학생들의 부담이 늘어날 것이라며 부정적으로 생각하는 친구들이 많던데.

학생 3: 학년과 학급에 따라 생각이 다르구나. 동아리 발표회 시기 변경과 행사 프로그램 추가 여부는 전체 학생들의 의견을 수합해서 결정해야 할 것 같아.

[A]

학생 2: 그럼 선택지 중 하나를 고르는 폐쇄형 질문 형태의 설문지를 만들어 전교생의 의견을 물어보는 건 어때?

학생 3: 그렇게 하면 발표회 시기 변경이나 행사 프로그램을 추가하는 것에 대한 찬반 의견은 손쉽게 파악할 수 있지만, 어떤 이유로 그렇게 생각하는지는 알기 어려울 것 같아. 또한 동아리 발표회에 대해 관심이 많은 학생들의 요구 사항도 파악하기 어렵고.

학생 1: 그럼 학급별로 3~4명의 모집단을 선정한 후 면접 방식으로 설문을 진행하는 것은 어떨까? 자유롭게 의견을 개진하는 개방형 질문을 활용하고 응답자의 답변에 따라 추가 질문을 하면 학생들의 의견을 심층적으로 파악할 수 있을 것 같아.

학생 2: 그 방법은 모집단 선정 기준과 선정된 학생이 전체 학생의 의견을 대표할 수 있을지가 문제가 될 것 같아.

학생 3: ㉠<u>그럼 전교생을 대상으로 설문 조사를 하되, 발표회에 대한 학생들의 솔직한 의견과 요구 사항을 확인할 수 있도록 설문 문항의 유형을 다양화하는 건 어때?</u>

학생 1: 좋은 생각이야. 설문 조사 방식은 그렇게 진행하자. 그럼 설문 문항에서는 어떤 내용을 물어야 할까?

[B]

학생 2: 먼저 발표회 시기 변경과 행사 프로그램 추가에 대한 찬반 여부를 확인해야겠지. 그리고 추가 질문을 통해 그 이유나 추가하고 싶은 프로그램에는 어떤 것들이 있는지 파악하면 좋을 것 같아.

학생 3: 발표회 시기 변경이나 행사 프로그램 추가에 찬성하는 경우에는 그 이유를 알 필요가 없을 것 같아. 그렇지 않은 경우에만 개방형 질문 형태로 그 이유를 물어 보자.

학생 1: 그래, 그렇게 하자. 그리고 프로그램 추가와 관련된 질문도 개방형 질문으로 자신의 생각을 자유롭게 적도록 하면 좋을 것 같아.

학생 2: 그렇게 하면 지나치게 많은 의견이 나올 수 있기 때문에 설문 조사 결과를 수합하기 어려울 것 같은데? 폐쇄형으로 질문지를 작성하는 게 효율적일 것 같아.

학생 1: ㉡<u>그럼 프로그램 관련 추가 문항은 폐쇄형으로 추가 질문을 하고, 응답 항목 중 원하는 것이 없을 때 개방형으로 자신의 의견을 서술하도록 하는 것은 어떨까?</u>

학생 3: 그래, 그게 좋겠다. 그리고 이런 논의가 진행 중인 것을 모르는 학생들이 많으니, 설문 조사를 실시하기 전에 각 교실에 설문 조사에 관한 안내문을 게시하는 건 어때?

학생 1: 좋은 생각이야. 그렇게 하면 학생들의 설문 조사 참여를 독려할 수 있을 것 같아. 그럼 오늘 논의한 내용을 바탕으로 안내문과 설문 문항을 작성한 후, 다음 회의 때 점검해 보자. 오늘 회의는 여기까지 할게.

(나)

동아리 발표회 관련 설문 조사

학생 여러분, 안녕하십니까? ○○고등학교 학생회입니다. 지난번에 개최된 학생회 회의에서는 동아리 발표회와 관련된 논의가 이루어졌습니다. 또한 등교 음악회 선곡 및 학급 단합 행사의 지원금 확대 등에 대해서도 논의를 하였습니다. 이에 학생회에서는 지난 회의에서의 논의 결과를 바탕으로 동아리 발표회 개최 시기 변경과 프로그램 추가 여부에 관해 여러분의 생각을 듣고자 합니다. 학생회에서 실시하는 설문 조사에 여러분의 솔직한 생각을 담아 주시길 바랍니다.

4 [A], [B]의 담화에 대한 설명으로 가장 적절한 것은? [3점]

① [A]에서 '학생 3'은 '학생 2'가 제시한 문제점을 반박한 후 새로운 대안을 제시하고 있다.
② [B]에서 '학생 1'은 '학생 3'의 의견이 지닌 긍정적 측면을 인정한 후 이에 대한 자료를 제시하고 있다.
③ [A]에서 '학생 1'은 '학생 3'의 의견에 대해 구체적 대안을, [B]에서 '학생 3'은 '학생 2'의 의견에 대한 문제점을 근거를 들어 언급하고 있다.
④ [A]와 [B]에서는 모두 '학생 3'이 '학생 2'가 제시한 의견이 실현되기 위한 조건에 대해 언급하고 있다.
⑤ [A]와 [B]에서는 모두 '학생 2'가 '학생 1'이 제시한 의견이 야기할 문제점을 언급하며 이의를 제기하고 있다.

5 (가)의 담화 흐름을 고려할 때, ㉠과 ㉡의 공통점으로 가장 적절한 것은?

① 논의된 의견을 절충하는 방안을 제시한 후 그 방안에 대한 상대방의 동의를 구하는 발화이다.
② 논의된 의견들이 지닌 장점을 언급한 후 상대방에게 하나의 방안을 선택할 것을 권유하는 발화이다.
③ 논의된 의견 중 하나를 지지하는 방안을 제시한 후 그 방안에 대한 상대방의 생각을 확인하는 발화이다.
④ 논의된 의견들이 지닌 한계를 언급한 후 이를 보완할 수 있는 방안에 대한 상대방의 의견을 요청하는 발화이다.
⑤ 논의된 의견들을 시행했을 때 기대되는 효과를 언급한 후 상대방에게 자신의 생각이 맞는지를 확인하는 발화이다.

6 다음은 추가 회의를 바탕으로 (나)를 고쳐 쓴 글이다. 고쳐 쓴 글에 반영된 의견으로 적절하지 <u>않은</u> 것은?

동아리 발표회 개최 시기 변경 및 프로그램 추가 찬반 조사

학생 여러분, 안녕하십니까? ○○고등학교 학생회입니다. 지난 6월에 개최된 학생회 회의에서 12월에 개최되는 동아리 발표회를 10월로 변경하여 실시하자는 의견과 동아리 발표회 행사의 다양화를 위해 행사 프로그램을 추가하자는 의견에 대해 논의하였습니다. 이에 학생회에서는 동아리 발표회 개최 시기 변경과 프로그램 추가 여부에 관해 여러분의 생각을 듣고자 합니다. 여러분께서 주시는 소중한 의견이 학생이 함께 학교를 만들어 가는 데 디딤돌이 된다는 점에서, 앞으로 진행될 설문 조사에 여러분의 솔직한 생각을 담아 주시면 고맙겠습니다.

① 제목이 구체적이지 않으므로 설문 조사의 목적을 알 수 있도록 제목을 수정하자.
② 글의 흐름에 어긋나는 문장이 있으므로 글의 흐름과 관련 없는 내용은 삭제하자.
③ 설문 조사로 의견을 수합하는 방식의 장점을 언급하며 설문 조사에 참여하는 구체적인 방법을 안내하자.
④ 설문 조사에 대한 학생들의 참여를 독려하기 위해 설문 조사 참여가 지닌 의의와 관련된 내용을 추가하자.
⑤ 설문 조사와 관련된 논의 내용을 모르는 학생이 많으므로 설문 조사를 실시하게 된 배경을 구체적으로 언급하자.

7 다음은 (가)를 바탕으로 작성한 설문 문항의 초고이다. 설문 문항에 대한 이해로 적절하지 않은 것은?

◇ 설문 문항 ◇

문항 1. 작년에 개최된 동아리 발표회에 참여하였습니까?
(1) 참여하였다. (2) 참여하지 않았다.

문항 2. 동아리 발표회 시기 변경과 행사 프로그램 추가에 동의하십니까?
(1) 동의한다. (2) 동의하지 않는다.
2-1. 동의한다면 그 이유는 무엇입니까? (　)
2-2. 동의하지 않는다면 그 이유는 무엇입니까? (　)

문항 3. 동아리 발표회에 추가할 프로그램은 무엇입니까?
(1) 체험 부스 (2) 전시회 (3) 학술제 (4) 기타 (　)

① '문항 1'은 발표회 시기 변경이나 행사 프로그램 추가와 관련하여 회의에서 언급되지 않은 내용이므로 굳이 설문 문항에 포함시킬 필요가 없을 것 같아.
② '문항 2'는 동아리 발표회 시기 변경에 찬성하지만 행사 프로그램 추가에 반대하는 의견을 반영할 수 있도록 추가 문항을 포함하여 각각 별도의 문항으로 분리하면 좋을 것 같아.
③ '문항 2-1'은 발표회 시기 변경과 행사 프로그램 추가에 동의한 학생들에게 이유를 물을 필요가 없다는 회의 내용을 고려하면 설문 문항에 포함시킬 필요가 없을 것 같아.
④ '문항 3'의 선택 항목 중 체험 부스는 이미 동아리 발표회 프로그램으로 운영되고 있다고 했으므로 다른 행사로 바꿀 필요가 있을 것 같아.
⑤ '문항 3'은 설문 조사 결과 수합의 용이성과 답변의 다양성을 둘 다 확보하기 위해 폐쇄형 문항과 개방형 문항을 섞어 작성했다는 점에서 회의 내용을 잘 반영한 문항 같아.

[8~11] (가)는 교지에 실을 조사 보고서이고, (나)는 (가)를 작성한 학생의 자기소개서이다. 물음에 답하시오. 2021-7월 고3 학평

(가)

블리스터 포장의 실태와 문제점에 대한 조사 보고서

Ⅰ. 조사 동기 및 목적

최근 충전기를 구매한 후 포장을 제거하는 데 큰 어려움을 겪었다. 플라스틱을 가열 성형한 후 앞뒤로 접착하여 제품을 포장한 블리스터 포장이 사용되어 있었기 때문이다. 이 포장은 손으로 열 수 없어 가위를 사용하는데, 포장을 잘라 내기 위해 힘이 많이 필요할 뿐만 아니라 잘린 플라스틱 단면이 날카로워 위험하기도 하다. 그래서 블리스터 포장의 실태와 문제점을 조사해 보고자 한다.

Ⅱ. 조사 계획

1. 조사 대상 및 방법: 10대~60대 각 연령대별 20명씩을 대상으로 한 설문지 조사, 업체 관계자 인터뷰
2. 조사 내용: 블리스터 포장의 실태 및 문제점

Ⅲ. 조사 결과

1. 블리스터 포장의 실태

가. 블리스터 포장을 사용한 품목

대형 마트를 찾아가 블리스터 포장이 사용되는 품목을 살펴 본 결과, 각종 문구, 전기·전자 부품 등 생활용품에 블리스터 포장이 많이 사용되고 있었다.

나. 블리스터 포장의 이유

블리스터 포장을 사용한 제품의 생산 업체 5곳을 찾아 블리스터 포장을 사용한 이유를 인터뷰했다. 업체들은 블리스터 포장이 사용자에게 불편을 준다는 것은 인지하고 있으나, 상품 도난이나 훼손으로 인한 손실을 방지하고 생산 비용을 낮추기 위해 블리스터 포장을 사용한다고 응답했다. 생산 업체들은 기업의 이익과 효율을 중시하여 블리스터 포장을 사용하고 있었다.

2. 블리스터 포장의 문제점

가. 포장 개봉의 어려움

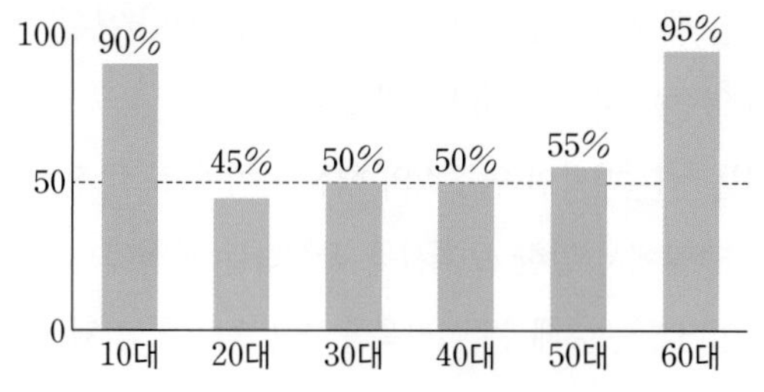

ⓐ〈도표〉 블리스터 포장으로 어려움을 겪었다고 응답한 각 연령대별 비율

'블리스터 포장을 개봉하는 데 어려움을 겪은 경험이 있는가?'를 설문한 결과, 응답자의 64%가 '그렇다'라고 대답했다. 블리스터 포장으로 인해 많은 사람들이 개봉에 어려움을 겪고 있는 것이다. ⓑ특히 10대와 60대 중 '그렇다'라고 응답한 비율은 20대 청년층과 각각 45%p, 50%p의 상당한 차이를 보인다. ⓒ이는 노약자층이 20대 청년층에 비해 힘이 약해 블리스터 포장을 개봉하는 데 더 어려움을 겪었기 때문이라고 생각한다.

나. 사용자의 안전 위협

'블리스터 포장을 개봉하던 중 부상을 입은 경험이 있는가?'에 '그렇다'라고 응답한 비율이 전체의 35%로 나타났다. ⓓ대부분의 사용자가 블리스터 포장으로 인해 부상을 경험했음을 알 수 있었다. 외국에서도 블리스터 포장으로 부상을 입은 사람이 많다는 조사 결과가 있다. ⓔ블리스터 포장으로 인해 부상을 입어 응급실을 찾는 사례가 미국에서만 한 해 6,000건에 달한다고 한다(김△△, 『◇◇디자인』, ◎◎출판사, 2018, p. 210.).

Ⅳ. 결론

[A]

(나)

안녕하세요? □□디자인 연구소 청소년 디자이너 모집에 지원한 박○○입니다.

저는 □□디자인 연구소가 지향하는 '더 나은 삶으로의 한 걸음'을 실천하는 자세를 가졌습니다. 제가 실천한 것은 생활에 불편을 주는 제품을 개선하도록 목소리를 내는 것입니다. 고등학교 2학년 때 생활용품에 많이 사용된 '블리스터 포장'의 문제점을 조사하는 보고서를 작성하였습니다. 그리고 블리스터 포장을 사용한 업체에 이 보고서를 보내 포장의 변경을 검토해 보겠다는 긍정적인 답변을 얻었습니다. 저의 실천이 개인의 삶을 편안하게 만들 수 있을 것이며, 나아가 제품을 디자인할 때 사용자를 우선으로 고려하는 사회 분위기를 만드는 데 영향을 미칠 것이라 생각합니다.

또한 저는 □□디자인 연구소의 핵심 가치인 '도전 정신'을 지녔습니다. 앞에서 말한 보고서를 작성하는 과정에서 업체 관계자를 인터뷰하는 데 큰 어려움을 겪었습니다. 업체 관계자들은 회사의 제품에 사용된 포장에 비판적 태도를 갖고 있는 저에게 인터뷰 시간을 내주려고 하지 않았습니다. 그러나 저는 포기하지 않고 업체 관계자들을 설득했습니다. 제품 포장이 개선되면 제품에 대한 사용자의 인식도 긍정적으로 바뀐다는 제 말에 마음을 돌린 업체 관계자들이 인터뷰에 참여해 주셨습니다. 어려움을 회피하지 않고 이에 맞서 도전한 결과로 블리스터 포장의 실태를 파악한 보고서를 완성할 수 있었습니다.

□□디자인 연구소의 청소년 디자이너가 된다면 청소년의 삶을 불편하게 했던 디자인을 찾고, 이를 개선하는 아이디어를 고안해 청소년들의 더 나은 삶을 만드는 데에 기여하고 싶습니다. 감사합니다.

8 (가)와 (나)에 대한 설명으로 가장 적절한 것은?

① (가)는 자신이 탐구한 내용을, (나)는 자신에 관해 독자에게 알리고 싶은 정보를 전달하고 있다.
② (가)는 현상에 대한 원인 분석을 통한, (나)는 현상에 대한 관찰을 통한 자기 성찰을 목적으로 한다.
③ (가)는 (나)와 달리 예상 독자가 요구하는 바를 바탕으로 내용을 생성하고 있다.
④ (나)는 (가)와 달리 객관적인 사실을 근거로 하여 주제를 드러내고 있다.
⑤ (가)와 (나)는 모두 예상되는 문제와 그 해결 방안을 중심으로 글을 전개하고 있다.

9 〈보기〉를 바탕으로 (가)에 대한 자기 점검을 실시할 때, ⓐ~ⓔ를 점검한 내용으로 적절하지 않은 것은?

보기

	자기 점검 항목	점검 대상
1	보조 자료를 통해 글의 내용을 효과적으로 시각화하고 있는가?	ⓐ
2	명료한 표현을 사용하여 의미를 분명히 드러내었는가?	ⓑ
3	사실과 의견을 구분하여 제시하였는가?	ⓒ
4	조사 결과의 해석이 오류 없이 정확한가?	ⓓ
5	인용한 자료의 출처를 밝혔는가?	ⓔ

① ⓐ: 전체 응답자 중 '그렇다'라고 답한 응답자의 비율이 64%임을 막대그래프를 활용하여 효과적으로 시각화했다.
② ⓑ: 비교한 응답 비율의 차이를 구체적 수치로 명료하게 밝혀 의미를 분명히 드러냈다.
③ ⓒ: 해당 부분이 글쓴이의 의견임을 구분할 수 있는 표현을 제시하였다.
④ ⓓ: 조사 결과의 내용을 과장하여 해석한 부분이 있으므로 조사 결과의 해석이 정확하지 않다.
⑤ ⓔ: 참고 문헌의 저자명과 도서명, 발행처 등 출처를 밝혔다.

10 다음은 (나)를 쓰기 위해 작성한 글쓰기 계획이다. (나)에 반영되지 않은 것은?

- 나의 장점을 2, 3문단의 첫 부분에 제시하여 강조해야겠어. ……… ①
- 보고서를 작성한 사례를 언급해 나의 태도가 □□디자인 연구소가 지향하는 가치에 부합함을 드러내야겠어. ……… ②
- 나의 실천력이 가져올 수 있는 긍정적인 영향을 개인적 측면과 사회적 측면으로 나누어 언급해야겠어. ……… ③
- 도전 정신을 갖기 위해 노력했던 과정을 언급하며 나의 변화된 자세를 부각해야겠어. ……… ④
- 청소년 디자이너가 된 후의 나의 포부를 제시하며 글을 마무리해야겠어. ……… ⑤

11 〈보기〉를 고려할 때, [A]에 들어갈 내용으로 가장 적절한 것은? [3점]

보기

- **선생님의 조언**: 결론에는 조사 결과에 제시되어 있는 블리스터 포장에 대한 서로 다른 입장을 요약하고, 블리스터 포장에 대한 너의 의견을 제시하면 좋겠구나.

① 디자인의 아름다움도 중요하지만 가장 중요한 것은 사용자의 요구를 충족해야 한다는 것이다. 사용자를 생각하지 않는 디자인은 결국 사용자에게 외면받게 될 것이다.
② 블리스터 포장을 둘러싸고 이윤을 중시하는 생산자와 안전을 중시하는 사용자의 갈등이 심화되고 있다. 양측의 입장을 반영하여 해결책을 도출하는 성숙한 사회로 발전해야 한다.
③ 현재의 블리스터 포장은 인간의 기본 욕구인 안전의 욕구를 위협하고 있다. 사용자의 안전을 지키지 못하는 블리스터 포장은 종이 포장 등 보다 안전한 방식으로 바뀌어야 한다.
④ 생산 업체는 이익과 효율을 위해 블리스터 포장을 사용하고 있지만, 사용자들은 이로 인해 불편을 느끼고 안전을 위협받고 있다. 사용자의 안전과 편의를 위해 블리스터 포장을 개선할 필요가 있다.
⑤ 이번 조사를 통해 제품 포장을 둘러싼 생산자와 사용자 각각의 입장이 충돌하고 있음을 알 수 있었다. 또한 생산자와 사용자의 의견을 수렴한 절충안을 만들어 모두를 만족시키는 것이 디자이너의 역할임을 깨닫게 되었다.

모의고사 2회

● 정답과 해설 60쪽

[1~3] 다음은 학생이 수업 시간에 한 발표이다. 물음에 답하시오. 2020-9월 모평

> 안녕하세요? 이번 시간에 발표를 맡은 ○○○입니다. 저는 전통극과 관련된 문화유산 중 '예산대'를 소개하고자 합니다.
>
> 예산대를 알기 위해서는 먼저 '산대'를 알아야 하는데요, 산대는 산 모양의 큰 무대입니다. 산대는 대개 고정되어 있었지만『광해군 일기』에 사람들이 산대를 끌어냈다는 기록이 있는 것으로 보아 이동이 가능한 산대가 있었음을 알 수 있습니다. 그중 하나가 바로 예산대인데, 이 명칭은『성종실록』에 이미 기록되어 있습니다. 예산대의 구체적인 모습은 조선 영조 때 중국 사신단의 일정을 담은『봉사도』에서 찾아볼 수 있습니다. 여러분의 이해를 돕기 위해 준비한 자료를 보겠습니다. (㉠자료 제시) 기이한 돌산처럼 보이는 물체를 사람들이 움직이고 있죠? 이것이 바로 전통 인형극을 위한 예산대의 전체 모습입니다.
>
> 우선, 예산대에 있는 인형들을 알아볼까요? 수레바퀴 바로 위에는 선녀 인형과 낚시꾼 인형이, 그 위에는 원숭이 인형 등이 있습니다. 그림이 작아 잘 안 보일 테니 이 인형들만 확대해서 보여 드릴게요. (㉡자료 제시) 지금 보는 선녀 인형은 양팔을 흔들며 춤을 추었답니다. 낚시꾼 인형은 낚싯대를 앞뒤로 움직이는 모습을 연출했다고 해요. 그리고 원숭이 인형은 돌아가면서 주변 구멍에 얼굴을 내밀어 관객들에게 웃음을 주었다고 합니다.
>
> 여러분, 예산대 위의 인형들은 어떻게 움직일 수 있었는지 궁금하지 않으세요? 예산대 아랫부분에 힌트가 있습니다. (㉢자료 제시) 여기 보이는 수레바퀴가 그 역할을 했는데요, 이 그림은 최근 예산대를 복원하는 과정에서 내부 구조를 재현한 것입니다. 사람들이 예산대를 이동하면, 예산대 내부의 톱니바퀴가 수레바퀴로부터 동력을 전달받아 회전하면서 인형들을 움직였습니다.
>
> 이처럼 예산대는 이동 시에 인형들을 자동으로 움직여 극에 활력을 불어넣었다는 점에서 우리 조상들의 지혜를 보여 줍니다. 여러분, 예산대에 대해 관심이 좀 생겼나요? (청중의 대답을 듣고) 여러분도 기술과 예술을 접목한 전통문화의 또 다른 예를 찾아보면 좋겠습니다. 이상으로 발표를 마치겠습니다.

1 위 발표에 대한 설명으로 적절하지 않은 것은?

① 청중에게 질문을 하여 발표 내용에 관심을 유도하고 있다.
② 정보의 출처를 언급하여 발표 내용의 신뢰성을 높이고 있다.
③ 청중과 공유했던 경험을 제시하며 발표의 목적을 밝히고 있다.
④ 발표 주제와 관련된 단어의 의미를 설명하여 청중의 이해를 돕고 있다.
⑤ 발표에 대한 청중의 반응을 확인하며 청중에게 바라는 바를 제시하고 있다.

2 〈보기〉는 위 발표에서 발표자가 제시한 자료이다. 발표자의 자료 활용에 대한 설명으로 가장 적절한 것은? [3점]

보기

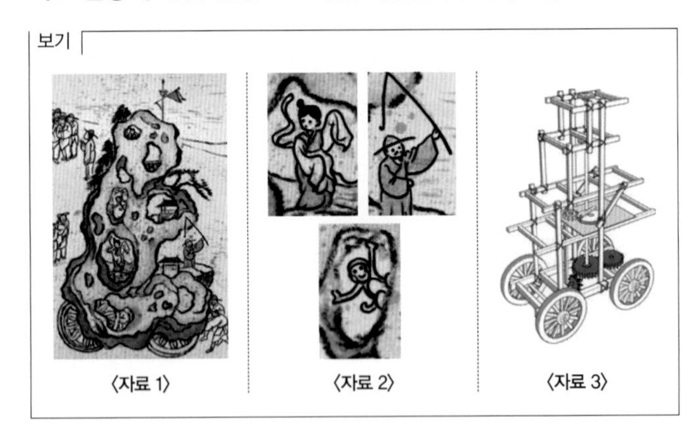
〈자료 1〉 〈자료 2〉 〈자료 3〉

① 예산대의 제작 과정을 보여 주기 위해 ㉠에 〈자료 1〉을 활용하였다.
② 예산대의 구조를 설명하기 위해 ㉠에 〈자료 3〉을 활용하였다.
③ 예산대의 유래를 설명하기 위해 ㉡에 〈자료 2〉를 활용하였다.
④ 예산대 인형의 형태를 보여 주기 위해 ㉢에 〈자료 2〉를 활용하였다.
⑤ 예산대 인형이 움직이는 원리를 설명하기 위해 ㉢에 〈자료 3〉을 활용하였다.

3 **다음은 발표 후 청중의 질문에 대한 발표자의 답변이다. 발표 내용과 답변을 바탕으로 할 때, 청중의 질문으로 가장 적절한 것은?**

> "신선의 세계에서 유희를 즐기는 인물과 동물을 나타낸 것입니다. 당시 사람들이 꿈꾸던 이상향 속의 존재들이지요."

① 예산대에는 여러 인형들이 있다고 하셨는데, 그 인형들은 어떤 의미를 지니고 있나요?

② 전통극 무대에는 상징적 의미가 있다고 하셨는데, 예산대는 무엇을 상징하는 것인가요?

③ 예산대는 산 모양의 큰 무대라고 하셨는데, 그 산은 신선의 세계와 어떤 관련이 있나요?

④ 예산대에서 인형극이 행해졌다고 하셨는데, 사람이 직접 예산대 위에서 공연할 수 있었나요?

⑤ 『봉사도』는 중국 사신단의 일정을 보여 준다고 하셨는데, 예산대 외에 다른 그림에는 무엇이 있었나요?

[4~7] (가)는 토론의 일부이고, (나)는 청중으로 참여한 학생이 '토론 후 과제'에 따라 쓴 초고이다. 물음에 답하시오.

2020-4월 고3 학평

(가)

사회자: 이번 시간에는 '현금 없는 사회로의 이행은 바람직하다.'라는 논제로 토론을 진행하겠습니다. 찬성 측이 먼저 입론해 주신 후 반대 측에서 반대 신문해 주십시오.

찬성 1: 현금 없는 사회로의 이행은 바람직합니다. 현금 없는 사회에서는 카드나 휴대전화 등을 이용한 비현금 결제 방식을 통해 모든 거래가 이루어질 것입니다. 현금 없는 사회에서 사람들은 불편하게 현금을 들고 다니지 않아도 되고 잔돈을 주고받기 위해 기다릴 필요가 없습니다. 그리고 언제 어디서든 편리하게 거래를 할 수 있습니다. 또한 매년 새로운 화폐를 제조하기 위해 천억 원 이상의 많은 비용이 소요되는데, 현금 없는 사회에서는 이 비용을 절약할 수 있어 경제적입니다. 마지막으로 현금 없는 사회에서는 자금의 흐름을 보다 정확하게 파악할 수 있습니다. 이를 통해 경제 흐름을 예측하고 실질적인 정책들을 수립할 수 있어 공공의 이익에도 기여할 수 있다고 생각합니다.

반대 2: 비현금 결제 방식을 이용하면 어디서든 거래를 할 수 있다고 하셨는데요, 자신이 가지고 있는 비현금 결제 방식을 사용할 수 없는 곳에서는 오히려 거래에 제약이 있지 않을까요?

찬성 1: 대표적인 비현금 결제 방식 중 하나인 신용카드의 경우 우리나라의 모든 곳에서 사용되고 있습니다. 그리고 다양한 비현금 결제 방식을 상황에 맞게 선택한다면 거래에 제약은 없을 것입니다. [A]

사회자: 이번에는 반대 측에서 입론해 주신 후 찬성 측에서 반대 신문해 주십시오.

반대 1: 현금 없는 사회로의 이행은 바람직하지 않습니다. 현금 없는 사회가 되면 비현금 결제 방식에 익숙하지 않거나 새로운 결제 방식을 익히지 못한 사람들은 불편을 겪을 것입니다. 또한 비현금 결제 방식에 필요한 시스템을 구축하는 데 많은 비용이 소요되어 경제적이지 않습니다. 끝으로 현금 없는 사회는 현금을 사용하고자 하는 개인들의 선택의 자유를 제한합니다. 자유라는 가치가 확대되는 것이 현대 사회의 지향점이라고 할 때, 어떤 이유에서든 사회 구성원들의 선택의 자유가 축소되는 것은 공공의 이익에도 부정적인 영향을 미칠 것이라고 생각합니다.

찬성 2: 비현금 결제 방식에 필요한 시스템을 구축하는 데 많은 비용이 소요된다고 하셨는데요, 그 비용은 우리나라에 이미 구축되어 있는 정보 통신 기반 시설을 활용한다면 상당 부분 절감할 수 있지 않을까요?

반대 1: 구축 비용은 절감할 수 있을지라도 시스템을 안정적으로 유지하고, 관리하기 위한 추가 비용이 지속적으로 발생할 것입니다. [B]

> **토론 후 과제**: 논제에 대한 자신의 입장을 밝히고, 이를 확장하여 주장하는 글 쓰기

(나) 학생의 초고

현금 없는 사회로의 이행은 바람직하다. 현금은 결제 수단으로 오랫동안 사용되어 왔다. 하지만 오늘날 새로운 기술의 발전에 따라 거래 환경이 비현금 결제 방식으로 변화하고 있고, 이미 많은 국가들이 현금 없는 사회로의 이행을 준비하고 있다.

물론 비현금 결제 방식에 익숙하지 않은 사람들이 겪을 불편을 이유로 현금 없는 사회로의 이행에 반대하는 사람들도 있다. 그러나 지속적이고 단계적으로 교육하고 비현금 결제 방식을 익힐 수 있는 기회를 제공한다면 그들도 자연스럽게 현금 없는 사회에 적응할 수 있을 것이다.

현금 없는 사회의 장점은 너무나 많다. 이미 국가 간 경제 교류를 가능하게 하는 정보 통신 기술이 구축되어 있어 현금 없는 사회로 나아갔을 때 새로운 금융 서비스 산업이 개발되어 국제 무역이 더욱 활발해질 것이다.

사회 구성원들 간의 충분한 합의 없이 진행된 사회 변화는 많은 문제를 일으킬 수 있으므로 깊이 있는 사회적 논의가 필요하다.

4 (가)의 입론을 쟁점별로 정리한 내용으로 적절하지 않은 것은?

[쟁점 1] 현금 없는 사회는 편리한가?
• 찬성 1: 현금 휴대 및 사용의 불편함과 비현금 결제 방식이 시간과 장소에 구애받지 않음을 들어 입장을 분명히 하고 있다. …… ①   • 반대 1: 비현금 결제 방식에 적응하지 못한 사람들이 겪을 수 있는 불편함을 밝히고 있다. …… ②
[쟁점 2] 현금 없는 사회는 경제적인가?
• 찬성 1: 화폐 제조 비용을 수치로 제시하여 경제적 효과를 얻을 수 있음을 분명히 하고 있다. …… ③   • 반대 1: 시스템 구축에 소요되는 비용이 많을 것이라는 점을 들어 경제적이지 않음을 밝히고 있다. …… ④
[쟁점 3] 현금 없는 사회는 공공의 이익에 기여하는가?
• 찬성 1: 자금 흐름을 정확하게 파악하여 얻을 수 있는 이점을 들어 공공의 이익에 기여할 수 있음을 밝히고 있다.   • 반대 1: 개인의 선택의 자유가 제한되는 것이 필요함을 근거로 들어 공공의 이익에 부정적인 영향을 미칠 수 있음을 분명히 하고 있다. …… ⑤

5 [A], [B]에 대한 설명으로 가장 적절한 것은?

① [A]의 반대 2는 상대측이 인용한 정보의 신뢰성에 의문을 제시하며 출처를 요구하고 있다.
② [A]의 찬성 1은 상대측의 이의 제기를 수용하며 자신의 주장이 타당함을 강조하고 있다.
③ [B]의 찬성 2는 상대측 발언 내용을 재진술하며 구체적인 사례를 제시해 줄 것을 요청하고 있다.
④ [B]의 반대 1은 상대측의 이의 제기를 일부 인정하며 향후 예상되는 문제점을 지적하고 있다.
⑤ [A]의 반대 2와 [B]의 찬성 2는 모두 상대측 주장을 요약하며 절충안을 제시하고 있다.

6 다음은 (가)를 참고하여 (나)를 작성하기 위해 학생이 메모한 내용이다. (나)에 반영되지 않은 것은?

[1문단]
• 토론 논제에 대한 나의 입장을 분명히 드러내야겠어.
• 토론에서 언급되지 않은, 현금 없는 사회로의 이행은 시대적 흐름이라는 내용을 추가해서 나의 입장을 강조해야겠어. …… ①

[2문단]
• 토론에서 언급된, 현금 없는 사회에서 발생할 수 있는 문제들 중 일부를 해결 방안과 함께 제시해야겠어. …… ②

[3문단]
• 토론에서 언급되지 않은, 현금 없는 사회의 장점을 밝혀 나의 주장을 뒷받침해야겠어. …… ③
• 현금 없는 사회로의 이행을 위해 국가적 차원에서 준비해야 할 사항들을 언급해야겠어. …… ④

[4문단]
• 현금 없는 사회로의 이행을 위해서는 공동체 합의를 위한 노력이 필요함을 강조해야겠어. …… ⑤

7 〈조건〉에 따라 (나)의 마지막 문단에 내용을 이어 쓴다고 할 때, 그 내용으로 가장 적절한 것은?

조건
비유적 표현을 활용하여 자신의 주장을 강화한다.

① 현금 결제 방식을 지키기 위해 우리 모두 한 배를 탄 사람이라는 인식을 가져야 한다.
② 현금 결제 방식이 사라지게 된다면 한쪽 날개로만 나는 새처럼 불균형한 사회가 될 것이다.
③ 이렇게 함께 만들어 가는 현금 없는 사회 속에서 개인은 더욱 편리한 삶을 누릴 수 있을 것이다.
④ 공동체가 함께 가는 현금 없는 사회로의 이행은 현대 사회를 윤택하게 하는 새로운 물결이 될 것이다.
⑤ 이처럼 공동체가 함께 논의한다면 현금의 긍정적 가치를 인식하고 미래 사회를 준비할 수 있을 것이다.

[8~11] (가)는 교지에 실린 조사 보고서의 일부이고, (나)는 (가)를 참고하여 학교 신문에 쓴 글이다. 물음에 답하시오.

2021-4월 고3 학평

(가)

'수면'에 대한 우리 학교 학생들의 인식과 실태 조사

Ⅰ. 서론

최근 사회적으로 수면의 중요성이 대두되고 있다. 이에 우리 학교 학생들 전체를 대상으로 수면에 대한 인식 및 수면의 실태를 설문지를 통해 조사하였다. 설문 조사는 2021년 3월 11일부터 3월 17일까지 진행되었다.

Ⅱ. 본론

1. 수면에 대한 인식

'수면이 중요하다고 생각하는가?'라는 질문에 대해 85%의 학생이 '그렇다'라고 답했다. '그렇다'라고 응답한 학생들만을 대상으로 한 '수면이 중요한 이유는 무엇인가?'라는 추가 질문에는 91%의 학생이 '피로를 풀기 위해'라고 응답하였다.

2. 수면 실태

실태 조사는 앞서 수면이 중요하다고 응답한 학생들을 대상으로, 수면의 양과 질에 대한 항목을 각각 설정하여 실시하였다. 먼저 '하루에 6시간 이상 잠을 자는가?'라는 질문에 61%의 학생이 '그렇지 않다'라고 응답했다. '하루에 6시간 이상 못 자는 이유는 무엇인가?'라는 추가 질문에는 휴대폰 사용(62%), TV 시청(20%), 공부(16%), 기타(2%) 순으로 답변했다.

그리고 '하루에 6시간 이상 잠을 자는가?'라는 질문에 대해 '그렇다'라고 응답한 학생을 대상으로 한, '수면 후 충분히 피로가 풀렸다고 생각하는가?'라는 추가 질문에는 75%의 학생이 '그렇지 않다'라고 응답했다. 그 이유를 묻는 질문에는 92%의 학생이 '잘 모르겠다'라고 응답하였다.

Ⅲ. 결론

우리 학교 학생들은 수면이 중요하다는 것을 알고 있지만, 절대적인 수면의 양이 부족하고, 수면의 양이 부족하지 않은 학생들도 수면의 질이 낮은 것을 확인할 수 있었다.

(나)

'잠이 보약'이라는 말이 있다. 잠을 잘 자는 것이 건강한 삶을 위한 기본이라는 뜻이다. 하지만 수면이 중요하다고 생각하는 학생 중 61%는 수면 시간이 6시간 미만이라고 응답했고, 이는 외국 학생들의 평균 수면 시간에 비해 낮은 수치이다. 수면 시간이 6시간 이상인 학생들도 수면 후 충분히 피로가 풀렸다고 생각하지 않는다고 응답했다. 이처럼 우리 학교에는 수면의 양이 부족하거나 수면의 질이 낮은 학생들이 많아 수면 습관 개선이 필요한 상황이다.

우리의 몸은 적절한 수면을 통해 건강을 유지할 수 있다. 그런데 수면의 양이 부족하거나 질이 떨어지게 되면 피로해진 몸을 회복할 기회를 얻지 못한다. 그 결과 면역력이 떨어져서 질병에 쉽게 노출될 수도 있고, 집중력과 판단력이 저하되어 정상적인 생활을 하는 데 어려움을 겪을 수도 있다.

이런 문제들을 해결하기 위해서는 첫째, 최소 6시간 이상의 충분한 수면 시간을 확보해야 한다. 이를 위해 효율적인 수면 계획을 세워 취침 시간과 기상 시간을 일정하게 유지해야 한다. 또한 잠자리에 들기 전에는 규칙적인 수면 습관을 방해하는 휴대폰 사용이나 TV 시청 등을 하지 않아야 한다.

둘째, 수면의 질을 높여야 한다. 수면의 질은 수면의 환경과 밀접한 관련이 있다. 밤이 되면 우리 몸에서는 잠과 관련된 호르몬인 멜라토닌이 분비되는데 빛에 노출되면 멜라토닌의 분비량은 줄어들고 결과적으로 깊은 잠을 자지 못한다. 그래서 취침 전에는 수면의 질에 영향을 미칠 수 있는 빛을 차단해야 한다.

잠은 우리의 삶에서 중요한 요소이다. 따라서 학생들은 건강한 수면 습관을 가지도록 힘써야 한다. 또한 ㉠학교에서는 수면의 양과 질이 모두 중요하다는 내용을 학생들에게 교육하기 위한 캠페인을 실시해야 한다.

8 다음은 (가)를 쓰기 위한 계획의 일부이다. (가)에 반영되지 않은 것은?

구분	내용
설문 조사 계획	– 우리 학교 학생들을 대상으로 기간을 설정하고 설문지를 활용하여 조사해야겠어. ············ ① – 설문 항목을 학생들의 수면에 대한 인식과 수면 실태로 구성해야겠어. ············ ② – 수면에 대한 인식과 수면 실태에 대한 응답에 따라 추가 질문을 제시해야겠어. ············ ③
보고서 작성 계획	– 서론에 조사 배경을 언급해야겠어. – 본론에 설문의 응답 결과를 구체적인 수치로 표현하여 제시해야겠어. ············ ④ – 결론에 수면 실태가 수면에 대한 인식에 미치는 영향을 정리해야겠어. ············ ⑤

9 다음은 (나)를 보완하기 위해 추가로 수집한 자료이다. 자료의 활용 방안으로 적절하지 않은 것은? [3점]

[자료 1] 통계 자료

㉮ 국가별 고등학생 평균 수면 시간

국가	평균 수면 시간
한국	6시간 3분
일본	7시간 30분
미국	8시간 12분
OECD 평균	8시간 22분

㉯ T세포 활성화 수치

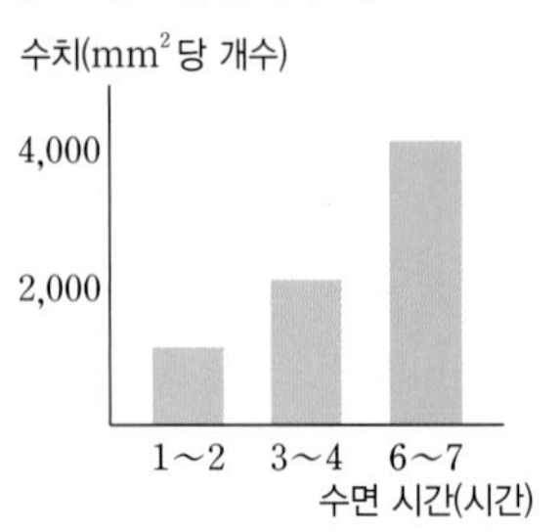

(T세포: 인체의 면역력을 증가시키는 백혈구 내 세포)

[자료 2] 연구 자료

생체 호르몬의 일종인 멜라토닌은 깊은 잠을 자는 데 도움을 주어 면역 기능 유지에 기여한다. 우리 몸에 멜라토닌이 부족해지면 면역력이 저하될 뿐만 아니라, 정보를 습득하고 판단하는 능력과 정서를 조절할 수 있는 능력 등이 저하될 수 있다. 연구에 따르면 전자 기기 화면에서 방출되는 빛에 2시간 노출되었을 때 멜라토닌의 분비가 노출 전보다 22% 정도 억제된다고 나타났다.

[자료 3] 전문가 인터뷰

"잠을 충분히 자기 위해서는 자기 전에 카페인이 함유된 커피나 에너지 음료 등의 섭취를 삼가야 합니다. 카페인은 뇌의 활동을 억제하는 물질인 아데노신의 활성을 방해하는데, 이로 인해 각성 효과가 나타나게 되고 결국 제시간에 잠을 자지 못하는 것입니다. 그뿐만 아니라 카페인은 우리가 깊은 수면에 빠지는 시간을 지연시키고, 자다가 깨는 빈도를 높여 수면의 질도 낮춥니다. 따라서 적어도 잠자리에 들기 6시간 전부터는 카페인이 들어간 음식을 섭취해서는 안 됩니다."

① [자료 1-㉮]를 활용하여, 외국 학생들의 평균 수면 시간에 비해 우리 학교 학생들의 수면 시간이 부족하다는 내용을 뒷받침하는 근거로 제시한다.

② [자료 2]를 활용하여, 멜라토닌 분비량이 빛과 관련이 있으므로 수면의 질을 높이기 위해서는 빛을 차단해야 한다는 내용을 뒷받침하는 자료로 제시한다.

③ [자료 3]을 활용하여, 충분한 수면 시간을 확보하기 위한 방안으로 자기 전에 카페인이 들어간 음식을 섭취해서는 안 된다는 내용을 추가한다.

④ [자료 1-㉯]와 [자료 2]를 활용하여, 수면의 양이 부족하거나 질이 떨어지면 면역력이 떨어질 수 있다는 내용을 구체화하는 자료로 제시한다.

⑤ [자료 2]와 [자료 3]을 활용하여, 수면의 질을 높이기 위해서는 멜라토닌의 분비량을 증가시켜 각성 효과가 나타나게 해야 한다는 내용을 해결책으로 추가한다.

10 〈조건〉에 따라 ㉠을 위한 캠페인 문구를 작성한다고 할 때, 가장 적절한 것은?

조건
- ㉠에 제시된 교육의 내용을 모두 포함할 것.
- 비유적 표현을 활용할 것.

① 충분한 시간 동안 깊이 자는 잠은 건강한 삶을 위한 지름길입니다.

② 수면의 양과 질을 모두 확보해야 우리는 건강해질 수 있습니다.

③ 수면 시간을 줄이면 여러분의 몸에 빨간불이 켜집니다.

④ 잃어버린 수면의 질은 결국 당신의 건강을 앗아갑니다.

⑤ 달님도 꿈꾸는 늦은 밤에 당신도 꿈꾸고 있나요?

11 (가)와 (나)에 대한 이해로 가장 적절한 것은?

① (가)는 (나)와 달리, 예상 독자에 대한 글쓴이의 당부가 드러나고 있다.

② (가)는 (나)와 달리, 문제 상황에 대해 글쓴이가 생각하는 해결 방안을 제시하고 있다.

③ (나)는 (가)와 달리, 글쓴이의 경험을 구체적으로 밝혀 주제에 대한 독자의 흥미를 유발하고 있다.

④ (가)와 (나)는 모두, 객관적인 근거를 활용하여 글의 신뢰성을 높이고 있다.

⑤ (가)와 (나)는 모두, 제목을 활용하여 글의 내용을 효과적으로 전달하고 있다.

모의고사 3회

● 정답과 해설 62쪽

[1~3] 다음은 학생의 발표이다. 물음에 답하시오. 2018-6월 모평

안녕하세요? 지난주 진로 시간에 우리 학급은 '디지털 기술의 오늘과 내일'을 주제로 한 강연을 들었는데요, 디지털 기술의 활용을 쉽게 이해하고 진로 선택에도 도움이 되었던 유익한 시간이었습니다. 여러분도 강연을 들어 잘 알고 있듯이 디지털 기술의 활용 범위는 점차 확대되어 가고 있는데요, 그래서 오늘은 문화유산의 디지털 복원에 대해 말씀을 드리겠습니다.

문화유산의 디지털 복원이라는 개념이 생소하게 느껴질 텐데요, 문화유산의 디지털 복원이란 디지털 기술을 활용해 문화유산을 디지털 자료로 변환하여 보존하거나 그것을 가상의 공간에 복원하는 것을 의미합니다.

문화유산의 디지털 복원을 활용하면, 파손 정도가 심해서 사라질 우려가 있는 문화유산을 디지털 자료의 형태로 반영구적으로 보존할 수 있습니다. 또한 현재 훼손이 심각하여 현실의 공간에 복원이 불가능한 문화유산을 가상의 공간에 복원할 수 있습니다.

한편, 문화유산을 직접 접하고 싶은데 거리가 멀어서 그러지 못한 적이 있지요? 문화유산의 디지털 복원을 활용하면, 멀티미디어 기기를 활용하여 간접적이지만 문화유산을 쉽게 접할 수 있습니다. 더 나아가 가상 체험 기술과 결합하여 문화유산을 가상공간에서 체험할 수 있는 디지털 콘텐츠로도 만들 수 있습니다. 몇 년 전 석굴암을 가상 체험할 수 있는 디지털 콘텐츠가 큰 인기를 끌었던 것처럼 문화유산을 다양한 디지털 콘텐츠로 만드는 움직임이 활발하게 이루어지고 있습니다. 여러분들도 평소 디지털 콘텐츠 이용에 관심이 많은데, 문화유산을 소재로 한 디지털 콘텐츠에도 관심을 가져 본다면 그 매력을 느낄 수 있을 거예요.

지금까지 말씀드린 것처럼 디지털 기술은 문화유산 복원에 유용하게 활용될 수 있습니다. 디지털 기술에 대한 관심에서 더 나아가 문화유산의 디지털 복원에도 관심을 가져 보는 건 어떨까요? 마침 학교와 가까운 ○○ 박물관에서 '디지털로 복원한 조선 시대 한양 도성 체험전'이 다음 주까지 열린다고 합니다. 눈앞에 생생하게 펼쳐진 한양 도성을 저와 함께 걸어 보지 않겠어요? 이상으로 발표를 마치겠습니다.

1 **위 발표에 대한 설명으로 가장 적절한 것은?**

① 디지털 기술과 문화유산의 관계를 비유적으로 설명하며 문화유산 복원에 디지털 기술이 유용함을 강조하고 있다.
② 문화유산의 디지털 복원이 성공한 요인을 제시하며 다양한 학술 분야 간의 연계가 선행되어야 함을 강조하고 있다.
③ 디지털 기술을 활용한 문화유산 복원의 장점을 소개하며 문화유산의 디지털 복원에 대한 관심을 갖도록 권유하고 있다.
④ 문화유산과 관련된 산업의 발전 가능성을 언급하며 디지털 기술의 개발을 위한 재정적 지원이 필요함을 강조하고 있다.
⑤ 문화유산 훼손의 근본 원인을 다각도로 분석하며 문화유산 복원에 학생들이 더 많은 관심을 가져 줄 것을 요청하고 있다.

2 **다음은 위 발표를 위해 사전에 청중을 분석하여 세운 발표 계획이다. 발표 내용에 반영되지 않은 것은?**

• 지역
– 학교 가까운 곳에 박물관이 있으니, 그곳에서 발표 내용과 관련된 체험을 함께해 보자고 제안해야겠다. ······ ①

• 사전 지식
– 디지털 기술의 활용에 대해서는 알고 있을 테니, 문화유산 복원을 디지털 기술과 관련지어 설명해야겠다. ······ ②
– 문화유산의 디지털 복원이라는 용어가 낯설테니, 개념을 설명해야겠다. ······ ③

• 요구
– 발표 내용이 진로 선택에 도움이 되기를 바라니, 문화유산의 디지털 복원과 관련된 직업을 소개해야겠다. ······ ④

• 관심사
– 디지털 콘텐츠 이용에 관심이 많으니, 문화유산을 디지털 콘텐츠로 만든 사례를 언급해야겠다. ······ ⑤

3 **다음은 위 발표를 들으며 학생이 떠올린 생각이다. 이를 바탕으로 발표자에게 질문할 내용으로 가장 적절한 것은?**

> 디지털 기술을 활용하더라도 문화유산의 종류에 따라 디지털 복원의 가능 여부가 다를 것 같은데, 이에 대해서는 구체적으로 밝히지 않은 것 같아.

① 발표 내용이 유형 문화유산에만 해당하는 것 같은데요, 한옥을 짓는 기술과 같은 무형 문화유산도 디지털 기술을 활용해 복원할 수 있는 건가요?

② 얼마나 훼손되어야 현실 공간에 문화유산을 복원하는 게 불가능한지 구체적으로 밝히지 않았는데요, 복원 가능 여부를 판단하는 기준은 무엇인가요?

③ 디지털 기술을 활용하면 문화유산을 반영구적으로 보존할 수 있다고 했는데요, 구체적으로 디지털 기술의 어떤 원리로 그것이 가능하다는 건가요?

④ 문화유산의 복원을 과학 기술의 차원에서만 다룬 것 같은데요, 그 외에 제도적 차원에서 문화유산의 복원을 위해 할 수 있는 노력에는 무엇이 있을까요?

⑤ 앞으로 해결해야 할 과제에 대해서는 말씀하지 않았는데요, 만약 개인이 소장한 문화유산을 디지털 콘텐츠로 제작한다면 그 소유권은 누구에게 있는 건가요?

[4~7] (가)는 도서부원들 간의 토의이고, (나)는 (가)를 바탕으로 쓴 안내문의 초고이다. 물음에 답하시오. 2019-10월 고3 학평

(가)

학생 1: ㉠<u>도서부에서 매년 진행하고 있는 'OO 독서 대화'의 참여 인원이 재작년에 이어 작년에도 줄었어.</u> 오늘 토의에서는 이 문제점을 짚고 개선 방안을 마련해 보자.

학생 2: 작년에는 모든 모둠에서 읽어야 할 도서가 한 권뿐이어서 학생들이 많이 참여하지 않았던 것 같아. 선정 도서의 내용이 자신의 관심 분야와 일치하지 않는 학생들은 독서 대화에 관심을 갖지 않았을 거야.

학생 3: 맞아. 그리고 홍보의 부족도 참여가 적었던 이유라고 생각해. ㉡<u>작년에는 도서관 앞 게시판에만 일주일 정도 안내문을 붙여 놓았거든.</u> 도서관을 자주 이용하지 않는 학생들은 독서 대화에 대해 알 수 없었을 거야.

학생 1: ㉢<u>선정 도서가 한 권밖에 없었고 홍보가 부족했던 점을 개선해야겠구나.</u> 이 밖에도 개선해야 할 점이 또 있을까?

학생 3: 작년에 참여한 학생들을 대상으로 이루어진 설문 조사를 살펴보면, 화제가 잘 맞지 않아 대화가 산만하게 이루어져서 아쉬웠다는 의견이 많았어.

학생 2: ㉣<u>우리 모둠에서도 화제가 잘 맞지 않아 책의 내용에 대해 깊이 있는 이야기를 나누지 못했던 것 같아.</u>

학생 1: ㉤<u>이제부터는 지금까지 논의된 바를 바탕으로 문제를 개선하기 위한 방안에 대해 이야기해 보자.</u> 먼저 책 선정 문제부터 이야기해 볼까?

[A]
학생 2: 학생들이 개인적으로 읽고 싶어하는 도서를 선정 도서에 포함해 주는 것은 어때?

학생 3: 그러면 선정 도서가 다양해지겠지만, 학생들의 선택이 개별적으로 이루어져 독서 대화를 위한 모둠을 꾸리기가 어려울 수 있어. 도서부에서 선생님과 학생들의 추천을 받고, 추천 받은 도서들 중에서 세 권을 선정하는 것이 좋겠어.

학생 2: 내가 미처 생각하지 못한 문제가 있었네. 그렇게 세 권을 선정하도록 하고, 세 권 중 어떤 책을 선택했는지 기입하도록 참가 신청서를 만들자.

학생 1, 3: 그래, 좋아.

학생 1: 모둠별로 독서 대화를 할 때에, 화제를 서로 맞추기 위한 방안으로는 어떤 것이 있을까?

[B]
학생 3: 우리 도서부에서 선정 도서별로 화제를 미리 정해서 제시하는 것이 어떨까?

학생 2: 학생들은 다양한 관점에서 책에 대해 이야기하고 싶어할 거야. 우리가 제시한 화제가 학생들의 관심을 끌 수 없는 것이라면 대화가 제대로 이루어지지 않을 것 같아. 학생들이 이야기 나누고 싶은 내용을 질문으로 만들어 오도록 하는 것이 어떨까?

학생 3: 그게 좋겠다. 그러면 질문을 중심으로 모둠을 구성하여 학생들이 대화를 나누도록 하면 되겠어.

학생 1: 홍보가 부족했던 문제점은 어떻게 해결해야 할까?

학생 2: 학교 신문에 안내문을 실어서 많은 학생들이 볼 수 있도록 하면 어떨까? 내가 초고를 써 올게.

학생 1, 3: 그래. 초고를 써 오면 다 같이 모여 수정하자.

(나)

'○○ 독서 대화'에 여러분을 초대합니다

– 우리들의 소중한 추억이 될 독서 대화

여러분, 좋은 책을 읽고 친구들과 함께 생각을 나누고 싶지 않은가요? 도서부에서는 매년 '○○ 독서 대화'를 진행하여 책 속에서 다양한 삶의 문제를 발견하고 그에 대해 함께 이야기하는 시간을 갖고 있습니다.

올해는 10월 △일 금요일 17시에 도서관에서 함께 이야기하고자 합니다. 이번에는 학생들의 선택의 폭을 넓혀 주기 위해 작년과 달리 선생님과 학생들의 추천을 받아 도서부에서 세 권의 도서를 선정했습니다. 독서 대화에 참여하기 위해서는 10월 □일까지 도서부로 신청하면 됩니다. 이때 함께 이야기하고 싶은 책 한 권을 신청서에 꼭 기입하여 제출하기 바랍니다.

'○○ 독서 대화'에 참여를 신청한 분들은 선택한 책을 읽고 나서 함께 이야기 나누고 싶은 내용을 질문으로 만들어 행사 3일 전까지 도서부에 제출해야 합니다. 그러면 질문을 중심으로 모둠을 구성하여 깊이 있고 폭넓은 대화를 나누게 될 것입니다.

독서 대화에 참여했던 학생들은 다양한 의견을 존중하는 태도를 기를 수 있어 좋았다고 했습니다. ㉮저희가 준비한 독서 대화에 많은 참여를 바랍니다.

4 ㉠~㉤에 대한 이해로 적절하지 않은 것은?

① ㉠: 토의에서 논의할 내용과 관련 있는 문제 상황을 제시하고 있는 발화이다.
② ㉡: 자신의 견해를 뒷받침하는 사실을 근거로 제시하고 있는 발화이다.
③ ㉢: 앞서 논의한 내용을 정리하여 제시하고 있는 발화이다.
④ ㉣: 자신이 처했던 상황을 근거로 문제를 해결할 수 있는 대안을 제시하고 있는 발화이다.
⑤ ㉤: 토의를 진전시키기 위해 앞으로 논의할 내용을 제시하고 있는 발화이다.

5 [A], [B]의 담화에 대한 설명으로 가장 적절한 것은?

① [A]에서는 '학생 3'이, [B]에서는 '학생 2'가 상대 의견의 문제점을 지적하며 대안을 제시하고 있다.
② [A]에서는 '학생 2'가, [B]에서는 '학생 3'이 상대 의견을 일부 인정하며 자신의 의견과 절충하고 있다.
③ [A]에서는 '학생 2'가, [B]에서는 '학생 3'이 상대가 제시한 방안의 실현 가능성을 검토하며 상대 의견의 한계를 지적하고 있다.
④ [A]에서와 달리 [B]에서는 '학생 3'이 '학생 2'의 의견에 반대하며 자신의 제안을 수정하고 있다.
⑤ [B]에서와 달리 [A]에서는 '학생 2'가 '학생 3'의 의견에 대한 타당성을 점검하기 위해 근거를 요구하고 있다.

6 다음은 '학생 2'가 (나)를 쓰기 위해 작성한 메모이다. 이 중 (나)에 반영되지 않은 것은?

• 올해와 작년 독서 대화의 차이점 제시 ······ ⓐ
• 독서 대화에 참여를 신청하는 방법 제시 ······ ⓑ
• 독서 대화를 위해 선정할 도서의 분야 제시 ······ ⓒ
• 독서 대화에 참여하려는 학생들의 준비 사항 제시 ······ ⓓ
• 독서 대화에 참여했던 학생들의 소감 제시 ······ ⓔ

① ⓐ ② ⓑ ③ ⓒ ④ ⓓ ⑤ ⓔ

7 다음은 (나)를 작성한 후, 학생들이 퇴고 과정에서 나눈 대화이다. 이를 참고해 ㉮를 수정 · 보완한 내용으로 가장 적절한 것은? [3점]

> 학생 1: 마지막 부분에 학생들의 참여를 독려하기 위해, 한 권의 책에 대해서 여러 사람이 이야기를 나눔으로써 얻을 수 있는 이점을 추가하도록 하자.
> 학생 3: 부제의 내용을 활용하면서 함께한다는 의미도 드러내면 더 욱 좋을 것 같아.

① 책을 읽으며 독서 대화를 위한 이야깃거리를 찾아보세요. 책을 깊이 읽고 내면화하는 시간이 될 것입니다. 독서 대화에 많은 참여를 바랍니다.

② 도서부는 독서 대화를 위해 많은 준비를 하고 있습니다. 여러분의 참여로 저희가 준비한 행사가 완성될 수 있습니다. 독서 대화에 많은 참여를 바랍니다.

③ 누구나 책 속에서 다양한 삶의 모습을 발견할 수 있습니다. 좋은 책을 만나 여러분의 문제를 해결할 실마리를 찾아보세요. 독서 대화에 많은 참여를 바랍니다.

④ 책을 읽으며 스스로를 돌아보면서 진정한 자신을 만날 수 있을 것입니다. 내면의 이야기에 귀 기울이는 의미 있는 시간을 가져 보세요. 독서 대화에 많은 참여를 바랍니다.

⑤ 한 권의 책을 읽고 여러 사람의 생각이 모이면 넓고 깊은 깨달음에 이를 수 있습니다. 이렇게 함께한 경험은 학창 시절의 뜻깊은 기억으로 남을 것입니다. 독서 대화에 많은 참여를 바랍니다.

[8~11] (가)는 지역 문제 탐구 동아리에서 교지에 싣기 위해 작성한 보고서의 초고이고, (나)는 (가)의 작성에 참여한 학생이 시청 누리집에 게재한 건의문이다. 물음에 답하시오.

2021-3월 고3 학평

(가)

지역 주민들의 ○○숲 공원 이용에 대한 보고서

Ⅰ. 조사 동기 및 목적

생태 탐방 명소로 알려진 우리 지역의 ○○숲 공원을 이용하는 지역 주민들의 수가 점점 줄어들고 있다는 언론 보도가 있었다. 이를 계기로 지역 주민들이 ○○숲 공원 이용에 대해 어떻게 생각하는지를 알아보기 위해 조사해 보고자 한다.

Ⅱ. 조사 계획

- **조사 대상**: □□시 주민 ◇◇명
- **조사 기간**: 20××. 03. 01. ~ 03. 14.
- **조사 내용**: ○○숲 공원 이용 현황, ○○숲 공원에 대한 인식

Ⅲ. 조사 결과

1. ○○숲 공원 이용 현황

조사 대상 중 지난 1년간 ○○숲 공원을 이용한 주민의 비율은 18%에 그쳤다. 또한 △△ 신문의 보도 내용에 따르면 최근 ○○숲 공원의 전체 이용객 중 76%가 외부 방문객들이었으며 그들은 대부분 생태 탐방을 위해 방문한 것이었다. 최근 ○○숲 공원을 이용하는 외부 방문객의 수는 13%p 증가한 반면에 지역 주민의 수는 10%p 감소하였다고 한다.

2. ○○숲 공원에 대한 인식

가. ○○숲 공원의 가치에 대한 인식

지역 주민들이 가장 중요하게 여기는 공원의 가치를 조사하였다. 그 결과, 지역 주민의 62%가 정신적 치유와 휴식에 도움을 주는 후생적 가치를, 23%가 소득을 증대해 주는 경제적 가치를, 15%가 수백여 종 수목이 자생하는 곳으로서의 생태적 가치를 가장 중요하게 여겼다.

나. ○○숲 공원 개선에 대한 인식

조사에 참여한 지역 주민의 85%가 개선이 필요하다고 답했다. 이들을 대상으로 공원 이용과 관련해 개선되기를 바라는 점을 조사한 결과는 다음과 같다.

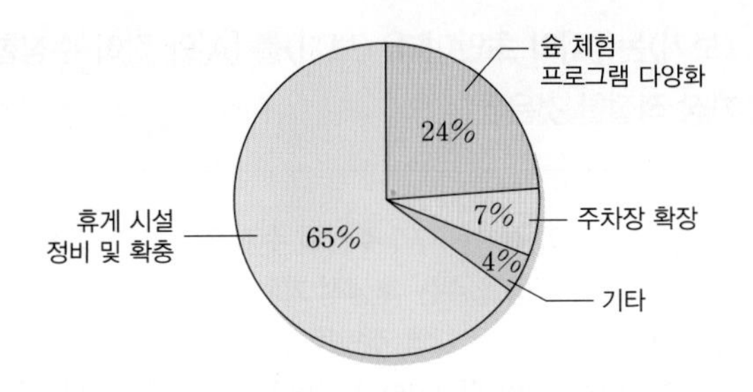

Ⅳ. 결론

정신적 치유와 휴식에 도움을 주는 후생적 가치를 ○○숲 공원의 가치로 가장 중요하게 여기는 지역 주민들의 비율이 62%에 이르렀으며, ○○숲 공원 개선이 필요하다고 응답한 사람들 중 65%는 휴게 시설 정비 및 확충이 필요하다고 답했다. 이를 고려해 ○○숲 공원을 이용하는 지역 주민의 수가 감소하고 있는 문제의 해결 방안을 모색할 필요가 있다. [A]

(나)

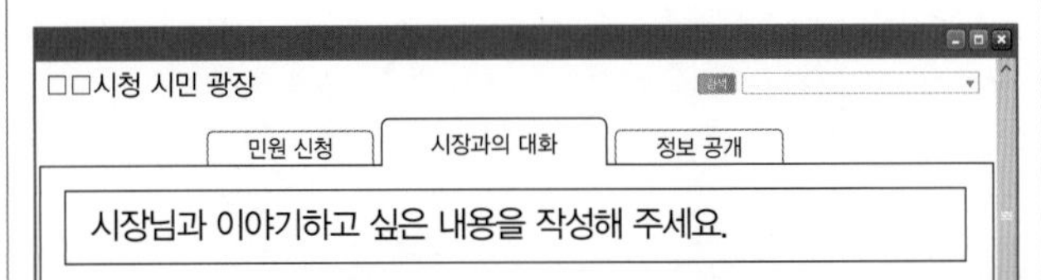

시장님, 안녕하십니까? 저는 ○○ 고등학교 지역 문제 탐구 동아리 학생입니다. △△ 신문 보도 내용에 따르면, 최근 ○○숲 공원을 이용한 지역 주민의 수가 감소하였다고 합니다. 이에 저희 동아리에서 ○○숲 공원 이용에 대한 지역 주민의 인식을 조사해 보니, 많은 지역 주민들이 ○○숲 공원이 개선되기를 바라고 있었습니다. 그래서 이에 대한 건의를 드리고자 합니다.

△△ 신문 보도 내용에 따르면, 최근 ○○숲 공원의 전체 이용객 중 76%가 외부 방문객들이었습니다. 외부 방문객들의 ○○숲 공원 방문 목적은 대부분 생태 탐방이기 때문에 공원 내 휴게 시설의 부족을 문제점으로 여기는 외부 방문객은 그리 많지 않을 것입니다. 그러나 저희 동아리에서 조사한 내용에 따르면, ○○숲 공원의 개선이 필요하다고 답한 지역 주민의 65%가 공원 내 휴게 시설의 정비와 확충의 필요성을 느끼고 있었습니다.

○○숲 공원의 탐방로 곳곳에는 벤치가 설치되어 있습니다. 하지만 너무 낡아 휴식하기가 어려운 벤치가 많습니다. 이를 조속히 정비하여 주시기 바랍니다. 또한 공원 내부의 쉼터에는 현재 휴게 시설이 마련되어 있지 않습니다. 공원 탐방로의 중간 지점에 위치한 쉼터에 휴게 시설이 마련된다면 많은 지역 주민들이 편리하게 이용할 수 있을 것입니다.

○○숲 공원의 개선이 이루어진다면 지역 주민들의 공원 이용 만족도가 높아질 것입니다. 이는 지역 주민의 62%가 정신적 치유와 휴식에 도움을 주는 후생적 가치를 중요하게 여기고 있다는 저희 보고서의 내용에 의해 뒷받침됩니다.

시장님께서 늘 우리 □□시를 위해 많은 노력을 기울이고 계신 것으로 알고 있습니다. 조속한 답변과 조치를 기대합니다. 감사합니다.

8 **작문 맥락을 고려할 때, (가)와 (나)에 대한 설명으로 가장 적절한 것은?**

① 예상 독자를 고려할 때, (가)는 (나)와 달리 독자와의 관계를 고려하여 격식에 맞는 어투를 쓰고 있다.
② 글의 주제를 고려할 때, (나)는 (가)와 달리 주요 서술 대상의 특징을 유형별로 분류해 설명하고 있다.
③ 작문 목적을 고려할 때, (나)는 (가)와 달리 독자를 특정하여 문제 해결 방법을 제안하고 있다.
④ 작문 매체를 고려할 때, (가)와 (나)는 모두 필자와 독자 간의 즉각적인 소통 방식을 사용하고 있다.
⑤ 글의 유형을 고려할 때, (가)와 (나)는 모두 항목별로 소제목을 달아 정보를 정리하여 제시하고 있다.

9 다음은 학생이 (가)를 바탕으로 (나)를 작성하기 위해 떠올린 생각이다. (나)에 반영되지 않은 것은? [3점]

① (가)의 'Ⅲ-1'에서 제시한 신문 보도 내용을 근거로, 지역 주민들의 ○○숲 공원 이용이 줄어들었음을 언급해야겠다.
② (가)의 'Ⅲ-1'에서 제시한 신문 보도 내용을 근거로, 외부 방문객이 휴게 시설의 부족을 ○○숲 공원의 문제점으로 여기는 이유를 제시해야겠다.
③ (가)의 'Ⅲ-2-가'에서 제시한 우리 보고서의 조사 내용을 근거로, 우리 지역 주민들이 ○○숲 공원의 후생적 가치를 중시하고 있다는 내용을 제시해야겠다.
④ (가)의 'Ⅲ-2-나'에서 제시한 우리 보고서의 조사 내용을 근거로, 많은 지역 주민들이 ○○숲 공원의 개선이 필요하다고 생각하고 있음을 언급해야겠다.
⑤ (가)의 'Ⅲ-2-나'에서 제시한 우리 보고서의 조사 내용을 근거로, ○○숲 공원 내 휴게 시설의 정비와 확충이 필요하다고 생각하는 지역 주민이 많다는 것을 제시해야겠다.

10 다음의 점검 기준에 따라 (가)를 점검한 결과가 적절하지 않은 것은?

점검 기준	점검 결과	
• 조사 목적을 조사 동기와 관련지어 제시했는가?	○	……… ①
• 조사 계획에 조사 대상과 조사 기간을 밝혔는가?	○	……… ②
• 상위 항목과 하위 항목 간의 위계를 고려하였는가?	×	……… ③
• 조사 항목의 성격에 부합하는 다양한 그래프를 사용했는가?	×	……… ④
• 참고 문헌 항목을 설정하여 보고서에서 인용한 자료의 출처를 모두 명시했는가?	×	……… ⑤

11 〈보기〉는 [A]의 초안이다. 〈보기〉를 [A]와 같이 수정한 이유로 가장 적절한 것은?

보기

○○숲 공원을 이용하는 지역 주민의 수가 감소하고 있다. 정신적 치유와 휴식에 도움을 주는 후생적 가치를 ○○숲 공원의 가치로 가장 중요하게 여기는 지역 주민들의 비율이 62%에 이르렀으며, ○○숲 공원 개선이 필요하다고 응답한 사람들 중 65%는 휴게 시설 정비 및 확충이 필요하다고 답했다.

① 하나의 긴 문장을 여러 개의 문장으로 나누어 제시하기 위해
② 내용 순서의 조정을 바탕으로 필자의 견해를 제시하기 위해
③ 조사 결과와 직접적으로 관련이 없는 정보를 삭제하기 위해
④ 보고서에 사용된 주요 개념에 대한 정보를 추가하기 위해
⑤ 맥락에 적합하지 않은 담화 표지를 수정하기 위해

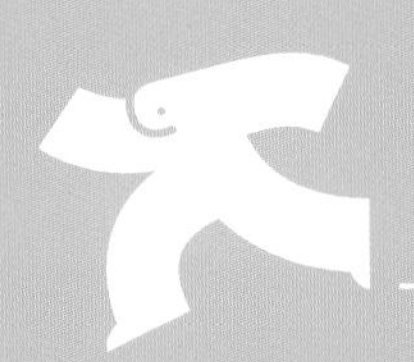

수능 국어 **화법과 작문**

빠작으로 내신과 수능을 한발 앞서 준비하세요.

정답과 해설

동아출판

화법

01 발표

본책 12~13쪽

1 ② **2** ④ **3** ①

2021 수능

담화 유형	발표
주제	고구려 고분 벽화의 내용과 가치
목적	고구려 고분 벽화의 의미와 가치를 알려 주기 위해
특징	• 질문을 통해 청중의 흥미를 유발하고 반응을 이끌어 냄. • 시각 자료를 제시하여 청중의 이해를 도움.
중심 내용	1 문단: 발표 대상 소개 2 문단: 고구려 고분 벽화의 내용 ① 3 문단: 고구려 고분 벽화의 내용 ② 4 문단: 고구려 고분 벽화의 가치

1 말하기 방식 파악 답 ②

발표자는 1문단에서 '여러분은 고구려 고분 벽화를 본 적이 있나요?', 2문단에서 '그럼 고구려 고분 벽화에는 무엇을 그렸을까요?'와 같이 발표 내용과 관련된 질문을 하면서 청중의 반응을 이끌어 내고 있다.

[오답 풀이]

① 청중에게 기대하는 바를 언급한 부분은 없다.

③ 청중이 정보를 요청한 부분은 없으며, 발표 내용과 관련된 정보를 추가한 부분도 없다.

④ 발표 대상인 '고구려 고분 벽화'에 대한 질문을 던져서 발표 내용을 예측할 수는 있지만, 발표 내용의 순서를 안내하지는 않았다.

⑤ 발표 내용과 청중의 관련성을 언급한 부분은 없다.

2 자료 활용 방안 파악 답 ④

3문단을 통해 무덤 주인을 수호해 준다고 여긴 대상은 청룡, 백호 등과 같은 사신임을 알 수 있다. 하지만 [자료 3]은 사신이 아니라 연꽃 위에 신선을 그린 그림이므로, 무덤 주인을 지켜 준다고 여긴 대상을 고분 벽화에 담아내었음을 보여 주기 위해 ㉢에 [자료 3]을 활용했다는 ④는 적절하지 않다.

[오답 풀이]

① ㉠의 뒷 문장에 '여기가 돌방무덤의 내부입니다. 고분 벽화는 이곳의 천장과 벽에 그려져 있어요.'라고 제시되어 있으므로, 돌방무덤 내부에 벽화가 그려져 있는 [자료 1]을 ㉠에 활용하는 것은 적절하다.

② 3세기 중반부터 5세기 초에는 고분 벽화에 주대종소법을 활용하여 무덤 주인의 권위를 강조하였으므로, ㉡에 주인을 크게 그리고 종은 작게 그린 [자료 2]를 활용하는 것은 적절하다.

③ 2문단에서 주대종소법을 활용하여 '무덤 주인의 권위를 강조하고 그의 풍요로운 삶이 사후 세계에서도 이어지기를 바라는 마음을 담'았다고 하였다. 따라서 ㉡에 주인을 크게 그리고 종은 작게 그린 [자료 2]를 활용하는 것은 적절하다.

⑤ 3문단에서 연꽃 위에 도교 사상과 관련된 신선을 그린 것은 불교와 도교 사상이 공존했던 당시의 상황이 반영된 것이라고 했으므로, 종교 사상이 고분 벽화에 영향을 주었음을 보여 주기 위해 ㉢에 불교와 관련이 있는 연꽃 위에 도교와 관련이 있는 신선을 그린 [자료 3]을 활용하는 것은 적절하다.

3 청중의 질문 추론 답 ①

발표자의 대답에서 '고구려 이후에도'라는 구절을 통해 고구려 고분 벽화의 전통이 그 이후 사람들에게도 이어졌다는 내용이 질문에 포함되었을 것이라고 짐작할 수 있다. 고구려 고분 벽화는 무덤 주인이 사후 세계에서도 잘 살기를 바라는 마음을 담아낸 것이고 이 전통이 조선 전기까지 이어졌으므로, 고분 벽화의 전통이 후대까지 이어진 것이 무엇을 의미하는지 묻는 ①이 가장 적절하다.

[오답 풀이]

② 도교의 영향으로 고분 벽화에 사신을 주로 그린 시기가 있었지만, 이 시기에 사신이 상징성을 지니게 된 의미를 묻는 것은 발표자의 대답이 나오기 위한 질문으로 적절하지 않다.

③ 주대종소법은 주인의 권위를 강조하고 그의 풍요로운 삶이 사후 세계에도 이어지기를 바라는 마음의 표현이라고 했으므로, 발표자의 대답이 나오기 위한 질문으로 적절하지 않다.

④ 돌방무덤의 형태가 나타난 의미를 묻는 것은 발표자의 대답이 나오기 위한 질문으로 적절하지 않다.

⑤ 시대를 초월하는 문화재의 가치에 대한 질문은 발표의 내용과 거리가 있으며, 발표자의 대답이 나오기 위한 질문으로 적절하지 않다.

본책 14~15쪽

담화 분석

1 ❶ 고구려 고분 벽화 ❷ 주대종소법 ❸ 불교 ❹ 도교 ❺ 역사 자료

2 ❶ 질문 ❷ 시각 (매체)

문제 해결 TIP

❶ ○ 해설 크게 그려진 주인과 작게 그려진 종의 모습이 있는 그림은 본문의 내용과 일치한다.

❷ ○ 해설 [자료 2]는 무덤 주인의 권위를 강조하기 위한 것이므로 자료와 그 제시 목적이 자연스럽게 연결된다.

❸ 적절하다

강연

본책 16~17쪽

1 ② **2** ② **3** ⑤

2019-6월 모평

담화 유형	강연
주제	야생 조류의 유리창 충돌 이유와 충돌 방지 방법
목적	야생 조류의 유리창 충돌 사고를 줄이는 방법을 알려 주고 실천을 촉구하기 위해
특징	• 청중의 응답을 이끌어 내며 청중과 상호 작용함. • 시각 자료를 제시하여 청중의 이해를 도움.
중심 내용	**1** 문단: 강연자 소개 **2** 문단: 화제 제시 **3** 문단: 야생 조류가 유리창에 잘 부딪치는 이유 **4** 문단: 야생 조류가 유리창에 부딪치지 않도록 도울 방법 **5** 문단: 야생 조류의 유리창 충돌 방지를 위한 실천 촉구

1 말하기 방식 파악 답 ②

강연자는 2문단에서 '여러분, 혹시 걷다가 유리문에 부딪친 적 있나요?', 4문단에서 '사람은 자외선을 볼 수 없다고 과학 시간에 배웠죠?'라고 질문을 하며 청중의 대답을 이끌어 내고 있다. 청중의 대답을 들은 후에는 '네, 몇몇 학생들이 경험했군요.', '다들 잘 알고 있군요.'라며 청중의 반응을 확인하여 청중과 상호 작용하고 있다.

[오답 풀이]

① 강연의 주된 내용은 야생 조류가 유리창에 잘 부딪치는 이유와 그것을 방지하는 방법에 대한 것이다. 이 과정에서 다양한 용어가 등장하지만 용어를 정의하고 있지는 않다.

③ '사람은 자외선을 볼 수 없다고 과학 시간에 배웠죠?'에서 청중의 배경지식을 물어보고 있을 뿐, 청중의 배경지식이 잘못되었음을 지적하고 있지는 않다.

④ 강연의 앞부분에는 강연자 소개와 화제가 제시되어 있을 뿐, 강연 내용의 순서를 제시하지는 않았다.

⑤ 강연자는 청중의 관심을 당부하고 야생 조류의 유리창 충돌 방지를 위한 실천을 촉구하고 있을 뿐, 청중에게 강연 내용의 이해 정도를 확인하는 질문은 하고 있지 않다.

2 듣기 전략 평가 답 ②

강연자는 강연에서 비둘기가 야생 조류에 해당한다는 내용을 근거로 제시하고 있지 않다. 따라서 '비둘기도 야생 조류에 해당할까?'라는 학생의 의문은 강연자가 설득의 근거로 제시한 내용에 대한 의문이라고 볼 수 없다. 학생의 의문은 강연에서 야생 조류의 개념을 정의하지 않고 야생 조류의 종류를 언급하는 부분이 없기 때문에 할 수 있는 생각이다.

[오답 풀이]

① '며칠 전 우리 집 유리창에도 비둘기가 부딪쳐서 놀랐어.'에서 강연 내용인 '야생 조류의 유리창 충돌'과 관련된 자신의 과거 경험을 떠올리며 들었다는 것을 알 수 있다.

③ 강연자는 자외선 반사 테이프를 붙이는 것은 건물의 미관을 해치지 않으면서도 효과를 볼 수 있는 방법이라고 했다. 따라서 '자외선 반사 테이프는 정말 좋은 방법인 것 같아.'에서 강연을 통해 알게 된 정보를 긍정적으로 평가하며 들었다는 것을 알 수 있다.

④ '우리 집에도 부착하면 새가 부딪치지 않겠지.'에서 강연자가 제시한 방법(자외선 반사 테이프를 붙이는 방법)이 실제로 효과가 있을 것이라고 생각하며 들었다는 것을 알 수 있다.

⑤ '야생 조류가 부딪치지 않게 유리창에 그물망을 설치하는 것은 나도 할 수 있을 것 같아.'에서 강연자가 제안한 방법 중 자신이 실천할 수 있는 방법을 생각하며 들었다는 것을 알 수 있다.

3 자료 활용 방안 파악 답 ⑤

〈자료 2〉는 야생 조류가 가시광선뿐만 아니라 자외선도 인식할 수 있다는 것을 보여 준다. 4문단에서 ㉡을 제시한 후 '보시는 것처럼 대부분의 야생 조류는 사람과 달리 우리가 보는 색뿐만 아니라 자외선도 볼 수 있습니다.'라고 하면서 이를 이용한 것이 자외선 반사 테이프라고 하였다. 따라서 〈자료 2〉는 ㉡에서 활용하기에 적절하다.

[오답 풀이]

① 〈자료 1〉은 야생 조류의 전방 인지 능력이 사람보다 떨어진다는 사실을 뒷받침하는 자료이다. 따라서 야생 조류가 유리창에 잘 부딪치는 이유를 보여 주기에는 적합하지만 유리창 충돌로 인한 피해 현황을 보여 주기에는 적절하지 않다.

② 〈자료 1〉은 사람과 야생 조류의 시야 범위가 다름을 보여 주는 자료이므로 ㉠에서 활용하는 것이 적절하다.

③ ㉢의 뒷부분에서 자외선 반사 테이프 부착 후 야생 조류의 유리창 충돌이 크게 줄었다고 했으므로, ㉢에는 '자외선 반사 테이프의 부착 효과'를 보여 주는 자료를 활용하는 것이 적절하다.

④ 야생 조류가 유리창에 충돌하는 원인은 야생 조류의 전방 인지 능력이 떨어지기 때문이므로, 〈자료 1〉을 활용하는 것이 적절하다.

본책 18~19쪽

담화 분석

1 ❶ 유리창 충돌 ❷ 전방 인지 능력 ❸ 자외선 ❹ 실천

2 ❶ 경험 ❷ 시각 (매체)

문제 해결 TIP

❶ ○ 해설 '며칠 전 우리 집 유리창에도 비둘기가 부딪쳐서 놀랐어.'는 청중의 반응 중 자신의 경험을 떠올린 것이다.

❷ ○ 해설 강연에 야생 조류가 유리창에 충돌하여 죽는 경우가 많다는 내용이 제시되어 있다.

❸ 적절하다

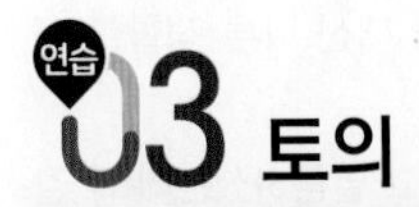

03 토의

본책 20~21쪽

1 ⑤ **2** ① **3** ②

2017-6월 모평

담화 유형 토의

주제 모둠 과제의 수행을 위해 『○○의 이해』를 같이 읽을 방법

목적 분량이 많고 어려운 책을 같이 읽을 방법을 정하기 위해

특징
- 사회자는 토의 내용을 정리하고 토의를 진행함.
- 바람직한 방법을 찾기 위해 두 가지 방식의 장점과 단점을 분석하며 최선의 해결 방안을 결정함.

토의 과정

토의 주제 확인	『○○의 이해』를 같이 읽을 방법
해결 방안 제안	• 해결 방안 1: 발표와 질의응답 방식 • 해결 방안 2: 자유 토의 방식
해결 방안 분석 및 평가	• 발표와 질의응답 방식의 장점과 단점 분석 • 자유 토의 방식의 장점과 단점 분석
해결 방안 결정	발표와 질의응답 방식으로 결정 (문제점은 추후 개선하기로 함.)

1 토의 내용 파악 답 ⑤

'발표와 질의응답'과 '자유 토의' 모두 사전에 정해진 분량의 책을 각자 읽는 방식이다. 따라서 ㉠을 참여자들이 사전에 모여서 책을 함께 읽는 방식이라고 하는 것은 적절하지 않다.

[오답 풀이]

① '발표와 질의응답'은 매주 한 명씩 돌아가면서 책의 내용에 대해 발표를 하고 질의응답을 하는 방식이므로 발표자가 구심점 역할을 하게 된다. 따라서 주도적인 역할을 하는 특정인(발표자)이 사전에 결정된다고 할 수 있다.

② '자유 토의'는 구성원들 모두가 매주 정해진 분량의 책을 읽어 와서 자유롭게 이야기를 나누는 방식이다. 준비 과정에서 따로 주도자가 결정되지 않으므로 각 참여자의 역할은 같다.

③ '발표와 질의응답'은 질의응답을 하는 과정에서, '자유 토의'는 자유롭게 이야기를 나누는 과정에서 참여자들이 의견을 상호 교환한다.

④ '발표와 질의응답'과 '자유 토의' 모두 사전에 정해진 분량을 각자 읽어 오는 것을 전제로 한다. 따라서 매주 모임에서 참여자들이 다룰 분량이 정해져 있다.

2 말하기 방식 파악 답 ①

[A]에서는 발표자가 내용을 잘못 이해하면 나머지 사람들이 모두 오해할 수 있다는 '발표와 질의응답' 방식의 단점을 언급한 후, '자유 토의' 방식은 모두가 책을 꼼꼼히 읽고 서로 의견을 나눠서 책을 더 정확하게 이해할 수 있는 장점이 있다고 말하고 있다.

[오답 풀이]

② [A]에서는 특정 방안('발표와 질의응답')의 문제점은 언급하였으나 이를 해결할 방안은 언급하지 않았고, 다른 방안('자유 토의')이 지닌 문제점도 언급하지 않았다.

③ [A]에서는 특정 방안('자유 토의')의 장점을 언급하였으나 다른 방안이 그 장점을 더 발전시킬 수 있음을 언급하지는 않았다.

④ [B]는 두 방안 모두 개개인의 준비가 미흡하면 모임을 할 수 없다고 하였다. 따라서 특정 방안의 한계와 의의를 제시하고 있는 것은 아니다.

⑤ [B]에서 특정 방안의 장단점을 언급한 후 단점을 보완할 수 있는 방법을 제시하고 있지 않다.

3 토의 과정 분석 답 ②

'발표와 질의응답' 방식을 채택하되 문제점이 나타나면 개선해 나가자는 '학생 1'의 말에 모두 동의를 표했으므로, 예상되는 문제점의 보완을 전제로 특정 방안('발표와 질의응답')을 실행하는 데 합의하였다는 설명이 적절하다.

[오답 풀이]

① 두 방안 중 '발표와 질의응답' 방식으로 의견을 모은 것일 뿐, 결정된 사항을 이행하기 위한 세부 계획을 결정한 것은 아니다.

③ 두 방안 중에서 '발표와 질의응답' 방식으로 결정한 것이다. 제삼의 방안을 절충안으로 결정하지 않았다.

④ 모든 학생들이 동의를 표했으므로, 소수 의견 존중을 전제로 특정 방안을 결정한 것은 아니다.

⑤ 오류 가능성을 줄이기 위해 전문가의 의견을 구하는 데 합의하고 있지 않다.

본책 22~23쪽

담화 분석

1 ❶ 발표와 질의응답 ❷ 자유 토의 ❸ 깊이 ❹ 구심점

2 ❶ 사회자 ❷ 질문

문제 해결 TIP

❶ × 해설 특정 방안의 문제점은 드러나지만 해결 방안은 드러나지 않는다.

❷ × 해설 다른 방안이 지닌 문제점이 아니라, 다른 방안이 지닌 장점이 드러난다.

❸ 적절하지 않다

토론

본책 24~25쪽

1 ④ **2** ④ **3** ⑤

2017 수능

담화 유형 토론

논제 동아리 축제에서 홍보관을 운영할 동아리를 선정할 때 추첨 방식으로 해야 한다.

주제 동아리 축제에서 홍보관을 운영할 동아리를 추첨 방식으로 선정해야 한다는 논제에 대한 찬반 토론

특징
- 사회자는 토론의 논제를 제시하고 토론자의 발언 순서를 안내하는 등 토론을 진행함.
- 토론자는 찬성과 반대의 입장으로 나누어져 자신의 주장이 정당하다는 사실을 입증하기 위해 노력함.

토론 과정

1 찬성 측 입론	→ 2 반대 측의 반대 신문
추첨 방식을 찬성함. – 심사 방식을 반대하는 이유 – 추첨 방식을 찬성하는 이유	추첨 방식을 찬성하는 이유에 대한 문제 제기
	→ 3 찬성 측의 재반론
	반대 측의 반대 신문에서 제기한 문제에 대한 반론
4 반대 측 입론	→ 5 찬성 측의 반대 신문
추첨 방식을 반대함. – 심사 방식을 찬성하는 이유	심사 방식을 찬성하는 이유에 대한 문제 제기
	→ 6 반대 측의 재반론
	찬성 측의 반대 신문에서 제기한 문제에 대한 해결 방안 제시

1 입론의 내용 평가 답 ④

'반대 1'은 기존 심사 방식의 긍정적 측면으로, 평가자의 주관적 개입을 줄일 수 있고, 평가 기준의 타당성이 매우 높으며, 홍보관 운영 계획서를 제출할 기회를 공평하게 부여하고 있고, 준비 과정을 통해 축제가 내실화될 수 있다는 점을 근거로 들어 새로운 선정 방식인 추첨 방식을 반대하고 있다.

[오답 풀이]

① '찬성 1'은 용어의 개념을 정의하고 있지 않다.

② '찬성 1'은 기존 방식의 문제점을 언급하고, 새로운 방식인 추첨 방식으로 바뀔 때 발생하는 기대 효과를 중심으로 주장하고 있다.

③ '반대 1'은 기존 방식을 유지하자는 입장으로, 논제와 관련된 문제 해결의 시급성을 강조하지는 않았다.

⑤ '반대 1'은 새로운 방식을 도입하는 것에 반대하지만, 새로운 방식을 도입할 때 발생할 수 있는 부정적 측면에 대해서는 언급하지 않았다.

2 말하기 전략 파악 답 ④

[B]는 '홍보관 운영 계획서를 평가하는 기준이 타당하다고 하셨는데'와 같이 상대측이 언급한 내용의 일부를 확인하였고, 설문 조사 결과 평가 기준의 일부가 불공정하다는 응답이 많았음을 언급하면서 평가 기준의 타당성에 의문을 제기하였다.

[오답 풀이]

① [A]는 상대측이 제시한 추첨 방식을 도입했을 때 생길 수 있는 문제점을 지적하고 있으나, 찬성 측이 제시한 사례 대신 다른 적합한 사례를 제시하라고 요구하지는 않았다.

② [A]는 '추첨 방식이 기회를 균등하게 부여한다고 말씀하셨는데'와 같이 상대방이 진술한 내용의 일부를 확인하였으나, 기존 방식(심사 방식)의 문제점이 아니라 새로운 방식(추첨 방식)의 문제점을 제기하고 있다.

③ [B]는 설문 조사 결과를 근거로 들어 상대측의 주장에 반론을 제시하고 있다. 그러나 상대측 주장을 뒷받침하는 근거에 의문을 제기하거나 출처 제시를 요구하지는 않았다.

⑤ 찬성 측과 반대 측 모두 전문가의 설명을 인용하지 않았으므로, [A]와 [B] 모두 상대측이 인용한 전문가의 설명이 적합한지 따지거나 사실 관계를 확인하고 있지 않다.

3 토론 내용 분석 답 ⑤

'찬성 1'의 입론에서 '추첨 방식으로 한다면 ~ 기회가 모든 동아리에 균등하게 부여될 수 있습니다.'라고 하였다. '㉡ 추첨 방식'을 도입하면 모든 동아리에게 선정 기회가 균등하게 부여되므로 추첨 방식이 심사 방식보다 더 공평하다고 주장하고 있는 것은 반대 측이 아니라 찬성 측이다.

[오답 풀이]

① 찬성 측은 입론에서 '심사 방식의 ~ 평가자 주관이 개입될 수 있어 평가의 신뢰성이 낮아 학생들의 불만이 높기 때문입니다.'라고 하며 평가자의 주관이 개입될 수 없는 '㉡ 추첨 방식'이 적합한 방식이라고 주장하고 있다.

② 찬성 측은 입론에서 '동아리 홍보관 운영 계획서를 ~ 시간과 노력을 불필요하게 들이는 문제도 해소할 수 있습니다.'라고 하며 '㉡ 추첨 방식'이 시간과 노력이 불필요하게 드는 '㉠ 심사 방식'의 문제점을 해소할 수 있어 적합하다고 주장하고 있다.

③ 반대 측은 '반대 2'의 반대 신문에서 '그럴 경우 동아리 홍보관 운영을 더 잘 계획하고 준비한 동아리가 탈락할 수도 있죠.'라고 하며 추첨 방식으로 인해 홍보관 운영을 더 잘 준비한 동아리가 탈락할 수 있다는 점을 들어 '㉠ 심사 방식'을 옹호하고 있다.

④ 반대 측은 입론에서 '계획서를 준비하는 과정에서 ~ 축제가 내실화될 수 있습니다.'라고 주장하면서 '㉠ 심사 방식'을 지지하고 있다.

본책 26~27쪽

담화 분석

1 ❶ 논제 ❷ 평가자 ❸ 주관적 ❹ 평가 기준

2 ❶ 문제 ❷ 설문 조사

문제 해결 TIP

❶ ○ (해설) '반대 1'은 '홍보관 운영 동아리 선정을 추첨 방식으로 하는 것에 반대합니다.'라고 말하고 있다.

❷ ○ (해설) '반대 1'은 심사 방식의 장점으로 평가자의 주관적 개입을 줄일 수 있고, 평가 기준의 타당성이 높다는 것 등을 들고 있다.

❸ 적절하다

대화

본책 28~29쪽

1 ② **2** ①

2020-11월 고1 학평

담화 유형 대화

주제 『토끼전』의 인물에 대한 평가

목적 『토끼전』의 인물에 대해 이야기를 나누고 성찰하는 글을 쓰기 위해

특징
- 특별한 형식 없이 자유롭게 의견을 교환함.
- 관용적인 표현을 활용하여 자신의 의견을 효과적으로 제시함.

중심 내용

- 자라에 대한 평가

긍정적		부정적
– 충성스러움. – 신의 있음.	↔	– 임무 수행을 위해 거짓말을 함. – 맹목적인 충성심을 보임.

- 용왕에 대한 평가

부정적
– 자신을 위해 타인의 희생을 요구함. – 타인의 생명을 존중하지 않고 이기적임.

- 토끼에 대한 평가

긍정적		부정적
위기 상황에서 포기하지 않고 기지를 발휘함.	↔	– 헛된 욕심 때문에 위기에 빠짐. – 경솔함.

1 말하기 전략 파악 답 ②

[A]에서는 '타인의 생명을 존중하지 않는 용왕의 이기적인 태도가 문제라는 거지?'라고 말하며 '학생 2'의 의견을 잘 이해했는지 확인하고 있다. 그리고 [B]에서는 자라의 거짓말이 선의의 거짓말이라는 '학생 1'의 의견에 대해, 자라의 거짓말로 토끼가 피해를 보고 있고 다른 이를 위기에 몰아넣었다는 것을 근거로 들어 '나쁜 거짓말'이라고 반박하고 있다.

[오답 풀이]

① [A]에서는 '자신의 목숨을 위해 타인의 희생을 초래할 명령을 내린 용왕'을 부정적으로 평가하는 '학생 2'의 의견을 '타인의 생명을 존중하지 않는 용왕의 이기적인 태도가 문제라는 거지?'라고 요약하여 재진술하고 있다. 그러나 [B]에서는 자라의 거짓말이 선의의 거짓말이라는 '학생 1'의 의견에 반대하고 있으므로 '보강하고 있다'는 것은 적절하지 않다.

③ [A]에서는 '학생 2'에게 추가적인 정보를 요청하지 않았다. [B]에서는 '학생 1'과 반대되는 입장을 취하고 있기 때문에 '학생 1'의 의견을 뒷받침하는 사례를 언급하지 않았다.

④ [A]에서는 비언어적 표현(고개를 끄덕이며)을 활용하여 '학생 2'의 의견에 공감하고 있다. [B]에서는 관용적인 표현(핑계 없는 무덤이 어딨어.)을 활용했지만 '학생 1'의 의견에 반대하고 있다.

⑤ [A]에서는 용왕을 부정적으로 평가하는 '학생 2'의 의견에 동조한 뒤 토끼에 대한 평가로 화제를 전환하고 있다. 그러나 [B]에서는 '학생 1'의 의견에 반대하고 있다.

2 공손한 표현 적용 답 ①

상대방에게 먼저 공책을 보라고 말하고, 그 뒤에 시간이 괜찮다면 공책을 빌릴 수 있는지 물어 상대방에게 부담이 되는 표현을 최소화하고 있다. 또 필기를 꼼꼼하게 잘한다고 말하면서 상대방에 대한 칭찬을 극대화하고 있다.

[오답 풀이]

② '네가 불편하지 않다면'은 상대방의 부담을 줄이는 표현이지만 '내가 ~ 지금 말고는 볼 시간이 없거든.'은 상대방에게 부담이 되는 표현이다.

③ '그때 정말 도움이 됐어.'는 상대방에 대한 칭찬이지만 '네가 빌려주는 것이 당연해.'는 상대방에게 부담이 되는 표현이다.

④ '네가 이야기를 하는 동시에 필기를 하다 보니 필기 내용은 부족할거야.'는 상대방을 비방하는 표현이다.

⑤ '너는 평소에도 글쓰기를 참 잘하더라.'는 상대방에 대한 칭찬이지만, '너의 공책이 없으면 난 평가를 망칠 거야.'는 상대방에게 부담이 되는 표현이다.

본책 30~31쪽

담화 분석

1 ❶ 희생 ❷ 용왕
❸ 부정적 ❹ 성찰

2 ❶ 비언어적 ❷ 관용적인 표현(속담)

문제 해결 TIP

❶ ○ 해설 '고개를 끄덕'이는 것은 비언어적 표현이고 '핑계 없는 무덤이 어딨어.'는 관용적인 표현이다.

❷ × 해설 관용적인 표현은 활용했지만 '학생 1'의 의견에 반대하고 있다.

❸ 적절하지 않다

발표

본책 32~33쪽

1 ① **2** ③ **3** ②

2022 수능 예시 문항

담화 유형 발표

주제 명태가 사라져 가는 실태와 그 원인 및 명태를 되찾기 위한 노력

목적 명태가 사라져 가는 실태와 원인을 알아보고, 명태를 되찾기 위한 노력을 소개하기 위해

특징
- 청중의 이해를 돕기 위해 만화, 도표, 동영상, 사진 등 다양한 시각 자료 및 복합 매체 자료를 활용함.
- 청중의 반응을 살피며 발표의 내용과 분량을 조절함.

중심 내용

1 문단	발표 목적 및 발표 내용 안내 – 명태가 사라져 가는 실태와 그 원인, 명태를 되찾기 위한 노력을 소개하기 위함.
2 문단	우리나라에서 명태가 사라져 가는 실태 – 현재 국산은 거의 없음.
3 문단	우리나라에서 명태가 사라지게 된 원인 – 무분별한 남획 – 지구 온난화
4 문단	명태를 되찾기 위한 노력 – '명태 살리기 프로젝트' 추진 – 2019년부터 우리 바다에서 명태잡이 금지
5 문단	발표의 마무리

1 말하기 계획 파악 답 ①

발표자는 명태가 사라져 가는 실태와 그 원인 및 명태를 되찾기 위한 노력을 말하고 있지만, 명태가 사라져 가는 문제에 관심을 갖게 된 사연을 소개하고 있지는 않다.

[오답 풀이]

② 1문단에서 '북어, 황태, 코다리, 동태. 이처럼 명태는 가공 방식에 따라 여러 이름으로 불리는데요.'와 같이 명태가 다양하게 불리는 점을 언급하며 화제를 제시하고 있다.

③ 4문단에서 '이 어미 명태로부터 프로젝트는 본격적으로 시작되었습니다. 사례금을 걸 정도로 어렵게 명태를 확보한 연구진은 치어를 인공 부화하는 데 성공하였고'라고 언급하면서 어미 명태를 확보하는 일이 어려웠다는 점을 드러내고 있다.

④ 4문단에서 '우리나라에서는 사라진 명태를 되찾기 위해 노력하고 있습니다.'라고 하면서 '명태 살리기 프로젝트'와 '우리 바다에서의 명태잡이 금지'를 제시하며 명태를 되찾기 위한 우리나라의 노력을 설명하고 있다.

⑤ 1문단의 '너무 익숙해서 오히려 무관심했던 명태에 대해 알려 드리고 싶어'에서 명태에 대해 발표하려는 목적을 밝히고 있다.

2 발표 전략 파악 답 ③

발표자는 2문단에서 '도표 2'를 통해 우리가 소비하고 있는 명태가 거의 다 외국에서 수입되고 있음을 보여 주고 있다. 발표 내용에 수입산 명태의 원산지 확인 방법은 언급되어 있지 않으므로 수입산 명태의 원산지를 확인하는 방법을 안내하기 위해 '도표 2'를 활용하고 있다는 설명은 적절하지 않다.

[오답 풀이]

① 발표자는 명태에 대해 흥미가 적은 청중을 고려하여, 1문단에서 명태라는 이름의 유래를 담은 만화를 제시하고 '보신 것처럼 ~ 흥미롭지요?'라고 하며 청중의 흥미를 유발하고 있다.

② 발표자는 명태가 우리 바다에서 사라져 가고 있는 상황을 모르는 청중을 고려하여, 2문단에서 명태 어획량의 감소를 보여 주는 '도표 1'을 제시하여 명태가 우리 바다에서 사라져 가는 실태를 알려 주고 있다.

④ 발표자는 동해의 표층 온도와 명태의 관련성을 잘 이해하지 못하고 있는 청중의 반응을 확인하고, 3문단에서 '미리 자료를 준비하지 못했지만 말씀드린 내용의 이해를 돕기 위해 인터넷에서 동영상을 하나 찾아 보여 드릴게요.'라고 말하면서 앞서 설명한 내용을 청중이 이해할 수 있도록 동영상을 활용하고 있다.

⑤ 발표자는 프로젝트 진행 과정을 간략하게 설명하기를 원하는 청중의 반응을 확인하고, 4문단에서 '그럼, 준비한 사진과 내용은 많지만 몇 장의 사진을 중심으로 주요 내용만을 설명하겠습니다.'라고 말하면서 발표 분량을 조정하기 위해 준비한 사진 중 일부 사진을 선택적으로 활용하고 있다.

3 반응의 적절성 평가 답 ②

'학생 1'은 발표 내용을 단순히 나열하고 있는 반면, '학생 2'는 화살표를 활용하여 명태가 사라지게 된 원인과 결과, 해결 노력 등의 과정을 '남획과 지구 온난화(원인) ⇒ 명태가 동해에서 사라져 가고 있음(결과). ⇒ 명태 살리기 프로젝트 추진(노력)'과 같이 내용 간의 관계를 중심으로 정리하고 있다.

[오답 풀이]

① '학생 1'과 '학생 2'는 모두 발표 내용을 사실과 의견으로 구분하고 있지 않다.

③ '학생 1'은 음식점에서 명태의 원산지가 러시아라는 표기를 본 적이 있는 경험, '학생 2'는 명절에 동태전을 먹었던 경험을 메모하였다. 두 학생 모두 발표 내용을 일상의 경험과 관련짓고 있다.

④ '학생 1'과 '학생 2'는 모두 발표 내용을 유사한 항목으로 범주화하고 있지 않다.

⑤ '학생 1'과 '학생 2'는 모두 발표 방식에 대해 평가하고 있지 않다.

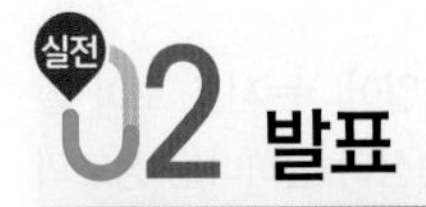

발표

본책 34~35쪽

1 ④ 2 ③ 3 ⑤

2021-9월 모평

담화 유형 발표

주제 떫은맛을 느끼는 과정과 떫은맛이 나는 식품이 우리 몸에 미치는 영향

목적 떫은맛과 관련된 다양한 정보를 알려 주기 위해

특징
- 질문을 통해 발표 내용과 관련된 청중의 경험을 환기하고 청중의 반응을 확인함.
- 발표 내용과 관련된 시각 자료와 연구 결과를 제시하여 청중의 이해를 도움.

중심 내용

1 문단	발표 내용 및 발표 목적 안내 – 떫은맛에 대해 알려 주기 위해
2 문단	떫은맛을 느끼는 과정 – 떫은맛을 내는 성분이 혀 점막의 단백질과 결합 → 이 과정에서 만들어진 물질이 혀의 점막 자극 → 입안이 텁텁하다고 느낌.
3 문단	떫은맛을 내는 성분인 타닌의 특징
4 문단	떫은맛이 나는 식품의 효과와 섭취 시의 유의점 – 효과: 당뇨와 고혈압 개선 – 유의점: 입이 마르고 속이 불편할 수 있음.
5 문단	떫은맛이 나는 식품에 대한 관심 제안

1 발표 전략 파악 답 ④

2문단의 '과학 시간에 ~ 기억하시나요? (대답을 듣고) 다들 잘 알고 있네요.', 3문단의 '과육 사이에 ~ 있으시죠? (대답을 듣고) 네, 다들 본 적이 있는 ~'에서 질문을 하여 발표 내용과 관련된 청중의 경험을 환기하고, 청중의 반응을 확인하고 있다.

[오답 풀이]

① 1문단에서 떫은맛과 관련된 화제를 먼저 제시한 후, 2문단에서 용어의 개념을 정의하고 있다.

② 청중의 요청은 제시되어 있지 않고, 그에 따라 추가한 내용도 확인할 수 없다.

③ 발표 중간중간에 청중이 발표를 들으면서 주의해야 할 점을 안내하고 있지는 않다.

⑤ 마지막 문단에서 '떫은맛이 나는 식품에는 무엇이 더 있는지 여러분도 찾아보면 어떨까요?'와 같이 청중에게 행동을 제안하고 있지만, 발표 내용에 대한 청중의 이해 여부를 확인하는 질문은 제시되어 있지 않다.

2 내용 생성의 적절성 평가 답 ③

3문단의 '다들 본 적이 있는 이 점들이 떫은맛을 내는 성분 중의 하나인 타닌입니다.'라고 설명하는 부분에서 타닌과 관련된 시각 자료를 제시하고 있다. 그러나 타닌 이외의 성분은 추가로 제시되어 있지 않으므로 떫은맛을 내는 다양한 성분을 분석한 시각 자료를 보여 줘야겠다는 계획은 발표에 반영되지 않았다.

[오답 풀이]

① 1문단의 '여러분에게 떫은맛에 대해 알려 드리려고 합니다.'를 통해 이 발표가 떫은맛에 대한 정보를 제공하는 것이 목적임을 밝히고 있다.

② 2문단의 '과학 시간에 단맛, 짠맛, ~ 기억하시나요?'에서 기본적인 맛에 대해 설명하고 '그런데 떫은맛은 ~ 촉각에 해당해요.'에서 떫은맛에 대해 설명하면서, 기본적인 맛과 떫은맛이 느껴지는 감각의 차이를 드러내고 있다. 그리고 '떫은맛을 내는 성분은 ~ 떫은맛이라고 하는 거죠.'에서 떫은맛이 느껴지는 과정을 설명하고 있다.

④ 4문단에서 떫은맛을 내는 타닌이 들어 있는 감과 녹차가 당뇨와 고혈압을 개선하는 효능이 있다고 한 ○○ 연구소의 연구 결과를 인용하고 있다.

⑤ 5문단에서 떫은맛이 포함되어 풍미를 느낄 수 있는 식품으로 녹차와 홍차를 예로 들고 있다.

3 청중의 반응 평가 답 ⑤

'학생 2'는 '떫은맛이 나는 건 먹어서 좋을 게 없다고 생각'했는데 발표를 들은 후 '몸에 좋다니 앞으로 적당히 먹어 봐야겠어.'라고 하며 발표에서 새롭게 알게 된 정보를 통해 자신의 생각을 수정하고 있다. '학생 3'도 '감의 검은 점이 단맛을 내는 것이라고 생각했는데 떫은맛을 내는 성분이었구나.'라고 하며 발표 내용을 바탕으로 자신의 생각을 수정하고 있다.

[오답 풀이]

① '학생 1'은 발표를 듣고 새로 알게 된 사실과 이를 통해 판단한 내용을 제시하고 있을 뿐, 발표 내용과 자신이 알고 있던 사실을 비교하지 않았고 발표에서 제시한 정보의 문제점을 지적하지도 않았다.

② '학생 2'는 발표에서 익숙한 사물인 감과 연결하여 설명한 것을 긍정적으로 평가하고 있을 뿐, 그 이유를 궁금해하고 있지 않다.

③ '학생 3'은 발표를 통해 새롭게 알게 된 사실을 언급하고 있지만, 그 것에 대해 추가적인 정보가 필요하다고 판단하고 있지는 않다.

④ '학생 1'은 새로 알게 된 사실을 통해 발표에 제시되지 않은 내용(녹차의 타닌은 물에 녹는 성질을 가지고 있을 것이다.)을 추론하고 있다. 그러나 '학생 2'는 새롭게 알게 된 사실을 통해 자신의 생각을 수정한 부분은 있지만, 언급되지 않은 내용을 추론하고 있지는 않다.

03 발표

본책 36~37쪽

1 ④ **2** ③ **3** ①

2020 수능

담화 유형 발표

주제 볼펜이 사람들에게 널리 사용되는 이유

목적 볼펜의 특징과 장점에 대한 정보를 전달하기 위해

특징
- 질문을 통해 발표 내용과 관련된 청중의 경험을 환기하고 청중의 반응을 확인함.
- 다른 대상의 특징과 비교하며 발표 대상의 특성을 부각함.
- 발표 내용과 관련된 시각 자료를 활용하여 원리를 설명함으로써 청중의 이해를 도움.

중심 내용

1 문단	• 발표 대상 및 발표 주제 안내 – 볼펜이 사람들에게 널리 사용되는 이유 • 볼펜의 장점 ① – 값이 싸고 휴대하기 편함.
2 문단	볼펜의 장점 ② – 글씨 쓸 때 종이가 찢어지거나 볼펜 끝부분이 망가지는 일이 적음.
3 문단	청중의 질문에 대한 답변 – 만년필과 모세관 현상의 연관성
4 문단	볼펜으로 글씨가 써지는 원리
5 문단	볼펜의 장점 ③ – 유성 볼펜, 수성 볼펜, 다색 볼펜 등 종류가 다양함.
6 문단	발표의 마무리

1 말하기 방식 파악 답 ④

발표자는 다양한 시각 자료를 활용하여 볼펜이 사람들에게 널리 사용되는 이유를 설명하고 있지만, 전문가의 견해를 인용하고 있지는 않다.

[오답 풀이]

① 5문단에서 유성 볼펜, 수성 볼펜, 다색 볼펜, 글씨를 쓰고 지울 수 있는 볼펜, 가압 볼펜 등 볼펜의 종류를 열거하면서 사람들이 필요에 따라 고를 수 있어서 좋다는 볼펜의 장점을 소개하고 있다.

② 1문단에서 '여러분의 필통에는 어떤 필기구가 가장 많은가요? (청중의 답을 듣고) 네, 제 생각대로 볼펜이 많군요.'와 같이 청중의 대답을 예상하고 질문을 하여 '볼펜'과 관련된 화제를 제시하고 있다.

③ 4문단에서 '볼펜의 볼이 빠진 경험이 한 번쯤 있으시죠?'와 같이 청중의 경험을 이끌어 내는 질문을 하면서 볼펜의 볼에 대한 내용을 설명하고 있다.

⑤ 발표자는 발표 대상인 볼펜의 특징(볼과 종이의 마찰에 의해 볼이 구르며 글씨가 써진다.)을 부각하기 위하여 만년필과 비교하고 있다.

2 매체 활용의 적절성 평가 답 ③

'자료 2'는 볼이 있는 부분의 단면을 확대한 그림으로, 볼펜으로 글씨를 쓸 때 볼과 종이의 마찰에 의해 볼이 구르면서 볼의 잉크가 종이에 묻는 원리를 시각화하여 보여 주고 있다. 이를 통해 볼펜으로 글씨가 써지는 원리를 설명할 수 있다.

[오답 풀이]

① '자료 1'은 만년필에서 모세관 현상이 어떻게 일어나는지를 보여 줄 수 있지만, 표면의 거친 정도에 따라 모세관 현상이 일어나는 정도의 차이를 보여 주지는 못한다.

② '자료 2'는 볼이 있는 부분의 단면으로 볼펜 구조의 일부를 보여 주고 있지만, 볼펜의 제작 과정을 보여 주고 있지는 않다.

④ '자료 3'은 볼펜의 볼을 고정하는 과정을 보여 주고 있지만, 볼펜의 볼을 정밀하게 가공하는 절차를 단계적으로 보여 주지는 못한다.

⑤ '자료 3'을 통해 볼펜의 볼이 빠지지 않게 고정하는 과정을 설명하고 있을 뿐, 볼펜에 잉크를 주입하는 방법에 대한 내용은 없다.

3 말하기 내용 추론 답 ①

3문단에서 청중의 질문을 들은 발표자는 '겉으로는 잘 보이지 않지만 종이의 섬유소가 가는 대롱의 역할을 하기 때문에 펜촉에 있던 잉크가 모세관 현상에 의해 종이로 흘러가서 쉽게 필기할 수 있는 겁니다.'라고 대답하고 있다. 이는 만년필로 종이에 글씨를 수월하게 쓰는 원리를 모세관 현상과 관련지어 설명한 것이다.

[오답 풀이]

② 발표자의 대답에 만년필 외의 필기구에 대한 언급은 없는 것으로 보아, 만년필 외에 모세관 현상이 적용되어 손쉽게 필기할 수 있는 필기구를 묻는 것은 적절하지 않다.

③ 발표자의 대답에서 만년필 펜촉의 굵기와 필기할 때 힘을 들이는 정도의 연관성을 확인할 수 없다.

④ 발표자의 대답에 만년필로 종이에 글씨를 수월하게 쓸 수 있다는 내용은 드러나지만 펜촉의 형태에 대한 내용은 없기 때문에, 만년필로 힘들이지 않고 글씨를 쓰려면 어떤 형태의 펜촉을 사용해야 하는지 묻는 것은 적절하지 않다.

⑤ 발표자의 대답에 종이의 섬유소가 가는 대롱의 역할을 한다는 내용이 제시되어 있으므로, 청중이 발표자의 대답을 듣기 전에 이와 같은 내용을 질문한 것은 적절하지 않다.

04 강연

본책 38~39쪽

1 ② **2** ① **3** ⑤

2022-6월 모평

담화 유형 강연

주제 여름철 가로수 고사의 원인과 대책

목적 가로수 지킴이 활동을 할 학생들에게 정보를 제공하기 위해

특징
- 질문을 통해 강연 내용과 관련된 청중의 경험을 환기하면서 강연을 시작함.
- 강연 내용과 관련된 다양한 시각 자료를 제시함으로써 청중의 이해를 도움.

중심 내용

1 문단	강연 주제 안내 – 여름철 가로수 고사의 원인과 대책
2 문단	• 여름철 가로수 고사의 원인 – 토양 내 수분 함량이 매우 낮음. • 여름철 가로수 고사를 방지하기 위한 대책 ① – 건조에 강한 수종을 선정함. – 가로수의 기존 보호 틀을 확대함.
3 문단	여름철 가로수 고사를 방지하기 위한 대책 ② – 살수차를 동원해 물을 뿌림. – 사람이 직접 나무에 물주머니를 매달음. – 토양 보습제를 투입함.

1 말하기 방식 파악 답 ②

1문단의 '(사진을 보여 주며) 기억나시지요?'와 2문단의 '그해 여름이 얼마나 더웠는지 기억나시지요?'에서 강연자는 강연 내용과 관련한 청중의 경험을 환기하고 있다.

[오답 풀이]

① 강연 대상을 다른 소재에 빗대어 설명한 부분은 없다.
③ 통계 자료를 인용하여 강연 내용을 설명한 부분은 없다.
④ 과거 사례와 최근의 사례를 대조하며 설명한 부분은 없다.
⑤ 강연을 하게 된 소감을 밝히며 강연을 시작하고 있지 않다.

2 내용 생성의 적절성 평가 답 ①

전자 우편의 '여름 방학 봉사 활동을 위해'를 통해 청중이 여름 방학 봉사 활동에 참여할 예정임을 알 수 있으며, 이는 강연의 '이번 여름 방학에도 가로수 지킴이로 활동할 여러분'에 반영되어 있다. 그러나 여름철 가로수 지킴이 활동을 위한 준비 사항에 대한 내용은 강연에 제시되지 않았으므로, 이를 안내한다는 계획은 강연에 반영되지 않았다.

[오답 풀이]

② 전자 우편에서 '도시의 가로수가 여름에 왜 말라 죽는지'에 관해 알고자 한 것에 대해, 강연자는 2문단에서 '(그림을 보여 주며) 보시는 바와 같이 차도와 보도의 압력으로 토양 입자 사이의 틈이 줄어들어 있습니다.'와 같이 시각 자료를 활용하여 도시의 토양 환경을 설명하고 있다.
③ 전자 우편에서 '도시 가로수의 고사를 막기 위해서 필요한 것은 무엇인지'에 관해 알고자 한 것에 대해, 강연자는 3문단에서 살수차 동원하기, 물주머니 달기, 토양 보습제 투입하기 등 가로수에 수분을 공급하는 다양한 방안을 설명하고 있다.
④ 전자 우편에서 봉사 활동이 어떤 의미가 있는지 알고자 한 것에 대해, 강연자는 3문단의 마지막 부분에서 '일일이 수작업해야 하는 일이라 ~ 여러분이 살아갈 도시를 더욱 건강하게 가꾸는 일입니다.'라고 하며 봉사 활동이 가뭄과 폭염에서 가로수를 보호하는 데 기여한다는 것을 설명하고 있다.
⑤ 전자 우편에서 자신의 지역과 관련한 자료 활용을 원한 것에 대해, 강연자는 2문단에서 청중이 사는 △△시의 2년 전 사진을 보여 주면서 질의응답하고 있다.

3 청중의 듣기 과정 파악 답 ⑤

ⓔ는 강연에서 설명한 폭염 외에 대기 오염도 가로수 고사의 원인에 해당하지 않는지 강연 내용 이외의 궁금증을 떠올린 것이다. 강연 내용의 논리적 모순을 확인하려는 것이 아니다.

[오답 풀이]

① ⓐ는 가로수 고사의 원인에 대한 설명을 정리한 부분이다. 여기에 사용한 화살표는 앞부분이 원인이 되어 뒷부분의 현상이 결과로 나타나게 되었다는 것을 표시하므로, 세부 정보들 사이의 관계를 파악한 것으로 볼 수 있다.
② ⓑ는 건조에 잘 견디는 수종을 가로수로 선택한다는 설명을 듣고 건조에 강한 나무를 찾아보겠다고 쓴 것이므로, 강연 내용에서 더 알고 싶은 점을 떠올린 것으로 볼 수 있다.
③ ⓒ는 '가로수가 건조에 견딜 수 있는 환경을 만들어 주기 위해 가로수의 기존 보호 틀을 확대해 물이 스며드는 면적을 넓히고 잔뿌리가 잘 자라도록 최대한 생육 공간을 확보합니다.'라는 설명을 듣고 자신의 동네 가로수 보호 틀이 교체된 것을 본 경험과 관련지어 보호 틀을 교체한 이유를 추측하고 있다.
④ ⓓ의 '대책 4와 5'를 '우리가 할 일'로 따로 묶은 것으로 보아, 봉사 활동에서 실제 해야 할 일을 별도로 구분하여 정리한 것으로 볼 수 있다.

강연

본책 40~41쪽

1 ②　2 ⑤　3 ②

2018-9월 모평

담화 유형 강연

주제 영양 성분 표시 제도 소개 및 개정 내용

목적 개정된 영양 성분 표시 방법을 알려 주기 위해

특징
- 강연 내용과 관련된 질문을 통해 청중의 이해 정도를 확인하고 주의를 집중시킴.
- 강연 내용과 관련된 시각 자료를 제시해 청중의 이해를 도움.
- 개정 전후 양상을 구체적으로 비교함으로써 핵심 내용을 강조함.
- 관련 기관의 발표 자료를 활용하여 신빙성을 더함.

중심 내용

문단	내용
1 문단	강연자 및 강연 주제 안내 – 개정된 영양 성분 표시 방법
2 문단	영양 성분 표시 방법의 개정 이유와 개정 내용 ① – 개정 이유: 소비자들이 좀 더 쉽게 영양 정보를 확인하고 건강한 식생활을 실천하는 데 도움이 되도록 함. – 개정 내용: 함량을 의무적으로 표시해야 하는 대상의 표시 기준이 달라짐.(1회 제공량 → 총 내용량)
3 문단	영양 성분 표시 방법의 개정 내용 ② – 표시 순서가 달라짐.(에너지 공급원 순 → 소비자의 관심도가 높고 건강에 중요한 성분 순)
4 문단	영양 성분 표시 방법의 개정 내용 ③, ④ – 열량 표시 방식이 바뀜.(다른 성분과 분리해 표시) – 1일 영양 성분 기준치에 대한 비율 표시 여부가 바뀜.(당류는 표시)

1 말하기 방식 파악 　답 ②

강연자는 3문단에서 영양 성분 표시 순서에도 변화가 있다면서 나트륨을 예로 들고 있다. 나트륨의 표시 위치가 개정 전보다 올라가게 된 근거로 우리나라 국민의 1일 나트륨 섭취량이 높다는 질병관리본부의 발표 자료를 인용하여 자신이 언급한 내용을 뒷받침하고 있다.

[오답 풀이]

① 강연자가 중간중간에 자신이 말한 내용을 요약한 부분은 찾을 수 없다.

③ 강연자가 강연 대상과 관련된 자신의 경험을 사례로 제시하고 있지 않다.

④ 강연자가 강연 대상을 친숙한 소재에 빗대어 표현한 부분은 찾을 수 없다.

⑤ 강연자가 청중에게 질문을 던지는 부분은 있으나, 청중의 질문이나 이에 대한 답이 제시된 부분은 찾을 수 없다.

2 자료 해석의 적절성 평가 　답 ⑤

2문단에서 당류는 개정 전에 이미 '함량을 의무적으로 표시해야 하는 대상'이며 개정 후에도 대상은 변함이 없다고 하였다. 또한 4문단에서 당류는 그동안 '1일 영양 성분 기준치에 대한 비율'을 표시하지 않았다가 개정되면서 그 비율을 표시하는 것으로 바뀌었다고 하였다. 따라서 개정 후에 '당류'가 함량을 의무적으로 표시해야 하는 성분으로 추가되었다는 설명은 적절하지 않다.

[오답 풀이]

① 2문단에서 개정 전에는 '1회 제공량을 기준으로 영양 성분의 함량을 표시'했다가 개정 후에는 '제품의 총 내용량을 기준으로 영양 성분의 함량을 표시'하는 것으로 바뀐 이유는 업체마다 1회로 보는 양이 달라서 소비자에게 혼란을 줄 수 있기 때문이라고 하였다.

② 3문단의 '개정 전에는 에너지 공급원 순으로 표시했는데'를 통해 ⓒ은 에너지 공급원 순에 따라 표시한 것임을 알 수 있다.

③ 3문단에서 영양 성분의 표시 순서가 '소비자의 관심도가 높고 국민 건강상 중요해진 성분들은 순서를 위로 올려 표시'하는 것으로 바뀌었다고 하면서 '나트륨'의 표시 위치가 개정 전보다 올라간 것을 예로 들고 있다.

④ 4문단에서 '열량에 대한 소비자들의 관심이 높은 만큼 이를 확인하기 쉽도록 다른 성분들과 분리해 열량을 표시'하게 되었다고 하였다. 이를 통해 개정 후에 열량의 위치를 다른 성분들과 구분해 표시한 것을 알 수 있다.

3 질문의 적절성 평가 　답 ②

2문단에서 '소비자들이 좀 더 쉽게 영양 정보를 확인하고 건강한 식생활을 실천하는 데 도움이 되도록' 하기 위해 영양 성분을 표시하는 방법을 개정하게 되었다고 밝히고 있다. 영양 성분 표시 방법을 바꾼 이유는 이미 강연에서 말한 내용이므로 ②는 추가 설명을 요청하는 질문으로 적절하지 않다.

[오답 풀이]

① 강연 내용에서 영양 성분 표시 제도를 일부 가공식품에 적용하는 구체적인 기준을 확인할 수 없으므로 추가 설명을 요청할 수 있다.

③ 강연 내용에서 의무적으로 함량을 표시해야 하는 성분으로 몇 가지를 제시하고 있지만 비타민이나 칼슘은 언급되어 있지 않다. 그러므로 이 성분들이 왜 의무 표시 대상이 아닌지 추가 설명을 요청할 수 있다.

④ 강연 내용에서 대용량 제품은 별도의 표시 기준을 둔다고 하였는데 그 기준이 무엇인지는 밝히지 않고 있다. 그러므로 그 기준에 대한 추가 설명을 요청할 수 있다.

⑤ 강연 내용에서 우리나라 국민의 1일 나트륨 섭취량이 세계보건기구 권고량의 2배 수준이라는 점은 밝히고 있지만, 권고량이 얼마인지에 대해서는 구체적으로 언급하고 있지 않으므로 추가 설명을 요청할 수 있다.

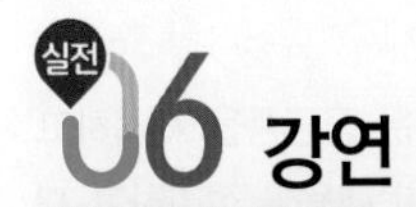

강연

본책 42~43쪽

1 ① **2** ②

2017-9월 모평

담화 유형	강연
주제	식용으로 쓰이는 꽃과 꽃을 식용으로 쓸 때 주의할 사항
목적	식용 꽃을 소개하고 꽃을 식용으로 쓸 때 주의점을 알려 주기 위해
특징	• 질문을 통해 강연 내용과 관련된 청중의 경험을 환기하고 이를 강연의 내용과 연결함. • 강연 내용과 관련된 구체적인 예를 들어 청중의 이해를 도움.

중심 내용

1 문단	강연자 소개
2 문단	식용 꽃 소개와 꽃을 음식 재료로 쓰는 이유 – 꽃잎의 화려한 색과 은은한 향기가 식욕을 자극하고 입맛을 돋우기 때문
3 문단	식용 꽃을 넣은 우리 전통 음식 – 진달래 화전, 국화차 등
4 문단	꽃을 식용으로 쓸 때 주의할 사항 ① – 독성이 있는 꽃인지 확인해야 함.
5 문단	꽃을 식용으로 쓸 때 주의할 사항 ②, ③ – 농약이나 오염 물질이 묻어 있는지 주의해야 함. – 꽃가루가 알레르기를 일으키는 것은 꽃잎만 먹어야 함.

1 말하기 방식 파악

답 ①

강연자는 '꽃을 먹는 것이라고 생각해 본 적이 있나요?', '재스민 차 드셔 본 분은요?', '혹시 꽃을 넣은 전통 음식을 먹어 본 학생이 있으면 손을 들어 볼까요?', '어떤 음식을 먹어 보았나요?' 등과 같이 청중에게 질문하면서 청중의 경험을 이끌어 내고 있으며, 이를 자신의 강연 내용과 연결 짓고 있다.

[오답 풀이]

② 강연자가 강연 중간중간에 자신이 말한 내용을 요약하여 청중의 이해를 돕는 부분은 찾을 수 없다.

③ 강연자가 식용 꽃과 관련된 역사적인 사건을 제시한 부분은 찾을 수 없다.

④ 강연자는 자신을 '요리 연구가 ○○○'이라고 소개하고 있지만, 자신의 과거 경력을 소개하고 있는 부분은 찾을 수 없다.

⑤ 강연자가 처음 부분에서 강연의 진행 순서를 안내하고 있는 부분은 찾을 수 없다.

2 반응의 적절성 평가

답 ②

강연자는 철쭉꽃과 진달래꽃을 설명하면서 '철쭉꽃은 화전 재료로 쓰이는 진달래꽃과 비슷하게 생겼지만 절대 드시면 안 됩니다. 독성이 있으니까요.'와 같이 두 꽃의 형태적 유사점은 언급하고 있지만, 둘의 형태적 차이점을 제시하고 있지는 않다. 또한 ㉡에서는 강연을 들은 후 단지 궁금한 점을 제시하고 있을 뿐, 자신이 들은 내용과 사실이 부합하는지 점검하고 있지 않다.

[오답 풀이]

① 강연을 듣기 전에 떠올렸던 ㉠의 두 가지 궁금점을 강연을 듣고 난 후 ㉤과 같이 식용이 가능한 꽃과 꽃을 재료로 한 음식으로 정리하였다. 이를 통해 듣기 전 떠올렸던 질문에 대한 답을 강연에서 찾았음을 알 수 있다.

③ ㉢에서는 꽃에 독성이 있거나, 꽃에 농약이나 오염 물질이 묻어 있는 경우가 있거나, 꽃가루가 알레르기를 일으키는 것도 있으니 주의해야 한다는 강연의 내용을 강연자가 언급하지 않은 대상(학교 화단에 있는 꽃)에 적용했음을 알 수 있다.

④ ㉣에서는 강연에서 들은 내용인 '꽃을 재료로 한 음식'을 동아리 행사로 무엇을 할지 모르는 문제를 해결하는 데 활용하려 함을 알 수 있다.

⑤ ㉤에서는 강연에서 들은 '꽃을 재료로 한 음식'과 관련하여 꽃을 '식용 가능'과 '식용 불가'로 범주화하여 정리했음을 확인할 수 있다.

강연

본책 44~45쪽

1 ③ 2 ⑤ 3 ③

2020-11월 고2 학평

담화 유형 강연

주제 주사의 종류와 특징, 주사를 맞을 때의 유의 사항

목적 주사의 종류와 특징, 주사를 맞을 때의 유의 사항을 알려 주기 위해

특징
• 질문을 통해 청중의 경험과 화제에 대한 이해 정도를 확인하고, 이를 강연 내용과 연결함.
• 대상의 종류에 따라 각각의 특징과 유의점을 설명함.

중심 내용

문단	내용
1 문단	강연자 및 강연 주제 안내 – 주사의 종류와 특징, 주사를 맞을 때의 유의 사항
2 문단	약물 투여 경로에 따른 주사의 종류 – 피하 주사: 피부와 근육 사이에 있는 피하 조직에 투여 – 근육 주사: 피하 조직 아래에 있는 근육에 투여 – 정맥 주사: 혈관에 직접 투여
3 문단	주사의 종류에 따른 특징 – 피하 주사: 적은 양의 약물을 몸속에 천천히 흡수시킬 때 사용 – 근육 주사: 더 많은 양의 약물을 빠르게 흡수시킬 때 사용 – 정맥 주사: 약물의 농도와 용량을 일정하게 지속적으로 투여할 때 사용
4 문단	주사의 종류에 따른 주삿바늘의 특징 – 피하 주사: 0.9~1.6 센티미터 바늘 사용 – 근육 주사: 피하 주사보다 긴 바늘 사용 – 정맥 주사: 덜 날카로운 바늘 사용
5 문단	주사를 맞을 때의 유의 사항 – 피하 주사: 주사를 맞은 부위를 문지르면 안 됨. – 근육 주사: 주사를 맞은 부위를 가볍게 문질러야 좋음. – 정맥 주사: 바늘이 삽입된 부위가 오염되지 않도록 청결을 유지해야 함.
6 문단	강연의 마무리

1 말하기 방식 파악 답 ③

강연자는 1문단에서 '여러분 주사 맞아 본 경험 있으시죠? 그런데 주사에도 여러 종류가 있다는 사실을 알고 계셨나요?'와 같이 청중에게 강연 내용과 관련된 질문을 던지면서 강연 내용에 대한 청중의 관심을 유발하고 있다.

[오답 풀이]

① 자료의 출처를 밝히고 있는 부분은 없다.

② 마지막 부분에서 '오늘 강연 유익하셨나요?'와 같이 청중의 반응을 확인하는 부분은 있지만, 강연의 내용을 요약한 부분은 없다.

④ 화제와 관련된 실태를 언급하면서 화제 선정의 이유를 제시한 부분은 찾을 수 없다.

⑤ 강연자는 청중에게 강연 내용과 관련된 청중의 경험이나 이해 정도를 확인하는 질문을 던지면서 강연을 시작하고 있으나, 청중을 칭찬하는 말을 하지는 않았다.

2 반응의 적절성 평가 답 ⑤

'학생 2'는 강연을 통해 알게 된 사실과 함께 새로운 궁금증을 제시하고 있으며, '학생 3'은 강연 내용에 대해 자신이 이해한 내용을 정리하고 새로운 궁금증을 제시하고 있다. 그러나 두 학생 모두 강연에서 언급된 내용 중 실천할 수 있는 방법이 있는지 고민하고 있지 않다.

[오답 풀이]

① '학생 1'은 강연을 통해 자신이 알고 있던 것보다 주사의 종류가 다양하다는 새로운 사실을 알게 되었다고 했으므로 적절하다.

② '학생 2'는 강연을 통해 알게 된 사실과 함께 새로 생긴 의문점을 제시하고 있다. 그리고 이를 해결하기 위해 간호사 선생님께 여쭤봐야겠다고 했으므로 적절하다.

③ '학생 3'은 주사의 종류에 따라 약물의 흡수 속도가 달라지고, 약물의 특성에 따라 주사도 달라질 수 있다고 하며 자신이 이해한 내용을 정리하고 있으므로 적절하다.

④ '학생 1'은 어제 병원에서 주사를 맞은 경험을, '학생 2'는 주사를 맞은 부위를 문질렀던 경험을 떠올리고 있으므로 적절하다.

3 청중의 반응 분석 답 ③

강연의 내용에 비추어 볼 때 (가)는 피하 조직, (나)는 근육, (다)는 혈관에 해당한다. 5문단의 '피하 주사의 경우에는 피하 조직의 손상을 막고 약물을 천천히 흡수시켜야 하기 때문에 주사를 맞은 부위를 문지르면 안 됩니다. 반면, 근육 주사를 맞고 나서는 약물의 빠른 흡수를 돕기 위해 주사를 맞은 부위를 가볍게 문질러 주는 것이 좋습니다.'를 통해 근육 주사를 맞은 후에는 주사 맞은 부위를 가볍게 문질러 주는 것이 좋음을 알 수 있다.

[오답 풀이]

① 3문단의 '특히 피하 조직에 투여하면 잘 흡수가 되지 않아 통증을 유발할 수 있는 항생제 같은 약물들은 근육 주사를 사용해야 합니다.'를 통해 확인할 수 있다.

② 3문단의 '근육 주사는 피하 주사보다 더 많은 양의 약물을 빠르게 흡수시키고자 할 때 사용합니다. 근육에는 피하 조직보다 혈관이 더 많이 분포되어 있기 때문인데요.'를 통해 확인할 수 있다.

④ 3문단에서 '정맥 주사'는 '약물을 혈관에 직접 투여하기 때문에 효과가 다른 주사들보다 빨리 나타나고'를 통해 확인할 수 있다.

⑤ 4문단의 '정맥 주사는 주사를 맞는 동안 주삿바늘이 혈관벽을 손상시킬 우려가 있기 때문에, 피하 주사나 근육 주사에 비해 상대적으로 덜 날카로운 주삿바늘을 사용합니다.'를 통해 확인할 수 있다.

실전 08 연설

본책 46~47쪽

1 ① 2 ⑤ 3 ④

2021-6월 모평

담화 유형 연설

주제 연안 생태계의 가치와 보호에 대한 관심 촉구

목적 연안 생태계의 가치를 알고 이를 보호하는 일에 대한 관심을 촉구하기 위해

특징
- 청중과 공유한 경험을 화제와 연결 지어 제시함으로써 상황의 심각성을 인식하게 함.
- 구체적인 통계 자료를 근거로 제시하여 주장의 신뢰성을 높임.
- 예상되는 반론을 제시하고 이를 반박하는 방식으로 주장을 강조함.

중심 내용

문단	내용
1 문단	연설 주제 안내 – 연안 생태계의 가치와 보호에 대한 관심 촉구
2 문단	이산화탄소 흡수원인 연안 생태계
3 문단	연안 생태계의 가치 ① – 대기 중 이산화탄소 흡수에 탁월함.(산림보다 이산화탄소 흡수 능력이 뛰어남.)
4 문단	연안 생태계의 가치 ② – 탄소의 저장에 효과적임.
5 문단	연안 생태계의 가치와 보호에 대한 관심 촉구

1 말하기 방식 파악 답 ①

연설자는 1문단의 '환경의 날 ~ 영상을 잠시 떠올려 봅시다.'와 마지막 문단의 '건강한 지구를 후손에게 ~ 연안 생태계를 보호하고 그 가치를 알리는 데 동참합시다.'에서 청유의 문장을 사용하고 있지만, 이는 청중의 관심을 불러일으키고 주장을 효과적으로 드러내기 위한 것이다. 주장이 야기한 논란을 언급하고 있지 않으며, 이를 해소하기 위해 청유의 문장을 사용하지도 않았다.

[오답 풀이]

② 연설자는 2문단의 '2019년 통계에 따르면 ~'과 3문단의 '2018년 정부 통계에 따르면 ~'에서 통계 자료를 근거로 활용하여 '연안 생태계를 보호하고 그 가치를 알리는 데 동참'하자는 주장의 신뢰성을 강화하고 있다.

③ 연설자는 3문단의 '물론 연안 생태계가 이산화탄소를 얼마나 흡수할 수 있겠냐고 말하는 분도 계실 것입니다.'에서 예상되는 반론을 언급하고 있으며, 이에 대해 '하지만 연안 생태계를 구성하는 갯벌과 ~ 산림보다 이산화탄소 흡수 능력이 뛰어납니다.'라고 반박하며 연안 생태계의 가치를 강조하고 있다.

④ 연설자는 1문단의 '여러분, 환경의 날 행사 때 교내 방송으로 시청했던 영상을 잠시 떠올려 봅시다.'에서 청중과 공유하는 경험을 들어 이산화탄소에 의한 지구 온난화가 빚어낸 상황의 심각성을 인식시키고 있다.

⑤ 연설자는 마지막 문단의 '북극곰의 눈물은 우리의 눈물', '이산화탄소의 흡수원이자 저장고인 지구의 보물'에서 비유적인 표현을 활용하여 연안 생태계에 관심을 갖고 이를 보호하는 일에 동참할 것을 촉구하고 있다.

2 매체 활용의 적절성 평가 답 ⑤

연설자는 마지막 문단에서 '일회용품 줄이기, 나무 한 그루 심기'와 함께 '연안 생태계를 보호하고 그 가치를 알리는 데 동참'할 것을 촉구하고 있다. 이를 통해 연설자는 대기 중의 이산화탄소 감축을 위한 기존 방법이 연안 생태계 보호와 함께 진행되어야 한다고 말하고 있음을 알 수 있다.

[오답 풀이]

① 연설 관련 그림 자료와 설명 내용은 3문단의 '연안 생태계를 구성하는 갯벌과 염습지의 염생 식물, 식물성 플랑크톤 등은 광합성을 통해 대기 중 이산화탄소를 흡수하는데', 4문단의 '연안의 염생 식물과 식물성 플랑크톤은 이산화탄소를 흡수하여 갯벌과 염습지에 탄소를 저장하는데 이 탄소를 블루카본이라 합니다.'라는 연설 내용과 일치한다.

② '우리나라는 이산화탄소 배출량 순위가 높은 편'이라는 포스터의 내용은 2문단의 '2019년 통계에 따르면 우리나라의 이산화탄소 배출량은 세계 11위에 해당하는 높은 수준입니다.'라는 연설 내용과 일치하며, '대기 중 이산화탄소를 줄이고자 노력해 왔음.'이라는 포스터의 내용은 2문단의 '그동안 우리나라는 ~ 힘써 왔습니다.'라는 연설 내용과 일치한다.

③ '연안 생태계는 대기 중 이산화탄소 감축 효과가 있으며 산림보다 이산화탄소 흡수 능력이 우수함.'이라는 포스터의 내용은 3문단의 '연안 생태계는 대기 중 이산화탄소 흡수에 탁월합니다.', '연안 생태계를 구성하는 갯벌과 ~ 이산화탄소 흡수 능력이 뛰어납니다.'라는 연설 내용과 일치한다.

④ '연안 생태계가 훼손되면 블루카본이 공기 중에 노출되어 문제가 발생함.'이라는 포스터의 내용은 4문단의 '연안 생태계가 훼손되면 블루카본이 공기 중에 노출되어 이산화탄소 등이 대기 중으로 방출됩니다.'라는 연설 내용과 일치한다.

3 연설 내용 이해 답 ④

이 연설의 취지는 '이산화탄소에 의한 지구 온난화 문제를 해결하기 위해 연안 생태계의 가치와 보호에 대한 관심을 촉구하자.'는 것이다. 즉, 북극곰이 겪고 있는 문제는 우리의 문제가 될 수 있으며, 이를 해결하기 위해서는 연안 생태계의 가치를 알고 생태계를 보호하는 것이 필요하다는 내용을 담은 것이 가장 적절하다.

[오답 풀이]

① 연안 생태계의 복구에 대한 내용을 직접적으로 언급하고 있지 않으며, 연안 생태계를 되살리는 방안으로 일회용품 사용을 자제하자고 주장하고 있지도 않다.

② 4문단에서 블루카본은 '갯벌과 염습지에 저장된 탄소'라고 했으므로 '블루카본이 지구 온난화의 원인'이라는 것은 적절하지 않다.

③ 이 연설의 취지는 연안 생태계의 가치와 보호에 대한 관심을 촉구하는 것이므로 '산림 조성'은 연설의 취지에 어긋난다.

⑤ 이 연설은 연안 생태계 보호에 초점이 있으므로 '나무 한 그루가 의미 있다'는 연설의 취지에 어긋난다.

토의

본책 48~50쪽

1 ⑤ 2 ⑤ 3 ④

2017-9월 모평

담화 유형 토의

토의 주제 사이버 언어폭력 근절을 위한 교내 학생 연설을 어떻게 할 것인가

주제 사이버 언어폭력 근절을 위한 교내 학생 연설에서 청중의 주의를 집중하게 하는 방법과 주장을 뒷받침할 근거, 그 제시 순서에 대한 토의

토의 과정

첫 번째 의제 – 연설을 시작할 때 청중의 주의를 집중하게 하는 방법	• 학생 1: 인기 가요를 틀자. • 학생 2: 가볍고 재미있는 이야기로 시작하자. • 학생 3: 주제와 관련 있는 시를 낭송한 후 사이버 언어폭력의 개념과 시급성을 언급하자. → 학생 3의 제안 수용
두 번째 의제 – 주장을 뒷받침할 적절한 근거와 그 제시 순서	• 학생 1: 피해자가 극심한 고통을 겪게 된다는 것을 첫째 근거로 제시하자. • 학생 2: 사이버 언어폭력은 처벌받게 되는 범죄 행위라는 점을 첫째 근거로 제시하자. • 학생 3: 누구나 사이버 언어폭력의 피해자가 될 수 있다는 점을 첫째 근거로 제시하자. → 제안된 근거와 자료는 모두 채택하고, 근거 제시 순서는 '학생 1 → 학생 3 → 학생 2'의 순으로 함.

1 토의 내용 파악 답 ⑤

학생들은 연설을 시작할 때의 주의 집중 방법, 사이버 언어폭력 근절을 위해 노력하자는 주장을 뒷받침하기 위한 근거와 그 제시 순서를 정하기 위해 토의를 진행하고 있다. 토의의 마지막에서 '연설 마지막엔 친구들의 행동 변화를 촉구하는 내용으로 마무리하자.'라고 하면서 연설의 마무리 부분에서 다룰 내용을 제안하고 있지만, 그때 활용할 비언어적 표현 방법에 대해 논의하고 있지는 않다.

[오답 풀이]

① 학생 1의 첫 번째 발언 중 '연설을 들을 친구들의 특성을 감안해야 해.'에서 확인할 수 있다.

② 학생 1의 첫 번째 발언 중 '연설 장소가 넓은 강당이고'에서 확인할 수 있다.

③ 사회자의 두 번째 발언 중 '사이버 언어폭력 근절을 위해 노력하자는 우리의 주장을 뒷받침하기에 적절한 근거와 그 제시 순서에 대해 논의해 보자.'와 학생 1의 마지막 발언 중 '순서는 문제의 심각성을 ~ 근거의 순으로 제시하면 좋겠어.'에서 확인할 수 있다.

④ 토의 전체에서 연설 내용을 효과적으로 전달하기 위한 방법을 모색하고 있다. 주의를 집중시키는 방법, 주장을 뒷받침하는 근거 찾기, 이를 효과적으로 전달하기 위해 활용할 수 있는 자료들에 대한 언급 등이 모두 해당한다고 볼 수 있다.

2 참여자의 발화 이해 답 ⑤

학생 2는 '가해자는 별다른 죄의식 없이 사이버 언어폭력을 저지르지만 사이버 언어폭력은 처벌받게 되는 범죄 행위라는 점'을 들어 경각심을 불러일으키자고 하였는데, 학생 3은 이 발언 뒤에 이어 바로 '친구들에게 경각심을 준다는 점에서 좋은 근거라고 생각해.'라고 말하고 있으므로 ⑤는 적절하다.

[오답 풀이]

① 학생 3이 '연설 주제에 적합한 시를 낭송한 후 ~ 시급성을 언급하자.'는 의견을 제안한 데 대해 학생 1은 '시 낭송은 참신한 방식이니 친구들의 주의를 끄는 데 도움이 되겠네.'라고 긍정적으로 말하고 있다. 학생 1은 학생 3의 제안이 적절하다고 판단하고 있다.

② 학생 1이 '인기 가요를 틀어 친구들의 주의를 끄는 게 어떨까?'라는 의견을 제안한 데 대해 학생 2는 '그 방법은 이미 다른 친구들이 여러 번 쓴 방법이라 더 이상 친구들의 주의를 집중시키기 어려워.'라고 부정적으로 말하고 있다. 학생 2는 학생 1의 제안이 적절하지 않다고 판단하고 있다.

③ 학생 2가 '가볍고 재미있는 이야기로 시작'하자는 의견을 제안한 데 대해 학생 3은 '연설 분위기를 부드럽게 하는 데에는 도움이 되겠지만 우리 연설 주제를 고려할 때 적합하지 않아.'라고 부정적으로 말하고 있다. 학생 3은 학생 2의 제안이 적절하지 않다고 판단하고 있다.

④ 학생 1이 '순식간에 확산되는 사이버 언어폭력으로 인한 피해자의 고통을 핵심 근거로 들어야 해.'라는 의견을 제안한 데 대해 학생 2는 '피해자가 겪는 고통을 핵심 근거로 보는 네 의견에는 동의해.'라고 말하고 있다. 학생 2는 학생 1의 제안이 적절하다고 판단하고 있다.

3 계획의 적절성 판단 답 ④

학생들이 토의한 내용을 살펴보면 '사이버 언어폭력 가해자가 늘어날수록 가해자가 별다른 죄의식 없이 사이버 언어폭력을 저지른다'는 내용은 없다. 따라서 이를 합의된 토의 내용으로 볼 수 없으며 주장의 근거로 제시해야겠다는 것은 적절하지 않다.

[오답 풀이]

① '사이버 언어폭력 행위는 처벌 대상'이라는 것과 '관련 법 조항을 자료로 제시'하자는 것은 학생 2의 세 번째 발언에서 확인할 수 있고, 학생 1과 3도 모두 동의하고 있다.

② 연설을 시작할 때 연설 주제에 적합한 시 작품을 활용하자는 제안은 학생 3의 첫 번째 발언에서 확인할 수 있고, 학생 1과 2도 이에 동의하고 있다.

③ '사이버 언어폭력 피해자가 극심한 고통을 겪고 있음'과 '언론 보도 사례를 활용'해 주장의 근거로 제시하자는 것은 학생 1의 세 번째 발언에서 확인할 수 있고, 학생 2와 3도 모두 동의하고 있다.

⑤ '누구나 사이버 언어폭력의 피해자가 될 수 있음'과 '피해자 관련 통계 자료'를 인용해 근거로 제시하자는 것은 학생 3의 두 번째 발언에서 확인할 수 있고, 학생 1과 2도 모두 동의하고 있다.

개념 코칭

토의와 토론의 차이점

토의	토론
의견을 수렴하는 말하기	찬성과 반대 중 하나가 옳다고 판정하는 말하기
협력적인 의사소통	경쟁적인 의사소통
협의를 통해 결론을 도출해 내는 말하기	자기 의견을 상대방에게 납득시키는 말하기
특별한 형식의 제약 없이 대체로 자유롭게 논의함.	엄격한 형식에 따라 논쟁을 벌임.

토의

본책 51~53쪽

1 ②　2 ③　3 ①

2017-3월 고3 학평

담화 유형 토의

토의 주제 △△미술관의 전시회 횟수 감소와 관람객 감소의 원인 분석 및 해결 방안 모색

주제 △△미술관 전시회 횟수가 줄고 관람객이 감소하는 원인과 해결 방안에 대한 토의

토의 과정

전시회 횟수가 줄고 관람객이 감소하는 원인	• 건물 노후화, 전시 공간 협소 • 미술관을 전시 공간으로만 활용 • 비싼 전시료와 관람료
원인에 대한 해결 방안	• 전시료와 관람료 대폭 인하 • 다채로운 프로그램 마련: 미술 강좌, 청소년 미술 대회 등 • 미술관을 시 외곽으로 이전
최선의 방안 도출	• 미술관의 시 외곽 이전 – 접근성이 떨어져 시민들의 불편함이 커짐. • 미술 강좌 개설 및 다양한 프로그램 진행 – 많은 비용 발생 • 전시료와 관람료 인하 – 예산 부족 → ○○ 문화 재단에 예산 지원을 신청하여 예산을 확보하면 프로그램도 다양화하고 전시료와 관람료도 낮출수 있음.

1 참여자의 발화 이해　답 ②

'위원 2'는 '일반인을 대상으로 미술 강좌를 개설하거나 청소년 미술 대회를 여는 방법 등' 미술관의 프로그램을 다양화할 수 있는 방안을 제시하고 있다. [B]에서 '위원 1'은 '위원 2'의 발언에 대해 '현재의 공간을 그대로 활용하는 데는 한계'가 있다는 점을 제시하면서 '미술관을 시 외곽으로 이전'하자는 제안을 받아들이자고 하고 있다. 이것은 '위원 2'가 제시한 방안의 장단점을 분석한 것이 아니므로 단점을 보완하기 위한 대안을 제시한 것도 아니다.

[오답 풀이]

① [A]는 건물 노후화나 전시 공간의 협소 등 현재 미술관의 여건과 관련된 문제의 원인을 제시하고 있다.

③ [C]에서 '위원 2'는 '위원 1'이 미술관을 시 외곽으로 이전하자고 제안한 것에 대해 '미술관을 시 외곽으로 이전하면 접근성이 떨어져 미술관을 찾는 시민들의 불편함이 커'질 것이라고 부정적으로 평가하고, '다양한 프로그램을 통해 시민 참여를 확대'하자며 자신의 해결 방안을 옹호하고 있다.

④ [D]에서 '위원 1'이 '미술 강좌를 개설하거나 다양한 프로그램을 진행하려면 모두 비용이 많이 들 것입니다.'라고 언급한 부분은 '위원 2'가 제시한 방안에서 발생할 수 있는 문제점을, '가뜩이나 예산이 부족한 상황에서 전시료와 관람료를 낮추면 예산 확보가 더 어려워질 것입니다.'라고 언급한 부분은 '위원 3'이 제시한 방안에서 발생할 수 있는 문제점을 경제적 측면에서 지적한 것이다.

⑤ [E]에서 '위원 2'는 예산을 지원받는 방안이 시행될 경우 논의된 여러 가지 방안들도 실행 가능하다는 점을 들어 다양한 효과를 예상하고 있다.

2 사회자의 질문 의도 파악　답 ③

사회자는 첫 번째 발언에서 토의 순서를 안내한 후 이에 따라 먼저 문제의 원인을 논의하였고, ㉠에서는 토의의 다음 단계로 넘어가기 위해 해결 방안에 대해 논의할 것을 요청하는 질문을 하였다. ㉡에서는 '위원 2'가 제안한 '다채로운 프로그램 마련'에 대해 구체적이고 다양한 방안이 무엇인지 설명해 줄 것을 요청하는 질문을 하였다.

[오답 풀이]

① ㉠은 제시한 순서에 따라 토의를 진행하기 위한 질문이며, ㉡에 토의 참여자들이 지닌 궁금증은 드러나지 않는다.

② ㉠이 토의에서 논의될 중요한 내용은 맞지만 토의 목적을 환기한다고 보기는 어려우며, ㉡의 앞에 토의 참여자 간의 의견 대립이 나타나지 않았다.

④ ㉠에서 적극적인 토의 참여를 유도하지 않았으며, ㉡은 앞선 발언자에게 추가적인 답변을 요청한 질문일 뿐 발언 순서를 바로잡기 위한 질문이 아니다.

⑤ ㉠에서 발언한 내용과 관련된 추가 설명을 요청하지 않았으며, ㉡은 앞서 발언한 내용에 대한 추가 질문이므로 국면을 전환하기 위한 질문으로 볼 수 없다.

3 토의의 논의 방안 파악　답 ①

'시 외곽에 제2 미술관 건립'과 관련하여 '위원 1'이 시 외곽으로 미술관을 이전하자는 시의 제안을 수용하자고 했지만, '위원 2'와 '위원 3'이 다양한 근거를 들어 이를 반대하였다. 이후 '위원 3'은 ○○ 문화 재단에 예산 지원을 신청해 예산을 확보하는 방안으로 문제를 해결하자는 의견을 제시하였고, '위원 2'와 '위원 1'이 이에 모두 동의하고 있으므로 ⓐ는 제안서의 내용으로 적절하지 않다.

[오답 풀이]

ⓑ, ⓒ '위원 2'는 세 번째 발언에서 일반인을 대상으로 미술 강좌를 개설하고 청소년 미술 대회를 여는 것을 제안했고, 다섯 번째 발언에서 예산 지원을 받으면 이것들이 실행 가능하다고 하였다.

ⓓ '위원 3'은 두 번째 발언에서 전시료와 관람료를 인하할 것을 제안했고, '위원 2'의 다섯 번째 발언에서 예산 지원을 받으면 이 방안이 실행 가능하다고 하였다.

ⓔ 전시회 횟수가 줄었다는 미술관 상황과 관련하여 '위원 1'과 '위원 3'은 첫 번째 발언에서 전시 공간 협소와 비싼 전시료 등을 문제점으로 지적하였다. 그리고 '위원 2'는 다섯 번째 발언에서 예산 지원을 통해 전시회가 자주 열릴 수 있을 것이라고 기대하고 있다.

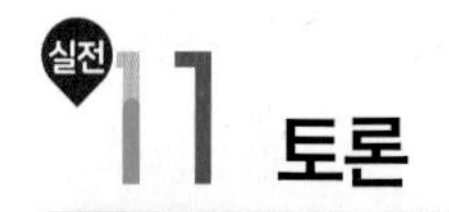

토론

본책 54~55쪽

1 ③ 2 ④ 3 ④

2017-7월 고3 학평

담화 유형 토론

논제 우리 학교에서의 드라마 촬영을 허가해야 한다.

주제 우리 학교에서의 드라마 촬영을 허가해야 한다는 논제에 대한 찬반 토론

특징
- 사회자는 토론의 논제를 제시하고 토론자의 발언 순서를 안내하는 등 토론을 진행함.
- 토론자는 찬성과 반대의 입장으로 나누어져 자신의 주장이 정당하다는 사실을 입증하기 위해 노력함.

토론 과정

1 찬성 측 입론	→ 2 반대 측의 반대 신문
우리 학교에서의 드라마 촬영을 찬성함. – 학교 홍보에 도움이 됨. – 학교에 대한 학생들의 자긍심을 높여 줌.	드라마 촬영을 찬성하는 이유에 대한 문제 제기 – 부정적 이미지로 연출하면 역효과가 발생함. → 3 찬성 측의 재반론 반대 측의 반대 신문에서 제기한 문제에 대한 반론 – 학교와 학생을 긍정적으로 표현할 것임.
4 반대 측 입론	→ 5 찬성 측의 반대 신문
우리 학교에서의 드라마 촬영을 반대함. – 면학 분위기 해침. – 학교 시설이 훼손되고 안전사고가 발생할 수 있음.	드라마 촬영을 반대하는 이유에 대한 문제 제기 – 주말에만 촬영이 진행됨. → 6 반대 측의 재반론 찬성 측의 반대 신문에서 제기한 문제에 대한 반론 – 주말에도 학교에 학생들이 있고 평일에도 사람들이 학교를 찾을 것임.

1 입론의 내용 평가 답 ③

'반대 1'은 입론에서 작년에 인근 학교에서 드라마를 촬영했다가 수업 분위기를 망쳐 촬영 허가를 취소했던 사례를 근거로 제시하였다. 그리고 이를 바탕으로 우리 학교에서도 이와 유사한 상황을 겪을 것이라며, 앞으로 발생 가능한 문제 상황을 제시하고 있다.

[오답 풀이]

① '찬성 1'의 입론에서 전문가의 의견을 인용한 내용은 확인할 수 없다.

② '찬성 1'의 입론에서 설문 조사 결과를 활용한 내용은 확인할 수 없다.

④ '반대 1'의 입론에서 찬성 측의 생각에 일부 동의하는 내용은 확인할 수 없다.

⑤ '반대 1'의 입론에 의문형 진술은 있지만, 이는 이전에 인근 학교에서 드라마를 촬영했던 일을 사례로 제시하기 위한 것으로, 상대의 주장에 대한 자신의 이해 여부를 확인한 것으로는 볼 수는 없다.

2 말하기 전략 파악 답 ④

[B]의 '반대 측과 함께 살펴본 촬영 일정에 따르면 우리 학교에서는 주말에만 촬영이 진행되는 것으로 나와 있습니다.'에서 상대측인 반대 측과 공유한 정보를 언급하고 있다. 또한 이를 바탕으로 '따라서 면학 분위기를 해칠 것이라고 보기는 어렵지 않나요?'라고 하며 드라마 촬영이 면학 분위기를 해칠 것이라는 반대 측 주장의 근거에 대해 의문을 제기하고 있다.

[오답 풀이]

① [A]에는 상대측이 사용한 어휘의 개념을 확인한 부분이 없으며, 용어 사용의 적절성에 의문을 제기한 부분도 없다.

② [A]는 상대측의 근거에 대하여 문제를 제기하고 있는 부분으로, 근거의 사실 관계를 확인하거나 주장을 입증할 수 있는 구체적인 자료를 요구하고 있지는 않다.

③ [B]는 상대측이 제시한 근거에 대해 정확하게 파악한 정보를 바탕으로 의문을 제기하고 있는 부분으로, 상대측이 제시한 자료의 신뢰성에 의문을 제기하거나 자료의 출처를 요구하고 있지는 않다.

⑤ [A]와 [B]는 실현 가능한 대안을 제시할 것을 요구하고 있지는 않다.

3 토론 내용 분석 답 ④

반대 측은 촬영이 주말에만 진행될 경우 면학 분위기를 해치지 않을 것이라는 찬성 측의 주장에 대해, 주말에도 학교에서 공부하는 학생이 많으며, 드라마 방영 후 학교가 유명세를 타면 평일에도 학교를 찾는 사람들로 소란스러워질 수 있으므로 촬영이 주말에 진행되어도 학습에 방해될 수 있다고 하였다. 촬영 일정이 변경되면 평일에도 촬영이 진행될 수 있다는 내용은 반대 측의 주장과 관련이 없다.

[오답 풀이]

① 찬성 측은 입론에서 '우리 학교를 배경으로 드라마를 촬영한다면 드라마를 시청하는 사람들에게 우리 학교에 대한 긍정적인 인상을 심어 주어 학교 홍보에 큰 도움이 될 것입니다.'라고 하며, 드라마 촬영이 학교 홍보에 좋은 기회가 될 수 있다는 점에서 드라마 촬영을 찬성하고 있다.

② 찬성 측은 입론에서 '드라마의 배경으로 나오는 학교의 모습을 보며, 우리 학교가 드라마 촬영 장소로 쓰일 만큼 아름답고 우수한 교육 환경을 지니고 있다는 것에 자부심을 느끼게 될 것'이라고 하며, 드라마 촬영으로 학생들이 학교에 대한 자부심을 가질 수 있다는 점에서 드라마 촬영을 찬성하고 있다.

③ 반대 측은 입론에서 '우리 학교의 면학 분위기를 해칠 것이기 때문입니다.'라고 하며, 면학 분위기 조성에 방해가 될 수 있다는 점에서 드라마 촬영을 반대하고 있다.

⑤ 반대 측은 입론에서 '이로 인해 학교 시설이 훼손되거나 각종 안전사고가 발생할 수도 있습니다.'라고 하며, 학교에서의 드라마 촬영을 반대하고 있다.

토론

본책 56~58쪽

1 ③ **2** ④ **3** ②

2017-11월 고2 학평

담화 유형 토론

논제 SNS를 활용한 선거 운동을 도입해야 한다.

주제 SNS를 활용한 선거 운동을 도입해야 한다는 논제에 대한 반대 신문식 토론

토론 과정

1 찬성 측 첫 번째 입론	→ 2 반대 측의 첫 번째 반대 신문
SNS를 활용한 선거 운동 도입을 찬성함. – 학생들의 관심 유도에 효과적임.	SNS를 활용한 선거 운동 도입 찬성에 대한 문제 제기 – SNS를 사용하지 않는 학생들은 소외감을 느낌. → 3 찬성 측의 재반론 반대 측의 반대 신문에서 제기한 문제에 대한 반론
4 반대 측 첫 번째 입론	→ 5 찬성 측의 첫 번째 반대 신문
SNS를 활용한 선거 운동 도입을 반대함. – 두 가지 선거 운동을 모두 준비하면 시간과 노력이 더 많이 듦. – 실시간 반응 확인과 댓글 작성으로 부담이 됨.	SNS를 활용한 선거 운동 도입 반대에 대한 문제 제기 – SNS는 간단한 소통 위주라 부담이 되지 않음. → 6 반대 측의 재반론 찬성 측의 반대 신문에서 제기한 문제에 대한 반론
7 찬성 측 두 번째 입론	→ 8 반대 측의 두 번째 반대 신문
SNS를 활용하면 후보자와 학생들 간의 소통이 더욱 활발해짐. – 후보자는 공약을 알리고 학생들은 질문을 할 수 있음.	– SNS상에서는 질 높은 의사소통을 할 수 없음. → 9 찬성 측의 재반론 – 다양한 의견과 정보 교환으로 소통의 질을 높일 수 있음.
10 반대 측 두 번째 입론	→ 11 찬성 측의 두 번째 반대 신문
SNS를 활용하면 후보 간의 과열 경쟁을 야기하고 비방과 거짓 정보가 확산될 수 있음.	[가]

1 토론 과정 파악 답 ③

'반대 1'은 '찬성 1'의 반대 신문에 대해 'SNS상에서의 소통이 간단한 것은 맞지만 질문과 답변이 연속적으로 오가기도 하고 실시간으로 댓글을 달아야 하는 경우가 많기 때문에 부담이 될 수 있다'고 하였다. 이는 기존 방식의 긍정적 측면을 강조한 것이 아니다.

[오답 풀이]

① '찬성 1'은 입론에서 '작년에 후보자와 함께 홍보 포스터를 부착하고 교문 앞 유세에도 참여'했었던 자신의 과거 경험을 근거로 활용하고 있다.

② '찬성 1'은 '반대 2'의 반대 신문에 답변하는 과정에서 '최근 우리 학교의 SNS 사용에 대한 실태 조사 결과 86% 이상의 학생이 SNS를 사용하는 것으로 나타났습니다.'와 같이 구체적인 수치를 활용하여 새로운 방식의 도입에 대한 타당성을 강조하고 있다.

④ '찬성 2'는 두 번째 입론에서 '기존 선거 운동 방식은 후보자가 학생들의 의견을 지속적으로 확인하기가 어려웠지만'과 같이 기존 방식의 문제점을 들어 새로운 방식의 도입 효과를 강조하고 있다.

⑤ '반대 2'는 두 번째 입론에서 '선거 운동에 SNS를 활용하면 자유롭고 활발한 의사소통을 할 수 있게 된다는 점은 인정합니다.'와 같이 상대방 의견을 일부 인정한 후 자신의 주장을 제시하고 있다.

2 내용 생성의 적절성 평가 답 ④

'반대 2'는 입론에서 선거 운동에 SNS를 활용하면 자칫 후보 간의 과열 경쟁을 불러일으킬 수 있고 비방과 거짓 정보가 확산되는 등 역기능이 나타날 수 있다고 하였다. 따라서 '찬성 2'는 반대 신문으로 그러한 역기능이 SNS만의 문제라고 말할 수 있는지를 질문하여, 반대 측이 제시한 문제가 SNS 선거 운동이기에 생기는 문제가 아님을 지적하는 것이 적절하다.

[오답 풀이]

① SNS에서 비방과 거짓 정보가 확산되는 것을 규제하기 어렵다는 것은 '반대 2'가 이미 입론에서 제시하고 있으므로 반대 신문으로 적절하지 않다.

② 비방과 거짓 정보에 대한 규제와 SNS에 의한 과열 경쟁 규제가 현실적으로 쉽지 않다는 것을 '반대 2'가 이미 입론에서 제시하고 있으므로 반대 신문으로 적절하지 않다.

③ '반대 2'의 입론에서 기존 선거 운동 방식과 SNS를 활용한 선거 운동 방식에서의 거짓 정보 파급력의 정도를 비교하지 않았으므로 반대 신문으로 적절하지 않다.

⑤ '반대 2'의 입론에서 학생 스스로 비방이나 거짓 정보에 대한 의식을 개선해야 한다고 언급하지 않았으므로 반대 신문으로 적절하지 않다.

3 자료 활용 방안 파악 답 ②

'찬성 2'는 입론에서 '학생회장 선거에 SNS를 활용한다면 후보자와 학생들 간의 소통이 더욱 활발해질 수 있습니다.'라고 하였으므로, 인터넷이 상호 작용적 특성을 가지고 있다는 〈보기〉의 자료는 '찬성 2'의 근거로 활용할 수 있다.

[오답 풀이]

① '찬성 2'의 입론에 '학생들은 질문을 통해 공약의 구체적인 내용을 확인하고 실현 가능성을 판단할 수도 있습니다.'라는 부분이 있으므로, 인터넷이 정치적 토론에 시민들이 쉽게 접근할 수 있게 한다는 내용은 '찬성 2'의 근거로 활용할 수 있다.

③ SNS를 통해 다양한 의견과 정보를 확인할 수 있어 소통의 질을 높일 수 있다는 것은 '반대 1'의 반대 신문에 대한 '찬성 2'의 답변에서 확인할 수 있으므로, 이를 '찬성 2'에 대한 반박 근거로 활용하는 것은 적절하지 않다.

④ '반대 1'은 입론에서 SNS를 활용한 선거 운동을 도입할 경우 기존의 선거 운동과 SNS를 활용한 선거 운동을 모두 준비해야 하기 때문에 시간과 노력이 더 많이 든다고 주장하고 있다. 인터넷이 가진 정보 습득의 용이성에 대한 내용은 이와 상반되므로 '반대 1'의 근거로 활용할 수 없다.

⑤ '반대 2'가 SNS를 활용한 선거 운동에 모든 학생들이 관심을 가져야 한다는 내용을 언급하지 않았으므로, 인터넷이 시민들의 참여를 이끌어 낼 수 있다는 내용을 '반대 2'에 대한 반박 근거로 활용하는 것은 적절하지 않다.

면접

본책 59~61쪽

1 ② 2 ② 3 ③

2017-10월 고3 학평

《(나) 면접》

담화 유형 면접

주제 창업 동아리에서 신입 부원을 선발하기 위한 면접

특징
- 면접자는 다양한 질문 전략을 활용하며 면접을 진행함.
- 면접자의 질문을 받고 긴장하는 지원자를 배려하는 모습을 보임.

면접 내용

지원 동기	• 디저트 전문점을 창업하는 것이 꿈임. • 창업에 대한 다양한 지식과 경험 습득이 필요함. • 디저트를 직접 만드는 취미가 있고, 사람들이 맛있게 먹는 모습을 보면 행복함. • 디저트를 즐길 방안을 연구하는 창업 동아리에 매력을 느낌.
창업 아이디어	• 한과와 서양의 쿠키를 접목한 디저트 판매 • 다른 디저트 전문점과 차별화된 경쟁력을 갖추는 것이 목표
사업 타당성	• 제시된 모의 창업 아이디어에 관한 사업 타당성 판단: 소비자의 특성, 사업의 지속 가능성, 제품 제작 여건 등의 요소를 고려할 때 타당함.

1 면접자의 질문 전략 파악 답 ②

면접자는 ⓒ과 관련하여 '디저트 전문점을 창업하기 위한 자신만의 아이디어가 있나요?'라며 지원자가 생각해 본 창업 아이디어를 묻는 질문만 하고 있을 뿐, 지원자가 제안한 창업 아이디어를 보완해 답변할 수 있도록 답변 방향을 제시하는 질문은 하지 않았다.

[오답 풀이]

① 면접자는 지원 동기를 물어본 후, 디저트 전문점을 창업하는 것이 꿈이라는 지원자의 답변에 대해 그와 같은 창업을 꿈꾸게 된 계기가 있는지 추가로 질문하고 있다.

③ 면접자는 지원자가 창업 아이디어에 관한 질문을 받고 당황하자 '어렵게 생각하지 마시고, ~ 편하게 말씀해 주시면 됩니다.'라고 말하며 긴장을 풀고 답변할 수 있도록 유도하고 있다.

④ 면접자는 '모의 창업 아이디어'의 사업 타당성에 관한 질문을 하기 이전에 지원자가 '사업 타당성'이라는 용어를 알고 있는지 확인하고 있다.

⑤ 면접자는 '모의 창업 아이디어'의 사업 타당성에 관한 질문을 하면서 사업 타당성을 평가할 때 고려할 요소인 소비자의 특성, 사업의 지속 가능성, 제품 제작 여건을 제시하고 있다.

2 지원자의 답변 내용 파악 답 ②

[B]에서 지원자는 제과 · 제빵 동아리와 창업 동아리의 차이점을 설명하면서 자신이 창업 동아리에 더 큰 매력을 느껴 창업 동아리에 지원하게 되었음을 밝히고 있다.

[오답 풀이]

① 어린 시절부터 디저트를 좋아했고 자신이 만든 디저트를 주변 사람들이 맛있게 먹는 모습이 행복해서 디저트 전문점 창업을 꿈꿨다는 점은 알 수 있지만, 주변 사람들의 평가를 인용하지는 않았다.

③ 창업과 관련된 다양한 동아리 활동 경험을 열거하지 않았다.

④ 다양한 창업 사례로부터 디저트 전문점의 일반적인 특징을 분석한 결과를 제시하지 않았다.

⑤ 지원자 자신이 창업하고 싶은 디저트 전문점의 모습을 제시하고 있을 뿐, 디저트 사업의 최신 동향을 제시하지는 않았다.

3 내용 생성의 적절성 평가 답 ③

지원자는 '학생들은 보통 주머니 사정이 여유롭지 못하기 때문에 ××원짜리 주먹밥은 충분히 매력이 있다고 생각합니다.'라고 하며 경제적인 측면에서 소비자의 특성을 고려하여 타당성을 평가하고 있다. 그리고 ⓐ의 질문에 대해 '학생'이라는 소비자의 생활 환경을 고려하여 답변하고 있다. 따라서 ⓐ에는 경제적인 측면 말고 다른 측면에서 소비자의 특성을 고려하여 타당성을 평가해 달라는 질문이 들어가는 것이 적절하다.

[오답 풀이]

① ⓐ에 이어지는 지원자의 답변에서 판매자의 특성을 고려하여 타당성을 평가한 내용은 찾을 수 없다.

② ⓐ에 이어지는 지원자의 답변에서 지원자 본인의 전문성을 살려 제품 제작 측면에서 사업의 타당성을 평가한 내용은 찾을 수 없다.

④ ⓐ에 이어지는 지원자의 답변은 경제적인 측면에서 소비자의 특성을 고려한 내용과는 관련이 없으며, 구체적인 자료를 제시하고 있지도 않다.

⑤ ⓐ에 이어지는 지원자의 답변에서 가격 경쟁력 측면에서 타당성을 평가한 내용은 찾을 수 없다.

개념 코칭

담화 맥락

- 맥락: 사물 따위가 서로 이어져 있는 관계나 연관
- 화법(의사소통)의 맥락 요인: 주제, 목적, 청자, 매체, 담화 유형 등의 다양한 요인이 있으며, 이 요인들이 복합적으로 결합하여 의사소통이 이루어진다.

주제	무엇을 표현하고 싶은가, 주요 내용
목적	정보 전달, 설득, 자기표현, 사회적 상호 작용 등
청자	청자의 요구, 배경지식, 수준, 관심 등이 있으며 사회 공동체의 담화 관습도 고려해야 함.
매체	시각 · 청각 · 복합 매체 등이 있으며, 각 매체의 특성을 고려해 적절히 활용해야 함.

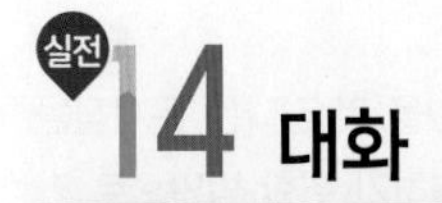

대화

본책 62~63쪽

1 ④ 2 ⑤

2017-6월 고1 학평

담화 유형 대화

주제 발표 원고 검토와 말하기 불안을 극복하기 위한 대화

특징 대화의 세 가지 원리인 공손성의 원리, 협력의 원리, 순서 교대의 원리가 잘 드러남.

대화 내용
- 전반부: 발표 원고 검토
- 후반부: 말하기 불안을 극복하기 위한 방안

1 대화의 원리 파악 답 ④

㉣에서 '정민'은 '너랑 한 팀이라 정말 든든해.'라는 '아인'의 말에 자신도 발표할 때 실수가 많다고 하면서 '아인'과 한 팀이라 다행이라고 말하고 있다. 이와 같이 대화 상황에서 자신에 대한 칭찬을 최소화하고 비방을 최대화하는 것을 '겸양의 격률'이라 한다. 따라서 문제의 원인을 자신의 탓으로 돌리면서 상대에게 미안한 마음을 전달한다는 설명은 적절하지 않다.

[오답 풀이]

① ㉠에서 '아인'은 '정민'이 쓴 원고의 특정 내용을 언급하면서 상대방을 칭찬하고 있다. 이는 '칭찬의 격률'을 지킨 것이다.

② ㉡에서 '정민'은 '아인'의 칭찬에 대해 겸손한 태도로 자신을 낮추고 있다. 이는 '겸양의 격률'을 지킨 것이다.

③ ㉢에서 '정민'은 '아인'이 제안한 내용에 대해 발표 주제와 맞지 않는다는 문제점을 언급한 후에, 상대가 제시한 의견을 일부 수용하여 설문 조사를 활용하자는 새로운 의견을 제안하고 있다. 이는 '동의의 격률'을 지킨 것이다.

⑤ ㉤에서 '아인'은 다음 주부터 발표 연습을 시작했으면 좋겠다는 자신의 요구를 일방적으로 전하지 않고 상대의 의사를 물어보는 방식으로 양해를 구하고 있다. 이는 '요령의 격률'을 지킨 것이다.

개념 코칭

대화의 원리

- 공손성의 원리: 상대방을 배려하며 언어 예절을 갖추어 대화해야 한다는 것이다.

요령의 격률	상대방에게 부담이 되는 표현은 줄이고, 이익이 되는 표현은 늘린다.
관용의 격률	자신에게 이익이 되는 표현은 줄이고, 부담을 주는 표현은 늘린다.
칭찬의 격률	상대방을 비방하는 표현은 줄이고, 칭찬하는 표현은 늘린다.
겸양의 격률	자신을 칭찬하는 표현은 줄이고, 비방하는 표현은 늘린다.
동의의 격률	자신과 상대방의 의견에서 차이점을 줄이고, 일치점은 늘린다.

- 협력의 원리: 대화 참여자가 대화의 목적에 성공적으로 도달하기 위해 서로 협력해야 한다는 것이다.

양의 격률	필요한 만큼만 정보를 제공해야 한다.
질의 격률	타당한 근거를 들어 진실한 정보를 제공해야 한다.
관련성의 격률	대화의 목적이나 주제와 관련된 것을 말해야 한다.
태도의 격률	모호하거나 중의적인 표현은 피하고 간결하고 조리 있게 말해야 한다.

- 순서 교대의 원리: 대화 참여자가 서로 적절하게 순서를 교대해 가면서 말을 주고받아야 한다는 것이다.

2 말하기 불안 대처 방법 파악 답 ⑤

발표를 상상하면서 심호흡을 천천히 반복한 다음 주먹을 여러 번 쥐었다 폈다 해서 몸의 긴장을 푸는 것은 긴장감이 느껴지는 말하기 상황을 떠올리며 긴장된 근육을 이완시키는 연습에 해당하므로 '체계적 둔감화'로 볼 수 있다.

[오답 풀이]

① 발표 상황이 심각한 부담이 될 만한 것인지 질문해 보는 것은 발표 상황에 대한 인식 전환에 해당한다.

② 자신의 발표 능력에 대한 기대를 바꾸어 보는 것은 화자 자신에 대한 인식 전환에 해당한다.

③ 발표 상황을 좋은 기회로 생각해 보는 것은 발표 상황에 대한 인식 전환에 해당한다.

④ 불안 감정이 일시적으로 높을 뿐 심리적으로 적응될 것이라 생각해 보는 것은 불안 감정에 대한 인식 전환에 해당한다.

실전 15 대담

본책 64~65쪽

1 ⑤   2 ④   3 ③

2017-3월 고2 학평

담화 유형 대담

주제 동전 없는 사회에 대한 대담자들의 의견 교환

특징
- 진행자가 대담자에게 발언 기회를 주고 구체적인 설명을 요청하면서 대담을 진행함.
- 설문 조사 결과, 통계 자료 등 객관적인 자료를 활용하여 의견을 뒷받침함.

대담 내용

1. 동전 없는 사회를 만들어야 하는 이유

김 과장	최 교수	김 과장
⇒ 동전 없는 사회를 만들어야 함. – 신용 카드 사용이 늘어 현금 거래가 줄고 있음. – 동전 제조 및 유통에 비용이 많이 들어감.	⇒ 동전 없는 사회를 만드는 것에 반대함. – 물가 상승의 우려가 있음.	⇒ 물가 상승은 일어나지 않을 것임. – 가격 경쟁이 심해 가격을 올리기 어려움. – 동전 교환 및 관리에 들어가는 비용이 줄어 가격 상승 요인이 발생하지 않음.

2. 동전 없는 사회를 만들었을 때 우려되는 점

최 교수	김 과장
⇒ 동전을 없애면 불편을 겪을 사람들이 생김. – 카드에 거스름돈을 충전하는 방법은 카드를 사용하지 않는 사람들에게 불편함.	⇒ 동전을 없애도 불편을 겪을 사람들은 많지 않음. – 국민 대다수가 카드를 사용함.

1 진행자의 역할 파악 답 ⑤

진행자는 자신의 이해가 정확한지 대담자에게 질문하고 확인하는 과정을 통해 대담을 원활하게 이끌어 가거나 청취자의 이해를 도울 수 있다. 하지만 제시된 대담에서는 진행자가 자신이 대담 내용을 정확히 이해하였는지 질문하며 확인하는 부분은 찾을 수 없다.

[오답 풀이]

① 진행자는 첫 번째 발언에서 '최근 동전 없는 사회를 만들자는 논의가 있는데 오늘은 그 이유가 무엇인지, 우려되는 점은 없는지'와 같이 대담에서 다룰 내용을 소개하며 대담을 시작하고 있다.

② 진행자는 '먼저 김 과장님', '그럼, 최 교수님께서는', '그러면 김 과장님', '이번에는 최 교수님께서 먼저' 등에서 대담자를 지정하여 발언 기회를 부여하고 있다.

③ 김 과장이 동전 제조나 유통에 비용이 많이 든다고 하자 진행자는 두 번째 발언에서 김 과장에게 동전 제조나 유통 비용에 대해 구체적으로 설명해 줄 것을 요청하고 있다.

④ 진행자는 네 번째 발언에서 '네, 동전의 제조와 유통 등과 관련된 비용을 줄일 수 있다는 점에는 두 분 다 같은 의견이시군요.'와 같이 대담자들의 공통된 의견을 언급하면서 대담을 이어가고 있다.

2 말하기 전략 파악 답 ④

진행자가 동전을 없애면 불편을 겪을 사람들도 있을 것 같다는 문제점을 언급하자 최 교수는 '제가 알고 있기로 이를 해결하기 위한 방안으로 카드에 거스름돈을 충전하는 방법을 검토 중이라고 하는데, 카드를 사용하지 않는 분들은 여전히 불편할 것입니다.'라고 말하고 있다. 이는 자신이 알고 있는 정보를 바탕으로 진행자가 제기한 문제점에 대해서만 이야기한 것일 뿐, 진행자가 언급한 내용이 새로운 문제를 야기할 수 있음을 지적한 것은 아니다.

[오답 풀이]

① 김 과장은 첫 번째 발언의 '한 설문 조사에서는 응답자의 46.9%가 동전을 사용하지 않는다고 답했습니다.'에서 설문 조사 결과를 바탕으로 동전 없는 사회를 만들어야 하는 이유를 설명하고 있다.

② 최 교수는 첫 번째 발언의 '하지만 물가 상승의 우려가 있습니다.'에서 동전을 없앴을 때 예상되는 문제점(물가 상승)을 언급하면서 김 과장과 다른 견해를 표명하고 있다.

③ 김 과장은 세 번째 발언에서 판매점 간 가격 경쟁 심화와 동전 교환 및 관리 비용의 절감이라는 경제적 요인을 근거로 삼아 최 교수의 의견을 반박하고 있다.

⑤ 김 과장은 네 번째 발언에서 '□□도'와 '△△시'의 교통 카드 사용 비율에 대한 통계 자료를 바탕으로 최 교수가 지적한 문제(거스름돈을 카드에 충전해 줄 경우 카드를 사용하지 않는 사람들이 불편을 겪을 수 있다.)에 대해 반박하고 있다.

3 질문 내용 파악 답 ③

〈공지 사항〉의 내용이 '출연자가 언급한 내용에 대해 추가 질문을 올려 주세요.'이므로, 이미 동전 없는 사회를 실현한 나라들도 있다는 김 과장의 첫 번째 발언에 대해 어떤 나라들이 있는지 질문한 ③이 진행자가 선정할 추가 질문으로 적절하다.

[오답 풀이]

① 김 과장의 두 번째 발언에 동전 제조 및 유통 비용에 1,000억 원 이상이 소요된다는 내용이 있다. 하지만 대담 내용을 확인하려는 의도만 있으므로 추가 질문으로 적절하지 않다.

② 최 교수가 마지막 발언에서 동전이 없는 불편을 해소하기 위해 카드에 거스름돈을 충전하는 방법이 검토 중이라고 말하고 있으므로, 동전이 없으면 거스름돈을 어떻게 받는지 묻는 질문은 추가 질문으로 적절하지 않다.

④ 대담에서 동전 없는 사회, 즉 동전을 없애는 것에 대한 이야기를 하고 있으므로, 현재 지폐로 나와 있는 1,000원짜리를 동전으로 만드는 것에 대한 질문은 대담 내용을 제대로 이해하고 추가로 질문한 내용으로 보기 어렵다.

⑤ 대담에 500원짜리 동전이 예전에 지폐였다는 내용은 없으므로, 대담에서 언급된 내용과 관련이 없는 질문은 추가 질문으로 적절하지 않다.

작문

연습 01

본책 70~71쪽

1 ③ **2** ④

2020 수능

작문 상황	우리 학교 학생들을 대상으로 지역 방언 보호에 대한 관심을 촉구하는 글 쓰기
주제	지역 방언의 보호가 필요하다.
특징	• 글을 쓰는 데 필요한 작문 상황과 독자 분석, 작문 목적을 고려하여 작성한 초고로 구성됨. • 지역 방언이 처한 현실을 보여 주는 조사 결과와 기관의 의견을 제시함.
중심 내용	1 문단: 지역 방언이 사라져 가는 실태 2 문단: 지역 방언이 사라져 가는 원인 3 문단: 지역 방언의 가치 4 문단: 지역 방언 보호에 대한 관심 촉구

1 글쓰기 계획 파악 답 ③

'지역 방언으로 인해 의사소통에 어려움을 겪었던 경험을 제시'하는 것은 지역 방언이 사라져 가는 실태와 직접적인 관련이 없으며, (나)에서 이런 내용을 찾을 수도 없다.

[오답 풀이]

① 1문단에서 우리 지역의 방언 어휘 중 특정 단어들을 '전혀 사용하지 않는' 비율이 초등학생의 80% 이상, 중학생의 60% 이상이라는 조사 결과를 제시하고 있다.

② 1문단에서 '2010년에 유네스코에서는 제주 방언을 소멸 직전의 단계인 4단계 소멸 위기 언어로 등록'했다는 내용을 제시하고 있다.

④ 3문단에서 '일부 학생들은 표준어로도 충분히 대화할 수 있다며 지역 방언이 꼭 필요하냐고 말할 수도 있다.'라고 예상되는 반론을 제시한 뒤, 지역 방언의 가치(표준어로는 표현하기 어려운 감정과 정서 표현, 우리말의 어휘를 풍부하게 만드는 바탕)를 근거로 들어 지역 방언의 보호에 관심을 가져야 하는 이유를 강조하고 있다.

⑤ 3문단에서 '올갱이, 데사리, 민물고동' 등 지역 방언의 예를 활용하여 지역 방언이 우리말의 어휘를 풍부하게 만드는 바탕이 된다는 점에서 가치가 있음을 설명하고 있다.

2 자료 활용 방안 파악 답 ④

[자료 2]에서 주로 관공서나 학교 등 공식적 상황에서 사용하던 표준어를 일상생활에서도 사용하려는 경향이 있다는 점을 알 수 있으므로, [자료 2]를 활용하여 방언을 사용해도 되는 상황(일상생활)에서도 표준어를 쓰려는 태도를 원인으로 추가할 수 있다.

[오답 풀이]

① [자료 1]을 보면 2010년에 비해 2015년에 지역 방언이 편하고 친근하다(긍정적 느낌)는 비율이 줄어들었고, 불편하고 어색하다(부정적 느낌)는 비율이 늘어났다. 따라서 긍정적 느낌의 비율과 부정적 느낌의 비율 변화 양상이 상반된다고 말할 수 있다. 그러나 이러한 현상이 지역 방언에 대한 무관심 때문에 일어난 것인지는 확인할 수 없다.

② [자료 1]에서 2010년과 2015년을 비교하면 느낌의 순위는 '편하고 친근함. > 별 느낌 없음. > 불편하고 어색함. > 모름/무응답'으로 변화가 없다. 그러나 이러한 사실과 지역 방언 교육 정책과의 관련성은 알 수 없다.

③ [자료 2]는 최근 일상생활에서도 표준어를 사용하는 비율이 높아졌다는 내용이므로, [자료 2]를 통해 표준어와 지역 방언을 구분하여 사용해야 한다는 인식은 확인할 수 없다. 또한 '공식적 상황에서의 표준어 사용 교육 부재'는 지역 방언이 사라져 가는 원인으로 적절하지 않다.

⑤ [자료 1], [자료 2]를 통해 지역 방언에 대한 표준어 사용자와 지역 방언 사용자의 인식 차이를 확인하기는 어려우며, 이를 근거로 '지역 방언에 대한 대중 매체의 편향성'을 지역 방언이 사라져 가는 원인으로 추가할 수도 없다.

개념 코칭

매체의 종류

도표, 그래프	통계 자료 등을 한눈에 보여 주기에 적합함.
지도	이동 경로, 특정 지역에 관해 설명할 때 적절함.
그림, 사진, 동영상	실물의 모습이나 상황을 생생하게 전달하는 데 적절함.

본책 72~73쪽

글 분석

1 ❶ 지역 방언 ❷ 유네스코 ❸ 원인 ❹ 대중 매체 ❺ 감정

2 ❶ 조사 ❷ 반론

문제 해결 TIP

❶ ○ 해설 글쓴이의 글쓰기 계획이 이 글의 목적인 '지역 방언 보호에 대한 관심 촉구'와 연관이 있다.

❷ ○ 해설 초고의 1문단에 우리 지역 학생들의 지역 방언 사용 실태가 나타나 있다.

❸ 적절하다

연습 02

본책 74~75쪽

1 ② 2 ①

2021-6월 모평

작문 상황	학교 신문에 올바른 물 섭취 방법에 대한 정보를 제공하는 글 쓰기
주제	올바른 물 섭취 방법
특징	• 인터뷰, 다큐멘터리, 대학 연구 팀의 실험 등 다양한 사례를 제시하여 신뢰감을 줌. • 문답, 나열, 비교, 대조 등 다양한 내용 조직 방법을 사용해 내용을 전개함.
중심 내용	**1** 문단: 물 섭취에 대한 학생들의 인식과 화제 제시 – 바람직한 물 섭취를 위해 유의할 점 **2** 문단: 바람직한 물 섭취를 위해 유의할 점 ① – 한 번에 지나치게 많은 양의 물을 마시지 말 것. **3** 문단: 바람직한 물 섭취를 위해 유의할 점 ② – 목이 마를 때 물을 마실 것.

1 내용 조직의 적절성 평가 　답 ②

1문단의 '물이 관절의 충격을 흡수하며, 장기와 조직을 보호하는 등의 역할을 한다'에서 물의 인체 내 역할을 제시하고 있지만, 이를 원인과 결과의 관계가 드러나도록 제시하고 있지는 않다.

[오답 풀이]

① 1문단의 '학생들은 물 섭취에 대해 어떤 인식을 가지고 있을까?', '우리 학생들은 대부분 물은 많이 마실수록 좋다고 답했다.'에서 학생들의 인식을 묻고 답하는 구조로 제시하고 있다.

③ 2문단의 '피로감이 커지고, 두통 또는 어지럼증에 시달리거나, 장기가 붓는 등의 증상'에서 물 중독 증상에 대한 정보를 나열하여 제시하고 있다.

④ 3문단의 '연구 팀은 먼저 ~ 물어보았다 → 그런 다음 ~ → 이후 ~'에서 물 섭취에 대한 실험 방법을 과정에 따라 순서대로 제시하고 있다.

⑤ 3문단의 '이는 일반적인 생각과 같다.'에서 비교, '반면 일반적 생각과 달리 ~'에서 대조의 방법을 사용하면서 물 섭취에 대한 실험 결과를 제시하고 있다.

개념 코칭

내용 전개 방법

정의	대상과 개념의 의미를 엄밀히 규정하는 방법
부연	어떤 내용에 대해 자세히 덧붙여서 설명하는 방법
상술	앞의 내용을 좀 더 알기 쉽게 구체적으로 풀어 주는 방법
인과	어떤 대상을 원인과 결과를 중심으로 설명하는 방법
분석	대상이나 개념을 나누고 쪼개어 그것의 특징을 밝히는 방법
비교 · 대조	둘 이상의 사물이나 개념을 공통점이나 차이점을 중심으로 설명하는 방법
예시	원리와 개념을 구체적으로 이해시키기 위해 예를 들어 설명하는 방법

2 조건에 맞는 글쓰기 평가 　답 ①

'물은 적당한 양을 필요한 때에 마셔야 좋은 것이다.'는 첫 번째 유의 사항(한 번에 마시는 물의 양에 유의해야 한다.)과 두 번째 유의 사항(물을 마시는 때에 대해서도 유의해야 한다.)을 모두 포함하고 있으며, '건강을 지키며 삶의 질을 높일 수 있을 것이다.'에서 중심 내용에 담긴 긍정적인 가치도 언급하고 있다.

[오답 풀이]

② 중심 내용 중 두 번째 유의 사항(물을 마시는 때에 대해서도 유의해야 한다.)만 포함하였고, 첫 번째 유의 사항과 중심 내용에 담긴 정보의 긍정적인 가치는 언급하지 않았다.

③ 중심 내용 중 첫 번째 유의 사항(한 번에 마시는 물의 양에 유의해야 한다.)만 포함하였고, 두 번째 유의 사항과 중심 내용에 담긴 정보의 긍정적인 가치는 언급하지 않았다. '긍정적 가치'라는 단어는 쓰였지만 어떠한 점에서 긍정적인지 명확하게 제시되지 않았다.

④ 중심 내용의 두 가지 유의 사항을 모두 포함하는 문장도 없고, 중심 내용에 담긴 정보의 긍정적인 가치도 언급하지 않았다.

⑤ 중심 내용 중 첫 번째 유의 사항(한 번에 마시는 물의 양에 유의해야 한다.)과 정보의 긍정적인 가치(학습 능력 향상에 도움을 얻을 수 있을 것이다.)는 언급하였지만, 중심 내용 중 두 번째 유의 사항은 포함하지 않았다.

본책 76~77쪽

글 분석

1 ❶ 많이 　❷ 물 중독
❸ 목이 마를

2 ❶ 답하는 　❷ 대조

문제 해결 TIP

❶ ○ 　해설 〈보기〉에는 〈조건〉 두 가지가 제시되어 있다.

❷ ○ 　해설 〈조건 1〉, 〈조건 2〉가 선지에 모두 반영되어 있다.

❸ 적절하다

본책 78~79쪽

1 ① 2 ⑤

2021 수능

작문 상황	'게임화'가 생소한 학생들에게 다양한 분야에서 활용되고 있는 '게임화'에 대한 정보를 전달하는 글 쓰기
주제	게임화의 특징과 활용 분야
특징	• 용어의 개념을 정의하여 독자의 이해를 도움. • 다양한 게임화의 활용 사례들을 제시함.
중심 내용	1 문단: 게임화의 개념 2 문단: 게임화의 특징 및 활용 사례 – 흥미로운 과제를 제공하여 도전하게 함, 참여자들이 과제에 몰입하게 함. 3 문단: 게임화의 활용 분야 – 교육, 보건, 마케팅 분야 등 4 문단: 게임화 활용 시 고려할 점

1 글쓰기 전략 파악 답 ①

제재인 '게임화'에 대한 정보를 전달하기 위해 1문단에서 '게임화'나 '게임'의 개념을 제시하고 있으나, 개념 간의 차이를 중심으로 대조하고 있지는 않다.

[오답 풀이]

② 2문단에서 '게임화'가 흥미로운 과제를 제공하여 이에 도전하게 만들고, 경쟁을 유도하며, 보상을 받을 수 있게 하여 참여자들이 과제에 몰입할 수 있도록 돕는다고 하였다. 이를 통해 게임화의 효용적 측면을 부각하고 있다.

③ 2문단에서 '게임화'가 교육 분야에서 활용된 사례, 3문단에서 보건, 기업의 마케팅 분야에서 활용된 사례를 제시하고 있다.

④ 1문단에서 '게임화'란 '게임적 사고나 게임 기법과 같은 요소를 다양한 분야에 접목시키는 것'이라고 정의하고 있다.

⑤ 2문단에서 예상 독자인 우리 학급 학생들이 게임화의 특징을 이해할 수 있도록 예상 독자와 공유하고 있는 한국사 수업 시간의 경험을 활용하고 있다.

2 내용의 점검과 조정 답 ⑤

(나)의 2문단에서 게임화는 참여한 사람들 간의 경쟁을 유도한다고 하였다. (1)에서 '꼭 이기고 싶다는 생각'을 가지게 된 것은 게임화의 경쟁적 속성이 지나치게 강조된 것으로 볼 수 있다. 그 결과 같은 모둠의 친구를 다그치며 싫은 소리를 한 것이므로, 게임화의 경쟁적 속성이 참여자들 간의 관계에 부정적인 영향을 주었다고 볼 수 있다. 이 경험에 대한 성찰을 바탕으로 고쳐 쓸 내용을 생각해 보는 것이므로, [A]에 들어갈 내용은 '게임화의 경쟁적 속성이 지나치게 강조될 경우 참여자들 간의 관계에 부정적인 영향을 미칠 수 있다는'이 적절하다.

[오답 풀이]

① (1)에서 모둠별 퀴즈 대결의 결과로 얻을 수 있는 물질적 보상이 무엇인지 드러나지 않았으므로, 물질적 보상에만 연연했다고 볼 수 없다.

② (1)에서 모둠별 퀴즈 대결이 단순히 흥미만 추구했다는 것과 상업적으로 변질되었다는 내용은 확인할 수 없다.

③ (1)에서 게임화된 과제에 도전하려는 의욕이 강해서 같은 모둠 친구를 다그치며 싫은 소리를 한 것이므로, 의욕이 없는 경우 다른 참여자들의 과제 수행을 방해할 수 있다는 내용은 적절하지 않다.

④ (1)에서 나도 모르게 같은 모둠의 친구를 다그치며 싫은 소리를 한 것은 과제에 지나치게 몰입했기 때문이므로, 과제에 대한 몰입이 저해될 수 있다는 내용은 적절하지 않다.

개념 코칭

게임화의 요소

- 흥미: 프로세스가 진행될수록 보상을 제공하고, 연속적인 흥미를 끌 수 있도록 조금씩 난이도를 높인다.
- 지속: 중간에 끊기지 않게 피드백을 주고받는 형태로 진행이 되어야 한다.
- 접근: 참여하기 쉽도록 초기 달성이 쉬워야 한다.
- 보상: 단계별 미션을 달성할 시 보상을 해야 한다.(점수, 상금 등)

본책 80~81쪽

글 분석

1 ❶ 개념 ❷ 보상 ❸ 몰입 ❹ 활용 ❺ 목적

2 ❶ 정의 ❷ 사례

문제 해결 TIP

❶ ○ 해설 (1)에 제시된 경험은 퀴즈 대결에 열정적으로 참여해 친구에게 싫은 소리를 했던 내용이다.

❷ × 해설 제시된 경험에 물질적 보상에 연연했다는 내용은 드러나지 않는다.

❸ 적절하지 않다

본책 82~84쪽

1 ①　2 ⑤　3 ②

2022-6월 모평

작문 상황　교지에 손 글씨 쓰기의 효과를 소개하는 글 쓰기

주제　손 글씨 쓰기의 다양한 효과

특징　컴퓨터 자판을 이용한 쓰기와 대조하며 손 글씨 쓰기의 효과를 전달함.

중심 내용

1 문단	손 글씨 쓰기보다 컴퓨터 자판을 이용한 쓰기를 선호하는 세태 – 손 글씨 쓰기보다 힘이 덜 들고 편리하기 때문임.
2 문단	손 글씨 쓰기의 효과 ① – 뇌의 다양한 영역이 활성화됨.
3 문단	손 글씨 쓰기의 효과 ② – 해당 내용에 대한 이해도가 높아짐.
4 문단	손 글씨 쓰기의 효과 ③ – 정서적 효과를 줌.
5 문단	손 글씨 쓰기의 다양한 효과 정리

1 내용 생성의 적절성 평가　답 ①

'학생의 초고'의 시작 부분에서는 컴퓨터 자판을 이용한 쓰기가 일상화된 배경과 학생들이 컴퓨터 자판을 이용한 쓰기를 선호하는 이유를 제시하고 있다. 하지만 손 글씨 쓰기의 개념을 정의하는 내용은 확인할 수 없다.

[오답 풀이]

② 1문단의 '컴퓨터와 온라인을 기반으로 한 쓰기 환경이 조성됨에 따라'에서 컴퓨터 자판을 이용한 쓰기가 일상화된 배경을 언급하고 있다.

③ 2문단에서 '강'과 '물'을 입력하는 예를 들어 컴퓨터 자판으로 글자를 입력할 때와 손으로 글씨를 쓸 때의 차이를 설명하고 있다.

④ 3문단의 '이 느림 때문에 사고할 수 있는 시간이 확보된다. 또 느림 때문에 듣는 내용을 기록할 수 있는 양도 적어지므로 내용의 우선순위를 판단하고 체계를 세워 정리하게 된다.'에서 컴퓨터 자판을 이용한 쓰기보다 손 글씨 쓰기의 속도가 느린 데서 오는 효과를 설명하고 있다.

⑤ 4문단의 '최근에는 정서적 효과도 주목받고 있다.'에서 최근에 주목받는 손 글씨 쓰기의 효과를 언급하고 있다.

2 내용의 점검과 조정　답 ⑤

'뇌의 다양한 영역 활성화, 이해도 향상, 정서적 효과'에서 글에 제시된 손 글씨 쓰기의 주요 효과를 모두 언급하였고, '세 가지 빛깔의 진주'에서 비유적 표현을 활용해서 마무리하고 있다.

[오답 풀이]

① 손 글씨 쓰기의 주요 효과를 모두 언급하지 않았고 비유적 표현도 활용하지 않았다.

② '손 글씨 쓰기가 동전의 양면과 같음'에 비유적 표현을 활용하였으나 손 글씨 쓰기의 주요 효과를 제대로 언급하지 않았다.

③ 손 글씨 쓰기의 주요 효과는 모두 언급하였으나 비유적 표현을 활용하지 않았다.

④ '그 가치는 별처럼 빛날 것이다.'에 비유적 표현을 활용하였으나 손 글씨 쓰기의 주요 효과를 모두 제시하지 않았다.

3 자료 활용 방안 파악　답 ②

3문단은 손 글씨 쓰기가 특정 상황에서 효과적이라는 내용이 아니라, 손 글씨 쓰기로 인해 사고할 수 있는 시간이 확보되고 고등 사고 과정이 이루어져 해당 내용에 대한 이해도가 높아진다는 내용의 문단이다. 또한 ㄴ의 과제 1은 컴퓨터 자판을 이용한 쓰기 집단과 손 글씨 쓰기 집단이 기억 여부의 성취도 면에서 차이가 없었다는 결과를 보여 주므로, 과제 1의 결과를 활용하여 3문단의 내용을 보강하는 것은 적절하지 않다.

[오답 풀이]

① ㄱ의 전문가 인터뷰에서는 손 글씨 쓰기가 뇌의 전 영역을 활성화하여 뇌를 건강하게 해 준다고 하였으므로, 2문단의 '뇌의 다양한 영역이 활성화되는 효과가 생'긴다는 내용을 구체화하기에 적절하다.

③ ㄴ의 연구 자료에서 과제 2는 손 글씨 쓰기 집단이 개념을 이해하는 데 훨씬 높은 성취를 보인다는 결과를 보여 주고 있으므로, 3문단의 손 글씨 쓰기가 내용에 대한 이해도를 높인다는 점을 뒷받침하기에 적절하다.

④ ㄷ–1의 조사 결과는 학생들이 컴퓨터 자판을 이용한 쓰기를 훨씬 선호한다는 점을 보여 주고 있으므로, 1문단의 '많은 학생들이 컴퓨터 자판을 이용한 쓰기를 선호한다.'라는 내용을 보강하기에 적절하다.

⑤ ㄷ–2에서는 손 글씨 쓰기를 선호하는 이유가 애착이나 정성과 같은 정서적 측면과 관련되어 있음을 보여 주고 있으므로, 4문단에 손 글씨 쓰기가 과제를 수행할 때에도 정서적 효과를 준다는 내용을 보충할 때 활용할 수 있다.

본책 85~87쪽

1 ③ 2 ① 3 ④ 4 ②

2022 수능 예시 문항

<(가) 조사 보고서>

작문 상황 우리 학교 학생들을 대상으로 걷기의 가치에 대한 인식을 조사한 보고서 쓰기

주제 걷기의 가치에 대한 학생들의 인식

중심 내용

조사 동기 및 목적	걷기에 대한 관심도가 낮은 우리 학교 학생들의 걷기에 대한 인식 조사
조사 계획	• 조사 대상: 우리 학교 학생 120명, 일반 성인 75명 • 조사 기간 및 방법: 2020. 5. 10. ~ 5. 15., 설문지 조사 • 조사 내용: 걷기 실태 및 가치 인식
조사 결과	1. 걷기 실태 – 학생은 성인보다 걷기 실천 비중이 낮음. 2. 걷기 가치 인식 – 걷기의 가치에 대한 인식 여부는 성인과 학생이 비슷함. – 학생은 성인에 비해 걷기의 가치를 다양하게 인식하지 못했음.

<(나) 블로그 글>

작문 상황 걷기 체험을 통해 성찰한 내용을 블로그에 올리기

주제 경험을 통해 깨달은 걷기의 가치

중심 내용
• 체험한 일: 집 앞 공원을 걸음.
• 성찰 내용: 진로 문제, 친구 문제 등을 생각함.
• 깨달음: 걷기가 삶을 찬찬히 돌아볼 수 있는 시간을 줌.

1 글쓰기 계획 파악 답 ③

(가)에서 조사 대상은 '우리 학교 학생 120명 및 일반 성인 75명'이다. 조사 대상별로 소제목을 달아 본문의 내용을 서술하려면 '우리 학교 학생', '일반 성인'으로 구분해야 하는데 이와 같이 소제목을 달아 본문 내용을 서술하고 있지는 않다.

[오답 풀이]

① '조사 동기 및 목적'의 '최근 사회에서 일고 있는 걷기에 대한 높은 관심과 달리, 우리 학교 학생들의 걷기에 대한 관심은 낮은 것으로 보인다.'에서 사회적 추세와는 다른 우리 학교 학생들의 모습이 조사 동기가 되었음을 알 수 있다.

② '조사 결과'에서 '걷기가 가치 있는 활동이라고 보는가?', '걷기의 가치가 무엇이라 생각하는가?' 등과 같이 설문지의 질문 내용을 밝혀 제시하고 있다.

④ '조사 결과'에서 수치를 나열한 뒤에 '학생과 달리 성인은 대부분 걷기를 실천하고 있었다.'와 같이 조사 결과의 의미를 제시하고 있다. 이를 통해 걷기 실태나 걷기의 가치에 대한 성인과 학생의 인식을 알 수 있다.

⑤ '조사 결과'에서 '걷기의 가치에 대한 학생과 성인의 인식 비교 결과'를 막대그래프로 제시하여 학생과 성인의 응답 결과를 비교하고 있다.

2 글의 유형 및 내용 이해 답 ①

(가)는 정보를 전달하는 글의 일종인 보고서이다. 보고서는 어떤 주제에 대한 조사나 연구 등의 과정과 결과가 잘 드러난 글로 객관적으로 정확한 내용을 전달하는 것이 중요하다. 반면 (나)는 자신의 경험을 통해 성찰한 내용을 쓴 블로그 글이다. (나)는 (가)와 달리 걷기라는 경험을 바탕으로 삶에 대한 성찰을 표현하고 있다.

[오답 풀이]

② (나)는 걷기를 통해 자신의 삶을 성찰하게 되었다는 글로, '걷기의 가치에 대한 인식 변화의 필요성'이라는 주제와는 관련이 없다.

③ 구체적인 자료를 활용하여 걷기에 대한 독자의 이해를 돕고 있는 것은 (나)가 아니라 (가)이다.

④ (가)는 교지에 실을 조사 보고서의 초고로 글을 작성하여 교지에 실은 후에는 수정이 자유롭지 않다. 그러나 (나)는 블로그에 올린 후에도 글을 수정하는 것이 가능하다.

⑤ (가)는 걷기에 대한 학생들의 인식을 전달하기 위해 쓴 글이고, (나)는 경험을 통해 깨달은 걷기의 의미를 표현한 글이다. (가)와 (나) 모두 걷기를 통한 공동체의 문제 해결 가능성을 강조하고 있지 않다.

3 내용 생성의 적절성 평가 답 ④

<보기>는 결론에서 '조사 결과를 요약'하는 것과 '학생들에게 실천을 제안하는 내용'이 담길 것을 조건으로 제시하고 있다. ④에는 조사 결과를 요약한 '학생들은 걷기가 가치 있다고 여기지만, 성인에 비해 걷기를 실천하지 않고 그 가치를 다양하게 인식하지 못하고 있다.'와 학생들에게 실천을 제안하는 '학생들이 걷기를 수행하며 걷기의 다양한 가치를 깨달았으면 한다.'가 모두 포함되어 있으므로 적절하다.

[오답 풀이]

① 조사 결과를 요약하여 제시하고 있지만, 학생들에게 실천을 제안하는 내용은 없다.

② 걷기의 다양한 가치를 인식한 대상은 성인이므로, 조사 결과를 정확하게 요약하지 못했다고 할 수 있다.

③ 조사 결과의 '걷기 실태'에서 학생들은 걷기를 거의 실천하지 않음을 알 수 있다. 따라서 '지금과 같은 걷기의 실천'이란 표현은 적절하지 않다.

⑤ 학생들이 성인에 비해 걷기의 가치를 잘 알고 있다는 것은 조사 결과에 부합하지 않으며, 사회 · 제도적 방안 마련은 학생들에게 실천을 제안하는 것과 관련이 없다.

4 쓰기 윤리 이해 답 ②

'Ⅲ-1'에서 '학생과 달리 성인은 대부분 걷기를 실천하고 있었다.'라고 했는데, '44.0%'를 '대부분'이라고 한 것은 조사 결과를 과장하여 해석한 것으로 볼 수 있다(㉡). 또한 'Ⅳ. 결론' 뒤에 보고서를 쓸 때 참고한 '참고 문헌'을 따로 제시하지 않았다(㉣).

[오답 풀이]

㉠ 'Ⅱ. 조사 계획'에 조사 기간, 조사 대상, 조사 방법이 모두 기술되어 있다.

㉢ 'Ⅲ-2'의 '이러한 성인의 응답은 걷기를 "발로 사색하는 것"(황△△, 『걷기 속 □□□』, ◇◇출판사, 2017, p. 10.)'에서 타인의 글을 인용하면서 출처를 밝히고 있다.

본책 88~89쪽

1 ②　2 ②　3 ①

2021-9월 모평

작문 상황 교내 학생들에게 인포그래픽에 대해 소개하는 글 쓰기

주제 인포그래픽의 개념과 장점

특징 다른 대상과의 차이점, 논문 인용 등을 통해 대상의 장점을 부각함.

중심 내용

1 문단	인포그래픽의 개념 – 복합적인 정보의 배열이나 정보 간의 관계를 시각적인 형태로 나타낸 것
2 문단	인포그래픽이 널리 쓰이게 된 배경 – 많은 정보에 주의를 지속하는 시간이 짧아지고 소셜 미디어가 등장하면서 널리 쓰이게 됨.
3 문단	인포그래픽과 픽토그램의 차이점 – 픽토그램은 인포그래픽과 달리 복합적인 정보를 나타내기 어려움.
4 문단	인포그래픽의 장점 – 독자의 정보 처리 시간을 절감할 수 있음. – 독자의 관심을 끌 수 있음.
5 문단	좋은 인포그래픽의 기준
6 문단	인포그래픽의 활용 권유

1 내용 생성의 적절성 평가 답 ②

5문단에서 '좋은 인포그래픽의 기준'은 제시하고 있지만, (나)에서 인포그래픽의 유형을 나누는 기준은 찾을 수 없다.

[오답 풀이]

① 1문단의 '복합적인 정보의 배열이나 정보 간의 관계를 시각적인 형태로 나타낸 것을 '인포그래픽'이라고 한다.'에서 인포그래픽의 개념을 확인할 수 있다.

③ 3문단의 '인포그래픽과 유사한 것으로, 비상구 표시등의 그래픽 기호처럼 시설이나 사물 등을 상징화하여 표시한 픽토그램이 있다.'에서 비상구 표시등의 그래픽 기호는 인포그래픽이 아니라 픽토그램이라는 것을 알 수 있다.

④ 4문단의 '글은 문자 하나하나를 읽어야 정보를 파악할 수 있지만, 인포그래픽은 시각 이미지를 통해 한눈에 정보를 파악할 수 있다.'에서 인포그래픽이 글에 비해서 더 나은 점을 알 수 있다.

⑤ 2문단에서 '인포그래픽에 대한 높은 관심은 시대의 변화와 관련이 있다.'라는 언급을 한 후 인포그래픽이 널리 쓰이게 된 배경을 구체적으로 제시하고 있다.

2 내용의 점검과 조정 답 ②

〈보기〉와 [A]를 비교해 보면, 〈보기〉에서는 인포그래픽이 활용되는 분야가 늘어날 것이라는 일반적인 전망을 제시한 데 반해, [A]에서는 학생들도 발표나 보고서에서 인포그래픽을 활용하면 전달력이 한층 높아질 것이라고 하면서 학생들의 입장에서 얻을 수 있는 효과를 구체적으로 제시하고 있다. 이는 예상 독자인 학생들이 얻을 수 있는 효용이 분명하게 드러나도록 고쳐 쓴 것이다.

[오답 풀이]

① [A]에 예상 독자인 학생들이 탐구해야 할 문제는 포함되어 있지 않다.

③ [A]에는 인포그래픽이 지닌 긍정적인 효용만이 제시되어 있을 뿐, 다른 관점은 드러나 있지 않다.

④ 글의 도입에서 문제를 제기하지 않았으며, [A]에도 문제에 대한 답이 포함되어 있지 않다.

⑤ [A]에는 인포그래픽이 지닌 효용이 제시되어 있을 뿐, 글의 내용을 설명한 순서대로 요약한 내용은 포함되어 있지 않다.

3 정보 활용 방안 파악 답 ①

(나)의 4문단에 언급된 '인포그래픽은 독자들이 정보에 주목하는 정도를 높이는 효과가 있다.'라는 내용과 관련하여, 학교 신문에 인포그래픽을 추가했더니 신문을 읽는 학생이 3배 늘었다는 인근 학교의 사례를 문제 해결 방안(알림판을 인포그래픽으로 만들어 줄 것)의 근거로 제시하고 있다.

[오답 풀이]

② (나)의 4문단에 인용된 '김○○ 박사의 논문에 따르면, 인포그래픽은 독자들이 정보에 주목하는 정도를 높이는 효과가 있다고 한다.'는 내용과 관련하여, 작성한 글에는 이 논문의 내용에 대해 추가적으로 조사한 정보가 있다. 하지만 이것을 문제 상황의 내용으로 제시하고 있지는 않다.

③ (나)의 5문단에는 좋은 인포그래픽의 기준이 제시되어 있지만, 작성한 글에는 이러한 기준을 바탕으로 알림판의 정보가 신뢰할 만한지 평가한 결과를 제시하고 있지는 않다.

④ (나)의 4문단을 통해 인포그래픽의 사용 목적을 정보 처리 시간 절감과 정보에 주목하는 정도를 높이기 위한 것이라고 추론할 수 있으나, 작성한 글에서 교내 학생들에게 설문한 내용은 인포그래픽의 사용 목적이 아니라 학교 정보 알림판을 읽어 본 경험 여부이다.

⑤ (나)의 4문단에 인포그래픽의 효율성은 제시되어 있지만, 작성한 글에서 학생들에게 인터뷰한 내용은 인포그래픽의 효율성에 대한 공감 여부가 아니라 학교 정보 알림판을 읽지 않는 이유에 대한 것이다.

본책 90~91쪽

1 ④　2 ⑤　3 ②

2021-3월 고2 학평

작문 상황 탐방 동아리 블로그에 진도 기행에 대한 글 쓰기

주제 진도 기행의 여정을 통한 견문과 감상

특징
- 각 장소에 대한 자세한 설명으로 독자의 이해를 도움.
- 여행 중에 생각한 것과 느낀 점이 진솔하게 드러남.

중심 내용

문단	내용
1 문단	진도 도착과 앞으로의 여정 안내 – 운림산방, 소포마을, 울돌목 등
2 문단	운림산방 – 운림산방의 내력에 대한 정보, 운림산방 주변 경관과 이에 대한 감상
3 문단	소포마을 – 소포마을에 전승되는 전통문화, 소포마을의 들녘에 봄이 오는 풍경
4 문단	진도향토문화회관 – 공연 시간과 내용에 대한 안내, 공연을 감상하고 난 뒤의 느낌
5 문단	울돌목 – 울돌목이라는 지명의 유래, 울돌목에서 떠올린 역사적 사실과 수업 내용

1 글쓰기 계획 파악 　답 ④

5문단의 '좁은 길목을 빠져나가는 물살이 거세고 빨라 마치 물이 울음을 우는 것 같다고 해서 이름 붙여진 곳.'에서 '울돌목'이라는 지명의 유래를 언급하고 있다. 그러나 울돌목에 얽힌 전설은 드러나 있지 않다.

[오답 풀이]

① 2문단의 '운림산방은 소치 허련의 화실이다. 소치는 스승인 추사 김정희가 세상을 떠나자 낙향하여 운림산방을 짓고 자연을 벗하여 그림을 그렸다.'에서 운림산방의 내력에 대한 정보를 제공하고 있다.

② 3문단의 '봄의 기척이 들려오는 들녘에는 파릇파릇한 대파를 뽑아 묶는 농부들이 보인다.'에서 소포마을의 들녘에 봄이 오는 모습을 제시하고 있다.

③ 4문단의 '이곳에서는 매주 토요일 오후 2시에 씻김굿, 진도 북놀이, 판소리 등의 공연이 진행된다.'에서 진도향토문화회관에서 진행되는 공연 시간과 내용에 대한 안내를 하고 있다.

⑤ 5문단의 '정유재란 때 이순신 장군이 해류의 흐름을 ~ 민초들의 헌신을 역설하셨다.'에서 울돌목에서 떠올린 역사적 사실과 수업 내용을 제시하고 있다.

2 매체 언어 활용 방안 파악 　답 ⑤

'씻김굿'은 4문단의 진도향토문화회관에서 진행되는 공연 내용과 관련 있으며 5문단의 울돌목과는 관련이 없다. 따라서 씻김굿을 영상 자료로 제시하여 울돌목에서 벌어진 영웅의 지략과 민초들의 헌신을 전달하는 것은 적절하지 않다.

[오답 풀이]

① 1문단에서 약도를 제시하면 다음 날 탐방할 운림산방, 소포마을, 울돌목 등의 장소를 한눈에 볼 수 있다.

② 2문단의 '운림산방 뒤로 첨찰산이 병풍처럼 둘러 서 있다.'라는 내용과 관련하여 해당 풍경의 사진을 시각 자료로 제시하면 독자의 이해를 도울 수 있다.

③ 3문단의 '진도 아리랑 한 가락이 긴 밭두렁을 타고 들리는 듯하다.'라는 내용과 관련하여 진도 아리랑을 청각 자료로 제시하면 독자가 진도 아리랑을 들어 볼 수 있는 기회를 제공할 수 있다.

④ 4문단에서 진도향토문화회관의 공연 정보를 하이퍼링크로 제시하여 독자에게 공연과 관련된 더 많은 정보를 탐색할 수 있는 기회를 줄 수 있다.

3 조건에 맞는 글쓰기 평가 　답 ②

'붉은 노을에 집으로 향하는 발길이 물든다.'에서 여정이 마무리되는 시간적 배경이 저녁 무렵임을 알 수 있다. 또한 '금빛', '붉은'에서 색채어를 사용하고 있으며, '바닷물이 금빛 비늘을 퍼덕인다.'에서 비유적 표현을 활용하고 있다.

[오답 풀이]

① '도란거리는 섬들'에 비유적 표현이, '파아란'에 색채어가 나타나지만, 여정이 마무리되는 시간적 배경은 드러나지 않는다.

③ 색채어나 비유적 표현은 없고 내일의 여정에 대한 계획만 나타나 있다.

④ '흰'에 색채어는 나타나지만 비유적 표현이나 여정이 마무리되는 시간적 배경은 드러나지 않는다.

⑤ '다도해의 섬들이 어깨를 토닥이며'에 비유적 표현이, '조용히 저물고 있었다.'에 여정이 마무리되는 시간적 배경이 나타나지만, 색채어는 드러나지 않는다.

본책 92~93쪽

1 ②　2 ④

2020-9월 모평

작문 상황　일상의 체험을 바탕으로 자신을 성찰하는 글 쓰기

〈(가) 학생 1의 글〉

주제　초심을 잃은 것을 성찰함.

중심 내용

일상의 체험	학교 텃밭에 옥수수 씨앗을 심음.
성찰한 내용	– 옥수수 씨앗을 심으러 가면서는 설레었지만 일을 하면서 힘들다고 투덜댄 것을 성찰함. – 당장의 어려움 때문에 시작할 때의 마음을 잊었던 것을 반성함.

〈(나) 학생 2의 글〉

주제　조급한 성격을 성찰함.

중심 내용

일상의 체험	학교 텃밭에 심은 옥수수의 싹이 나기를 기다림.
성찰한 내용	– 싹이 나지 않는다고 조급해하고 여유롭게 기다리지 못한 태도를 성찰함. – 기다림의 시간을 소중하게 여기며 성급한 마음을 먹지 말아야겠다고 생각함.

1 글쓰기 과정 파악　　답 ②

(나)의 '학생 2'는 옥수수 씨앗을 심고 싹이 나기를 기다리면서 조급해했던 마음을 반성하고 있다. 따라서 식물이 자라는 모습을 통해 기다림의 시간을 소중하게 여기자는 새로운 의미를 발견했다고 볼 수 있다. 그러나 (가)의 '학생 1'은 옥수수 씨앗을 심으면서 심는 사람의 마음이 중요하다는 것을 깨닫고 있으므로 식물이 자라는 모습을 통해 새로운 의미를 발견한 것으로 볼 수 없다.

[오답 풀이]

① '학생 1'은 선생님의 조언이 성찰의 계기가 되었고, '학생 2'는 선배의 조언이 성찰의 계기가 되었다.

③ '학생 1'은 '당장의 어려움 때문에 시작할 때의 마음을 잊었던 것은 아닐까?'에서, '학생 2'는 '왜 그렇게 조급해했던 것일까?'에서 자신을 돌아보기 위해 스스로에게 질문하는 방식을 사용하고 있다.

④ '학생 1'은 앞서 선생님이 말했던 '하나의 생명을 심을 때는 심는 사람의 마음도 함께 심는 거란다.'라는 문장을 다시 인용하며, '학생 2'는 '그렇게 생각한 지 며칠 지나지 않아 옥수수 싹이 어느새 올라와 있었다.'와 같이 자신이 원했던 상황이 이루어진 모습을 제시하며 글을 마무리하고 있다.

⑤ '학생 1'은 옥수수 씨앗을 심으러 갈 때의 '설렘', 일이 많고 힘들어서 '투덜댐', 그리고 선생님의 조언을 들은 이후에 '반성'한 것과 같이 자신의 감정 변화를 중심으로 내용을 전개하고 있다. '학생 2'는 옥수수 싹이 나기를 기다리며 조급해했던 태도를 친구들과의 관계에서도 조급해하며 서운해했던 경험과 연결 지어 내용을 전개하고 있다.

2 독자의 반응에 대한 평가　　답 ④

㉣에서 문제점을 고치려는 노력에 따라 목표한 결과를 얻는 시기를 앞당길 수 있다는 A의 의견은, 여유를 갖고 기다리는 것이 중요하다는 '학생 2'의 생각과 공통된 것으로 볼 수 없다.

[오답 풀이]

① ㉠에서 A는 기다림의 시간을 소중하게 생각하는 '학생 2'의 글에 의문을 제기하며 B의 생각을 묻고 있다.

② ㉡에서 B는 예전에 수영을 배울 때 생각처럼 되지 않았던 경험을 들어 기다림의 시간을 소중하게 여기는 '학생 2'의 글에 공감하고 있다.

③ ㉢에서 A는 "'학생 2'의 생각처럼 여유를 갖고 기다리는 것도 중요하지만"과 같이 '학생 2'의 글에 담긴 생각을 인정하면서도 문제점을 고치려는 노력도 중요하다는 자신의 생각을 추가하고 있다.

⑤ ㉤에서 B는 글을 읽고 대화를 나누는 행위에 대해 서로의 생각이 어떤 점에서 비슷하고 다른지 알 수 있어 좋았다는 이유를 제시하면서 긍정적으로 평가하고 있다.

개념 코칭

성찰하는 글의 의의

- 자신의 삶을 반성하며 새로운 변화 가능성을 찾을 수 있음.
- 자신의 삶을 되돌아보고, 새로운 삶의 의미를 발견할 수 있음.
- 자신의 삶과 주변 생활을 관찰하며 긍정적인 정서를 기를 수 있음.

본책 94~96쪽

1 ④ 2 ④ 3 ③

2020-9월 모평

작문 상황 확증 편향의 개념이 생소한 우리 학교 학생들을 대상으로 확증 편향에 빠지지 않기 위해 노력해야 함을 주장하는 글 쓰기

주제 확증 편향에 빠지지 않기 위한 방안과 노력 촉구

중심 내용

1 문단	자신의 생각과 상반되는 증거를 본 사람들의 반응
2 문단	확증 편향의 개념과 문제점 – 개념: 자신의 생각이나 주장과 일치하는 정보만을 선택적으로 수집하고 그렇지 않은 것은 의도적으로 무시하는 심리적 경향 – 문제점: 비합리적인 판단을 내리기 쉬움, 편향된 통념을 형성하여 사회 문제를 야기할 수 있음.
3 문단	확증 편향에 빠지지 않기 위한 방안 ① – 반대 입장에서 생각해 보기
4 문단	확증 편향에 빠지지 않기 위한 방안 ② – 집단 의사 결정 방법 거치기
5 문단	확증 편향에 빠지지 않기 위한 방안 ③ – 자신의 생각이나 판단의 결과에 책임지기
6 문단	확증 편향에 빠지지 않기 위한 노력 촉구

1 글쓰기 계획 파악 답 ④

(가)에 제시된 예상 독자는 확증 편향의 개념이 생소한 우리 학교 학생들이다. (나)에서는 이런 예상 독자의 이해를 돕기 위해 1문단에서 미국의 한 심리학자가 수행한 실험을 예로 들고 있고, 이를 바탕으로 2문단에서 확증 편향의 개념을 설명하고 있다.

[오답 풀이]

① 주제인 '확증 편향에 빠지지 않기 위한 방안'을 다양하게 제시하고 있지만, 확증 편향의 원인을 개인적 측면과 사회적 측면으로 나누어 제시하고 있지는 않다.

② '확증 편향에 빠지지 않기 위해 노력해야 함을 주장'하는 글의 목적을 강조하기 위해 2문단의 '확증 편향에 빠질 경우 ~ 사회 문제를 야기할 수 있다.'에서 확증 편향의 문제점을 제시하고 있지만, 이에 대한 상반된 견해를 비교하고 있지는 않다.

③ 글의 목적을 분명히 하기 위해 확증 편향에 빠지지 않기 위한 여러 방안을 3~5문단에서 제시하고 있지만, 방안의 한계와 이를 보완할 방향은 제시하고 있지 않다.

⑤ 사회적 쟁점을 두고 우리 학교 학생들 간에 벌어진 논쟁은 글에서 확인할 수 없다.

2 비판의 적절성 판단 답 ④

(나)의 4문단에서 집단 의사 결정 방법은 확증 편향에 빠질 때 발생할 수 있는 개인의 판단 착오를 발견하여 수정할 수 있다고 하였다. 그러나 〈보기〉에서 당시의 과학계가 논의를 거쳤음에도 불구하고 지동설을 거부한 것과 같이, 집단의 의견이 한쪽(천동설)으로 치우쳐 있으면 집단 의사 결정 방법을 거친다 해도 비합리적인 판단을 내릴 수 있다. 〈보기〉는 4문단에서 집단 의사 결정 방법이 확증 편향에 빠지지 않는 방안이 될 수 있다는 주장에 대한 비판의 근거로 활용할 수 있다.

[오답 풀이]

① 〈보기〉의 내용은 '집단의 의견'도 비합리적일 수 있음을 보여 주는 것으로, 이는 확증 편향이 '비판적 사고에 부정적 영향'을 주는 것 자체를 비판하는 것은 아니다.

② 집단 구성원 간의 상호 작용이 원활하게 이루어진다면 확증 편향으로 인한 판단의 착오를 줄일 수 있다는 것은 4문단에 제시된 내용과 같은 맥락의 주장이므로, '확증 편향에 빠지지 않기 위한 방안'을 비판하는 근거가 될 수 없다.

③ 〈보기〉의 내용은 '집단의 의견'도 비합리적일 수 있음을 보여 주는 것으로, 5문단에서 책임지는 자세를 통해 확증 편향에 빠지지 않을 수 있음을 비판하는 근거로는 적절하지 않다.

⑤ 확증 편향의 긍정적 측면을 강조한 것으로 확증 편향에 대한 부정적 입장을 비판할 수는 있지만, '확증 편향에 빠지지 않기 위한 방안'을 비판하는 내용으로는 적절하지 않다.

3 내용의 점검과 조정 답 ③

두 번째 문장인 '즉, 자신의 판단이 틀릴 수도 있는 이유에 대해 구체적으로 떠올려 보는 것이다.'는 앞 문장과 유사하다고 볼 수 있으나, [A]에서는 두 문장의 핵심어를 포함한 한 문장으로 교체한 것이 아니라 두 번째 문장을 삭제했다고 볼 수 있다.

[오답 풀이]

① 앞 문단과의 연결 관계를 보여 주기 위해 '따라서 확증 편향에 빠지지 않기 위해서는 먼저'와 같이 문단 간의 관계를 알려 주는 표현을 추가하였다.

② 첫 번째 문장의 내용을 뒷받침하는 근거로 '왜냐하면 고려의 대상이 되지 않았던 기존 증거들을 탐색하게 되어 판단의 착오를 줄일 수 있기 때문이다.'를 추가하여 제시된 방안의 긍정적 효과를 드러내고 있다.

④ 세 번째 문장인 '그러나 반대를 위한 반대는 의사 결정에 역효과를 초래할 수 있다.'는 '확증 편향에 빠지지 않기 위해서는 반대 입장에서 생각해 보는 자세를 지녀야 한다.'라는 주제에서 벗어나 문단의 통일성을 해치므로 삭제했다.

⑤ 주장의 설득력을 강화하기 위하여 역사적 인물인 '찰스 다윈'의 사례를 근거로 추가하였다.

본책 97~99쪽

1 ③ 2 ⑤ 3 ③

2020-6월 모평

〈(가) 일기〉

작문 상황 환경 오염의 원인인 PVC 사용에 대해 성찰하는 일기 쓰기

주제 'PVC가 환경에 끼치는 영향'을 주제로 한 특강을 듣고 느낀 점

중심 내용

일상의 경험	환경 동아리 시간에 'PVC가 환경에 끼치는 영향'에 대한 특강을 들음.
특강 내용	PVC는 플라스틱의 일종으로 다양한 제품에 사용되며 환경 문제의 원인이 됨.
특강 후기	환경 오염을 줄이기 위한 방안의 필요성을 느끼고, 이에 대해 친구들과 의논함.

〈(나) 건의문〉

작문 상황 필통을 제조하는 회사에 필통의 재질을 바꾸어 제작해 줄 것을 건의하는 글 쓰기

주제 필통의 재질을 PVC에서 다른 것으로 바꾸어 주길 건의함.

중심 내용

1 문단	인사와 자기소개, 글을 쓴 동기
2 문단	건의 배경 – 필통 재질에 문제가 있음.
3 문단	건의 내용 – 환경 오염을 고려하여 필통의 재질을 PVC가 아닌 다른 것으로 바꾸어 줄 것.
4 문단	끝인사

1 글의 유형과 기능 파악 답 ③

(가)는 일기로 자기 성찰적 성격의 글이고, (나)는 건의문으로 공적인 성격을 띠는 글이다. 일기는 개인적인 경험과 깨달음을 쓴 글로 대개 독자는 자기 자신이기에 예상 독자에 대한 분석이 중요하지 않다. 이와 달리 건의문은 특정한 독자를 대상으로 쓰는 글이므로 예상 독자의 관심사에 대한 분석이 중요하게 작용하는 것은 (나)이다.

[오답 풀이]

① (가)의 '동아리 친구들과 이야기를 나눠 보니 친구들도 나와 같은 생각을 하고 있었다.'와 (나)의 '저희는 □□ 고등학교 환경 동아리 학생들입니다.'를 통해 (가)의 글쓴이와 같은 생각을 하는 동아리 친구들이 (나)의 글쓰기 과정에 참여하고 있다는 것을 알 수 있다.

② (가)에서 글쓴이는 환경 동아리 시간에 들은 특강을 통해 PVC 사용의 문제점을 인식했고, 이를 해결하기 위해 친구들과 의논을 했다고 했다. 이와 같은 개인의 경험이 동기가 되어 환경 오염이라는 사회적 문제를 해결하고자 (나)와 같은 건의문을 쓰게 된 것이다.

④ (가)는 일기로 글쓴이의 주장이나 그에 대한 논거는 제시되지 않았다. 그러나 건의문인 (나)에는 '귀사가 필통의 재질을 바꾸어야 한다.'는 주장과 'PVC 재질이 환경을 오염시킬 수 있기 때문'이라는 논거가 제시되고 있다.

⑤ (가)는 일기로 건의문인 (나)와 달리 글쓴이의 체험을 기록하고 이를 통해 일상을 반성하고 성찰하려는 성격이 두드러진다.

2 내용 생성의 적절성 평가 답 ⑤

〈보기〉의 수정 의견의 핵심은 건의 내용을 언급한 후에 건의가 받아들여졌을 때 소비자와 기업 양쪽이 얻게 될 이익을 직접적으로 표현하자는 것이다. ⑤에서 '소비자는 귀사 제품을 구매하며 환경 보호를 실천했다는 만족감을 얻을 것이고'는 재질 개선을 요구하는 건의가 받아들여졌을 때 소비자가 얻게 될 이익을 표현한 것이고, '귀사는 친환경 기업이라는 신뢰감을 고객에게 주게 되어 매출이 증가할 것입니다.'는 기업이 얻게 될 이익을 표현한 것이므로 (나)에 추가할 내용으로 적절하다.

[오답 풀이]

① 소비자와 기업이 얻게 될 이익을 모두 제시하고 있으나, 소비자가 얻게 될 이익이 질 좋은 PVC 제품을 구매할 수 있게 된다는 것은 (나)의 건의 내용과 상반된 내용이다.

②, ③ 소비자가 얻게 될 이익은 제시되어 있으나, 기업이 얻게 될 이익이 제시되어 있지 않다.

④ 소비자가 얻게 될 이익은 제시되어 있으나, 기업의 경우에는 '재질을 개선하지 않는다면'이라는 반대 상황을 가정하여 제시하였기에 적절하지 않다.

3 자료 활용 방안 파악 답 ③

㉯의 통계 자료는 2009~2015년 사이에 1인당 연간 플라스틱 사용량이 많은 국가 1~6위를 제시한 그래프로, 우리나라는 3위에 해당한다는 것을 알 수 있다. 따라서 ⓒ에서 ㉯를 활용하여 우리나라 국민들의 플라스틱 사용량이 세계 3위에 해당할 만큼 많다고 제시할 수 있다. 그러나 그래프의 기울기를 보았을 때 플라스틱 사용량의 증가율이 가장 높은 나라는 체코이므로, 우리나라의 증가율이 가장 높았다고 수정하는 것은 적절하지 않다.

[오답 풀이]

① ㉰를 통해 필통의 몸체는 PVC 재질이어서 재활용이 어렵고, 지퍼는 철이어서 재활용이 용이하다는 것을 알 수 있으므로, ㉰를 참고하여 ㉠에서 언급하고 있는 문제점을 구체적으로 드러낼 수 있다.

② ㉮에는 플라스틱이 가공성이 우수하고 저렴하며, PVC는 질기고 깨지지 않아 필통 등에 쓰인다는 내용이 제시되어 있다. PVC는 플라스틱의 한 종류이므로, ㉮를 활용하여 PVC로 학용품을 생산하는 상대방의 입장을 이해함을 드러낼 수 있다.

④ ㉮에는 PVC에 첨가하는 프탈레이트가 인체에 해롭다는 내용이 담겨 있으며, ㉰에는 PVC의 재활용이 어렵다는 내용이 제시되어 있다. 따라서 ㉮와 ㉰를 참고하여 PVC가 환경에 부정적인 영향을 끼칠 뿐만 아니라, 첨가되는 물질이 인체에 해로울 수 있다는 내용을 추가할 수 있다.

⑤ ㉮에는 PP는 인체에 유해한 프탈레이트가 첨가되지 않는다는 내용이 있으며, ㉰에는 PP의 재활용이 용이하다는 내용이 제시되어 있다. 따라서 ㉮와 ㉰를 참고하여 건의 내용을 구체적으로 제시하려면 필통의 재질을 프탈레이트가 첨가되지 않는 PP로 바꾸어 달라고 수정할 수 있다.

본책 100~102쪽

1 ②　2 ②　3 ②

2019 수능

작문 상황 사회적 쟁점에 대해 학급 학생들에게 주장하는 글 쓰기

주제 로봇세 도입에 대한 반대 의견

중심 내용

1 문단	로봇세 도입의 목적과 로봇세 도입에 대한 반대 입장 제시 – 목적: 로봇으로 인해 일자리를 잃은 사람들을 지원하거나 예산을 마련하자는 것
2 문단	로봇세 도입을 반대하는 근거 ① – 로봇세는 공정한 과세로 보기 어려움.
3 문단	로봇세 도입을 반대하는 근거 ② – 로봇세를 도입하면 기술 개발에 악영향을 끼칠 수 있음.
4 문단	로봇세 도입을 반대하는 근거 ③ – 로봇의 도입으로 일자리가 감소할 가능성은 낮음.
5 문단	로봇 사용의 이점과 로봇세 도입에 대한 우려

1 글쓰기 전략 파악　답 ②

ⓛ과 관련하여 (다)의 1문단에서 '로봇으로 인해 일자리를 잃은 사람들을 지원하거나 사회 안전망을 구축하기 위해 예산을 마련하자는 것이 로봇세 도입의 목적이다.'라며 로봇세를 도입하려는 목적을 밝히고 있다. 그러나 로봇세의 도입 목적을 로봇 사용으로 얻을 수 있는 편안한 삶과 연결하여 설명하지는 않았다.

[오답 풀이]

① ㉠과 관련하여 1문단의 '로봇세는 로봇을 사용해 이익을 얻는 기업이나 개인에 부과하는 세금이다.'에서 로봇세의 납부 주체를 포함한 로봇세의 개념을 제시하고 있다.

③ ⓛ과 관련하여 1문단에 로봇세의 도입 목적이 제시되어 있는데, '로봇으로 인해 일자리를 잃은 사람들을 지원하거나 사회 안전망을 구축하기 위해 예산을 마련하자는 것'에서 로봇 사용으로 일자리를 잃은 사람들을 지원하려는 것이 로봇세 도입의 취지임을 알 수 있다.

④ ⓒ과 관련하여 로봇세 도입을 반대하는 글쓴이와 상반된 견해를 가진 학생들을 설득하기 위해 3문단에서 '전문가들은 로봇세를 도입하면 기술 개발에 악영향을 끼칠 수 있다고 말한다.'라는 전문가의 견해와 함께 로봇세의 부정적 측면을 제시하고 있다.

⑤ ⓒ과 관련하여 글쓴이와 상반된 견해를 가진 학생들을 설득하기 위해 4문단에서 '산업 혁명을 거치면서 새로운 기술에 대한 걱정은 늘 존재했지만, 산업 전반에서 일자리는 오히려 증가해 왔다'를 근거로 제시하여 로봇세 도입이 필요하지 않음을 부각하고 있다.

2 자료 활용 방안 파악　답 ②

(다)의 2문단에서 '모바일 뱅킹이나 티켓 자동 발매기도 일자리를 줄였음에도 세금을 부과하지 않았는데 로봇에만 세금을 부과하는 것은 그 기준이 일관되지 않는다는 문제가 있다.'고 하였다. 그런데 이는 ⓑ의 사례로 모바일 뱅킹과 티켓 자동 발매기는 과세의 기준이 일관되지 않다는 문제를 지적한 것일 뿐, 로봇세가 중복 부과되는 세금이라는 점을 설명하기 위한 것이 아니다.

[오답 풀이]

① ⓐ는 로봇으로 인해 일자리가 줄어들 것에 대한 사람들의 우려를 담고 있다. 1문단의 '로봇의 발달로 일자리가 줄어들 것이라는 사람들의 불안이 커지면서 최근 로봇세 도입에 대한 논의가 활발하다.'에서 이와 같은 사람들의 우려가 로봇세 도입 논의의 배경이 된다는 점을 제시하고 있다.

③ 3문단에서 '앞으로 로봇 수요가 증가하면서 로봇 시장의 우위를 선점하기 위한 로봇 기술 개발의 경쟁이 더욱 뜨거워질 것'이라고 하였다. 로봇 기술 중 상당수가 특허권이 인정되는 고부가 가치 기술이라는 것이 그 이유인데, 이는 ⓒ의 내용을 활용한 것이다.

④ 3문단의 '로봇세를 도입하면 세금에 대한 ~ 막대한 금액이 외부로 유출되어 국가적으로 손해이다.'는 로봇 기술 개발 경쟁에서 뒤처지면 문제가 발생할 수 있다는 ⓓ의 내용을 구체화하여 로봇세를 도입하면 국가에 손실이 발생할 수 있음을 제시한 부분이다.

⑤ 3문단의 '전문가들은 로봇세를 도입하면 기술 개발에 악영향을 끼칠 수 있다고 말한다.' 이후 부분에서 ⓔ의 전문가들의 의견 중 '로봇세가 로봇 기술 개발에 악영향을 준다.'는 의견을 선택하여 제시하고 있다.

3 내용 생성의 적절성 평가　답 ②

[A]에서는 산업 혁명 때 새로운 기술이 도입되었지만 오히려 일자리는 증가했다는 과거 사례를 근거로 들어 로봇의 사용으로 일자리가 줄어들 가능성은 낮다고 주장하고 있다. 반면 〈보기〉에서는 로봇의 생산 능력이 비약적으로 향상되어 로봇이 대체할 수 있는 인간 노동자의 수도 증가하고 있으므로, 로봇 사용으로 인한 일자리 대체 규모가 기하급수적으로 커질 것이라고 예측하고 있다. 따라서 〈보기〉의 내용을 근거로 하여 로봇의 생산 능력은 고려하지 않고 과거의 사례만 들어 일자리가 감소하지 않을 것이라고 주장하는 [A]의 내용을 반박할 수 있다.

[오답 풀이]

① '로봇 기술의 발달을 통해 일자리를 늘리'는 방안을 찾자는 것은 〈보기〉의 내용과 거리가 멀고, '일자리가 줄어들 가능성은 낮다.'라고 주장하는 [A]에 대한 반박으로도 적절하지 않다.

③ 〈보기〉는 로봇의 생산 능력이 비약적으로 향상되고 있다고 했지 인간 노동자의 생산 능력을 향상시켜야 한다고 하지 않았다. 또한 '인간 노동자의 생산 능력을 향상시킬 수 있는 제도적 지원 방안을 마련해야 한다.'는 것은 [A]에 대한 반박으로 적절하지 않다.

④ 로봇의 생산성 향상이 인간의 일자리 감소를 막을 수 있다는 것은 〈보기〉의 내용과 어긋난다. 또한 일자리 감소를 막을 수 있다는 것은 일자리가 줄어들 가능성이 낮다고 보는 [A]에 대한 반박으로 적절하지 않다.

⑤ '로봇의 생산성 증가가 인간의 새로운 일자리를 만드는 데 기여할 것'으로 보는 것은 [A]와 유사한 입장으로, [A]에 대한 반박으로 적절하지 않다.

본책 103~105쪽

1 ③　2 ③　3 ④

2019-9월 모평

작문 상황 교지에 실을 동아리 홍보 글 쓰기

주제 우리 동아리의 특색과 활동 내용 및 가입 시의 기대 효과

중심 내용

문단	내용
1 문단	우리 동아리의 특색 있는 활동 소개 – 퍼네이션
2 문단	퍼네이션의 개념과 의의 – 개념: 일상에서 재미있게 나눔을 실천할 수 있는 새로운 기부 활동 – 의의: 기부를 쉽게 접할 수 있어 기부 문화가 확산되고 있음.
3 문단	우리 동아리의 가치와 선발 기준 – 나눔의 마음
4 문단	우리 동아리의 노력 – 학생들이 퍼네이션에 자발적으로 참여할 수 있도록 함.
5 문단	동아리 가입 시의 활동 내용 및 기대 효과 – 나눔의 경험을 함께할 수 있음. – 진로 탐색에도 도움이 될 것임.

1 글쓰기 계획 파악 답 ③

'ⓒ 자신의 진로와 관련이 되는지 궁금하지 않을까?'를 반영하여 (나)의 5문단에서 '여러분이 우리 동아리에 가입하면 관심과 흥미에 따라 다양한 퍼네이션을 함께할 수 있습니다.'라는 언급을 하고 다양한 활동을 제시하면서 '이러한 동아리 활동은 여러분의 진로 탐색에도 도움이 될 것입니다.'라고 밝히고 있다. 그러나 다른 동아리와의 연계 활동을 제시하고 있지는 않다.

[오답 풀이]

① (나)의 1문단에서 '퍼네이션과 같은 기부 활동을 추가하여 운영하고 있습니다.'라고 제시하여 '㉠ 우리 동아리의 특색 있는 활동이 무엇인지 궁금하지 않을까?'를 반영하고 있다.

② (나)의 2문단에서 ''퍼네이션(funation)'은 재미(fun)와 기부(donation)를 결합한 말로, 일상에서 재미있게 나눔을 실천할 수 있도록 새로운 형태로 기부하는 봉사 활동입니다.'라며 개념과 '아이스 버킷 챌린지'의 사례를 제시하여 '㉡ 퍼네이션이 무엇인지 궁금하지 않을까?'를 반영하고 있다.

④ (나)의 3문단에서 '우리 동아리가 추구하는 가치는 나눔의 마음이며, 우리 동아리의 선발 기준도 나눔의 마음입니다.'와 같이 동아리가 추구하는 가치를 제시하여 '㉣ 우리 동아리의 선발 기준이 무엇인지 궁금하지 않을까?'를 반영하고 있다.

⑤ (나)의 5문단에서 '컴퓨터를 잘하는 학생은 퍼네이션 애플리케이션 개발을, 마케팅에 관심이 있는 학생은 퍼네이션 홍보를 하며'와 같이 동아리에 가입하면 할 수 있는 활동을 제시하여 '㉤ 가입 후 자신이 무슨 활동을 할지 궁금하지 않을까?'를 반영하고 있다.

2 자료 활용 방안 파악 답 ③

〈보기〉의 ㄱ-2는 SNS의 이용 빈도가 주 4회 이상인 사람이 88%라는 점을 보여 주고 있다. 그리고 ㄴ은 봉사 활동에 참여하는 빈도가 높을수록 만족도가 증가하고, 자발적으로 봉사 활동에 참여할수록 진로 탐색 기회가 많아진다는 점을 보여 주고 있다. 그러나 두 자료만으로는 SNS 이용 빈도와 봉사 활동 참여 빈도 간에 연관성을 찾기 어려우므로, SNS 이용 빈도가 높은 학생일수록 봉사 활동 참여 빈도가 높다고 해석하는 것은 적절하지 않다.

[오답 풀이]

① ㄱ-1은 우리 학교 학생들이 기부를 하지 않는 가장 큰 이유가 '관심이 없어서'임을 보여 준다. 그런데 (나)의 3문단에서는 우리 학교 학생들이 기부하지 않는 가장 큰 이유를 경제적 여유가 없기 때문이라고 제시하였다. 따라서 ㄱ-1을 활용하여 경제적 여유가 없다는 것에서 기부에 관심이 없다는 내용으로 수정할 수 있다.

② ㄱ-1은 우리 학교 학생들이 기부를 하지 않는 이유로 '방법을 몰라서'가 큰 비중을 차지하고 있음을 보여 준다. 따라서 기부 방법을 모르는 학생들에게 (나)의 4문단에 제시된 '잔반 제로 게임 애플리케이션'을 통해 기부를 체험할 수 있도록 한다는 내용을 제시할 수 있다.

④ ㄴ은 자발적으로 봉사 활동에 참여할수록 진로 탐색 기회가 많아져 진로 의식의 성숙도가 높아진다는 내용이다. (나)의 4문단에서는 '학생들이 자신의 관심과 흥미에 맞는 퍼네이션에 자발적으로 참여할 수 있'다고 했으므로 동아리를 통한 자발적인 봉사 활동이 진로 의식의 성숙도를 높일 수 있다는 내용을 제시할 수 있다.

⑤ ㄷ은 퍼네이션을 위한 게임 애플리케이션은 재미있고 일상에서 쉽게 접할 수 있어서 많은 사람들이 퍼네이션에 자주 참여하고 있다는 내용이다. (나)의 4문단에서는 퍼네이션의 일환으로 '잔반 제로 게임 애플리케이션'을 개발했다고 했으므로 '잔반 제로 게임 애플리케이션'을 개발한 것은 사람들이 퍼네이션에 자주 참여할 수 있도록 하기 위한 것이라는 내용을 제시할 수 있다.

3 조건에 맞는 글쓰기 평가 답 ④

'나눔의 의의'를 밝히는 것과 '의문문 형식으로 동아리 가입을 권유하면서 글을 마무리'하는 것이 〈조건〉으로 제시되어 있다. '나눔은 내가 베푼 마음이 누군가에게 퍼져 모두를 따뜻하게 만드는 것'은 나눔의 의의를 밝힌 것이며, '우리 동아리에서 나눔을 실천하는 경험을 해 보지 않으시겠어요?'는 의문문 형식으로 동아리 가입을 권유한 것이다.

[오답 풀이]

① 나눔의 의의를 밝히고 동아리 가입을 권유하고 있으나, 의문문의 형식을 사용하지 않았다.

② 나눔의 의의를 밝히지 않았으며, 의문문의 형식을 사용하고 있지만 동아리 가입을 권유하고 있지 않다.

③ 의문문의 형식으로 동아리 가입을 권유하고 있지만, 동아리 활동의 의의만 드러나 있을 뿐 나눔의 의의는 밝히지 않았다.

⑤ '다른 사람이 도움을 필요로 할 때'라는 부분을 보면 나눔을 통해 다른 사람을 도울 수 있다는 점에서 나눔의 의의가 드러난다고 볼 수 있다. 그러나 의문문의 형식을 사용하긴 했지만, 동아리 가입을 권유하고 있지는 않다.

본책 106~108쪽

1 ⑤ 2 ② 3 ③

2019-6월 모평

작문 상황 사극을 어떻게 바라볼 것인가에 대한 자신의 생각을 밝히는 글 쓰기

주제 사극은 상상력을 바탕으로 가치 있는 의미를 담은 허구적 창작물이다.

중심 내용

1 문단	사극의 본질과 역할을 다시 생각하게 된 계기
2 문단	사극의 본질 – 상상력을 바탕으로 만들어진 이야기를 통해 구현되는 주제 의식 – 허구를 통해 가치 있는 의미를 담아 시청자의 공감을 얻는 것이 중요(역사적 사실과의 부합은 중요하지 X)
3 문단	사극의 역할 – 사극에 공감하고 재미를 느끼게 함. → 실제 역사에 대한 관심을 유도함. → 역사를 현재에서 살아 숨 쉬게 만듦.
4 문단	사극에 대한 우려 – 사극을 실제 역사로 오해할 수 있음. → 사극은 역사적 지식을 전달하는 것이 아님. 대부분의 시청자들은 사극의 내용을 실제 역사라 생각하지 않음.
5 문단	실제 역사와 사극의 가치 – 실제 역사: 현재의 삶을 성찰하며 지혜를 얻음. – 사극: 감동과 즐거움을 얻음. → 둘 다 저마다의 가치를 지니며 우리 삶을 풍요롭게 함.

1 글쓰기 계획 파악 답 ⑤

초고의 4문단에서 역사적 사실의 반영 정도에 따른 사극과 다큐멘터리의 차이를 설명하고 있으나, '역사적 사실의 반영 정도에 따른 사극의 유형'을 반영한 내용은 찾을 수 없다.

[오답 풀이]

① 1문단에서 '사극에 대해 학생들 사이에 논란이 일고 있다.'라고 하면서 '실제 역사와는 다르지만 재미있었다는 반응'과 '수업에서 배운 내용과 너무 달라서 보기에 불편했다는 반응'을 언급하고 있다.

② 2문단에서 '사극의 본질은 상상력을 바탕으로 만들어진 이야기를 통해 구현되는 주제 의식에 있다.'라고 서술하고 있다.

③ 3문단에서 '사극에서는 실존 인물에 새로운 성격을 ~ 극적 긴장감을 더욱 높인다.', '이러한 점은 시청자들이 사극에 공감하고 재미를 느끼게 하는 요인'이라고 서술하고 있다.

④ 3문단에서 사극이 '실제 역사에 대한 관심을 유도하는 역할을 한다.'라고 서술하고 있다.

2 고쳐쓰기의 적절성 평가 답 ②

초고의 마지막 문단은 실제 역사의 가치와 사극의 가치를 동등하게 언급하면서 두 가치를 모두 강조하고 있다. 이 글의 목적이 '사극을 어떻게 바라볼 것인가에 대한 나의 생각을 밝히'는 것임을 고려하면, 마지막 문단은 초점이 분산되어 글의 논지가 흐려져 있다. 그래서 고쳐 쓴 마지막 문단은 사극의 가치를 중점적으로 언급하며 '사극을 실제 역사 그 자체의 재현이 아닌 허구적 창작물로 인식해야 한다.'는 점을 분명하게 드러내고 있다. 따라서 ⓐ에 들어갈 내용은 ②가 가장 적절하다.

[오답 풀이]

① 초고의 마지막 문단에서 사극의 순기능(감동과 즐거움)은 제시하고 있지만 역기능은 제시하고 있지 않다.

③ 초고의 마지막 문단에서 실제 역사의 장점을 위주로 제시하고 있지 않으며, 고쳐 쓴 마지막 문단에도 사극이 실제 역사에 긍정적 영향을 미친다는 내용이 제시되어 있지 않다.

④ 초고의 마지막 문단에서 실제 역사와 사극의 긍정적 기능을 함께 제시한 것은 맞지만, 고쳐 쓴 마지막 문단에서 사극의 본질이 실제 역사를 온전히 수용하는 데 있다는 입장을 취하고 있지는 않다.

⑤ 초고의 마지막 문단에서 실제 역사 반영이 사극에서 중요하다고 하지 않았다.

3 내용 생성의 적절성 평가 답 ③

[A]는 사극이 허구적 창작물로서 시청자들에게 공감을 이끌어 내는 것이 중요하고 역사적 사실과 부합하느냐는 중요하지 않다는 관점을 지니고 있다. 반면 〈보기〉에서는 '사실로서의 역사'와 '상상력의 산물로서의 허구'라는 두 가지 요소가 사극의 본질이기 때문에 이 둘 사이의 균형을 유지해야 한다고 하고 있다. 그리고 그 방법으로 보편적으로 인정하는 역사적 사실은 유지하고 이를 연결해 하나의 이야기를 만들어 가는 과정에서 상상력이 발휘되어야 한다고 하였다. 따라서 〈보기〉의 관점에서 [A]를 비판하는 글을 쓸 때에는, 사극에서 상상력은 역사적 사실에 부합하는 범위 내에서 역사적 사실들을 연결할 때 그 사이의 유기성을 부여하는 데 활용해야 한다는 주장을 할 수 있다.

[오답 풀이]

① 〈보기〉의 관점은 사극에서는 사실로서의 역사와 상상력의 산물로서의 허구가 모두 중요하다는 것이다. 허구를 제외하고 사실로서의 역사를 중심으로 해야 한다는 것은 〈보기〉의 관점과 어긋난다.

② 허구를 역사보다 더 가치 있게 바라봐야 한다는 것은 〈보기〉의 관점과 어긋난다.

④ 〈보기〉는 사극에서 역사와 상상력, 두 가지 요소가 모두 중요하다는 관점이다. 허구를 통한 주제 의식보다 사실로서의 역사가 시청자의 공감을 유도한다는 것은 〈보기〉의 관점과 어긋난다.

⑤ 허구적 내용의 재미보다 역사적 사건과의 유사성에 초점을 맞춰 사극을 제작해야 한다는 것은 〈보기〉의 관점과 어긋난다.

본책 109~111쪽

1 ④ 2 ① 3 ②

2018 수능

작문 상황 봉사의 날 운영 방식을 글감으로 하여 교지에 올릴 글 쓰기

주제 봉사의 날 운영 방식을 동아리별 봉사 활동으로 전환할 필요가 있다.

목적 예상 독자인 우리 학교 구성원 설득

중심 내용

1 문단	봉사의 날 운영 방식에 대한 논의 – 학급별 봉사 활동 → 동아리별 봉사 활동
2 문단	현행 봉사의 날 운영 방식의 문제점 – 획일적인 방식으로 학생들의 참여 의지 저하
3 문단	동아리별 봉사 활동의 장점 – 진로와 관심사를 반영한 봉사 활동 가능 – 동아리 특색을 살린 봉사 활동 가능 – 다양한 봉사 활동 계획 및 실행 가능
4 문단	청소년기에 수행하는 봉사 활동의 의의 – 청소년들에게 나눔과 배려의 정신을 길러 줌. – 청소년들에게 스스로 성장할 수 있는 기회를 제공함.

1 자료 활용 방안 파악 답 ④

㉮는 우리 학교의 현행 봉사의 날 운영 방식에 많은 학생들이 불만족하고 있다는 설문 조사 자료이고, ㉰는 동아리별 봉사 활동의 장점과 문제점에 관한 교육 전문 잡지 글이다. 그러므로 두 자료를 활용해 현행 운영 방식의 문제점으로 봉사 활동 준비에 많은 시간이 소요된다는 점을 이끌어 내기는 어렵다.

[오답 풀이]

① ㉮는 현행 봉사의 날 운영 방식에 대한 학생들의 만족 여부를 구체적인 수치로 보여 주는 자료이므로 [A]를 보완하기에 적절하다.

② ㉯는 현행 봉사의 날 운영 방식에 대해 학생들이 불만족하는 이유로 '자발성이 떨어'진다는 점과 '보람을 느낄 수 없'다는 점을 제시한 통계 자료이다. [A]에서는 현행 운영 방식에 대한 학생들의 불만족 이유로 자발적 참여 의지가 떨어진다는 점만 언급하였으므로, ㉯를 활용하여 봉사 활동에서 보람을 느낄 수 없다는 점을 추가할 수 있다.

③ [A]에는 동아리별 봉사 활동을 운영할 경우 동아리 활동이 위축될 수 있다는 일부 학생들의 우려가 제시되어 있다. 따라서 ㉰에 제시된 '학교에서는 별도의 봉사 활동 준비 시간을 마련해 주는 방안'을 추가할 경우 이와 같은 우려를 해결할 수 있다는 점을 제시할 수 있다.

⑤ ㉰에서는 동아리별 봉사 활동이 학생들에게 성취 경험을 제공하므로 봉사 활동에 대한 학생들의 자발성을 높일 수 있다고 하였다. 이는 ㉯에 제시된 불만족 이유 중 가장 큰 부분을 차지하고 있는 '자발성이 떨어'지는 문제를 해결할 수 있으므로 ㉯와 ㉰를 활용하는 것은 적절하다.

2 내용 생성의 적절성 평가 답 ①

(가)의 작문 상황에서 '봉사의 날 운영 방식'이 글감임을 알 수 있다. 학생은 글감에 대한 논의의 필요성을 드러내기 위해 (나)의 1문단에서 '학교 구성원들 사이에서 봉사의 날 운영 방식에 대한 논의가 한창이다.'라고 우리 학교의 상황을 제시하고 있다.

[오답 풀이]

② (나)의 2문단에 제시된 우리 학교 학생들을 대상으로 한 인터뷰 결과를 글의 목적을 강조하기 위해 수집한 자료로 볼 수 있으나, 이와 같은 자료를 수집한 과정과 우리 학교에 봉사의 날이 도입된 취지는 제시되지 않았다.

③ (나)의 1문단 '이러한 운영 방식에 대한 ~ 대안으로 제시되었다.'에서 예상 독자의 관심을 반영하기 위해 학교 구성원이 관심을 가질 수 있는 주제를 선정한 것은 확인할 수 있지만, 주제를 선정하는 과정은 제시되지 않았다.

④ (나)의 3문단에 동아리별 봉사 활동의 장점은 제시되어 있지만, 현행 봉사의 날 운영 방식의 장점은 제시되지 않았다.

⑤ (나)의 2문단에서 언급한 인터뷰 결과가 자료의 객관성을 높일 수는 있지만, 봉사 활동과 관련한 설문 조사 문항과 조사 대상에 대한 정보는 제시되지 않았다.

3 고쳐쓰기의 적절성 평가 답 ②

(나)의 마지막 문단과 수정한 문단을 비교해 보면, (나)의 '청소년기는 육체적 ~ 의의가 있다.'라는 '청소년기의 의의'는 삭제되었다. 또한 수정한 문단에는 '동아리 봉사 활동을 도입한다면 ~ 기회를 얻게 될 것이다.'와 같이 동아리별 봉사 활동 도입 시 기대되는 효과가 새롭게 추가되었다.

[오답 풀이]

① 청소년기의 의의는 삭제되었지만, 청소년기 봉사 활동의 의의는 초고에도 이미 반영된 내용으로 추가되었다고 볼 수 없다.

③ 청소년기의 의의는 삭제되었지만, 동아리별 봉사 활동 도입을 위한 지원 방안은 추가되지 않았다.

④ 동아리별 봉사 활동 도입 시 기대 효과는 추가되었지만, 청소년기 봉사 활동의 의의는 삭제되지 않았다.

⑤ 청소년기 봉사 활동의 의의는 삭제되지 않았고, 동아리별 봉사 활동 도입을 위한 지원 방안은 추가되지 않았다.

본책 112~114쪽

1 ⑤ 2 ⑤ 3 ③

2018-9월 모평

작문 상황 일상생활에서 많은 사람들이 겪고 있는 문제를 해결하기 위한 건의문 쓰기

주제 학생 전용 급행 시내버스 노선의 신설 건의

목적 시내버스 노선 문제로 인한 어려움과 이를 개선할 방안 건의

중심 내용

1 문단	글을 쓴 목적 – 시내버스 노선 문제에 대한 개선 방안을 건의하기 위해서
2 문단	문제 상황 – 시내버스가 여러 곳을 경유하여 통학 시간이 오래 걸림. → 학생들이 아침부터 피곤해 수업 시간에 졸게 됨. → 부모님의 자가용으로 등교하여 학부모의 부담이 가중되고 학교 주변 교통이 혼잡해짐.
3 문단	해결 방안 – 학생 전용 급행 노선 신설(학생들의 수요를 조사하여 하나의 노선을 정하고 거점 정류장을 정해야 함.)
4 문단	건의가 받아들여졌을 때의 기대 효과

1 글쓰기 전략 파악 답 ⑤

초고의 3문단에서 '이 문제를 해결하는 방안은 학생 전용 급행 노선을 신설하는 것입니다.'라고 하면서 노선의 적절한 경로와 시행 방법 등 건의 내용의 실현 가능성을 높이기 위한 구체적인 실행 방안을 제안하고 있다.

[오답 풀이]

① 건의 내용의 신뢰성을 확보하기 위해 권위자의 견해를 인용하고 있는 부분은 없다.
② 건의 내용의 타당성을 높이기 위해 해결 방안의 한계점을 검토하고 있는 부분은 없다.
③ 건의 내용의 합리성을 확보하기 위해 여러 가지 해결 방안을 비교하고 있지는 않다.
④ 건의 내용의 공정성을 확보하기 위해 예상되는 반론을 제시하고 있는 부분은 없다.

2 내용 생성의 적절성 평가 답 ⑤

선생님의 조언을 고려하면 ㉠에는 '건의 주체'인 'A 단지 학생들'에게 도움이 된다는 점과 '다른 사람들'에게도 도움이 된다는 점이 함께 제시되어야 한다. 피로감을 줄일 수 있어 학업에 집중할 수 있게 된다는 것은 건의 주체인 'A 단지 학생들'에게 도움이 되는 점이고, 학교 주변 교통 혼잡을 해결하여 불편을 해소할 수 있다는 것은 '다른 사람들'인 '인근 주민들'에게 도움이 되는 점이다. 따라서 ⑤는 ㉠에 들어갈 내용으로 적절하다.

[오답 풀이]

① '다른 사람들'에 해당하는 '시내버스 회사'와 '○○시'에 도움이 된다는 내용은 제시되어 있지만, '건의 주체'인 'A 단지 학생들'에게 도움이 된다는 내용은 제시되지 않았다.
②, ③ '건의 주체'인 'A 단지 학생들'에게 도움이 되는 내용은 제시되어 있지만, '다른 사람들'에게 도움이 된다는 내용은 제시되지 않았다.
④ '다른 사람들'에 해당하는 '학부모들'에게 도움이 되는 내용은 제시되어 있지만, '건의 주체'인 'A 단지 학생들'에게 도움이 된다는 내용은 제시되지 않았다.

3 자료 활용 방안 파악 답 ③

〈자료〉의 (가)는 시내버스를 이용하는 학생이 겪는 불편함과 관련된 인터뷰이고, (나)는 등교 시 시내버스 이용률이 감소하고 자가용 이용률이 증가함을 보여 주는 표이다. (가)와 (나)를 통해 시내버스 이용이 불편하여 자가용 이용률이 증가하였다는 내용을 이끌어 낼 수 있다. 그러므로 '자가용 이용률의 증가가 시내버스 이용 불편의 원인'이 된다는 것은 글의 논지와 맞지 않는 잘못된 해석이다.

[오답 풀이]

① (가)에는 시내버스를 이용하는 학생이 겪는 불편함이 드러나 있으므로, (가)의 학생 경험을 제시하면 등굣길 시내버스 노선 문제의 실태를 보여 줄 수 있다.
② (나)는 시내버스 이용률이 크게 감소되고 있는 현상을 보여 주고 있으므로, (나)의 자료를 활용하여 학생들의 시내버스 기피 현상이 심화되고 있음을 보여 줄 수 있다.
④ (나)를 통해 자가용 이용률과 시내버스 이용률이 상관관계가 있다는 것을 추론할 수 있고, (다)는 학생 전용 급행 노선 운행으로 학생들의 시내버스 이용률이 전보다 증가했음을 보여 준다. 그러므로 두 자료를 활용하여 학생 전용 급행 노선이 자가용 이용률을 감소시키는 데 도움이 될 수 있음을 제시할 수 있다.
⑤ (가)는 학생 전용 급행 노선이 없는 지역의 학생이 겪는 불편함을 제시하고 있고, (다)는 학생 전용 급행 노선 운행으로 통학 시간이 줄어 학생들의 시내버스 이용률이 증가했음을 보여 주고 있다. 그러므로 두 자료를 활용하여 학생 전용 급행 노선이 학생 불편 해소에 기여할 수 있음을 강조할 수 있다.

실전 13

본책 115~116쪽

1 ②　2 ⑤　3 ⑤

2018-6월 모평

⟨(가) 기고문⟩

작문 상황 여름 방학 기간을 단축하자는 주장의 문제점을 제시하고, 현재의 여름 방학 기간을 유지해야 한다고 주장하는 글 쓰기

주제 현재의 여름 방학 기간을 유지해야 한다.

중심 내용

문단	내용
1 문단	글을 쓰게 된 배경 – 여름 방학 기간 단축의 문제점을 제기하고자 함.
2 문단	여름 방학 기간 단축의 문제점 ① – 여름 방학의 의미가 제대로 실현되기 어려움.
3 문단	여름 방학 기간 단축의 문제점 ② – 학생들이 원하는 프로그램에 참여하기 어려움.
4 문단	여름 방학 기간 단축의 문제점 ③ – 학교 시설을 개선할 수 있는 기간을 확보하기 어려움.
5 문단	글쓴이의 주장 – 현재의 여름 방학 기간을 유지해야 함.

⟨(나) 기고문⟩

작문 상황 여름 방학 기간 단축을 반대하는 (가) 글에서 제시한 근거들을 반박하는 글 쓰기

주제 여름 방학 기간을 단축해야 한다.

중심 내용

문단	내용
1 문단	글을 쓰게 된 배경 – 여름 방학 기간 단축을 반대하는 글에 반박하고자 함.
2 문단	(가)의 문제점 ①에 대한 반박
3 문단	(가)의 문제점 ②에 대한 반박
4 문단	(가)의 문제점 ③에 대한 반박
5 문단	여름 방학 기간을 단축해야 하는 이유 – 학습이 연속적으로 이루어질 수 있음. – 비효율적인 학사 운영을 개선할 수 있음.
6 문단	글쓴이의 주장 – 여름 방학 기간을 단축해야 함.

1 글쓰기 계획 파악　　답 ②

(가)의 4문단에서 '학교 시설을 보수하거나 설치하는 일이 2주 이상 걸리는 경우 방학을 활용한다.'라고 하면서 여름 방학 기간을 유지해야 한다고 주장하고 있다. 여기에 ㄱ의 생각이 반영되어 있다. 또한 (가)의 1문단에서 '여름 방학 기간을 단축하자는 주장에는 다음과 같은 문제점이 있다.'라고 하면서 2~4문단에서 여름 방학의 의미가 제대로 실현되기 어렵고, 학생들이 원하는 프로그램에 참여하기 어려우며, 학교 시설을 개선할 수 있는 기간을 확보하기 어렵다는 세 가지 문제점을 제시하고 있다. 여기에 ㄷ의 생각이 반영되어 있다.

[오답 풀이]

ㄴ. (가)에 '여름 방학 기간을 단축했을 때 얻을 수 있는 이점'은 제시되어 있지 않다.

ㄹ. (가)에 '여름 방학 기간을 유지하자는 주장에 대한 예상 반론'은 제시되어 있지 않다.

2 글쓰기 전략 파악　　답 ⑤

(나)의 6문단에서 '학교가 학생들의 여유로운 생활을 보장해 주어야 한다는 주장도 타당한 측면이 있'다고 하면서 (가)의 주장이 어느 정도 타당하다는 것을 인정하고 있다. 그러나 바로 뒤에서 '학교가 해야 할 더 중요한 일은 수업의 연속성 확보와 학사 운영의 효율성 제고라고 생각한다. 따라서 이를 실현하려면 여름 방학 기간을 단축해야 한다.'라고 자신의 주장을 다시 한번 강조하고 있다. 이는 (가)의 주장을 수용하지 않은 것이며, 절충안을 제시한 것도 아니다.

[오답 풀이]

① (나)의 1문단에서 '학교 신문에 여름 방학 기간 단축을 반대하는 글이 실린 후 학생들 사이에서 찬성과 반대의 다양한 의견들이 오가고 있다.'라고 하며 (가)로 인해 촉발된 반응을 제시하고 있다. 또한 '그 글에서 제시한 근거들을 반박하고자 한다.'라며 글을 쓰는 목적을 밝히고 있다.

② (나)의 2문단에서 '대다수의 학생들은 오히려 학기 중보다 학습 부담이 커져서 여름 방학 기간에 여유를 갖고 휴식을 취하지 못한다.'라고 하면서 여름 방학의 의미가 현실과 차이가 있다는 점을 들면서 (가)의 주장을 비판하고 있다.

③ (나)의 3문단에서 학생들이 원하는 프로그램에 참여하기 어렵다는 (가)의 주장을 반박하면서 '2학기가 시작된 후에도 개인 체험 학습을 신청하면 원하는 프로그램에 얼마든지 참여할 수 있다.'라는 근거를 제시하고 있다.

④ (나)의 4문단에서 학기 중 공사가 불편을 초래한다는 (가)의 주장을 비판하며 '실제로 우리 학교에서 지난 학기 중 특별실 보수 공사를 하였지만 불편 없이 진행되었다.'라는 사례를 제시하고 있다.

3 자료 활용 방안 파악　　답 ⑤

'여름 방학 기간이 2주, 4주인 두 학교 학생들이 지난 학기의 수업 내용을 기억하는 정도에 차이가 없다는 조사 결과'는 여름 방학 기간과 학습의 연속성이 관계가 없음을 보여 준다. [A]에는 여름 방학 기간을 단축해야 하는 이유로 수업 공백이 줄어들어 지난 학기의 수업 내용을 잘 기억할 수 있게 되어서 '학습이 연속적으로 이루어질 수 있다'는 점이 제시되어 있으므로 ⑤의 조사 결과를 제시하는 것은 '여름 방학 기간'과 '학습 연속성'의 관련성을 주장한 [A]를 반박하는 근거로 적절하다.

[오답 풀이]

① '학교 시설 공사로 통행에 불편을 겪었던 학생의 인터뷰'는 [A]가 아니라 (나)의 4문단을 비판하기 위한 자료로 활용하기에 적절하다.

② '개인이 신청할 수 있는 체험 학습 일수를 제한하고 있는 학교 규정'은 [A]가 아니라 (나)의 3문단을 비판하기 위한 자료로 활용하기에 적절하다.

③ '여름 방학 기간을 유지할 때 학생들의 만족도가 높다는 주장'은 (가)를 쓴 학생의 주장이기에 이를 반박하는 것은 적절하지 않다.

④ '여름 방학 기간을 단축했지만 학년 말 학사 운영이 비효율적이었던 다른 학교 사례'는 [A]를 비판하기 위한 자료로 적절하다. 하지만 [A]는 '여름 방학 기간 단축이 학사 운영과 무관하다'고 주장하고 있지 않으므로 ④는 적절하지 않다.

본책 117~119쪽

1 ④ 2 ② 3 ⑤

2017 수능

작문 상황	학급 학생들을 대상으로 새로운 광고 기법에 대한 이해를 돕고 비판적 인식을 촉구하려는 목적의 글 쓰기
주제	새로운 광고 기법에 대한 이해와 문제점에 대한 비판적 인식 촉구
목적	새로운 광고 기법의 특성과 문제점을 언급하여 매체 이용자들이 광고를 비판적으로 인식하게 함.

중심 내용

1 문단	새로운 광고 기법의 등장 배경 – 광고를 회피하려는 매체 이용자들이 거부감 없이 광고를 수용하도록 하기 위해
2 문단	새로운 광고 기법의 특징 ① – 검색 광고 – 인터넷 검색창에 검색어를 입력하면 검색 결과와 함께 노출되는 광고 – 특정 대상에게만 노출됨. – 검색 결과와 비슷한 형태로 제시되어 유용한 정보인 것 같은 착각을 유발함.
3 문단	새로운 광고 기법의 특징 ② – 기사형 광고 – 기사처럼 보이는 광고 – 제목에 특정 제품명을 드러내지 않음. – 전문가 인터뷰나 연구 자료 인용, 제품 정보(가격, 출시일 등) 삽입 – '특집', '기획' 등의 표지 사용 제한, 기자명을 드러내는 표현 사용 제한
4 문단	새로운 광고 기법의 문제점과 이용자들의 비판적 인식 촉구

1 글쓰기 계획 파악 답 ④

〈보기〉의 'ⓒ 예상 독자들이 광고를 접하고 있는 매체들을 구체적으로 제시'한 부분은 [A]의 첫 번째 문장인 '우리는 인터넷, 신문, 잡지 등의 다양한 매체를 이용하면서 수많은 광고에 노출된다.'에 제시되어 있다. 그리고 'ⓑ 다양한 매체에서 여러 유형의 광고가 나타나는 이유'는 [A]의 두 번째 문장인 '이러한 광고는 다양한 매체에서 여러 유형으로 나타나는데, 이는 매체 발달에 따라 매체별 광고 기법도 다양해졌기 때문이다.'에 나타난다. 'ⓓ 매체 이용자들이 광고에 대해 보이는 태도'는 그다음 문장인 '하지만 매체 이용자들은 이러한 광고를 불필요한 정보로 판단해 회피하는 경향이 있다.'로 제시하였다. 마지막으로 'ⓐ 매체 이용자들의 광고 회피 경향에 대응해 새로운 광고 기법이 등장함을 제시'한 부분은 [A]의 네 번째 문장인 '이에 대응하여 매체 이용자들이 거부감 없이 광고를 수용하도록 하는 새로운 광고 기법이 등장하고 있다.'로 제시하였다. 따라서 〈보기〉의 생각이 [A]에 반영된 순서는 ⓒ – ⓑ – ⓓ – ⓐ가 적절하다.

2 자료 활용 방안 파악 답 ②

[B]에서 '기사형 광고는 기사처럼 보이기 위해 제목에서 특정 제품명을 드러내지 않으며 ~'라고 하였다. 이를 통해 볼 때 〈자료〉에서 제품명을 제목에 나타내지 않은 것은 독자들에게 기사처럼 보이기 위한 기법을 사용한 것이다. ②에서 '제품명을 제목에 나타내지 않은 것은, 독자들에게 광고처럼 보이기 위한 기법의 예'로 활용할 수 있겠다고 하였는데, '광고'가 아니라 '기사'처럼 보이기 위한 기법의 예로 보아야 한다.

[오답 풀이]

① [B]에 '전문가 인터뷰나 연구 자료 인용을 통해 유용한 정보를 제공하는 것처럼 꾸며 독자의 관심을 끈다.'라고 제시되어 있다. 이를 통해 〈자료〉에서 '물과 장수의 관계'를 연구한 논문을 인용한 것은 독자들의 관심을 끌기 위한 기법의 예로 볼 수 있다.

③ [B]에 '독자들이 기사형 광고를 기사로 오인할 수 있으므로 '특집', '기획' 등의 표지를 사용하는 것이 제한되어 있다.'라고 제시되어 있다. 이를 통해 〈자료〉에서 '특집', '기획' 등의 표지를 사용하지 않은 것도 같은 이유 때문으로 볼 수 있다.

④ [B]에 '가격, 출시일 등의 제품 정보를 삽입하여 독자의 소비 심리를 자극한다.'라고 제시되어 있다. 이를 통해 〈자료〉에서 '△△샘물'이 11월 2일에 출시되고, 500ml의 가격이 1,000원이라고 밝힌 것은 독자의 소비 심리를 자극하기 위한 것이라고 볼 수 있다.

⑤ [B]에 '기자가 작성한 글로 착각하지 않도록 글 말미에 '글 ○○○ 기자'와 같은 표현도 사용하지 못하도록 되어 있다.'라고 제시되어 있다. 이를 통해 〈자료〉에 기자명 같은 정보를 명시하지 않은 것도 독자가 이 광고를 기자가 작성한 글로 착각하지 않게 하려는 것으로 볼 수 있다.

3 조건에 맞는 글쓰기 평가 답 ⑤

㉠에서는 '새로운 광고 기법의 문제점 언급'과 '이 광고 기법에 대한 매체 이용자들의 비판적 인식 촉구'라는 두 가지 조건을 제시하고 있다. 초고의 2문단에서 검색 광고는 '이용자들에게 마치 유용한 정보인 것 같은 착각을 일으킨다.'라고 하였고, 3문단에서 기사형 광고 역시 '유용한 정보를 제공하는 것처럼 꾸'민다고 하였다. ⑤의 '광고를 유용한 정보인 것처럼 오인하게 만들어 매체 이용자들에게 착각을 유도한다.'는 새로운 광고 기법의 문제점을 언급한 것이고, '매체 이용자들은 필요한 정보와 광고를 구별할 수 있는 비판적인 안목을 기를 필요가 있다.'는 새로운 광고 기법에 대한 매체 이용자들의 비판적 인식을 촉구하는 것이다.

[오답 풀이]

① 매체 이용자들에게 광고를 불필요한 정보로 판단하게 하여 회피하게 하는 것은 새로운 광고 기법 이전의 광고가 지녔던 한계이며, '기업은 ~ 기업 윤리를 지킬 필요가 있다.'는 부분은 매체 이용자들의 비판적 인식 촉구가 아니라 기업이 지녀야 할 자세와 관련이 있다.

② 광고 내용이 불특정 다수에게 노출된다는 점에서 매체 이용자들에게 거부감을 준다는 문제점은 검색 광고에는 해당하지 않는다. 검색 광고는 기존의 인터넷 광고와 달리 특정 대상에게만 노출되기 때문이다.

③ 새로운 광고가 기존 광고에 비해 부작용이 적다는 것은 새로운 광고 기법의 문제점에 대한 언급으로 볼 수 없다. 또한 새로운 광고 기법에 대한 비판적 인식을 촉구한 것이 아니라 기존 광고 기법에 대한 비판적 인식을 촉구하고 있다.

④ 새로운 광고 기법 중에서 검색 광고의 문제점만을 언급하고 있으며, 매체 이용자들의 비판적 인식을 촉구한 것이 아니라 정부 차원의 문제 해결 방안을 제시하고 있다.

15

본책 120~121쪽

1 ④　2 ③　3 ③

2017-9월 모평

작문 상황 우리 학교 학생들을 대상으로 '정보 통신 기술의 발달에 따른 우리나라 농업의 미래'에 대한 글 쓰기

주제 정보 통신 기술의 발달에 따른 우리나라 농업의 미래

중심 내용

1 문단	농업의 중요성과 농업에 도입될 정보 통신 기술
2 문단	'빅 데이터 활용 기술'의 도입이 농업에 가져올 변화와 기대 효과 – 생산량 조절이 가능해 농가에 안정적인 수익 제공 – 계획적인 생산과 체계적인 관리 가능
3 문단	'환경 제어 기술'의 도입이 농업에 가져올 변화와 기대 효과 – 실내에서의 대규모 농업 가능 – 장소의 제약에서 벗어날 수 있음. – 도시에서도 좋은 품질의 농산물 대량 생산 가능
4 문단	정보 통신 기술의 발달이 가져올 농업의 발전과 미래

1 글쓰기 계획 파악 답 ④

〈교지 편집부의 요청 내용〉에 따라 〈초고〉에서 농업 발전을 위한 정보 통신 기술인 '빅 데이터 활용 기술'과 재배 환경을 조절하고 자동 재배 시설을 제어하는 '환경 제어 기술'에 대해 설명하고 있으나, 이러한 정보 통신 기술 관련 정책의 변화는 언급하고 있지 않다.

[오답 풀이]

① 3문단의 '실내에서의 대규모 농업도 가능'해져 '도심 곳곳의 고층 건물에서 층마다 농산물을 재배하는 모습을 영화가 아닌 현실에서 보게 될 것이다.'에서 예상되는 미래 농업의 모습을 제시하고 있다.

② 1문단의 '농업은 인류의 생존과 직결된 가장 기본적인 산업이다.'에서 농업의 중요성을 언급하고 있다.

③ 2문단의 '기상과 병충해 같은 농업 관련 정보를 수집, 처리, 활용하는 빅 데이터 활용 기술'과 3문단의 '재배 환경 정보를 실시간으로 수집 · 처리하여 최적화된 정보에 따라 재배 환경을 조절하고 자동 재배 시설을 제어하는 기술'에서 농업에 도입될 정보 통신 기술을 언급하고 있다.

⑤ 2문단의 '지금까지는 농산물을 기를 때 기상 상태나 병충해와 같은 외부 환경으로 인한 피해가 생산량에 미치는 영향이 컸기 때문에 생산량을 예측하고 조절하는 것이 어려웠다.'에서 현재 농업의 문제 상황을 제시하고 있고, '농업과 관련된 빅 데이터가 더 많이 축적되고 ~ 체계적인 관리가 가능해질 것이다.'와 3문단의 '농업은 이전과 달리 장소의 제약에서 벗어날 수 있다.', '공간이 한정된 도시에서도 좋은 품질의 농작물을 대량으로 생산할 수 있다.' 등에서 그 문제를 정보 통신 기술의 발달로 해결할 수 있음을 언급하고 있다.

2 자료 활용 방안 파악 답 ③

〈초고〉에서 미래 식량 위기의 규모를 예측한 부분은 찾을 수 없다. [B]에서 식물 공장을 언급하고는 있으나 장소의 제약에서 벗어나 공간이 한정된 도시에서도 농작물을 생산할 수 있다는 내용만 제시했을 뿐, 식물 공장의 경제적 효과에 대해서는 언급하고 있지 않다.

[오답 풀이]

① [A]의 마지막 문장은 ㉠의 정보를 이용하여 정보 통신 기술 도입의 긍정적 사례로 제시한 것으로 볼 수 있다.

② [A]의 둘째 문장에서 '기상 상태나 병충해와 같은 외부 환경으로 인한 피해'가 생산량 예측과 조절을 어렵게 하는 원인이라고 했는데, 이는 ㉡의 현상을 포괄하여 활용한 것으로 볼 수 있다.

④ [B]의 셋째 문장에서 언급한 '고층 건물 형태'는 ㉣의 실현 가능한 모습을 구체화한 식물 공장 형태이다.

⑤ [B]의 둘째 문장 중 '온도와 습도, 이산화탄소 농도, 빛의 양 등 농작물 성장에 필수적인 요소들을 자동으로 조절해 주는 시설이 완비된 식물 공장'은 식물 공장에 대한 정보를 제시하고 있는데, 이는 ㉤의 요소들을 활용한 것으로 볼 수 있다.

3 표현의 적절성 평가 답 ③

〈초고〉의 마지막 문단에서 '어업과 같은 전통적인 산업'을 언급한 문장은 글의 통일성을 해치는 내용으로 고쳐 쓴 글에서는 이를 삭제하였다. 그리고 농업 분야에 정보 통신 기술을 도입하기 위해 해결해야 할 문제점이 추가되었다. 이를 통해 편집부는 '글의 흐름에 어긋나는 문장'과 '미래를 낙관적으로만 보는 문제점'을 고려하여 마지막 문단을 고쳐 달라는 요청을 했을 것임을 유추할 수 있다.

[오답 풀이]

〈초고〉의 마지막 문단에 '수식 관계가 어긋나는 문장'이나 '주술 호응이 어긋나는 문장'은 없다. 또한 고쳐 쓴 글에 '정보 통신 기술 적용의 확장 가능성'이나 '전통 산업을 사양 산업으로만 인식하고 있는 문제점'을 언급한 부분도 없다.

융합

본책 124~126쪽

1 ③ **2** ③ **3** ③

〈(다) 건의문〉 2021-6월 모평

작문 상황	학교 학생들에게 안전한 등굣길 만들기에 동참할 것을 제안하는 글 쓰기
주제	안전한 등굣길을 만들기 위한 방안
목적	등교할 때 자가용 이용을 자제하고 주변을 살피며 걷자고 건의함.
중심 내용	1~2 문단: 인사말 및 건의 소재에 대한 주의 환기 3 문단: 자가용 등교와 관련한 문제 상황 제시 4~5 문단: 안전한 등굣길을 위한 방안 제시 – 자가용 이용 자제, 주변을 살피면서 걷기 6 문단: 자가용 이용 자제 시의 효과 제시 – 여유롭게 등교 가능함, 규칙적인 생활 습관을 갖게 됨. 7~8 문단: 안전한 등굣길을 위한 행동 촉구 및 끝인사

1 글의 성격 파악 답 ③

(나)는 대화로, 의사소통에 참여하는 사람들이 같은 시간에 같은 장소에 있기 때문에 시간과 공간을 모두 공유한다고 볼 수 있다. 따라서 언어적 표현 외에 '고개를 끄덕이며'와 같은 비언어적 표현을 활용하여 전달하려는 내용을 보완할 수 있다. 그러나 (가)는 홈페이지 자유 게시판에 올린 글이고 (다)는 건의문으로, 시간과 공간을 공유하고 있지 않으며 비언어적 표현도 나타나지 않는다.

[오답 풀이]

① (가)는 홈페이지 자유 게시판의 글로 글쓴이의 개인적인 경험이 드러나며, '해요체(하는데요, 위험해요 등)'와 이모티콘(ㅠㅠ) 등 격식을 갖추지 않은 표현을 사용했다. (다)는 학생회 학생들이 작성한 건의문으로 공식적인 성격이 강하며 격식을 갖춘 '하십시오체(것입니다, 합니다, 있습니다 등)'를 사용했다.

② (나)는 친구들 사이의 대화로 '구어(口語)'가 사용되었는데, 구어에서는 '홈피'처럼 말을 줄여 쓰는 경우가 많다. (다)는 건의문으로 글에서 쓰는 말인 '문어(文語)'가 사용되었는데, '홈페이지' 같이 줄인 말을 되도록 쓰지 않는 문어적인 특징이 드러난다.

④ (나)의 '학교 올 때'와 '우리'에서 생략되었던 조사 '에'와 '가'가 (다)에서는 생략되지 않고 '학교에', '우리가'로 썼다. 문어인 (다)보다 구어인 (나)에서 조사의 생략이 자유롭게 허용되는 것을 알 수 있다.

⑤ (가)는 자유 게시판의 글로 (다)처럼 문어 상황이지만 사용된 언어의 특성이 구어인 (나)와 비슷하다. 따라서 (가)에서는 (나)와 같은 구어적인 특징을 확인할 수 있다.

2 글쓰기 전략 파악 답 ③

ⓒ에서 □□경찰서의 자료를 인용하여 일과 시간보다 등교 시간의 교통사고 발생률이 67%나 높다고 구체적인 수치를 제시한 것은 〈보기〉의 이성적 설득 전략에서 '객관적인 자료 활용하기'를 사용한 것이다.

[오답 풀이]

① ㉠에서 자가용 등교와 관련한 예상 독자의 경험을 언급한 것은 독자의 공감을 얻기 위해 독자의 경험을 언급하는 감성적 설득 전략에 해당한다.

② ㉡은 자가용 등교의 문제점에 대한 내용으로 글쓴이의 경험과 그와 대비되는 예상 독자의 경험을 제시하고 있지 않다.

④ ㉣에서 예상 독자가 제기할 수 있는 이견(자가용 등교가 불가피한 경우)을 언급한 것은 예상 반론을 언급하는 이성적 설득 전략에 해당한다. 그러나 이를 통해 예상 독자의 의견이 실현 불가능한 것임을 밝히고 있지는 않다.

⑤ ㉤에서는 현재의 상황을 개선함으로써 얻을 수 있는 결과(안전한 등굣길)를 설의적인 표현으로 제시하고 있다.

3 내용 조직의 적절성 평가 답 ③

(나)에서 '다리를 다쳤거나 집이 너무 멀거나 하는' 등 자가용 이용이 불가피한 학생이 있음을 언급하고 있고, (다)에서는 '걷기가 불편하거나 집이 많이 먼 경우는 자가용 등교가 불가피할 수 있'다고 말하면서 불가피한 경우에는 자가용 등교가 필요하다고 언급하고 있다. 따라서 (다)에서는 집이 먼 경우 부지런히 등교 준비를 해야 한다는 것을 해결 방안으로 제시하고 있지 않다.

[오답 풀이]

① (나)에서는 '안전한 등굣길을 만들기 위해 학생회 차원에서 건의문을 쓰자'고 하며 안전한 등굣길 만들기를 화제로 삼고 있으며, (다)에서는 '오늘 아침 여러분의 등굣길은 어떤 모습이었나요? 안전했나요?'처럼 독자의 일상을 떠올리게 하면서 화제에 대한 주의를 환기하고 있다.

② (나)에서는 '많은 애들이 자가용 등교 때문에 등굣길이 안전하지 않다고 여기는 건 분명해 보여.'와 같이 자가용 등교로 인해 등굣길이 위험하다는 인식을 드러내고 있으며, (다)에서는 '특히 우리 학교 앞 도로는 유난히 좁다 보니 횡단보도에 정차하는 경우도 많아 몹시 위험합니다.'와 같이 자가용 등교의 심각성을 학교 주변 환경과 연결하여 제시하고 있다.

④ (나)에서는 '자가용을 이용하지 않았을 때 남은 물론 자기한테도 좋은 점이 있다는 것도 알려 주면 좋겠어.'라고 제시하고 있으며, (다)에서는 '차에 놀라며 걷는 대신 친구와 함께 여유로운 발걸음으로 교문을 들어서는 아침 풍경을 만들 수 있습니다.'와 같이 자가용 이용을 자제했을 때 예상되는 긍정적인 변화를 구체화하고 있다.

⑤ (나)에서 등굣길 안전 확보 방법으로 제안한 '자가용 이용 자제하기', '주변 살피며 걷기'를 반영하여 (다)에서 '자가용 이용은 자제하고 주변을 살피며 걸어 주세요. 다 함께, 평화로운 등교 장면을 상상이 아닌 현실로 만듭시다.'처럼 등교 시에 유념할 행동 방향을 제시하며 독자의 실천을 촉구하고 있다.

본책 127쪽

글 분석

1 ❶ 건의문 ❷ 자가용 ❸ 등교 시간 ❹ 규칙적

문제 해결 TIP

❶ ○ 해설 다리를 다쳤거나 집이 멀다는 사정이 있어서 자가용을 이용하는 경우가 있다고 하였다.

❷ × 해설 집이 먼 경우에는 자가용 등교가 불가피하다고 하였다.

❸ 적절하지 않다

본책 128~130쪽

1 ⑤ 2 ⑤ 3 ④

2019-6월 모평

〈(가) 토의〉

주제 과제에 쓸 내용과 인상적인 글을 쓰기 위한 방안 논의

중심 내용 전반부: 글에 쓸 내용에 대한 논의
후반부: 인상적인 글을 쓰기 위한 방안에 대한 논의

〈(나) 초고〉

작문 상황 다른 지역의 학생들에게 사랑시를 소개하는 글 쓰기

주제 사랑시의 특색 있는 장소나 행사 소개

중심 내용 1 문단: 산할머니 제당과 문화제, 바람맞이 언덕 소개
2 문단: 사랑미술관 소개
3 문단: 반딧불이 축제 소개
4 문단: 사랑시 방문 권유

1 토의 내용 파악 답 ⑤

'학생 1'은 '학생 2'가 제안한 유화 그리기 수업의 문제점을 지적하고 있을 뿐 대안을 제시하고 있지 않다. 또한 '학생 3'이 사랑미술관의 다른 활동 중 학생들을 대상으로 하는 것을 언급한 것은 '학생 1'이 제기한 문제점의 해결 방안을 모색한 것이지, 대안의 적절성을 판단하여 평가한 것은 아니다.

[오답 풀이]

① '학생 1'이 맛나거리를 언급하자 '학생 2'는 △△거리, □□길처럼 비슷한 장소가 다른 지역에도 많다고 하였다. 이로 보아, '학생 2'는 △△거리, □□길이 사랑시만의 특색이 드러나는 곳이 아니라고 생각했음을 알 수 있다.
② '학생 2'가 맛나거리에 대해 비슷한 장소가 다른 지역에도 많다고 말하자, '학생 3'은 '그럼 맛나거리 대신에 반딧불이 축제를 소개'하자고 말하고 있다. 이로 보아, '학생 3'은 '학생 2'의 발언을 고려하여 반딧불이 축제를 대안으로 제시했음을 알 수 있다.
③ '학생 2'가 사랑미술관을 소개하자고 한 것은 미술관에서 운영하는 유화 그리기 수업이 특색 있다고 생각했기 때문이다. 이는 '모둠 과제 안내장'에 제시된 조건을 고려하여 제안한 것으로 볼 수 있다.
④ '학생 1'이 유화 그리기 수업은 어른들만을 대상으로 하는 것이라고 지적한 것은 '모둠 과제 안내장'에 제시된 과제를 감안하여 독자가 '학생'이라는 점을 고려해야 한다는 판단에 따른 것으로 볼 수 있다.

2 내용 생성의 적절성 평가 답 ⑤

[B]에서 '학생 3'은 '제당에서 언덕까지 찾아가는 길도 안내하면 좋겠어.'라고 말하고 있다. [C]에서는 이를 반영하여 '제당 뒤편으로 난 길을 따라가다 정자를 지나 5분 정도 더 올라가면 '바람맞이 언덕'에 도착한다.'라고 하며 제당에서 정자를 거쳐 바람맞이 언덕으로 가는 경로를 소개하고 있다.

[오답 풀이]

① [B]에서 '학생 3'은 산할머니 제당과 거기서 열리는 문화제도 소개하자고 하였다. [C]에서는 제당이 사랑시의 전통적 특색을 드러내는 곳이라는 점과 문화제에 대한 내용은 언급하고 있으나 문화제에서 열리는 다양한 행사를 안내하고 있지는 않다.
② [B]에서 '학생 1'은 산할머니 전설을 추가하자고 했고 [C]의 '전설에 따르면 ~ 산할머니신이 되었다고 한다.'에서 이를 반영하고 있다. 그리고 바람맞이 언덕에 있는 은행나무를 소개하고 있지만, 은행나무와 관련된 산할머니 일화는 제시하고 있지 않다.
③ [B]에서 '학생 1'은 사랑시 명칭의 유래도 추가하자고 하였다. [C]에서 산할머니 제당이 사랑시 명칭의 유래와도 관련된 곳이라고 하면서 사랑시 명칭의 유래를 제시하고 있으나 명칭의 변화 과정은 설명하고 있지 않다.
④ [B]에서 '학생 2'는 바람맞이 언덕을 소개하자고 했으나 바람맞이 언덕이 사랑시의 전통을 보여 준다고 하지는 않았다. 그리고 [C]에서 해마다 문화제가 열리는 이유를 바람맞이 언덕과 연결하여 설명하지 않았다.

3 조건에 맞는 글쓰기 평가 답 ④

(가)에서 말풍선에 들어갈 문구는 사랑시의 전통, 자연, 예술 분야의 특색을 모두 드러내고, 사랑시를 방문하면 얻을 수 있는 좋은 점을 포함하며, 대조의 방식을 사용하여 표현하기로 했다. ④에는 사랑시의 전통(효의 정신이 담긴 산할머니 전설), 자연(청정한 사랑시, 반딧불), 예술(화가들의 작품 이야기) 분야의 특색이 모두 드러나며, '여러분들 마음속에 여유가 생길 거예요.'에는 사랑시를 방문하면 얻을 수 있는 좋은 점도 담겨 있다. 그리고 '어두운 여름밤'과 '밝은 반딧불'이 대조를 이루고 있다.

[오답 풀이]

① 사랑시의 전통(효의 고장), 자연(반딧불이) 분야의 특색과 사랑시를 방문하면 얻을 수 있는 좋은 점(텅 빈 가슴이 빛으로 가득 찰 것), 대조의 표현 방식(텅 빈 – 가득 찰)은 드러나지만, 예술 분야의 특색은 드러나 있지 않다.
② 사랑시의 전통(산할머니 전설, 효의 전통), 자연(맑고 깨끗한 자연 풍경), 예술(아름다운 예술이 가득한) 분야의 특색은 드러나지만, 사랑시를 방문하면 얻을 수 있는 좋은 점과 대조의 표현 방식은 드러나 있지 않다.
③ 사랑시의 전통(효의 전통, 산할머니 전설), 자연(맑고 깨끗한 자연), 예술(맑고 깨끗한 자연을 담은 그림) 분야의 특색과 사랑시를 방문하면 얻을 수 있는 좋은 점(가족의 소중함을 깨닫게 해 준다.)은 드러나지만, 대조의 표현 방식을 사용하지 않았다.
⑤ 사랑시의 자연(반딧불이), 예술(미술 작품) 분야의 특색과 사랑시를 방문하면 얻을 수 있는 좋은 점(눈은 시원하게 마음은 따뜻하게), 대조의 표현 방식(시원하게 – 따뜻하게)은 드러나지만, 전통 분야의 특색은 드러나 있지 않다.

본책 131쪽

글 분석

1 ❶ 반딧불이 축제 ❷ 이동 경로
❸ 산할머니 제당 ❹ 사랑미술관

문제 해결 TIP

❶ ○ (해설) [B]에서 '학생 3'이 산할머니 제당과 문화제를 소개하자고 말하고 있다.

❷ × (해설) [C]에 문화제에 대한 내용은 있지만 문화제에서 열리는 다양한 행사를 안내하고 있지는 않다.

❸ 적절하지 않다

본책 132~135쪽

1 ⑤ 2 ④ 3 ④ 4 ③ 5 ③

2022-6월 모평

<(다) 학생 2의 초고>

작문 상황 우리 학교 학생들에게 의류 수거함을 올바르게 이용하자고 권유하는 글 쓰기

주제 의류 수거함을 올바르게 이용하자.

중심 내용

1 문단	문제 상황 제시 – 의류 수거함이 몸살을 앓고 있음.
2 문단	의류 수거함을 올바르게 이용해야 하는 이유
3 문단	올바른 의류 수거함 이용 방법
4 문단	올바른 의류 수거함 이용 권유

1 대화 내용 평가 답 ⑤

'학생 2'는 이용자의 문제가 더 크다는 내용을 반복하고 있지만 절충안을 제시하고 있지는 않다. '학생 1'과 자신의 의견이 다르다는 사실을 확인하고 있을 뿐이다.

[오답 풀이]

① '학생 2'가 의류 수거함 주변이 쓰레기장이 된 원인을 묻자, '학생 1'은 신문 기사에서 본 ○○시의 사례를 근거로 들어 시청의 미흡한 대처가 원인이라고 답하고 있다.

② '학생 2'는 '학생 1'이 언급한 신문 기사의 내용 중 ○○시청이 적극 노력했다는 부분에 대한 세부 정보를 요청하고 있다.

③ '학생 2'는 시청이 적극적으로 나서지 않은 것이 의류 수거함 문제의 원인이라는 '학생 1'의 의견을 확인하고 있다.

④ '학생 2'는 시청의 책임이라는 '학생 1'의 의견도 맞다고 말한 후 이용자의 탓이 더 크다는 자신의 견해를 드러내고 있다.

2 내용의 점검과 조정 답 ④

'학생 1'이 '찾은 자료 나한테 전자 우편으로 보내 줘.'라며 상대에게 원하는 바를 일방적으로 요구하자 '학생 2'는 부정적 반응을 보인다. 그러자 '학생 1'은 사과를 하며 '공유 좀 부탁해도 될까?'라고 질문의 방식으로 바꾸어 '학생 2'의 동의를 구하고 있다.

[오답 풀이]

① '학생 1'은 '학생 2'에게 자료를 보내 달라고 제안했는데, 이에 대해 '학생 2'는 부정적 반응을 보였다.

② '학생 1'과 '학생 2'는 둘 다 의류 수거함에 대한 글을 쓰려는 생각을 하고 있지만 서로의 의견을 최대한 일치시키지는 않았다. 또한 '학생 2'가 긍정적 반응을 보이지도 않았다.

③ '학생 1'은 '학생 2'에게 찾은 자료를 보내 달라는 자신의 의사를 분명하게 드러내고 있다.

⑤ '학생 1'은 상대의 요구를 수용한 것이 아니라 상대에게 자료를 달라는 요구를 하고 있다.

3 내용 생성의 적절성 평가 답 ④

(가)에서 '학생 1'이 공공의 문제 해결에는 시청의 영향력이 크다고 언급하고 있다. 그러나 (나)의 2문단에는 시청의 영향력에 대한 내용이 건의 수용의 기대 효과로 제시되어 있지 않다.

[오답 풀이]

① (가)에서 '학생 2'는 평소에도 의류 수거함이 문제가 많다고 생각했는데 친구들도 수거함이 관리될 필요가 있다고 해서 글감으로 선정했다고 하였다. 그리고 (나)의 1문단에서 많은 학생들이 의류 수거함 관리의 필요성을 느끼고 있다고 하였다.

② (가)에서 '학생 2'는 의류 수거함 주변이 쓰레기장이 되고 있고 수거함에 수거 대상이 아닌 물품과 쓰레기들이 많다고 하였다. 그리고 (다)의 1문단에서 '수거 대상이 아닌 물품과 쓰레기로 의류 수거함이 몸살을 앓고 있다. 수거함 주변이 쓰레기장이 된 곳도 있다.'라고 문제 제기를 하고 있다.

③ (가)에서 '학생 1'은 ○○시에서도 비슷한 문제가 있었지만 시청이 노력해서 잘 해결했다는 신문 기사를 보았다고 했다. 그리고 (나)의 3문단에서 주장을 뒷받침하는 사례로 이 신문 기사를 제시하고 있다.

⑤ (가)에서 '학생 1'은 의류를 올바르게 배출하면 선별하는 데 드는 시간과 비용을 줄일 수 있다고 하였다. 그리고 (다)의 2문단에서 올바르게 배출하면 선별 과정에서의 비용과 시간을 크게 줄일 수 있다고 하였다.

4 작문 맥락 파악 답 ③

(가)에서 '학생 2'의 '나는 우리 학교 학생을 대상으로'와 (다)의 3문단에서 '학생인 우리가 할 수 있는 일은 무엇일까?' 등을 통해 (다)의 예상 독자는 '학생 2'가 속해 있는 학교의 학생임을 알 수 있다.

[오답 풀이]

① (나)의 글의 유형은 건의문으로 문제 해결을 위한 구체적이고 실행 가능한 방안을 요구하는 글이다.

② (나)의 작문 매체는 누리집 게시판(인터넷 매체)으로 글쓴이가 언급한 신문 기사를 예상 독자가 확인할 수 있도록 링크를 제시하여 다른 자료에 연결하고 있다.

④ (다)의 주제는 '의류 수거함을 올바르게 이용하자.'로 의류 수거함 문제 상황과 그 해결 방안을 중심 내용으로 제시하고 있다.

⑤ (나)에서는 도시의 미관이 개선되고 의류 수거함에 대한 시민들의 인식도 좋아질 것이라는 기대 효과를 제시하고 있고, (다)에서는 도시의 미관과 환경을 개선할 수 있고, 의류가 재사용되는 비율을 높일 수 있을 것이라는 기대 효과를 제시하고 있다.

5 고쳐쓰기의 적절성 평가 답 ③

ⓑ의 앞 문장은 수거함에 넣을 수 있는 물건과 그렇지 않은 물건을 구분해야 한다는 내용이므로, 넣을 수 있는 물건과 그렇지 않은 물건의 구체적인 예가 이어지는 것이 자연스럽다. 따라서 앞뒤 문장 간의 관계가 긴밀하도록 ⓑ를 '의류와 가방, 담요 등은 가능하지만 솜이불과 베개, 신발 등은 넣어서는 안 된다.'로 수정하는 것이 적절하다.

[오답 풀이]

① ㉮를 기준으로 할 때, 의류의 재사용 비율을 높일 수 있다는 앞 문장과 외국의 의류 재사용 방식을 언급한 ⓐ는 긴밀하게 연결되지 않는다. 그러나 ⓐ를 수정한 내용도 앞 문장과 긴밀하게 연결되지 않는다.

② 'ⓑ 배출할 의류가 물에 젖었다면 반드시 말려야 한다.'는 뒷 문장의 사례이므로 ⓑ와 뒷 문장의 순서를 바꾸는 것이 자연스럽다. '예를 들어'를 '그러나'로 바꾸는 것은 적절하지 않다.

④ ⓐ가 앞 문장을 뒷받침하는 논거는 아니지만 ⓐ를 수정한 내용 역시 앞 문장을 뒷받침하는 논거가 될 수 없다.

⑤ ⓑ의 앞 문장은 재활용 가능 여부를 구분해서 의류 수거함에 넣어야 한다는 내용이다. ⓑ를 수정한 내용은 앞 문장을 뒷받침하는 논거가 될 수 없다.

실전 02

본책 136~139쪽

1 ③ 2 ⑤ 3 ③ 4 ④

2022 수능 예시 문항

〈(가) 대화〉

화제 『레 미제라블』에서 인상 깊은 인물

주제 『레 미제라블』에서 인상 깊은 인물과 그 이유

대화 내용
- 인상 깊은 인물 선정: 미리엘 주교
- 인상 깊은 인물에 대한 평가
- 인상 깊은 인물을 중심으로 서평을 쓰기 위한 자료 요청 및 수락

〈(나) 학생의 초고〉

작문 상황 『레 미제라블』을 읽고 인상 깊은 인물을 중심으로 서평 쓰기

주제 『레 미제라블』에서 인상 깊은 인물에 대한 평가와 작품의 의의

중심 내용

문단	내용
1 문단	『레 미제라블』의 제목, 배경, 인물 소개
2 문단	미리엘 주교에 대한 평가 – 주교의 행동은 법과 상식을 뛰어넘어 감동을 줌.
3 문단	미리엘 주교의 행동에 담긴 작가의 생각
4 문단	『레 미제라블』의 주제 의식과 의의 – 무지와 빈곤의 세상을 살아갈 수 있게 하는 사랑의 힘

1 대화 내용 파악 답 ③

ⓒ은 미리엘 주교를 앞과는 다른 관점에서 생각해 보자는 것이므로 화제를 전환하고 있다고 볼 수 있다. 의문문의 형식으로 되어 있지만 인물에 대해 다른 관점에서 생각해 보자는 의견에 의문을 제기하는 것이 아니라, 인물에 대해 다른 관점에서 생각해 보자는 의견을 제시하고 있다.

[오답 풀이]

① '활동 1'은 인상 깊은 인물을 선정해 다양하게 이야기하는 것이다. ㉠은 '활동 1'을 하기 위한 첫 번째 단계로 인상 깊은 인물을 선정하기 위한 질문에 해당한다.

② '준수'는 인상 깊은 인물로 '미리엘 주교'를 선정할 것을 제안하고 있다.

④ '재민'은 '활동 2'인 서평 쓰기에 대한 정보를 친구들에게 물어보면서 확인하고 있다.

⑤ '민지'는 '재민'에게 작가인 빅토르 위고에 대한 책이나 자료를 빌려 줄 것을 부탁하고 있다.

2 표현 전략과 대화의 원리 파악 답 ⑤

[A]에서 '부드러운 목소리로'는 억양, 성량, 속도, 어조 등의 '준언어적 표현(ⓐ)'에 해당하며, '혹시 목요일까지 줄 수 있겠니?'는 상대가 부담스럽지 않게 말하는 것이므로 ㉮에 해당한다. [B]에서 '머리를 긁적이며'는 신체 동작이므로 '비언어적 표현(ⓑ)'에 해당하며, '정리를 잘하진 못했는데 좋게 봐 줘서 고마워.'는 자신에 대한 칭찬을 최소화하는 것이므로 ㉰에 해당한다.

3 내용 생성의 적절성 평가 답 ③

(가)의 '활동 1'에서 작가인 빅토르 위고가 사회적 약자에 대한 애정, 인도주의를 담아내는 작품을 많이 썼다고 하였고, 이 내용은 (나)의 3문단에서 미리엘 주교의 행동을 긍정적으로 평가하는 근거가 되었다. 작가에 관한 내용을 활용하여 미리엘 주교의 행동이 지닌 한계(법의 집행을 어렵게 해 사회를 혼란에 빠뜨릴 수 있음.)를 제시했다는 것은 적절하지 않다.

[오답 풀이]

① '활동 1'에 언급된 작품의 사회적 배경인 '프랑스의 변혁기'를 (나)의 1문단에서 '당시 프랑스는 국가 재정이 바닥났고, 흉작과 물가 폭등으로 사람들의 삶은 힘겨웠다.'로 구체화하여 장 발장의 상황과 연결시키고 있다.

② '활동 1'에는 작품 제목에 대한 정보가 언급되지 않았지만, (나)의 1문단에서는 '레 미제라블'이라는 제목의 의미를 묻고 그 의미가 '불쌍한 사람들'이라고 답을 하면서 제목에 대한 정보를 추가로 제시하고 있다.

④ '활동 1'에는 작품 서문의 내용이 언급되지 않았지만, (나)의 4문단에는 작품 서문의 내용을 추가해 『레 미제라블』의 의미가 무지와 빈곤의 세상을 살아갈 수 있는 사랑의 힘을 알게 해 준다는 것임을 강조하고 있다.

⑤ (나)의 2문단의 마지막 문장과 3문단의 첫 번째 문장은 모두 주교의 행동을 긍정적으로 평가하고 있으므로 '그럼에도 불구하고'는 적절하지 않다.

4 글쓰기 전략 파악 답 ④

미리엘 주교의 행동이 바람직하지 않다는 주장을 뒷받침하는 근거는 장 발장의 행동이 아니라, 장 발장의 죄를 덮어 줘 법의 집행을 어렵게 한 미리엘 주교의 행동이다.

[오답 풀이]

① (나)의 4문단에서 "항상 서로 많이 사랑해라. 이 세상에 그 밖에 다른 것은 별로 없느니라."라는 장 발장의 말을 인용하여 미리엘 주교로 인해 장 발장이 변화했음을 보여 주고 있다. 이를 통해 미리엘 주교의 행동에 대해 긍정하는 관점을 드러내고 있다.

② 장 발장이 은그릇을 훔친 것을 알고도 죄를 덮어 주며 사회적 약자인 장 발장을 애정으로 대한 미리엘 주교의 행동을 근거로 들어 글쓴이의 주장을 뒷받침하고 있다.

③ 미리엘 주교의 행동으로 장 발장이 새사람으로 거듭나고 사랑의 힘을 믿게 되었다는 점을 근거로 들어 미리엘 주교의 행동은 바람직하다는 주장을 뒷받침하고 있다.

⑤ 미리엘 주교의 행동을 부정적으로 평가하는 관점에 대해, 글쓴이는 세상의 모든 이치를 법으로만 판단할 수는 없다고 하면서 자신의 관점을 강화하고 있다.

본책 140~143쪽

1 ⑤ 2 ② 3 ③ 4 ③

2021 수능

〈(가) 대화〉

화제	비평문에서 다룰 현안과 관점 정하기
주제	비평문에서 다룰 현안과 관점의 선정 및 역할 분배
대화 내용	• 비평문에서 다룰 현안: 장소의 획일화 • 비평문의 관점: 장소의 획일화에 대한 부정적 관점

〈(나) 학생의 초고〉

작문 상황	우리 학교 학생들을 예상 독자로 하여 장소의 획일화에 대한 비평문 쓰기
주제	장소의 획일화의 문제점과 해결 방안

중심 내용

1 문단	장소의 획일화의 개념 및 관점 제시 – 개념: 장소가 고유한 특성을 잃고 다른 장소와 동질화된 것 – 관점: 부정적 관점
2 문단	장소의 획일화의 문제점 ① – 장소에서 느끼는 정서적 유대 훼손
3 문단	장소의 획일화의 문제점 ② – 장소에서 얻을 수 있는 경험의 다양성 축소
4 문단	장소의 획일화에 대한 다른 관점과 그것에 대한 반박
5 문단	장소의 획일화에서 벗어나기 위한 노력의 필요성 강조

1 대화 내용 파악 답 ⑤

'학생 2'가 장소의 획일화에 대해 부정적 관점으로 비평문을 쓰자고 하자, '학생 3'은 '장소의 획일화'로 생길 수 있는 문제들을 구체적으로 물어보고 있다. 상대방의 의도를 파악했는지 확인하고 있지는 않다.

[오답 풀이]

① '학생 1'이 비평문에서 다룰 현안에 대해 의견을 나눠 보자고 말하자 '학생 2'는 시사성이 있으면서 우리 학교 학생들도 고민해 볼 만한 현안을 다루기로 했다고 하면서 상대가 언급한 내용을 구체화하여 확인하고 있다.

② '우리 학교 학생들의 독서 실태 개선'을 다루자는 '학생 3'의 제안에 대해 교지에서 다룬 내용과 겹친다는 이유를 들면서 반대의 견해를 밝히고 있다.

③ '장소의 획일화'를 다루자는 '학생 1'의 말을 듣고 '장소의 획일화'에 대한 추가 정보를 요청하고 있다.

④ '학생 3'은 학교 근처의 골목길이 다른 지역과 비슷한 ○○ 거리로 변한 것이 '장소의 획일화'의 사례에 해당하는지 '학생 1'에게 확인하고 있다.

2 대화의 표현 전략 파악 답 ②

㉮ '학생 1'의 첫 번째 발화인 '지난번에 비평문에서 ~ 찾아보기로 했잖아.'에서 지난 활동에서 비평문에서 다룰 현안에 대해 각자 찾아보기로 논의했음을 환기하고 있다. ㉰ '학생 1'의 두 번째 발화에서 신문 기사(매체)에서 찾은 장소의 획일화 문제를 현안으로 제안하고 있다. ㉲ '학생 1'의 마지막 발화에서 자신이 자료를 수집하고 조사할 테니 다른 역할도 나눠 보자고 말하면서 모둠원들의 역할 분담을 제안하고 있다.

[오답 풀이]

㉯ '학생 1'은 교지에 대해 언급하지 않았고, 교지에 실린 비평문을 참고 자료로 제시하지도 않았다.

㉱ '학생 1'은 관점을 선정할 때 유의점을 언급하지 않았다. '시사성이 있으면서도 우리 학교 학생들도 고민해 볼 만한 내용'을 관점 선정시의 유의점으로 언급한 것은 '학생 2'이다.

3 글쓰기 계획 파악 답 ③

(나)의 2문단에서 지리학자 에드워드 렐프의 견해를 인용하고 있으므로 [활동 1]에서 언급되지 않았던 전문가의 견해를 인용했다는 설명은 적절하다. 그러나 이러한 견해는 장소가 획일화되면 인간과 장소의 유대감이 훼손된다는 장소의 획일화의 문제점을 드러낼 뿐, 장소의 획일화에 대한 사회적 인식 변화와는 관련이 없다.

[오답 풀이]

① [활동 1]에서 선정한 현안인 '장소의 획일화'가 직접적으로 드러나도록 제목을 구성했다.

② [활동 1]에서 학교 근처 골목길이 다른 지역과 비슷한 ○○ 거리로 변한 것은 우리 학교 학생들도 경험했을 만한 내용이라고 말하고 있다. 이를 반영하여 (나)의 1문단에서 '우리 학교 학생이라면 ~ ○○ 거리가 자리 잡았다'라고 하며 글을 시작하고 있다.

④ [활동 1]에서 학교 근처에 있던 골목길도 다른 지역과 비슷한 ○○ 거리로 변했다고 문제점을 언급한 것을 반영하여, (나)의 3문단에서 '학교 근처 골목길에서 일어난 변화가 최근 우리 동네 곳곳으로 퍼지고 있'다는 내용의 '우리 동네 보고서'를 자료로 활용했다.

⑤ [활동 1]에서 다뤄지지 않았던 △△ 재래시장의 사례를 추가하여 장소의 획일화에서 벗어나기 위해 노력해야 한다고 말하고 있다.

4 내용의 점검과 조정 답 ③

4문단에서 언급된 '어딜 가나 비슷한 장소에 싫증을 느낀 사람들'을 '획일화된 장소에 식상함을 느낀 사람들'로 볼 수 있으나, 이들이 장소의 선택권을 요구했다는 내용은 제시되어 있지 않다.

[오답 풀이]

① 1문단의 마지막 문장에서 '장소의 획일화는 바람직하지 않다.'라고 하면서 주장을 명시적으로 드러내고 있다.

② 2문단에서 '장소가 획일화되면 장소에서 느끼는 정서적 유대가 훼손된다.', 3문단에서 '장소가 획일화되면 장소를 통해 얻을 수 있는 경험의 다양성도 줄어든다.'라고 하면서 장소의 획일화에 대한 부정적인 관점을 일관되게 드러내고 있다.

④ 2문단에서 전문가의 견해를 인용하여 장소가 획일화되면 장소에서 느끼는 정서적 유대와 안정감이 훼손될 수 있다는 점을 근거로 제시하고 있다.

⑤ 4문단에서 경제적 효과를 이유로 장소의 획일화가 불가피하다는 반론에 대해 글쓴이는 경제적 효과가 지속되기 어렵다는 점을 근거로 들어 비판하고 있다.

본책 144~147쪽

1 ②　2 ④　3 ④　4 ⑤

〈(나) 학생의 수기〉 2021-9월 모평

작문 상황 텔레비전 방송의 인터뷰를 시청하고 산림 치유 프로그램에 참여한 뒤 수기 쓰기

주제 산림 치유 프로그램 '쉼숲'에 참여한 소감

중심 내용

1 문단	산림 치유 프로그램에 참여하게 된 계기 – 산림 치유에 대한 방송 인터뷰를 보게 됨.
2 문단	'쉼숲' 프로그램을 선택한 과정 – 방송 인터뷰에서 알려 준 누리집을 통해 청소년 프로그램인 '쉼숲'을 알게 됨.
3 문단	'쉼숲' 프로그램에서 제일 좋았던 활동 – '나무와 대화하기'

1 의사소통 방식 파악 답 ②

'진행자'가 잘못 이해하고 질문한 내용을 '지도사'가 바로잡아 주고 있는 부분은 없다.

[오답 풀이]

① '제 생각에는 청소년들이 학업 등으로 힘들어하는 경우가 많아져서 그런 것 같네요.'에서 '진행자'가 '지도사'의 답변에 자신의 의견을 덧붙이고 있다.

③ '말씀하신 참가 신청은 어떻게 할 수 있나요?'에서 '진행자'는 참가 신청에 대한 추가 정보를 요청하는 질문을 하고 있다.

④ '네, 업무 처리가 생각만큼 잘 진행되지 않아서 스트레스를 받았던 적이 있습니다. 그럴 땐 좀 힘들죠.'에서 '진행자'는 자신의 경험을 언급하며 '지도사'의 질문에 답변하고 있다.

⑤ '진행자께서도 참여하시면 스트레스가 줄어들고 마음이 좀 편해지실 겁니다. 꼭 한번 참여해 보세요.'에서 '지도사'는 기대되는 긍정적인 결과를 언급하며 '진행자'의 참여를 권유하고 있다.

2 자료 활용 방안 파악 답 ④

'지도사'는 [질문 2]에 대한 답변 과정에서 ㉡의 표를 제시하고 있다. 그러나 이 표는 두 직업군의 프로그램 참가 전후 스트레스 점수 평균값을 비교한 것으로, 산림 치유 프로그램이 스트레스를 감소시키는 효과가 있음을 보여 준다. 많은 직장인이 스트레스 관련 질환 주의군에 속한다는 점을 언급하고 있지는 않다.

[오답 풀이]

①, ② 지도사의 두 번째 발화에서 산림 치유와 산림 치유 프로그램에 대해 소개하고 있다. 이 과정에서 산림 치유 프로그램의 하나인 숲 명상 사례를 ㉠으로 제시하여 프로그램을 간접 체험해 보도록 안내하고 있고, 프로그램 활동을 생생하게 전달하고 있다.

③ 지도사의 다섯 번째 발화에서 산림 치유 프로그램이 스트레스를 감소시키는 효과가 있음을 언급하고 있는데, 이때 ㉡을 제시하여 구체적인 수치 변화를 보여 주고 있다.

⑤ 지도사의 일곱 번째 발화에서 산림 치유 프로그램 운영 장소인 산림 치유원과 국공립 치유의 숲을 언급하고 있는데, 이때 ㉢을 제시하여 산림 치유 프로그램 운영 장소의 수와 분포에 대한 정보를 제공하고 있다.

3 내용 생성의 적절성 평가 답 ④

(가)에서 지도사는 '산림 치유란 피톤치드, 나뭇잎의 초록색 등과 같은 숲의 환경 요소로 심신의 건강을 회복시키는 것입니다.'라고 하며 숲의 환경 요소가 심신에 좋은 영향을 준다고 말하고 있다. (나)에서도 나무와 대화하는 활동을 통해 좋은 영향을 받았음을 언급하고 있지만, 산림 치유 프로그램에서 만난 다른 사람들도 좋은 영향을 받았다는 내용은 언급하고 있지 않다.

[오답 풀이]

① (가)에서 지도사가 '숲은 마음을 토닥여 주는 친구'라고 비유적으로 표현했는데, (나)의 3문단에서도 이 어구를 활용해 산림 치유 프로그램이 나에게 도움이 되었다고 말하고 있다.

② (가)에서 지도사가 산림 치유 프로그램에 참여하면 스트레스가 줄어들고 마음이 편해질 것이라고 했는데, (나)의 1문단에서 그러한 점이 산림 치유 프로그램에 참여하는 계기였음을 밝히고 있다.

③ (가)에서 지도사는 산림 치유 프로그램에 청소년부터 노년층까지 폭넓은 연령층이 참여한다고 했는데, (나)의 2문단 '내 생각과 달리 ~ 생각했다.'에서 이 말을 듣고 산림 치유 프로그램에 대한 기존의 생각이 바뀌었음을 밝히고 있다.

⑤ (가)에는 청소년을 대상으로 하는 산림 치유 프로그램에 대한 구체적인 정보가 드러나 있지 않은데, (나)의 2문단에서 이에 대한 구체적인 정보를 누리집에서 찾을 수 있었음을 언급하고 있다.

4 내용의 점검과 조정 답 ⑤

'성격 때문에 속상해하던'에서 프로그램에 참여하기 전의 마음 상태를, '속상했던 마음이 풀리고 내 성격을 인정하게 되었다.'에서 참여한 후의 마음 상태를 모두 표현하였다. 그리고 '내 모습을 아끼며 살아갈 것'에서 삶의 자세에 대한 다짐을 나타내고 있다.

[오답 풀이]

① 참여하기 전과 후의 마음 상태와 삶의 자세에 대한 다짐이 모두 드러나지 않는다.

② 참여하기 전(고민거리를 지니고 있던)과 후(마음의 짐을 덜어 낼 수 있었다.)의 마음 상태는 드러나지만, 삶의 자세에 대한 다짐은 드러나지 않는다.

③ 삶의 자세에 대한 다짐(힘든 일이 생길 때마다 숲을 찾아가 숲의 응원을 받고 와야겠다.)이나 참여한 후의 마음 상태(정말 만족스러웠다.)는 드러나지만, 참여하기 전의 마음 상태는 드러나지 않는다.

④ 삶의 자세에 대한 다짐(다른 사람들에게 향기로운 사람이 되려고 노력할 것이다.)은 드러나지만, 참여하기 전과 후의 마음 상태는 드러나지 않는다.

본책 148~151쪽

1 ④ 2 ① 3 ④ 4 ③

〈(나) 학생의 초고〉 2021-3월 고3 학평

작문 상황 책을 읽고 나눈 이야기를 바탕으로 교훈을 주는 글 쓰기

주제 합리적인 판단을 하기 위한 방법

중심 내용

1 문단	'정박 효과'의 개념 및 사례 – 개념: 초기에 제시된 기준이나 상황을 벗어나는 것이 쉽지 않음.
2 문단	'확신의 덫'의 개념 및 사례 – 개념: 자신의 판단이 옳다는 것을 확인시켜 주는 정보만을 받아들이려는 사고 경향
3 문단	합리적인 판단을 하기 위한 방법 – 자신의 판단 오류 가능성에 대해 인정함. – 다른 사람들의 말을 경청함.

1 대화 내용 파악 답 ④

㉣에서 '홍철'은 책을 읽은 후 작가가 전달하려는 교훈에 대해 말하고 있다. 글쓰기 형식에 대해 평가하고 있지는 않다.

[오답 풀이]

① '홍철'은 책을 읽기 전에 목차를 보고 너무 어려운 내용은 아닌지 미리 책의 수준을 가늠하려고 했음을 알 수 있다.

② '윤주'는 사고 경향을 7가지로 나누어 각 장에서 한 가지씩 설명하는 방식으로 구성된 것을 고려하여, 하루에 1장씩 일주일간 책을 읽으려고 계획했음을 밝혔다. 이는 책을 읽기 전에 책의 구성을 고려하여 책 읽기 계획을 세운 것이다.

③ '지민'은 메모의 내용을 보며 3장과 5장의 내용을 언급했으므로 책을 읽는 과정에서 책의 내용을 메모하였음을 알 수 있다.

⑤ '윤주'는 책을 읽는 과정에서 생긴 궁금증을 해결하기 위해 참고 문헌에 나와 있는 책을 찾아 읽었으므로 확장적 독서를 하였다고 볼 수 있다.

2 준언어적 · 비언어적 표현 파악 답 ①

준언어적 표현은 말을 할 때 언어적 표현에 덧붙여 의미 전달에 영향을 미치는 성량, 속도, 어조 등을 말한다. 비언어적 표현은 말을 할 때 언어적 표현과는 독립적으로 의미를 표현하는 시선, 표정, 몸동작 등을 말한다. [A]에서 '홍철'은 엄지손가락을 치켜드는 비언어적 표현을 사용하여 다른 책까지 찾아 읽었다는 '윤주'를 칭찬하는 언어적 표현을 강화하였다.

[오답 풀이]

② '윤주'는 겸연쩍은 표정을 짓는 비언어적 표현을 사용하여 자신을 낮추는 언어적 표현을 보완하였다.

③ '지민'은 간절한 눈빛인 비언어적 표현을 사용하여 상대방에게 부탁하는 언어적 표현을 보완하였다.

④ '윤주'는 안타까운 표정을 짓는 비언어적 표현을 사용하여 상대방의 부탁을 들어주지 못하는 상황을 이야기하고 있다. 상대방에게 이익이 되도록 제안하는 언어적 표현을 사용하지 않았다.

⑤ '지민'은 상냥한 말투인 준언어적 표현을 사용하여 괜찮다고 말하고 있다. 언어적 표현이 담고 있는 내용이 자신의 의도와 다른 것임을 드러내지 않는다.

3 내용 조직의 적절성 평가 답 ④

(가)에서 '지민'은 '그 누구도 정답만을 말할 수는 없다.'라고 한 작가의 말을 인용하고 있으며, 이와 동일한 문장을 (나)의 마지막 문단에서 찾을 수 있다. 그러나 이 문장은 판단의 오류 가능성을 인정함으로써 잘못된 판단을 예방하자는 의미로 사용한 것이지, 시간 제약이 있는 상황에서 합리적인 판단을 이끌어 내는 방법을 제시하기 위해 사용하지 않았다.

[오답 풀이]

① (나)의 1문단에서 정박 효과는 비단 소비의 측면에서만 일어나는 것이 아니라 우리의 일상생활에서 흔히 일어난다고 말하면서 첫인상으로 사람의 성격을 판단하는 것을 그 사례로 들고 있다. (가)에서는 첫인상 판단에 대한 내용은 언급하지 않았다.

② (가)에서 '홍철'은 책의 내용 중 챌린저호의 폭발 사고에 대한 내용이 기억에 남는다고 간단하게 언급했다. (나)의 2문단에서는 챌린저호의 폭발 사고와 관련된 정보를 추가하여 확신의 덫에 빠지는 문제를 설명하고 있다.

③ (가)에서 '지민'이 언급한 '확신의 덫'을 (나)에서 설명하는 과정에서 '답정너'라는 신조어를 예로 들어 확신의 덫에 빠져 있는 것이 어떤 것인지 쉽게 이해할 수 있게 하였다.

⑤ (나)의 마지막 문단에서 개방적인 자세는 경청에서부터 나온다고 하며 경청의 중요성에 대해 밝혔는데 이러한 내용은 (가)에서는 언급되지 않았다.

4 글쓰기 전략 파악 답 ③

(나)에서는 정박 효과와 확신의 덫에 대해 설명하면서 누구든지 자신의 판단 오류 가능성에 대해 인정할 수 있어야 하며, 다른 사람들의 말을 경청할 줄 알아야 한다고 말하고 있다. 그러나 판단의 오류를 인정하지 않으려고 하는 사회적 이유를 분석하고 있지 않으며, 이를 통해 독자가 자신의 문제 상황을 알 수 있게 하는 것도 아니다.

[오답 풀이]

① (나)에서는 1인칭 대명사인 '우리'를 사용하여 필자와 독자의 거리감을 좁히고 있다.

② (나)의 1문단에서 '10만 원이라는 가격표가 붙은 물건을 3만 원에 살 수 있다면 우리는 이 물건을 사야 할까, 말아야 할까?'라며 상품을 구매하는 상황을 가정한 물음을 제시함으로써 독자의 주의를 환기하고 있다.

④ (나)의 3문단에서 직관적 판단과 자기 확신이 터무니없거나 편향된 판단을 이끌어 낼 수 있다는 문제점을 언급하면서 예상되는 독자의 반응(직관적 판단과 자기 확신을 긍정적으로 볼 수 있다.)에 대응하고 있다.

⑤ (나)의 3문단에서 터무니없거나 편향된 판단을 예방하기 위해 판단의 오류 가능성을 인정하는 태도, 다른 사람들의 말을 경청하는 태도를 제시함으로써 문제 해결 방법을 알려 주고 있다.

실전 06

본책 152~155쪽

1 ⑤ 2 ⑤ 3 ⑤ 4 ③

2020-10월 고3 학평

〈(가) 기사문〉

구성

표제		□□ 백화점 주변의 극심한 교통 혼잡 해결되나?
전문		구청 측과 □□ 백화점 측의 합의
본문	2 문단	□□ 백화점 방문 차량으로 인한 교통 혼잡에 대해 구청과 백화점이 노력하기로 함.
	3 문단	백화점 입점 이후 교통량 증가로 주차장 추가 확보가 시급함.
	4 문단	구청과 백화점은 추가 협상을 진행하기로 함.

〈(나) 협상〉

주제 백화점 주변의 교통 혼잡 문제 해결 방안

특징
- 양측 모두에게 이익이 되는 방안을 마련하기 위해 협력함.
- 양보할 것은 양보하고 주장해서 얻을 것은 얻으며 구체적인 해결 방안을 찾아감.

중심 내용

	얻은 것	양보한 것
구청 측	• 백화점 주차장 10부제 운영 • 백화점 인근 아파트에 현수막 부착 및 안내 요원 배치 • 구청 주차장 시설 개선 및 안전 요원 배치	• 마을버스 배차 간격 조정 • 주말에 구청 주차장 개방
백화점 측	• 마을버스 배차 간격 조정 • 주말에 구청 주차장 개방	• 백화점 주차장 10부제 운영 • 백화점 인근 아파트에 현수막 부착 및 안내 요원 배치 • 구청 주차장 시설 개선 및 안전 요원 배치

1 글쓰기 계획 파악 답 ⑤

3문단에 주차 문제 해결을 위해서는 시설 개선(주차장 추가 확보)이 필요하다는 내용은 제시되었지만, 시설 개선을 통한 주차 문제 해결 사례는 제시되지 않았다.

[오답 풀이]

① 2문단에서 최근 □□ 백화점을 방문하는 차량이 크게 증가함에 따라 교통 혼잡으로 인해 민원이 폭증하고 있음을 언급하고 있다.

② 2문단에서 구청 측은 □□ 백화점에 해결책을 조속히 마련할 것을 요청할 예정이며, 필요한 부분이 있다면 구청도 적극적으로 협조할 것이라고 말하고 있다.

③ 2문단에서 백화점 측은 문제 해결을 위해 적극적으로 나서겠다고 밝혔으며 구청 측의 협조가 필요함을 강조하고 있다.

④ 3문단에서 교통 연구소의 통계 자료를 제시하여 □□ 백화점이 입점하면서 주변 도로의 주말 평균 교통량과 평균 정체 시간이 증가했음을 언급하고 있다.

2 내용의 점검과 조정 답 ⑤

〈보기〉는 해결 방안(주차장 추가 확보가 시급함.)을 먼저 제시하고, 문제 원인(유입되는 차량의 수가 백화점의 주차 수용력을 40% 초과함.)을 나중에 제시했다. 반면 ㉠에서는 주말에 백화점으로 유입되는 차량의 수가 백화점의 주차 수용력을 초과한다는 점을 원인으로 먼저 제시하고, 주차장의 추가 확보라는 해결 방안을 뒤로 재배치하여 제시하고 있다.

[오답 풀이]

① 〈보기〉를 ㉠과 같이 고쳐 쓰면서 주요 개념에 대한 정보를 추가한 부분은 없다.

② 〈보기〉를 ㉠과 같이 고쳐 쓰면서 삭제된 정보는 없다.

③ 〈보기〉를 ㉠과 같이 고쳐 쓰면서 한 측으로 치우친 정보를 수정한 부분은 없다.

④ 〈보기〉의 초안에서 두 문장으로 제시했던 정보를 ㉠에서는 순서를 재배치해 한 문장으로 제시했다.

3 협상 전략 파악 답 ⑤

[E]는 안전 문제를 근거로 상대측의 요구 사항(주말에 구청 주차장 개방)에 대해 조심스러운 태도를 보이고 있다. 그러므로 요구 사항을 수용했다는 설명은 적절하지 않으며, 수용한 요구 사항에 상응하는 요구 조건을 직접 제시하고 있지도 않다.

[오답 풀이]

① [A]는 백화점 방문 차량이 많아지면서 교통 혼잡이 심각하다는 문제의식을 드러내며 백화점 측에 주차장 10부제를 운영할 것을 요구하고 있다.

② [B]는 백화점 방문자들이 인근 아파트 주차장을 무단으로 이용하거나 아파트 입구를 막아 차량의 진출입을 방해한다는 문제 상황을 언급하며 이러한 문제의 해결책을 마련할 것을 백화점 측에 요구하고 있다.

③ [C]는 백화점 건물 옥상에 주차 공간을 마련한 △△ 백화점의 사례를 참고하여 백화점 내부에 주차장을 추가 확보할 것을 제안하고 있다.

④ [D]는 ○○ 유수지 주변 공터에 주차 공간을 확보할 것을 대안으로 제시하면서 백화점 측에 이에 대한 수용 의사를 묻고 있다.

4 발화의 의미와 기능 파악 답 ③

ⓐ는 상대측이 지적한 문제점인 '이해관계의 복잡성과 교통 혼잡 유발 가능성'을 고려하여 버스 노선 증설이라는 요구 사항을 기존 마을버스의 배차 간격 조정으로 수정하여 제시하고 있다. ⓑ는 상대측이 지적한 문제점인 '구청 주차장으로 차량이 몰릴 수 있다는 것'을 고려하여 백화점 방문자의 주차 요금 면제라는 요구 사항을 주차 요금 할인으로 수정하여 제시하고 있다.

본책 156~159쪽

1 ⑤　2 ②　3 ②　4 ④

2020 수능

〈(가) 토론〉

담화 유형 토론

논제 인공 지능을 면접에 활용하는 것이 바람직하다.

주제 인공 지능을 면접에 활용하는 것에 대한 찬반 토론

토론 과정

1 찬성 측 입론	→ 2 반대 측의 반대 신문
인공 지능을 면접에 활용하는 것을 찬성함.	찬성 측 입론에 대한 문제 제기
	→ 3 찬성 측의 재반론
	반대 측의 반대 신문에서 제기한 문제에 대한 반론
4 반대 측 입론	→ 5 찬성 측의 반대 신문
인공 지능을 면접에 활용하는 것을 반대함.	반대 측 입론에 대한 문제 제기
	→ 6 반대 측의 재반론
	찬성 측의 반대 신문에서 제기한 문제에 대한 반론

〈(나) 학생의 초고〉

작문 상황 인공 지능을 면접에 활용하는 것에 대한 자신의 생각을 밝히고, 인간과 인공 지능의 관계에 대해 주장하는 글 쓰기

주제 인공 지능을 면접에 활용하는 것은 바람직하지 않다.

중심 내용

문단	내용
1 문단	인공 지능을 면접에 활용하는 것을 반대함.
2 문단	인공 지능은 인간을 돕는 도구일 뿐임.
3 문단	인공 지능은 인간과 같은 사고가 불가능함.
4 문단	인공 지능은 사회적 관계를 맺지 못함.

1 말하기 과정 파악 　답 ⑤

[쟁점 3]에 대해 '반대 1'은 빅 데이터는 사회에서 형성된 정보가 축적된 결과물이므로 왜곡될 가능성이 있다고 말하였다. 이는 빅 데이터를 근거로 할 때 정보가 왜곡될 수 있음을 우려하는 것이지, 면접에서 평가의 바탕이 되는 정보가 빅 데이터에 근거하지 않음을 지적하는 것은 아니다.

[오답 풀이]

① '반대 1'은 기술적 결함으로 인해 면접이 원활하지 않거나 중단되어 지원자에게 불편을 줄 수 있고, 지원자들의 면접 기회가 상실될 수 있음을 우려하고 있다.

② '찬성 1'은 인공 지능을 면접에 활용한 ○○ 회사가 2억 원 정도의 비용을 절감했다는 사례를 들어 인공 지능을 활용한 면접이 비용 절감 측면에서 경제성이 크다고 강조하고 있다.

③ '반대 1'은 인공 지능을 활용한 면접이 장기적으로 볼 때 미래에 더 큰 경제적 가치를 창출할 인재를 놓치게 될 수 있기 때문에 경제적이지 않다고 밝히고 있다.

④ '찬성 1'은 인공 지능을 활용한 면접은 빅 데이터를 바탕으로 한 일관된 평가 기준을 적용할 수 있어서 객관적이라고 밝히고 있다.

2 말하기 목적 추론 　답 ②

[A]에서 '찬성 1'은 '해당 분야의 경험이 축적된 면접관의 생각이나 견해가 면접 상황에서 중요한 판단 기준이 돼야 한다.'는 상대측의 이의 제기에 대해 오랜 기간 회사의 인사 정보가 축적된 데이터가 판단 기준이 되어야 한다고 반박하고 있다. 그리고 그 근거로 회사 관리자들을 대상으로 한 설문 조사 결과를 제시하면서 자신의 주장이 타당함을 강조하고 있다.

[오답 풀이]

① [A]에서 '반대 2'는 상대측이 제시한 근거(기존 방식의 면접에서는 면접관의 주관이 개입될 가능성이 크다.)의 적절성에 의문을 제기하고 있으나, 그에 적합한 사례를 요구하고 있지는 않다.

③ [B]에서 '찬성 1'은 △△회사가 인공 지능을 활용한 면접을 폐지했다는 '반대 1'의 진술 내용을 수용하고 있다. 또한 통계 자료를 들어 '인공 지능을 면접에 활용하는 것은 확대되고 있는 추세'임을 밝히고 있을 뿐, 사실 관계를 확인할 수 있는 추가 자료를 요청하고 있지는 않다.

④ [B]에서 '반대 1'은 '인공 지능을 활용한 면접의 한계가 드러난다면 이를 폐지하는 기업이 늘어나게 될 것'이라는 향후 전망을 제시하고 있지만, 상대측이 제시한 근거 자료의 출처를 확인하고 있지는 않다.

⑤ [A]의 '찬성 1'은 상대측이 언급한 의견에 이의를 제기하였으나 [B]의 '반대 1'은 상대측의 의견에 이의를 제기하고 있지 않다. 그리고 둘 다 실현 가능한 방안을 추가하고 있지 않다.

3 글쓰기 전략 파악 　답 ②

(나)의 2문단에는 인공 지능은 인간의 삶을 편리하게 돕는 도구일 뿐이므로 인공 지능이 인간을 평가하는 것은 주체와 객체가 뒤바뀌는 상황이라는 내용만 제시되어 있을 뿐, 기술적 결함에 대한 내용은 제시되어 있지 않다.

[오답 풀이]

① 1문단에서 인공 지능을 면접에 활용하는 것에 반대하는 입장을 밝히고, 인공 지능 앞에서 면접을 치르는 인간의 모습에 대해 '안타깝다'라는 느낌을 제시하고 있다.

③ 3문단에서 인간은 인공 지능과 다르게 말과 행동의 이면까지 고려하는 고유한 사고 능력이 있음을 제시하고 있다.

④ 3문단에서 인공 지능은 빅 데이터(사회에서 형성된 정보)를 바탕으로 결과를 도출해 내는 기계에 불과하므로 통계적 분석을 할 뿐 타당한 판단을 할 수는 없다고 제시하고 있다.

⑤ 4문단에서 인공 지능은 사회적 관계를 맺을 수 없는데, 인간은 의사소통을 통해 사회적 관계를 형성하고 그 과정에서 축적된 경험을 바탕으로 타인의 잠재력을 발견할 수 있다고 제시하고 있다.

4 내용 생성의 적절성 평가 　답 ④

1문단에서 제기한 첫째 물음인 '인공 지능이 인간을 대신할 수 있을까?'에 대해 '인공 지능은 인간을 대체할 수 없다.'라고 입장을 밝히고 있고, 둘째 물음인 '인간과 인공 지능의 관계는 어떠해야 할까?'에 대해 2문단에서 사용한 '주체'와 '객체'를 활용하여 '인간의 삶을 결정하는 주체는 인간이고 인공 지능은 인간이 이용하는 객체'라고 그 관계를 밝히고 있다.

[오답 풀이]

① 첫째 물음에 대한 입장은 있지만(인공 지능은 인간의 고유한 영역을 대신할 수 없다.) 둘째 물음에 대한 답은 없다.

② 첫째 물음에 대한 입장은 있지만(인공 지능은 인간을 대신하기보다는 보조하는 도구이어야 한다.) 둘째 물음에 대한 답을 할 때 2문단에 썼던 두 단어를 활용하지 않았다.

③ 첫째 물음에 대한 입장이 명확하지 않고 둘째 물음에 대한 답도 없다.

⑤ 첫째 물음에 대한 입장이 드러나지 않고 둘째 물음에 대한 답도 없다.

본책 160~163쪽

1 ⑤ 2 ② 3 ④ 4 ②

2020-6월 모평

〈(가) 기사문〉

구성

구분		내용
표제		'전통 한옥의 멋' 솔빛 마을이 달라진다
부제		솔빛 마을, 시청과 한옥 관광지 조성에 합의
전문		시청 측과 솔빛 마을 측이 모여 한옥 관광지 조성 사업을 추진하는 데 합의함.
본문	2 문단	한옥 관광지 조성 사업에 대한 시청 측 입장
	3 문단	한옥 관광지 조성 사업에 대한 주민 측 입장
	4 문단	○○ 마을에서 발생한 과잉 관광 현상 문제
	5 문단	추가 협상에서 양측이 논의할 쟁점

〈(나) 협상〉

주제 한옥 관광지 조성 사업의 세부적인 사항 협의

특징
- 시청 측과 주민 측 모두 공동의 이익을 위해 협력함.
- 시청 측과 주민 측 모두 구체적인 대안을 제시하며 합의를 이루어 감.

중심 내용

	한옥 내부 개방	한옥 개방 시간
시청 측	한옥 내부 개방 요구	야간 개방 요구
주민 측	주민들의 사생활을 침해하기에 한옥 내부 개방 반대	주민들의 피로도가 높아지기에 야간 개방 반대
해결안	관광 예약제 실시, 도우미 동행 등을 전제로 한옥 내부 개방을 합의함.	주민 생활 복지 개선을 조건으로 오후 7시까지 개방하는 것을 주민들과 상의하기로 함.

1 글쓰기 계획 파악 답 ⑤

〈지역 연구소 자료 수집〉과 관련된 (가)의 4문단에는 ○○ 마을이 관광 수용력 초과로 각종 문제에 봉착했음이 제시되어 있지만, 관광지 운영에 따른 피해 경감 사례는 나타나 있지 않다.

[오답 풀이]

① '사업 경쟁력에 대한 판단'은 2문단의 '시청 측은 솔빛 마을의 한옥이 타 지역 한옥에 비해 규모가 크고 보존 상태가 양호해 사업 경쟁력이 충분할 것이라고 말했다.'에 반영되어 있다.

② '사업 추진 계획'은 2문단의 '전통 문화 체험 프로그램 운영, 둘레 길 조성, 마을 진입로 정비 등을 추진할 계획'에 반영되어 있다.

③ '사업 추진에 따른 기대'는 3문단의 '마을 발전과 한옥의 가치 전파에 기여할 것'에, '우려 사항'은 '인근 ○○ 마을에서 발생한 과잉 관광 현상이 솔빛 마을에서 되풀이되지는 않을지 걱정했다.'에 반영되어 있다.

④ '○○ 마을 한옥 관광지 사업 관련 통계'는 4문단의 '2010년 이래 ○○ 마을의 마을 소득과 관광객 수는 각각 연평균 약 5%, 7%씩 증가했다.', '올해 4월 기준 ○○ 마을의 토착 거주 인구는 8년 전 대비 12% 감소했다.'에 반영되어 있다.

2 내용의 점검과 조정 답 ②

〈보기〉와 비교했을 때 ㉠에는 '관광 수용력'이라는 용어의 뜻인 '마을이 감당할 수 있는 방문 인원의 최대치'라는 부분이 추가되었다. 이는 독자의 이해도를 고려하여 주요 개념인 '관광 수용력'에 대한 정보를 추가한 것이다.

[오답 풀이]

① 〈보기〉와 ㉠ 모두 원인(관광객 수가 마을의 관광 수용력을 초과함.)과 결과(이로 인해 각종 문제가 발생했고 토착 거주 인구가 감소함.)의 인과 관계에 따라 정보를 배열했다.

③ 〈보기〉를 ㉠으로 수정하는 과정에서 삭제된 정보는 없다.

④ 〈보기〉에 사용된 담화 표지인 '그러나', '이로 인해', '그에 따라'가 ㉠에도 동일하게 사용되었다.

⑤ 〈보기〉와 ㉠ 모두 두 문장으로 이루어져 있고, 수정한 첫 문장은 〈보기〉보다 더 길어졌다.

3 협상 전략 파악 답 ④

[D]에서 주민 측은 '일자리 창출'에 대한 입장이 아니라 '한옥 개방 시간 연장'에 대한 부정적 입장을 드러내고 있다.

[오답 풀이]

① [A]에서 주민 측은 한옥 내부를 개방하면 사생활 침해로 인해 삶의 질이 저하되고, 오랫동안 거주했던 주민들이 떠난 자리가 외지인들로 채워지는 문제 상황을 언급하며, 한옥 내부를 개방해 달라는 상대 측 요구에 대해 협조하기 어렵다는 입장을 제시하고 있다.

② [B]에서 주민 측은 많은 관광객이 몰리면 관광객의 여행 경험의 질이 악화될 것을 우려하며, 희망하는 주민들에 한해 한옥을 개방해 달라는 상대측 의견에 대해 부정적으로 전망하고 있다.

③ [C]에서 주민 측은 관광객이 몰리는 것을 방지하기 위한 시청 측의 계획(관람 인원 수 제한, 단체 관광은 마을 관광 에티켓 교육을 이수한 경우에만 실시, 실시간 정보 안내판 설치)이 받아들일 수 있는 방안이라고 말하며 수용 가능성을 언급하고 있다. 그리고 '한옥 개방 시간은 오후 5시까지로 제한, 지역 어르신을 관광 도우미로 우선 채용' 등 추가적인 요구 사항을 제시하고 있다.

⑤ [E]에서 주민 측은 증대된 세수를 주민 생활 복지 개선에 사용한다면 주민들의 동의를 얻을 수 있을 것이라고 말하면서 상대측의 요구에 대한 수용 가능성을 언급하고 있다.

4 발화의 의미와 기능 파악 답 ②

ⓐ에서는 한옥 내부 관람 기회를 제공하면 관광객의 만족도를 높이는 효과가 있을 것, ⓑ에서는 시청 측이 제시한 방법을 시행하면 특정 장소에 관광객이 몰리는 것을 방지하는 데 효과가 있을 것, ⓒ에서는 야간 개방으로 인해 관광 산업이 활성화되면 주민들의 소득이 증대되는 효과가 있을 것이라고 하였다. ⓐ~ⓒ는 모두 예상되는 효과를 언급하며 자신의 의도를 전달하고 있다.

[오답 풀이]

① ⓐ~ⓒ 모두 논의할 대상을 제한하고 있지 않다.

③ ⓐ~ⓒ 모두 상대방이 제기할 수 있는 의견을 가정하고 있지 않으며, 그 의견의 타당성 여부를 묻고 있지도 않다.

④ ⓐ~ⓒ 모두 자신이 파악하지 못한 부분에 대해 상대방에게 설명을 요구하고 있지 않다.

⑤ ⓐ~ⓒ 모두 기대가 충족되지 않을 가능성을 부정하는 발화가 아니다.

본책 164~167쪽

1 ①　2 ②　3 ④　4 ④　5 ⑤

2019-9월 모평

〈(가) 토론〉

논제　학생회장 선거에 결선 투표제를 도입해야 한다.

주제　학생회장 선거에 결선 투표제를 도입해야 한다는 논제에 대한 찬반 토론

토론 과정

1 찬성 측 입론	→ 2 반대 측의 반대 신문
학생회장 선거에 결선 투표제 도입을 찬성함.	결선 투표제를 찬성하는 이유에 대한 문제 제기
3 반대 측 입론	→ 4 찬성 측의 반대 신문
학생회장 선거에 결선 투표제 도입을 반대함.	결선 투표제를 반대하는 이유에 대한 문제 제기
5 반대 측 반론	6 찬성 측 반론
찬성 측 입론에 대한 반론	반대 측 입론에 대한 반론

〈(나) 기고문〉

작문 상황　'학생회장 선거에 결선 투표제를 도입해야 한다.'라는 논제로 진행된 토론에 청중으로 참여한 뒤 학교 신문에 실을 글 쓰기

주제　토론에 대한 의견과 토론회의 의의

중심 내용

1 문단	글을 쓴 동기
2 문단	양측이 제시한 입론의 타당성 평가 – 찬성 측 입론에 대한 의견: 결선 투표제를 도입해도 투표율이 낮으면 대표성이 낮을 수 있으므로 타당하지 않음. – 반대 측 입론에 대한 의견: 단순 다수제라고 더 신중하게 투표한다는 근거는 없으므로 설득력이 없음. 단순 다수제를 유지할 때 투표율이 낮은 문제 상황에 대한 해결책을 제시하지 않음.
3 문단	발언의 적합성 평가 – 반대 측 입론에 대한 의견: 찬성 측의 주장을 반박하며 자신의 주장을 강화하였으므로 적합함. – 반대 측 반론에 대한 의견: 사례나 증거를 들어 자신의 주장을 뒷받침하지 못했으므로 적합하지 않음.
4 문단	대표성 생성 조건
5 문단	투표율을 높이기 위한 방안 모색의 필요성
6 문단	토론회의 의의

1 토론 참여자의 공통점 추론 　답 ①

'찬성 1'은 입론에서 학생들의 투표율이 낮아, 선출된 학생회장의 대표성에 대한 논란이 제기되고 있는데, 이를 해결하기 위해 결선 투표제를 도입해야 한다고 말하고 있다. 또한 '반대 1'은 입론에서 학생회장 선거의 투표율을 높여야 하는 것에는 공감한다고 말하고 있다. 이를 통해 찬성 측과 반대 측 모두 학생회장 선거에서 투표율을 높여야 한다고 생각하고 있음을 알 수 있다.

[오답 풀이]

② 찬성 측과 반대 측 모두 선거 홍보 방법에 대해 언급하고 있지 않다.

③ 학생회장 선거에 새로운 투표 제도인 '결선 투표제'를 도입해야 한다고 주장하는 것은 찬성 측뿐이다. 반대 측은 이에 반대하고 있다.

④ 찬성 측과 반대 측 모두 선거 홍보 기간에 대해 언급하고 있지 않다.

⑤ '찬성 1'은 입론에서 1차 투표와 결선 투표를 거치면서 후보자의 자질과 능력이 향상된다고 주장했지만 '반대 2'의 반대 신문을 듣고 자신의 주장을 수정했다. 따라서 찬성 측과 반대 측 모두 선거 기간이 길어진다고 해서 후보자의 자질과 능력이 향상된다고 보지 않는다.

2 말하기 방식 파악 　답 ②

'반대 1'은 입론에서 결선 투표제를 도입한다고 해서 학생회장 선거의 투표율이 높아지는 것이 아니며, 오히려 결선 투표제가 시간과 비용의 측면에서 비효율적이라고 주장하고 있다. 그러나 '찬성 1'이 제기한, 학생회장의 대표성에 대해 논란이 일어나고 있는 문제점에 대한 원인을 다양하게 분석하고 있지는 않다.

[오답 풀이]

① '반대 2'는 반대 신문에서 '찬성 1'의 '1차 투표와 결선 투표를 거치면서 서로 다른 의사가 수렴되므로 후보자의 자질과 능력도 향상될 것입니다.'라는 발언의 적절성을 지적하고 있다. 이에 대해 '찬성 1'은 자신의 생각이 잘못되었음을 인정하고 있다.

③ '찬성 1'은 반대 신문에서 '단순 다수제가 최선의 후보자를 신중하게 선택하게 만드는 민주적 절차라고 하셨는데'라며 '반대 1'이 한 말을 언급하고 있다. 이를 바탕으로 결선 투표제는 단순 다수제의 과정을 한 번 더 거치므로 '더 민주적이지 않을까요?'라고 질문함으로써 '반대 1'의 동의를 이끌어 내고 있다.

④ '반대 1'은 반론에서 상대방의 주장(결선 투표제 도입)이 받아들여질 경우 예상되는 문제점, 즉 '후보자들 간의 담합이 발생할 수 있'다는 점을 거론하며 '찬성 1'의 주장을 반박하고 있다.

⑤ '찬성 1'은 반론에서 상대방이 제기한 문제점(시간과 비용 측면에서 비효율적)에 대해 '○○고등학교'의 사례를 들어 홈페이지에 접속해 투표하는 대안을 제시하고 있다.

3 말하기 전략 평가 　답 ④

'찬성 1'은 입론에서 현재 학생회장 선출 방식의 문제점과 그 해결 방안으로 결선 투표제를 도입해야 함을 주장하고 있다. 하지만 결선 투표제 도입을 반대하는 측에서 제기할 수 있는 반박과 그에 대한 해결 방안을 제시하지는 않았다.

[오답 풀이]

① '학생들의 투표율이 낮아, 선출된 학생회장의 대표성에 대해 논란이 제기되고 있'다는 문제 상황을 제시하고 있다.

② '이를 해결하기 위해 학생회장 선거에 결선 투표제를 도입해야 한다.'며 해결 방안을 제시하고 있다.

③ '결선 투표제는 과반의 득표자가 없을 때, 다수표를 얻은 사람들을 후보자로 올려 과반의 득표로 선출하는 방식'이라고 결선 투표제의 개념을 제시하고 있다.

⑤ 자신의 주장이 관철되면(결선 투표제가 도입되면) '선거에 대한 관심이 고조되고 투표율이 높아져 대표성을 인정받는 학생회장이 선출될 것으로 기대'되며, '후보자의 자질과 능력도 향상될 것'이라며 주장이 관철되었을 때의 기대 효과를 제시하고 있다.

4 글쓰기 계획 파악 답 ④

(나)의 글쓴이는 2문단과 3문단에서 찬성 측과 반대 측 모두를 비판적으로 평가하고 있다. 그리고 5문단에서 대표성 높은 학생회장을 선출하기 위해서 투표율을 높일 수 있는 방법을 모색해야 한다고 했다. 이는 찬반 양측의 입장 중 어느 하나를 선택한 것으로 보기 어렵고, 자신의 입장과 반대되는 주장을 비판하지도 않았다.

[오답 풀이]

① 1문단의 '이번 토론회는 대표성 높은 학생회장을 선출하기 위해 개최된 것이다.'에서 토론회가 개최된 목적을 제시하고 있고, '토론에 대한 의견을 밝혀 학교의 중요한 의사 결정에 참여하고자 한다.'에서 글을 쓴 동기를 밝히고 있다.

② 2문단에서 결선 투표제를 도입하면 학생회장이 대표성을 갖게 된다는 찬성 측의 발언에 대해 사회 시간에 배운 배경지식을 바탕으로 그 근거가 타당하지 않다고 판단하고 있다.

③ 4문단에서 토론을 들으며 '대표성은 어떻게 생기는 것일까?'에 대한 의문이 생겨서 관련 서적을 찾아보았고, 이를 바탕으로 '다수의 지지를 받을수록 당선자의 대표성은 높아진다.'라는 자신의 생각을 제시하고 있다.

⑤ 6문단에서 토론회가 '민주적 의사 결정의 과정을 경험'하게 해 주었다는 점에서 의의가 있다고 밝히고, '공동체의 일원으로서 의견을 나누는 것은 민주적 의사소통의 첫걸음이라고 생각'한다면서 토론의 필요성을 제시하고 있다.

5 내용 생성의 적절성 평가 답 ⑤

글쓴이는 반대 측이 반론 단계에서 결선 투표제 도입으로 생기는 담합의 가능성을 문제점으로 제시한 것에 대해, 찬성 측과 달리 사례나 증거를 들어 자신의 주장을 입증하지 못하고 있으므로 적합하지 않다고 평가하고 있다.

[오답 풀이]

① 글쓴이는 2문단에서 결선 투표제를 도입하면 과반을 득표한 사람이 학생회장으로 선출되므로 대표성을 갖게 된다는 찬성 측의 주장에 대해, 결선 투표제를 실시했지만 투표율이 낮아 대표성을 얻지 못한 A 나라의 사례를 들어 찬성 측의 입론 내용이 타당하지 않다고 평가하였다.

② 글쓴이는 2문단에서 1회만 투표하는 단순 다수제가 더 신중하게 투표권을 행사하는 민주적 절차라는 반대 측의 주장에 대해, 주장과 근거의 관련성이 입증되지 않아 설득력이 부족하다고 평가하였다.

③ 글쓴이는 2문단에서 반대 측은 현 제도를 유지할 때 문제 상황을 해결할 방안을 제시하지 않아 주장을 뒷받침할 근거를 보여 주지 못했다고 평가하였다.

④ 글쓴이는 3문단에서 반대 측은 상대측이 주장하는 투표 제도를 도입할 때 발생하는 문제점을 지적하고 있는데, 이는 상대측의 주장을 반박하며 자신의 주장을 강화하는 것이므로 적합하다고 평가하였다.

실전 10

본책 168~171쪽

1 ④ 2 ④ 3 ⑤ 4 ③

2019 수능

〈(가) 기사문〉

구성

표제		성금 마련을 위해 모두가 함께해
전문		K 군을 돕기 위해 사제동행 마라톤 행사를 함께함.
본문	2 문단	사제동행 마라톤 행사의 취지
	3 문단	사제동행 마라톤 행사 참여자의 모습과 후기

〈(나) 회의〉

담화 상황 기사문의 초고를 수정하기 위한 회의하기

주제 기사문 초고에 대한 수정 의견

특징
- 신문 기사 작성법을 바탕으로 기사문의 초고 수정에 대한 의견을 주고받음.
- 초고의 문제를 해결하려는 협력적인 사고가 두드러짐.

중심 내용 수정 의견

표제	• 중심 소재인 행사 내용을 포함함. • 비유적 표현을 활용해 행사의 의미를 드러냄.
전문	• 육하원칙 중 빠진 내용(어디서)을 추가함.
본문	• 누락된 정보를 추가함. • 마지막 부분에 내용을 추가함. • 분량을 고려하여 중복된 내용을 삭제함. • 사실에 맞게 수정함.

1 고쳐쓰기의 적절성 평가 답 ④

'학생 3'이 본문을 수정할 때 고려해야 할 점 중 하나는 개인적인 관점에 따라 누락했던 정보를 추가하는 것이다. '학생 2'는 '선생님들도 응원 메시지를 직접 써서 가슴에 달고 뛰셨'다는 내용이 빠졌다고 지적했고, '학생 3'은 본문에 이 내용을 추가하기로 했다. 그런데 ㉣에는 학생들이 '직접 써서'라는 내용만 추가되었고, 선생님들에 대한 내용은 추가되지 않았으므로 고쳐쓰기 계획으로 적절하지 않다.

[오답 풀이]

① (나)에서는 (가)의 '표제'를 수정할 때 중심 소재를 담고, '화합'이라는 행사의 의미가 드러나도록 비유적 표현을 활용하기로 했다. ㉮는 중심 소재인 '사제동행 마라톤'을 포함하였고, '작은 물방울들 하나 되어'라는 비유적 표현을 통해 '화합'이라는 행사의 의미를 드러내기로 했으므로 적절하다.

② (나)에서는 (가)의 '전문'을 수정할 때 육하원칙(누가, 언제, 어디서, 무엇을, 어떻게, 왜) 중 빠진 내용을 추가하기로 했다. ㉯에 육하원칙 중 '어디서'에 해당하는 '△△공원 일대에서'를 추가하기로 했으므로 적절하다.

③ (나)에서는 (가)의 '본문'을 수정할 때 사실에 맞게 수정하기로 했다. ㉰에서는 이를 반영하여 '참가자들 중 선생님은 1만 원씩, 학생은 5천 원씩의 성금을 내고'로 수정하기로 했으므로 적절하다.

⑤ (나)에서는 (가)의 '본문'을 수정할 때 불필요하게 중복된 내용을 삭제하기로 했다. ㉲에서는 '△△공원을 찾은 많은 시민들은'과 중복된 내

용인 '이날 많은 시민들이 △△공원을 찾았다.'를 삭제하기로 했으므로 적절하다.

2 내용 생성의 적절성 평가 답 ④

'학생 1'은 본문의 마지막 부분에 화합을 드러내는 내용을 담으면서, 행사를 주최하면서 어려웠던 점에 대한 학생회장의 인터뷰를 넣자고 했고, '학생 2'는 행사 이후 결과에 대한 내용을 추가하자고 했다. '학생 3'은 이를 모두 반영하기로 했다. 따라서 어려웠던 점에 대한 학생회장의 인터뷰 내용인 '장소 섭외가 힘들었지만 뜻깊은 경험이었다.', 화합을 드러내는 내용인 '선생님과 학생들이 한마음이 되어 성공적으로 행사를 마쳤고', 행사 이후 결과인 '모금된 성금은 K 군 가족에게 전달됐다.'는 내용이 모두 포함된 ④가 적절하다.

[오답 풀이]

① '행사 홍보가 힘들었지만'과 같이 행사를 주최하면서 어려웠던 점에 대한 학생회장의 인터뷰, '선생님과 학생'이 '함께 달린 의미 있는 행사'였다는 화합을 드러내는 내용은 포함하였지만, 행사 이후 결과는 포함하지 않았다.

② '준비 기간이 짧아서 부족한 점이 있었지만'과 같이 행사를 주최하면서 어려웠던 점에 대한 학생회장의 인터뷰, '모인 성금은 다음 날 학생회장이 대표로 K 군 가족에게 전달했다.'는 행사 이후 결과는 포함하였지만, 화합을 드러내는 내용은 포함하지 않았다.

③ '선생님과 학생들이 한마음으로 참여'했다는 화합을 드러내는 내용과 '행사 이후 K 군 가족은 성금을 전달'받았다는 행사 이후 결과는 포함하였지만, 학생회장의 인터뷰를 제시하지 않았다.

⑤ '선생님과 학생들이 함께 달리며' 참여했다는 화합을 드러내는 내용과 '성금을 K 군 가족에게 전달'했다는 행사 이후 결과는 포함하였다. 그러나 '어려운 친구를 생각하며 기쁘게 완주했다.'는 학생회장의 인터뷰에는 행사를 주최하면서 어려웠던 점이 드러나지 않았다.

3 발화의 의미와 기능 파악 답 ⑤

글의 분량을 고려해야 한다는 '학생 1'의 의견에 대해 '학생 2'는 '기사문이 실릴 지면이 한정되어 있으니까 추가로 작성할 내용은 많지 않아야' 한다고 말하고 있다. 따라서 '학생 2'도 글의 분량을 언급한 '학생 1'의 의견에 동의하고 있다고 볼 수 있다.

[오답 풀이]

① '학생 1'은 표제와 전문을 수정해야 한다고 말하면서 표제의 수정 방안에 대해서는 말하지 않았다. 이에 대해 ㉠에서 '학생 3'은 '표제는 어떤 문제가 있는지 좀 더 말해 줄래?'라고 하면서 추가적인 설명을 요청하고 있다.

② '학생 2'는 표제에 참가 인원수를 추가할 것을 제안한다. 이에 대해 ㉡에서 '학생 1'은 행사의 의미를 드러내려는 기사문의 의도와 달라질 수 있다는 이유를 들어 '학생 2'의 제안에 반대하고 있다.

③ '학생 3'은 ㉢에서 '선생님과 학생이 한마음으로 행사에 참여한 모습'을 표현하고 싶었다고 하며 화합의 모습을 담고자 한 의도를 드러내고 있다. 그리고 이러한 의도가 본문에 잘 나타나는지 질문을 통해 상대방에게 확인하고 있다.

④ ㉣에서 '학생 1'은 '본문의 마지막 부분에 화합을 드러내는 내용을 담기로 하지 않았어?'라고 질문하고 뒤이어 '학생 3'이 지난 회의에서 그러기로 한 것을 떠올리고 있으므로, ㉣은 이전에 논의했던 사항을 상대방에게 환기하고 있다고 볼 수 있다.

4 담화의 유형과 성격 파악 답 ③

[A]에서 '학생 3'은 육하원칙 중 빠진 내용을 전문에 추가해야 하고, 표제는 중심 소재를 담아야 하며, 행사의 의미를 드러낼 수 있도록 비유적 표현을 활용하여 작성해야 한다는 '학생 1'의 의견을 수용하고 있다. 그리고 [B]에서 '학생 3'은 실제 사실에 대한 부분은 정확히 다뤄야 하고 개인적인 관점에 따라 정보를 누락하면 안 된다는 '학생 2'의 의견을 수용하고 있다.

[오답 풀이]

① [A]에서 참가 인원수를 적자는 '학생 2'의 제안에 '학생 1'은 그럴 경우 기사문의 의도가 살지 않으니 그러면 안 된다고 했다. 이처럼 둘의 의견이 대립하는 상황에서 '학생 3'은 '학생 1'의 의견을 수용하였으므로 양측에 절충안을 제시한 것은 아니다.

② [B]에서 학생의 역할을 강조하면 좋겠다는 '학생 3'의 의견에 '학생 2'는 개인적인 관점에 따라 정보를 누락하면 안 된다고 비판하고 있다. 그러나 '학생 2'가 '학생 1'의 의견을 지지하고 있지는 않다.

④ [B]에서 '학생 1'은 실제 사실은 정확히 다뤄야 한다는 '학생 2'의 의견에 대해 타당하다고 인정하고 있다. 그러나 [A]에서 '학생 1'은 표제에 참가 인원수를 적자는 '학생 2'의 의견에 대해 기사문의 의도를 들어 반대 의사를 표현하고 있다.

⑤ [A]에서 '학생 2'는 표제에 비유적 표현을 활용하자는 '학생 1'의 의견에 대해 그러면 한눈에 기사 내용을 알아보기 어렵다는 이유를 들어 반대 의사를 드러내고 있다. 이것은 '학생 2'가 '학생 1'이 제시한 의견을 점검한 것으로 볼 수 있다. 그러나 [B]에서는 '학생 2'가 '학생 1'이 제시한 의견을 점검한 부분이 없다.

실전 11

본책 172~174쪽

1 ③ 2 ④ 3 ① 4 ②

2020-3월 고3 학평

〈(나) 학생의 초고〉

작문 상황 회의에서 나온 의견을 바탕으로 교지의 건강 상식 코너에 실을 글 쓰기

주제 청소년 척추 질환의 원인 및 예방법

중심 내용

1 문단	청소년 척추 질환의 원인 및 예방법을 알아야 하는 이유
2 문단	청소년 척추 질환의 원인 – 책상에 오래 앉아 있음. – 운동 부족
3 문단	청소년 척추 질환의 예방법 – 바른 자세로 책상 앞에 앉기 – 척추 근육을 강화하는 운동하기

1 발화의 의미와 기능 파악 답 ③

'학생 2'가 글을 어떤 내용으로 구성할지에 대해 이야기해 보자고 하자, '학생 3'이 척추 질환을 앓고 있는 청소년들의 수가 증가하는 추세를 보인다는 기사를 활용해 글을 시작하자고 제안하고 있다. 앞서 논의된 내용을 자신이 제대로 이해했는지 확인하고 있는 것은 아니다.

[오답 풀이]

① '학생 1'은 교지 담당 선생님께서 교지의 건강 상식 코너에 실을 글을 써 달라고 요청하셨으니 '교지에 실을 글을 어떻게 쓰면 좋을지에 대해' 논의해 보자고 회의 안건을 제시하고 있다.

② '학생 2'가 척추 건강에 대한 정보가 너무 어려울까 걱정하자, '학생 3'이 척추 건강에 대해 알려 주는 전문 잡지의 기사와 텔레비전 프로그램을 봤던 자신의 경험을 토대로 '학생 2'의 우려를 해소하고 있다.

④ '학생 1'이 학생들의 생활 습관에 초점을 맞추어서 원인을 설명하는 것이 좋겠다고 하자, '학생 2'가 그렇게 하면 학생들이 생활 습관을 점검하는 데 도움이 될 것이라고 하였다. 이는 상대방의 제안이 지닌 효용에 대해 언급한 것이다.

⑤ '학생 1'이 척추 질환의 증상에 대해 자세히 알려 주자고 하자 '학생 2'가 그보다는 척추 질환을 예방하는 방안을 제시하자고 말하고 있다. 이는 상대의 의견에 대해 이의를 제기하고 있는 것이다.

2 담화의 구조와 기능 파악 답 ④

'학생 2'가 글을 어떤 내용으로 구성할지에 대해 이야기해 보자고 하자, '학생 3'은 글의 시작 부분에서 척추 질환의 원인을 알고 예방하기 위한 노력이 필요하다고 말하자고 제안하고 있다. 이는 '학생 2'의 제안이 지닌 한계를 보완하고자 한 것이 아니다.

[오답 풀이]

① '학생 2'는 독감을 글감으로 하자는 '학생 3'의 발언에 반대하며 학생들에게 새롭게 알려 줄 것이 없는지 묻고 있다. 이에 대해 '학생 1'이 척추 건강에 대한 정보를 알려 주자고 제안하였다. '학생 1'은 '학생 2'의 발언을 고려하여 대안을 제시한 것이라고 할 수 있다.

② '학생 3'은 척추 건강에 대한 정보를 알려 주자는 '학생 1'의 제안에 동의하면서 척추 건강에 대한 정보는 많은 학생들이 알고 싶어하는 내용일 것이라고 말하고 있다. '학생 3'은 척추 건강에 대한 정보가 독자인 학생들의 관심을 끌 수 있다고 생각했음을 알 수 있다.

③ '학생 2'는 척추 건강에 대한 정보에 전문적인 용어나 개념이 많으면 학생들이 이해하기 힘들 것이라고 말하고 있다. 이는 독자인 학생들의 이해를 고려한 것이라고 볼 수 있다.

⑤ '학생 2'가 척추 질환의 원인부터 설명하자고 하자, '학생 1'은 학생들의 생활 습관에 초점을 맞추어서 원인을 설명하자고 말하고 있다. 이는 '학생 2'의 제안을 구체화하는 방향을 제시한 것으로 볼 수 있다.

3 글쓰기 계획 파악 답 ①

1문단에서 '청소년의 척추 질환은 성장을 저해하고 학업의 효율성을 저하시킬 수 있다.'며 척추 질환의 위험성을 제시하고 있지만, 척추 질환의 발병 여부를 알 수 있는 증상에 대해 알려 주고 있지는 않다.

[오답 풀이]

② 3문단의 '틈틈이 척추 근육을 강화하는 운동을 해 준다.' 이후 부분에서 척추 근육을 강화할 수 있는 운동법을 구체적으로 제시하고, 그러한 운동의 필요성을 강조하고 있다.

③ 1문단에서 '척추 질환으로 병원을 찾은 청소년들이 연평균 5만 명에 이르며 그 수가 지속적으로 증가하고 있다.'고 하면서 청소년 척추 질환의 심각성을 부각시키고 있다.

④ 2문단에서 '앉은 자세에서 척추에 가해지는 하중이 서 있는 자세에 비해 1.4배 정도 크'다는 점을 언급하며, 책상 앞에 오래 앉아 있는 청소년에게 척추 질환이 생길 가능성이 높다고 말하고 있다.

⑤ 3문단의 '바른 자세로 책상 앞에 앉아 있는 습관을 들여야 한다.' 이후 부분에서 의자에 앉아 있을 때와 책을 볼 때의 바른 자세를 알려 주며 올바른 생활 습관을 안내하고 있다.

4 내용의 점검과 조정 답 ②

'우리 몸의 보배인 척추'라는 비유적 표현을 활용하여 척추 건강이 청소년들에게 중요한 이유로 '척추가 건강해야 신체적 성장이 원활해지고 학업의 효율성을 높일 수 있다.'를 제시하고 있다. 또한 '척추 질환을 예방하기 위해 바르게 앉고 꾸준히 운동하는 습관을 기르도록 하자.'라고 하면서 척추 건강을 위한 노력을 강조하고 있다.

[오답 풀이]

① 척추 건강을 위한 노력을 강조하는 내용(꾸준한 운동을 하여 ~ 막도록 하자.)은 드러나지만, 척추 건강이 청소년들에게 중요한 이유나 비유적 표현은 드러나지 않는다.

③ 척추 건강이 중요한 이유는 드러나지만 청소년들에게 중요한 이유는 제시되지 않았다. 또한 척추 건강을 위한 노력을 강조하는 내용이나 비유적 표현도 드러나지 않는다.

④ 척추 건강이 청소년들에게 중요한 이유, 척추 건강을 위한 노력을 강조하는 내용, 비유적인 표현 모두 드러나지 않는다.

⑤ 비유적 표현(올바른 생활 습관은 건강에 제일 좋은 보약)은 드러나지만, 척추 건강이 청소년들에게 중요한 이유와 척추 건강을 위한 노력을 강조하는 내용은 드러나지 않는다.

12

본책 175~177쪽

1 ④　2 ①　3 ④

2018-9월 모평

〈(가) 자기소개서〉

작문 상황　또래 상담 요원으로 지원하기 위한 자기소개서 쓰기

주제　또래 상담 요원으로 자신을 선발해야 하는 이유와 앞으로의 포부

중심 내용

문단	내용
1 문단	또래 상담 요원에 지원하게 된 동기
2 문단	지원 분야와 관련된 의미 있는 활동 소개 – 공부방 봉사 활동
3 문단	책을 통한 관련 분야의 이해
4 문단	상담 요원으로 선발된 후의 다짐과 포부

〈(나) 면접〉

면접 상황　또래 상담 요원 선발을 위한 면접

주제　지원자가 또래 상담 요원이 되기에 적합한가?

면접 내용
- 면접 대상자의 자기소개
- 질문과 답변 ①: 청소년들에게 또래 상담이 필요한 이유
- 질문과 답변 ②: 인간 중심적 상담 이론에서 제시한 상담자의 태도
- 질문과 답변 ③: '래포'의 개념
- 질문과 답변 ④: 구체적인 상담 상황에서의 상담 방안

1 내용 생성의 적절성 평가　답 ④

또래 상담을 받으면서 위안을 얻은 경험으로 상담의 중요성을 깨닫게 되었고, 자신도 친구들과 고민을 나누는 또래 상담 요원이 되고 싶다는 생각을 하게 되었다는 1문단의 내용에서 '㉠ 지원 동기'를 확인할 수 있다. 공부방 봉사 활동을 통해 상호 간의 신뢰와 친근감이 중요하다는 생각을 하게 되었고, 상담에 관심을 갖게 되었으며, 공부방 봉사 활동이 좋은 또래 상담 요원이 되는 데 도움을 줄 것이라는 2문단의 내용에서 '㉣ 지원 분야와 관련된 의미 있는 활동'을 확인할 수 있다. 그리고 또래 상담 요원이 된다면 친구의 이야기와 고민을 경청하면서 공감해 줄 수 있도록 노력하겠다는 4문단의 내용에서 '㉤ 지원자의 다짐'을 확인할 수 있다.

[오답 풀이]

㉡과 ㉢은 본문에서 확인할 수 없다.

개념 코칭

상황에 따른 자기소개서
- 학업 진학을 위한 경우: 학업 경험 및 교내 활동에서 배우거나 느낀 점, 지원 동기, 학업 계획 등의 내용이 포함됨.
- 단체 또는 동아리 가입을 위한 경우: 성장 과정, 성격 및 가치관, 지원 동기, 앞으로의 계획이나 포부 등의 내용이 포함됨.

2 내용 조직 전략 파악　답 ①

1문단에서 친구 관계로 힘들었던 시기에 또래 상담을 받으며 위안을 얻었던 구체적인 경험을 제시하여 지원 분야인 또래 상담 요원에 대한 관심을 드러내고 있다.

[오답 풀이]

② 지원 분야와 관련된 학업 계획을 언급하고 있지는 않다.
③ 지원 분야에 대한 분석 결과를 인용하고 있지는 않다.
④ 마지막 문단의 '또래 상담 요원으로 선발된다면 친구의 이야기와 고민을 경청하면서 공감해 줄 수 있도록 노력하겠습니다.'를 지원자의 포부로 볼 수 있으나, 비유적 표현을 활용하지는 않았다.
⑤ 3문단에서 추천받아 읽은 『상담 심리학의 기초』에 대한 내용을 언급한 부분에서 지원 분야에 대한 전문성을 드러내고 있다고 볼 수 있으나, 지원자에 대한 전문가의 평가를 활용하고 있지는 않다.

3 면접 전략 파악　답 ④

[B]에서 면접자는 '인간 중심적 상담 이론에서 제시한 상담자의 태도에 대해 좀 더 자세히 설명해 줄 것'을 요구하고 있다. 이는 면접 대상자가 자기소개서에서 언급한 『상담 심리학의 기초』란 책의 내용과 관련되므로 ⓐ와 같은 분석을 했을 것이다. 그리고 [B]에서 면접 대상자는 자기소개서에서 언급한 『상담 심리학의 기초』라는 책의 내용을 바탕으로 인간 중심적 상담 이론에서 제시한 상담자의 태도를 구체적으로 설명하고 있으므로, ㉯의 답변 전략을 활용했을 것이다.

[오답 풀이]

[A]에서 면접자는 또래 상담의 필요성에 대해 묻고 있으므로, 면접 대상자는 지원 분야의 필요성에 대해 근거를 들어 답할 것을 요구한다고 질문을 분석했을 것이다(ⓑ). 그리고 설문 조사 결과를 근거로 또래 상담이 필요하다고 답변했으므로 면접 대상자의 답변 전략은 ㉰이다.
[C]에서 면접자는 상담 상황을 제시하고 상담 방안에 대해 묻고 있으므로, 면접 대상자는 지원 분야와 관련한 상황에서의 수행 능력을 확인한다고 질문을 분석했을 것이다(ⓒ). 그리고 자기소개서에서 언급한 내용(공부방 봉사 활동을 통해 신뢰와 친근감이 중요하다는 생각을 하게 됨.)을 제시된 상황에 적용하여 답변했으므로 면접 대상자의 답변 전략은 ㉮이다.

13

본책 178~181쪽

1 ③ 2 ④ 3 ⑤ 4 ③

2018 수능

〈(가) 토의〉

토의 주제 허생의 처가 추구하는 행복의 조건은 무엇인가?

토의 과정

토의 주제 확인	허생의 처가 추구하는 행복의 조건은 무엇인가?
첫 번째 견해 제시	외적 조건인 '부'를 추구한 것으로 봄. → '부'를 추구한 것으로 볼 수 없음. → '허생의 처'는 외적 조건을 추구한 것이 아님.
다른 관점 제시	가족 구성원의 관계에서 봄. → 강요된 희생과 남편의 외면 때문임. → 가족 간의 소원한 관계 때문임.
결론 도출	허생의 처가 추구하는 행복의 조건을 가족 구성원 간의 바람직한 관계로 봄.

〈(나) 학생의 초고〉

작문 상황 토의 내용을 참고하여 자신의 삶을 성찰하는 글 쓰기

주제 행복의 조건 중 가족 구성원 간의 바람직한 관계에 대해 생각하게 됨.

중심 내용

1 문단	허생의 처는 물질적인 부를 행복의 조건으로 여기지 않았음을 깨달음.
2 문단	허생의 처는 가족 구성원 간의 바람직한 관계를 행복의 조건으로 여겼음을 알게 됨.
3 문단	외적 조건만을 행복의 조건으로 여겼던 것을 반성함.

1 토의 계획 파악 답 ③

㉮ '현지'는 첫 번째 발화에서 '허생의 처가 추구하는 행복의 조건은 무엇인가?'라는 토의 주제를 밝히면서 토의를 시작하고 있다.

㉱ '현지'는 두 번째 발화와 마지막 발화에서 '정리하면'이라고 하면서 토의 참여자들이 발언한 내용을 정리해 주고 있다.

㉲ '현지'는 두 번째 발화에서 '그렇다면 허생의 처가 추구한 행복의 조건을 다른 측면에서는 어떻게 접근할 수 있을까?'라고 질문하며 다른 관점에서 생각해 보도록 유도하고 있다.

[오답 풀이]

㉯ '현지'는 발언 순서를 지정하지 않고 토의에 참여한 학생들이 자유롭게 발언하도록 하고 있다.

㉰ '현지'는 의견에 대한 근거를 함께 제시하도록 요구하지 않았다.

2 토의 내용 파악 답 ④

[B]에서 '민호'는 허생의 처가 추구하는 행복의 조건은 가족 구성원의 관계라는 측면에서 접근해 볼 수 있다고 하였다. '영수'는 '맞아.'라고 '민호'의 의견을 받아들인 후에 '가족 구성원의 관계라는 측면에서 ~ 이유로 여기는 것 같아.'라고 말하면서 '민호'의 의견에 대해 보완하는 의견을 추가하고 있다.

[오답 풀이]

① [A]에서 '영수'는 허생의 처가 외적 조건인 부를 추구하는 사람이라는 '민호'의 의견에 반대하고 있다. '과연 그럴까?'는 '민호'와 다른 의견을 제시하기 위한 물음이지 추가적인 근거를 요구하기 위한 질문이 아니다.

②, ③ [A]에서 '영수'는 '민호'의 의견에 동의하지 않고 '민호'와 다른 의견을 제시하고 있다.

⑤ [B]에서 '영수'는 '민호'의 의견에 동의하고 있으며, 논리적 오류를 지적하지 않았다.

3 내용 생성의 적절성 평가 답 ⑤

(가)에서 허생의 처가 행복하지 않은 이유는 강요된 희생과 소원한 가족 관계 때문이라고 정리했고, (나)의 3문단에서 이 둘에 비추어 자신의 삶을 반성하고 있다. 그러나 강요된 희생과 소원한 관계를 주된 이유와 부차적 이유로 나누고 있지는 않다.

[오답 풀이]

① (가)에서 '민호'는 허생의 처가 행복의 외적 조건을 추구했다는 의견을 냈다가 '영수'의 말을 듣고 이를 수정했다. (나)의 1문단의 '나는 허생의 처가 행복의 외적 조건을 추구하고 있다고 여겼다.'와 '토의를 통해 허생의 처는 ~ 물질적인 부를 추구했다고 보기 어렵다는 사실을 깨닫게 되었다.'에 이 내용이 반영되어 있다.

② 2문단의 첫 번째 문장은 허생의 처가 행복하지 않은 이유를 생계 문제를 중심으로 파악했던 의견에 의문을 제기한 것이고, 나머지 내용들은 의문에 대한 답으로 볼 수 있다.

③ (가)에서 '영수'는 허생의 처의 말을 인용하면서 허생의 처가 행복하지 않은 이유는 가족 간의 소원한 관계 때문이라고 말했는데, (나)의 2문단에서 이를 반영하여 '허생의 처가 행복해지기 ~ 조건이었던 것이다.'라고 하며 허생의 처가 행복해지기 위한 조건을 언급하고 있다.

④ 3문단의 '그동안 나는 돈을 ~ 이끌어 줄 것이라 생각했다.'에 내가 기존에 갖고 있던 행복에 대한 생각이 반영되어 있고, '이 조건만이 행복을 위한 조건의 전부가 아니라는 것을 깨닫게 되었다.'에 이 생각이 편협했음을 깨달았다는 내용이 반영되어 있다. 그리고 이는 (가)에서 '나'와 '영수'가 논의한 내용을 바탕으로 쓴 것이다.

4 자료 활용 방안 파악 답 ③

ⓒ는 행복 수준을 조사할 때 물질적 부와 인간관계에서의 만족도 등을 고려해야 한다는 내용이다. 이를 활용하면 외적 조건만이 행복을 위한 조건의 전부가 아니라는 ㉠을 구체화하여, 물질적 부와 함께 가족 구성원 간의 바람직한 관계 형성도 행복의 조건으로 고려해야 한다는 내용으로 구성할 수 있다.

[오답 풀이]

① ⓐ는 소득 수준과 행복 간의 상관관계에 대한 사람들의 일반적인 기대에 해당한다. 이는 행복을 위한 조건인 물질적 부의 수준이 사람마다 다를 수 있다는 내용으로 구체화될 수 없고, 이런 내용은 ㉠과도 무관하다.

② ⓑ는 소득이 행복의 조건이 될 수 있지만 일정 수준을 넘어서면 행복의 조건에 해당하지 않는다는 의미이므로 '외적 조건만이 행복을 위한 조건의 전부가 아니라'는 ㉠과 관련이 없다.

④ ⓒ에서 바람직한 가족 관계가 행복을 위한 조건이라는 내용을 끌어낼 수 있지만, 이를 위해 일정 수준 이상의 소득이 보장되어야 한다는 내용은 끌어낼 수 없고, 이는 ㉠과도 관련이 없다.

⑤ ⓑ와 ⓒ에서 물질적인 부와 가족 간의 관계가 서로 어떤 상관관계를 맺고 있는지 알 수 없다.

본책 182~185쪽

1 ② **2** ④ **3** ④ **4** ①

2018-6월 모평

〈(가) 인터뷰〉

주제 발명가의 발명품 소개와 발명할 때 아이디어를 떠올리는 방법

참여자 질문자(학생 1, 2), 답변자(학생 발명가 선배)

인터뷰 내용 발명의 개념 → 발명품 소개 → 아이디어 생성 방법인 '아이디어 창출 중심 모형'의 3단계 설명 → 아이디어 창출 중심 모형의 사례 → 미래의 발명가 후배들에게 전할 말

〈(나) 학생의 초고〉

작문 상황 정보 전달을 목적으로 발명 동아리 소식지에 글 쓰기

주제 아이디어 창출 중심 모형 소개

중심 내용

1 문단	아이디어 창출 중심 모형 소개
2 문단	아이디어 창출 중심 모형의 체험 단계
3 문단	아이디어 창출 중심 모형의 인지 단계
4 문단	아이디어 창출 중심 모형의 발명 단계

1 말하기 방식 파악 답 ②

㉡은 양념 담는 통을 개선하는 아이디어를 창출한 내용이다. 설명 대상인 양념 담는 통에 관한 과학적 상식을 제시하고 있지 않으며 상대방의 흥미를 유발하고 있지도 않다.

[오답 풀이]

① '발명은 전에 없던 기술이나 물건을 새롭게 생각하여 만들어 내는 것'이라는 발명가의 말을 '새롭게 생각하여 전에 없던 기술이나 물건을 만든다'로 재진술하였고, '쉽지 않은데요'에서 자신의 생각을 드러내고 있다.

③ 물음의 형식으로 상대방에게 예를 들어 설명해 줄 것을 요구하고 있다.

④ 발명가는 아이디어 창출 중심 모형의 세 단계(체험 단계 → 인지 단계 → 발명 단계)에 대해 언급하고, 그중 '체험 단계'를 설명하였다. '학생 2'는 이 정보를 이용하여 다음 단계인 '인지 단계'에 대한 내용을 예측하고 있다.

⑤ 자가 발전 기능이 있는 손전등의 구체적인 사례를 제시하여, 물건을 개선할 아이디어를 창출하기 위해 다른 발명품을 참고할 수 있다는 앞의 발화를 보충하고 있다.

2 말하기 내용 추론 답 ④

(가)에서 발명가는 발명 단계에서 도움을 얻기 위해 기존의 다른 발명품들을 참고할 수 있다고 말했고, (나)에서 '학생 1'은 이 말을 활용하여 '자동으로 공기가 채워지는 튜브를 참고해 물에 뜨는 자전거라는 아이디어를 창출'할 수 있다고 하였다. 따라서 (나)에는 기존의 다른 발명품을 참고하여 아이디어를 창출하는 내용이 포함되어 있음을 알 수 있다.

[오답 풀이]

① (가)에서 발명가는 발명품을 만드는 데 겪은 어려움을 언급하지 않았고, (나)에서도 발명 도중에 겪었던 어려움을 포함하지 않았다.

② (가)의 마지막 부분에서 발명가는 '주변 사물에 호기심을 갖고 개선할 점이 있는지' 찾아보라고 했지만, (나)에서 개선이 필요한 주변 사물의 문제점을 언급하지 않았다.

③ (가)에서 발명가는 '필기구'를 예로 들어 아이디어 창출 중심 모형의 각 단계를 설명했고, (나)에서는 '자전거'를 예로 들어 설명했다.

⑤ (가)에서 발명가는 '발명은 전에 없던 기술이나 물건을 새롭게 생각하여 만들어 내는 것'이라고 하였다. 하지만 (나)에서는 '물에 뜨는 자전거'라는 아이디어를 창출할 수 있다고만 했을 뿐, 이 아이디어를 이용하여 실제로 물건을 제작, 완성하는 과정은 포함하지 않았다.

3 조건에 맞는 글쓰기 평가 답 ④

(나)의 중심 내용인 '아이디어 창출 중심 모형'의 체험 단계, 인지 단계, 발명 단계를 언급하여 정리했고, 아이디어 창출 중심 모형의 의의인 '쉽게 아이디어를 생성할 수 있고 이를 통해 발명에 대한 자신감을 가질 수 있다.'를 덧붙이고 있다.

[오답 풀이]

① 아이디어 창출 중심 모형의 의의는 드러나지만, 중심 내용을 요약하고 있지 않다.

② 중심 내용은 드러나지만, 아이디어 창출 중심 모형의 의의는 드러나 있지 않다.

③ 아이디어 창출 중심 모형의 중심 내용을 잘못 요약하고 있다. 물건을 탐색하며 발명에 대한 호기심을 가져 보라는 것이지 주변 사물들 중에서 발명 주제를 선정하라는 것은 아니다.

⑤ 중심 내용은 드러나지만, 아이디어 창출 중심 모형의 의의는 드러나 있지 않다.

4 내용 조직의 적절성 평가 답 ①

(나)는 '자전거'를 예로 들어 아이디어 창출 중심 모형의 각 단계를 설명하고 있다. 그러나 이 과정에서 비교의 방법은 사용하지 않았다.

[오답 풀이]

② 2문단의 '먼저', 3문단의 '그 후', 4문단의 '마지막으로'와 같이 글의 전개 순서를 알려 주는 표지를 사용하여 글의 흐름이 잘 드러나도록 하고 있다.

③ 2문단의 '직접 자전거를 타 보이기도 하고, 자전거를 분해해 보이기도 하면서 탐색된다.'는 표현이 어색한 문장이다. '직접 자전거를 타 보기도 하고, 자전거를 분해해 보기도 하면서 탐색한다.'로 표현하는 것이 적절하다.

④ 3문단은 자전거에 적용된 과학적 원리를 학습한다는 내용이므로, 자전거를 탔던 추억을 떠올려 감상문으로 써 보라는 마지막 문장은 글의 주제에서 어긋나 통일성을 떨어뜨린다.

⑤ 4문단의 첫 번째 문장이 '개선 방안을 생각한다.'로 끝났으므로 '개선 방안을 생각할 때는'으로 시작하는 세 번째 문장이 그다음에 오는 것이 자연스럽다. 또한 두 번째 문장은 세 번째 문장의 구체적인 사례에 해당하므로, 4문단의 전체 내용을 고려했을 때 두 번째 문장과 세 번째 문장의 순서를 바꾸는 것이 자연스럽다.

본책 186~189쪽

1 ①　2 ④　3 ③　4 ⑤

2018-3월 고2 학평

《(나) 건의문》

작문 상황 도로 소음 문제 해결을 위해 구청 민원 게시판에 건의하는 글 쓰기

주제 도로 소음 문제 해결을 위한 대책 마련을 촉구함.

중심 내용

1 문단	글을 쓴 동기
2 문단	우리 동네의 도로 소음 문제가 심각함.
3 문단	대담에서 들은 내용 제시
4 문단	실질적인 대책이 필요함.
5 문단	대책 마련을 촉구함.

1 사회자의 역할 파악 　답 ①

사회자는 참여자 간의 의견이 달라 조정이 필요할 때 의견을 중재하고 조정하는 역할을 할 수 있다. 그러나 이 대담에서는 대담 참여자인 박 교수와 김 교수 간의 의견 대립이 보이지 않으며, 사회자가 의견 차이를 조정하고 있지도 않다.

[오답 풀이]

② 사회자는 첫 번째 발언에서 대담의 화제인 '도로 소음, 문제와 대책'을 제시하고, 발언자인 박□□ 교수와 김△△ 교수를 소개하고 있다.

③ 사회자는 법적 규제나 정책적인 측면의 질문은 도시정책학과 김△△ 교수를 지정하고, 기술적인 측면은 환경공학과 박□□ 교수를 지정하여 질문을 하고 있다.

④ 사회자는 두 번째 발언에서 '상시적인 도로 소음이 피해를 주기 때문에 문제라는 말씀이군요.'라며 박 교수의 말을 정리하고, 이와 관련한 질문을 던지며 대담을 이어 나가고 있다.

⑤ 사회자는 '소음 발생이나 소음으로 인한 피해를 애초에 줄일 수 있는 방안은 없을까요?', '그런 단점을 보완할 수 있는 새로운 기술은 없는지요?' 등에서 발언 내용과 관련된 추가적인 정보를 요청하고 있다.

2 발언 내용 파악 　답 ④

박 교수는 두 번째 발언에서 도로 소음 저감 기술인 방음벽과 방음 터널을 언급하고, 그 기술들의 장단점을 설명하고 있다. 기존 소음 저감 기술 중 방음벽이나 방음 터널의 한계(단점)를 언급하고 있는 것은 박 교수이다.

[오답 풀이]

① 박 교수는 첫 번째 발언에서 '소음은 발생과 동시에 소멸하는 특성'이 있다고 밝히고, '최근 들어 차량이 증가하고 도로가 늘어나면서 상시적으로 발생하는 도로 소음이 신체적 · 정신적 피해를 끼치고 있어 문제가 되고 있습니다.'에서 도로 소음이 문제가 되고 있는 원인을 설명하고 있다.

② 박 교수는 두 번째 발언에서 방음벽과 방음 터널의 장단점을 각각 거론하며 도로 소음 저감 기술에 대해 설명하고 있다.

③ 박 교수는 세 번째 발언에서 저소음 포장 공법은 최대 9dB 정도의 소음을 줄일 수 있고, 방음 창호는 최대 35dB 정도의 소음을 줄일 수 있다고 하면서 소음 저감 기술의 효과를 구체적인 수치를 활용하여 제시하고 있다.

⑤ 김 교수는 두 번째 발언에서 박 교수가 설명한 저소음 포장 공법과 관련하여 정책적인 지원을 하고 있다고 말하고 있다.

3 글쓰기 계획 파악 　답 ③

㉠ (나)의 1문단의 '도로 소음 문제와 관련한 라디오 대담을 듣고 대책 마련을 요구하고자 민원 게시판에 글을 올리게 되었습니다.'에서 자신이 대담에서 들었던 내용을 활용하여 실질적인 대책이 부족하다는 점을 지적하고 있다.

㉣ (나)의 2문단의 '저를 비롯한 많은 주민들은 ~ 심각한 지장을 받고 있습니다.', 5문단의 '이렇게 느끼는 사람이 저뿐만은 아닐 것입니다.'에서 도로 소음 문제를 심각하게 느끼는 사람이 혼자만이 아님을 거듭 언급하고 있다.

[오답 풀이]

㉡ 고속화 도로로 인한 소음 피해를 줄일 수 있는 대책 마련을 요구하고 있지만, 실제로 대책이 실현될 경우 기대되는 효과를 언급하지는 않았다.

㉢ (나)의 2문단에서 도로 소음의 원인을 고속화 도로를 이용하는 차량들 때문으로 보고 있으나 원인을 다각도로 분석했다고 볼 수 없으며, 원인별로 해결 방안을 제시하고 있지도 않다.

4 자료 활용 방안 파악 　답 ⑤

㉰에 따르면 우리 동네가 소음 집중 관리 지역으로 지정된 것은 사실이다. 그러나 차량들이 제한 속도를 지키지 않는 이유는 ㉰를 통해 확인할 수 없다.

[오답 풀이]

① ㉰에 의하면 현재 고속화 도로 주변의 소음은 최대 80dB이다. ㉮-1에 의하면 이러한 소음 수치는 건강에 악영향을 줄 수 있으므로, ㉮-1과 ㉰를 활용하여 고속화 도로 주변의 소음이 주민들에게 건강상의 악영향을 미칠 수 있다는 내용을 추가할 수 있다.

② ㉯에 의하면 아파트 고층에 사는 주민들이 소음 문제를 심각하게 느낀다는 사실을 알 수 있으며, 이는 현재 설치된 방음벽이 고층 아파트의 소음을 줄이는 데 한계가 있다는 사실을 뒷받침해 준다. ㉮-2에 의하면 꺾임형 방음벽은 아파트 고층의 소음 피해를 줄이는 데 도움을 줄 수 있으므로 ㉮-2와 ㉯를 활용하여 꺾임형 방음벽이 대안이 될 수 있음을 제안할 수 있다.

③ ㉯에 의하면 고속화 도로 소음 문제가 시급한 문제라고 생각하는 주민이 75% 이상이고 이 중 80%가 고층에 사는 사람임을 알 수 있다. 75%, 80%라는 구체적인 수치를 활용하여 많은 주민들이 소음 문제를 심각하게 인식하고 있다는 것을 뒷받침할 수 있다.

④ ㉰에 의하면 차량들이 제한 속도를 초과하여 달리는 것이 소음 발생의 주된 원인으로 지적되고 있다. 차량들이 제한 속도를 지킨다면 소음 발생이 줄어들 것이므로 ㉰를 활용하여 차량들이 속도 제한을 잘 지킬 수 있도록 단속을 강화해 달라는 요구를 추가할 수 있다.

모의고사

1회

본책 192~197쪽

1 ④	2 ②	3 ②	4 ⑤	5 ①	6 ③
7 ④	8 ①	9 ①	10 ④	11 ④	

[1~3] 2020-6월 모평

담화 유형 발표

주제 세계 여러 나라의 인상적인 탈

목적 세계 여러 나라의 탈 중 인상적인 세 탈의 특징을 소개하기 위해

특징
- 청중의 반응을 이끌어 내며 청중과 상호 작용함.
- 시각 자료를 제시하여 청중의 이해를 도움.

중심 내용
1 문단: 발표 주제와 목적 제시
2 문단: 우리나라의 양반탈의 특징
3 문단: 중국의 관우 탈의 특징
4 문단: 아프리카의 카메룬의 탈의 특징
5 문단: 세 탈의 분류 및 발표의 마무리

1 말하기 전략 평가 답 ④

청중에게 질문을 던지고 청중의 반응을 확인하는 장면은 여러 곳에서 나타난다. 가령 2문단에서 '여러분, 이 탈의 이름을 아세요?'라며 청중에게 질문을 던졌다. 청중의 반응이 없자 '안동에서 볼 수 있는 탈이에요.'라며 추가 정보를 제시하고 있다.

[오답 풀이]
① 도입부(1문단)에서 용어의 개념을 설명하고 있지 않다.
② 1문단에서 『세계 여러 나라의 탈』이라는 책을 읽은 경험이 주제 선정의 동기가 되었다고 밝히고 있다.
③ 발표 내용 중 전문가의 말을 인용한 부분은 없다.
⑤ '탈의 용도에 따른 모양'이란 주제로 탐구해 보겠다며 발표를 마무리하고 있을 뿐, 발표 내용에 대한 청중의 이해도를 확인하고 있지 않다.

2 자료 활용 방안 파악 답 ②

발표자는 '화면 1'을 활용하여 양반탈은 '단순한 얼굴형에 특별한 장식이나 화려한 색채 없이 눈썹, 눈, 코, 입을 선으로 표현'했다고 설명하고 있다. 또한 '화면 2'를 활용하여 관우 탈은 '머리에 쓴 관까지 표현돼 있'고 '얼굴이 강렬한 붉은색이어서 무시무시하면서도 화려한 느낌'을 준다고 설명하고 있으며, '화면 3'을 활용하여 카메룬의 탈은 '단순한 곡선과 직선으로 표현된 커다란 눈이 작은 코와 대비되어 더 두드러져 보'인다고 설명하고 있다. 따라서 A에 '형태적 특징을 중심으로 각각의 탈을 소개'한다는 내용이 들어가는 것은 적절하다. 그리고 5문단에서 세 가지의 탈을 선을 활용하여 단순하게 표현된 탈과 화려한 장식이 있는 복잡한 탈로 구분하여 정리했다고 하였다. 따라서 B에 '탈들의 복잡성이 대비되도록 유형화하여 제시'한다는 내용이 들어가는 것은 적절하다.

[오답 풀이]
① 사용된 색채를 소개한 탈은 '화면 2(얼굴이 강렬한 붉은색)'뿐이므로 적절하지 않다.
③ 발표자는 인상적이었던 순서를 밝히고 있지 않다.
④ 발표자는 지리적으로 인접한 순서를 밝히고 있지 않다.
⑤ 발표자는 표현된 선의 유사성을 중심으로 탈을 소개하고 있지 않으며, 탈들을 선의 형태에 따라 분류한 것도 아니다.

3 반응의 적절성 평가 답 ②

〈보기〉의 '양반탈 말고 다른 하회탈도 설명해 주겠지?'를 의문으로 볼 수도 있으나 발표 내용을 예측한 것으로 보는 것이 더 적절하다. 또한 양반탈 외에 다른 하회탈은 언급하고 있지 않으므로, 발표를 들으며 갖게 된 의문을 해결하며 듣고 있다고 볼 수 없다.

[오답 풀이]
① '양반탈 말고 다른 하회탈도 설명해 주겠지?'라고 내용을 예측하며 능동적인 태도로 듣고 있다.
③ 발표자가 제안한 탐구 주제인 '탈의 용도에 따른 모양'에 대해 조사해 보면 좋을 것 같다고 생각하고 있으므로, 발표자의 제안을 긍정적으로 수용하고 있다고 볼 수 있다.
④ 박물관에서 관우 탈을 봤던 경험을 떠올리며 발표자의 설명(관우 탈은 화려한 느낌을 준다.)에 공감하며 듣고 있다.
⑤ 발표를 통해 양반탈이 하회탈의 한 종류라는 사실을 알게 되었고, 양반탈을 하회탈로 알고 있던 기존 지식을 수정하며 듣고 있다.

[4~7] 2020-7월 고3 학평

(가) 회의

주제 동아리 발표회 시기 변경 및 행사 프로그램 추가 여부

목적 동아리 발표회 시기 변경 및 행사 프로그램 추가 여부에 대한 학생들의 의견을 조사하는 방법을 정하기 위해

특징
- 다른 참여자의 의견을 듣고 새로운 대안이나 절충안을 제시함.
- 제시된 의견의 장점과 단점을 분석하여 최선의 방법을 결정함.

중심 내용

구분	내용
설문 조사 방식에 대한 논의	– 폐쇄형 질문 형태의 설문지로 전교생의 의견을 묻는 방식 – 학급별로 3~4명의 모집단을 선정하여 면접 방식으로 설문을 진행하는 방식 ⇒ 절충안: 전교생을 대상으로 설문 조사를 하되, 설문 문항의 유형을 다양화함.
설문 문항에 대한 논의	– 발표회 시기 변경 및 행사 프로그램 추가에 대한 찬반 여부 조사 + 추가 질문을 통해 이유나 추가 희망 프로그램 파악 – 반대하는 경우 개방형 질문 형태로 이유 파악 – 프로그램 추가와 관련된 질문은 폐쇄형 질문지 작성 ⇒ 절충안: 프로그램 관련 추가 문항은 폐쇄형 문항으로 하되 원하는 항목이 없을 경우 개방형으로 의견 서술
설문 조사 참여 독려 방안	교실에 설문 조사에 관한 안내문 게시

4 담화의 유형과 성격 파악 답 ⑤

[A]에서 '학생 1'이 학급별로 3~4명의 모집단을 선정해 면접 방식으로 설문을 진행하자는 의견을 제시하자 '학생 2'는 모집단 선정 기준과 선정된 학생이 전체 학생의 의견을 대표할 수 있을지가 문제가 될 것(문제점)이라고 말하며 이의를 제기하고 있다. [B]에서 '학생 1'이 프로그램 추가와 관련된 질문도 개방형 질문으로 하자는 의견을 제시하자 '학생 2'는 그렇게 하면 지나치게 많은 의견이 나올 수 있기 때문에 설문 조사 결과를 수합하기 어려울 것(문제점)이라고 말하며 이의를 제기하고 있다.

[오답 풀이]

① [A]에서 '학생 2'는 폐쇄형 질문 형태의 설문지를 만들자고 제안하는데, 이에 대해 '학생 3'은 찬반의 이유나 발표회에 대한 요구 사항을 파악하기 어렵다는 이유로 반박하고 있다. 그러나 '학생 3'이 새로운 대안을 제시하고 있지는 않다.

② [B]에서 '학생 3'이 발표회 시기 변경이나 행사 프로그램 추가에 반대하는 경우에만 개방형 질문 형태로 이유를 묻자는 의견을 제시하자, '학생 1'이 찬성하고 있으므로 '학생 1'은 '학생 3'의 의견이 지닌 긍정적 측면을 인정한다고 볼 수 있다. 그러나 이에 대한 자료를 제시하고 있지는 않다.

③ [A]에서 '학생 3'이 폐쇄형 질문 형태의 설문지에 대한 반대 의견을 제시하자 '학생 1'은 학급별로 3~4명의 모집단을 선정한 후 면접 방식으로 설문을 진행하자는 구체적 대안을 제시하고 있다. [B]에서 '학생 2'가 발표회 시기 변경과 행사 프로그램 추가에 대한 찬반 여부를 확인한 후, 추가 질문을 통해 이유나 추가하고 싶은 프로그램을 파악하자는 의견을 제시하자 '학생 3'은 찬성하는 경우에는 그 이유를 알 필요가 없다고 말하고 있다. 그러나 제시한 의견에 대한 근거는 언급하고 있지 않다.

④ [A]와 [B]에서 '학생 3'이 '학생 2'가 제시한 의견이 실현되기 위한 조건에 대해 언급하는 부분은 없다.

5 담화의 공통점 파악 답 ①

㉠은 전교생을 대상으로 폐쇄형 질문 형태의 설문 조사를 하자는 '학생 2'의 의견과, 개방형 질문을 활용하여 학생들의 의견을 심층적으로 파악하자는 '학생 1'의 의견을 절충하여 다양한 문항 유형의 설문지를 만들어 전교생을 대상으로 설문 조사를 실시하자는 의견에 대한 동의를 구하고 있다. ㉡은 프로그램 추가와 관련된 질문을 개방형 질문으로 하자는 '학생 1'의 의견과, 폐쇄형 질문으로 하자는 '학생 2'의 의견을 절충하여 폐쇄형 질문 형태로 추가 질문을 만들되, 응답 항목 중 원하는 것이 없을 경우 개방형으로 하자며 동의를 구하고 있다. 따라서 ㉠과 ㉡ 모두 논의된 의견을 절충하는 방안을 제시한 후 그 방안에 대한 상대방의 동의를 구하는 발화이다.

[오답 풀이]

② ㉠과 ㉡ 모두 상대방에게 하나의 방안을 선택할 것을 권유하고 있지 않다.

③ ㉠과 ㉡ 모두 논의된 의견 중 하나를 지지하고 있지는 않다.

④ ㉠과 ㉡ 모두 논의된 의견을 절충하는 방안을 제시하고 있으므로 논의된 의견을 보완할 수 있는 방안이라고 볼 수 있다. 그러나 논의된 의견들이 지닌 한계를 언급하지는 않았다.

⑤ ㉠과 ㉡ 모두 논의된 의견들을 시행했을 때 기대되는 효과를 언급하지 않았다.

6 고쳐쓰기 계획 파악 답 ③

고쳐 쓴 글에서는 설문 조사에 참여하는 것이 학생이 함께 학교를 만들어 가는 디딤돌이 된다는 점만 언급하고 있을 뿐, 설문 조사 방식의 장점이나 설문 조사에 참여하는 구체적인 방법은 언급하지 않았다.

[오답 풀이]

① 고쳐 쓴 글의 제목에는 '개최 시기 변경 및 프로그램 추가 찬반'이라는 내용이 포함되었다. 제목을 구체적으로 수정하여 설문 조사의 목적이 동아리 발표회 개최 시기 변경 및 프로그램 추가 찬반을 조사하는 것임을 알 수 있다.

② (나)에서 '또한 등교 음악회 선곡 및 학급 단합 행사의 지원금 확대 등에 대해서도 논의를 하였습니다.'는 설문 조사와 직접적인 관계가 없으므로 글의 흐름에 어긋나는 문장이다. 고쳐 쓴 글에서는 이 문장을 삭제하였다.

④ '여러분께서 주시는 소중한 의견이 학생이 함께 학교를 만들어 가는 데 디딤돌이 된다'라는 내용을 추가하여 설문 조사 참여가 지닌 의의에 대해 말하고 있다.

⑤ '6월 학생회 회의'에서 '12월에 개최되는 동아리 발표회를 10월로 변경하여 실시하자는 의견과 동아리 발표회 행사의 다양화를 위해 행사 프로그램을 추가하자는 의견에 대해 논의'한 결과 설문 조사를 실시하게 되었다는 내용을 구체적으로 언급하며 설문 조사를 실시하게 된 배경을 소개하고 있다.

7 반응의 적절성 파악 답 ④

(가)의 '학생 1'의 첫 번째 발화를 통해 기존의 동아리 발표회는 전시 위주로 진행되었음을 알 수 있다. 따라서 이미 동아리 발표회 프로그램으로 운영되고 있어서 다른 행사로 바꿀 필요가 있는 것은 '체험 부스'가 아니라 '전시회'이다.

[오답 풀이]

① '문항 1'은 발표회 시기 변경이나 행사 프로그램 추가와 관련하여 의견을 조사하기로 한 내용과 관계가 없으므로 설문 문항에 포함시킬 필요가 없다.

② '문항 2'는 동아리 발표회 시기 변경과 행사 프로그램 추가 중 하나만 찬성하거나 하나만 반대하는 경우에는 답변을 하기가 어렵다. 따라서 각각 별도의 문항으로 분리해야 학생들의 의견을 정확하게 반영할 수 있다.

③ [B]에서 발표회 시기 변경과 행사 프로그램 추가에 찬성하는 경우에는 그 이유를 알 필요가 없다고 했으므로 '문항 2-1'은 설문 문항에 포함시킬 필요가 없다.

⑤ (가)에 개방형 질문은 많은 의견이 나올 수 있어 설문 조사 결과의 수합이 어렵기 때문에 폐쇄형 질문이 필요하다는 부분이 있다. '문항 3'의 (1)~(3)에서는 선택 항목을 고르는 폐쇄형 문항을, (4)에서는 자신이 원하는 프로그램이 없을 경우 자유롭게 의견을 서술하는 개방형 문항을 사용했다. 이를 통해 설문 조사 결과 수합의 용이성과 답변의 다양성을 확보하고 있다.

[8~11] 2021-7월 고3 학평

(가) 보고서

작문 상황 교지에 실을 조사 보고서 쓰기

주제 블리스터 포장의 실태와 문제점

중심 내용

Ⅰ. 조사 동기 및 목적	블리스터 포장의 실태와 문제점 조사
Ⅱ. 조사 계획	각 연령대를 대상으로 한 설문 조사 및 업체 관계자 인터뷰
Ⅲ. 조사 결과	블리스터 포장의 실태와 문제점 – 실태: 업체들은 상품 도난이나 훼손으로 인한 손실을 방지하고 생산 비용을 낮추기 위해 블리스터 포장을 많이 사용함. – 문제점: 포장 개봉이 어렵고, 개봉 시 부상을 입는 경우가 많음.

(나) 자기소개서

작문 상황 □□디자인 연구소 청소년 디자이너 모집에 지원하기 위한 자기소개서 쓰기

주제 자신이 □□디자인 연구소 청소년 디자이너로 적합한 이유

중심 내용
1 문단: 지원자 소개
2 문단: 자신의 장점 ① – 더 나은 삶으로의 한 걸음을 실천하는 자세를 가졌음.
3 문단: 자신의 장점 ② – 도전 정신을 지녔음.
4 문단: 청소년 디자이너로서의 포부

8 글의 특징 파악 답 ①

(가)는 조사 보고서로 '블리스터 포장의 실태와 문제점'에 대해 탐구한 내용을 전달하고 있으며, (나)는 자기소개서로 □□디자인 연구소 청소년 디자이너를 선발하는 사람(독자)에게 자신에 관해 알리고 싶은 정보를 전달하고 있다.

[오답 풀이]

② (가)에 블리스터 포장이 사용되는 현상에 대한 원인 분석이 드러나기는 하지만 자기 성찰이 목적은 아니다. (나)에는 현상에 대한 관찰이 드러나지 않고 자기 성찰을 목적으로 하지도 않는다.

③ (가)와 같은 보고서를 쓸 때에도 예상 독자를 고려하지만, (나)와 같은 자기소개서를 쓸 때 예상 독자가 요구하는 바를 바탕으로 내용을 생성해야 한다.

④ (가)는 조사 보고서이므로 객관적인 사실을 근거로 하여 주제를 드러내야 한다.

⑤ (가)는 현상의 실태와 문제점을 중심으로 내용을 전개하고 있으며, (나)는 자신에 관해 전달하려는 정보를 중심으로 내용을 전개하고 있다.

9 내용의 적절성 평가 답 ①

〈도표〉에서 확인할 수 있는 것은 블리스터 포장으로 어려움을 겪은 적이 있냐는 질문에 대해 '그렇다'라고 응답한 각 연령대별 비율이다. 〈도표〉에서 전체 응답자 중 '그렇다'라고 답한 응답자의 비율이 몇 %인지는 확인할 수 없으므로, 막대그래프를 활용하여 이를 효과적으로 시각화했다는 설명은 적절하지 않다.

[오답 풀이]

② 10대와 60대 중 '그렇다'라고 응답한 비율이 20대와 각각 45%p, 50%p 차이를 보인다고 구체적 수치로 명료하게 밝히면서, '상당한 차이를 보인다.'라는 의미를 분명하게 드러내고 있다.

③ '때문이라고 생각한다'라는 표현을 통해 ⓒ가 글쓴이의 의견임을 드러내고 있다.

④ ⓓ의 앞문장에서 블리스터 포장으로 인해 부상을 경험했다고 응답한 비율이 전체의 35%임을 알 수 있다. 그런데 ⓓ에서 35%를 '대부분의 사용자'라고 하였으므로 조사 결과의 내용을 과장하여 해석했다고 볼 수 있다.

⑤ '(김△△, 『◇◇디자인』, ◎◎출판사, 2018, p. 210.)'에서 저자명, 도서명, 발행처 등 출처를 밝혔다.

10 글쓰기 계획 파악 답 ④

3문단에서 자신이 도전 정신을 지녔다는 것을 보여 주고 있지만, 도전 정신을 갖기 위해 노력했던 과정이나 변화된 자세는 드러나지 않았다.

[오답 풀이]

① 2문단의 첫 번째 문장에서 '더 나은 삶으로의 한 걸음을 실천하는 자세를 가졌'음을, 3문단의 첫 번째 문장에서 '도전 정신을 지녔'음을 자신의 장점으로 제시하여 강조하고 있다.

② 2문단에서 '생활에 불편을 주는' 블리스터 포장의 문제점을 조사하는 보고서를 작성하고 이를 '개선하도록 목소리를 낸' 자신의 사례를 언급함으로써, 자신이 □□디자인 연구소가 지향하는 가치(더 나은 삶으로의 한 걸음)에 부합함을 드러내고 있다.

③ 2문단에서 자신의 실천이 개인적인 측면에서는 개인의 삶을 편안하게 만들 수 있을 것이며, 사회적인 측면에서는 제품을 디자인할 때 사용자를 우선으로 고려하는 사회 분위기를 만드는 데 영향을 미칠 것이라고 말하고 있다.

⑤ 마지막 문단에서 청소년 디자이너가 된다면 청소년의 삶을 불편하게 했던 디자인을 개선함으로써 청소년들의 더 나은 삶을 만드는 데 기여하고 싶다는 포부를 제시하며 글을 마무리하고 있다.

11 조건에 따른 글쓰기 평가 답 ④

조사 결과에 제시되어 있는 블리스터 포장에 대한 서로 다른 입장은 생산 업체와 사용자의 입장이다. ④의 첫 번째 문장에서 '이익과 효율을 위해 블리스터 포장을 사용'하고 있다고 블리스터 포장에 대한 생산 업체의 입장을 요약했고, '이로 인해 불편을 느끼고 안전을 위협받'는다고 사용자의 입장을 요약하고 있다. 그리고 두 번째 문장에서 사용자의 입장을 고려해 '블리스터 포장을 개선할 필요가 있다.'는 자신의 의견을 제시하고 있다.

[오답 풀이]

① 블리스터 포장에 대한 서로 다른 입장이 드러나지 않으며, 디자인에 대한 내용은 (가)에서 언급되지 않았기에 주제에서 벗어난다.

② 블리스터 포장에 대한 생산 업체와 사용자의 입장은 요약하여 제시하고 있으나, 생산자와 사용자의 갈등이 심화되고 있다는 내용은 (가)에 제시되어 있지 않다.

③ 블리스터 포장에 대한 자신의 의견(보다 안전한 방식으로 바뀌어야 한다.)은 드러나지만, 블리스터 포장에 대한 서로 다른 입장은 요약하지 않았다.

⑤ 블리스터 포장에 대한 생산자와 사용자의 입장이 다르다는 언급은 있지만, 구체적으로 각각 어떤 입장인지는 제시하지 않았다.

2회

본책 198~202쪽

1 ③	2 ⑤	3 ①	4 ⑤	5 ④	6 ④
7 ④	8 ⑤	9 ⑤	10 ①	11 ④	

[1~3] 2020-9월 모평

담화 유형 발표

주제 예산대의 모습과 의의

목적 우리나라의 문화유산인 예산대 소개

특징
- 역사적 자료, 시각 자료 등 다양한 자료를 활용하여 청중의 이해를 도움.
- 청중에게 질문을 하면서 발표 내용에 대한 관심을 유발함.

중심 내용
1 문단: 발표자 소개 및 발표 주제 안내
2 문단: 예산대의 개념 및 전체 모습
3 문단: 예산대에 있는 인형들
4 문단: 예산대 위의 인형들을 움직이는 방법
5 문단: 예산대의 의의 및 청중에게 바라는 점

1 말하기 전략 파악 답 ③

1문단의 '전통극과 관련된 문화유산 중 '예산대'를 소개'한다는 것에서 발표의 목적은 밝히고 있으나, 청중과 공유했던 경험을 제시하지는 않았다.

[오답 풀이]

① 2문단의 '기이한 돌산처럼 보이는 물체를 사람들이 움직이고 있죠?', 3문단의 '우선, 예산대에 있는 인형들을 알아볼까요?' 등에서 청중에게 질문을 하여 발표 내용에 대한 관심을 유도하고 있다.

② 2문단의 '『광해군 일기』에 사람들이 산대를 끌어냈다는 기록이 있는 것으로 보아'와 '이 명칭은 『성종실록』에 이미 기록되어 있습니다.'에서 정보의 출처를 언급하여 내용의 신뢰성을 높이고 있다.

④ 2문단에서 발표 주제와 관련된 '산대'의 의미를 '산대는 산 모양의 큰 무대입니다.'라고 설명하여 청중의 이해를 돕고 있다.

⑤ 5문단의 '여러분, 예산대에 대해 관심이 좀 생겼나요? (청중의 대답을 듣고)'에서 발표에 대한 청중의 반응을 확인하고 있으며, '여러분도 기술과 예술을 접목한 전통문화의 또 다른 예를 찾아보면 좋겠습니다.'에서 청중에게 바라는 바를 제시하고 있다.

2 자료 활용 방안 파악 답 ⑤

발표자는 ⓒ을 제시하며 '여기 보이는 수레바퀴'가 예산대 위의 인형들을 움직이는 역할을 했다고 하였다. 〈자료 3〉은 예산대의 내부 구조를 보여 주는 자료이므로, 예산대 인형의 작동 원리를 설명하기 위해 ⓒ에 〈자료 3〉을 활용한 것은 적절하다.

[오답 풀이]

① ㉠은 예산대의 전체 모습을 보여 주기 위한 자료이므로 〈자료 1〉을 활용하는 것이 적절하다. 하지만 이는 예산대의 제작 과정을 보여 주기 위한 것이 아니다.

② 〈자료 3〉은 예산대의 구조를 파악하는 데 도움이 되지만, ㉠은 '기이한 돌산처럼 보이는 물체를 사람들이 움직이고 있'는 자료여야 하므로 〈자료 1〉을 활용하는 것이 적절하다.

③ ㉡은 예산대에 있는 인형을 확대해서 보여 주기 위한 자료이므로 〈자료 2〉를 활용하는 것이 적절하다. 하지만 이는 예산대의 유래를 설명하기 위한 것이 아니다.

④ ⓒ은 예산대 위의 인형들이 움직이는 원리를 설명하기 위한 자료이므로 ⓒ에 〈자료 2〉를 활용하는 것은 적절하지 않다. 〈자료 2〉는 인형들의 모습만 드러낸다.

3 청중의 질문 추론 답 ①

발표 내용을 통해 예산대에는 선녀 인형, 낚시꾼 인형, 원숭이 인형 등 여러 인형이 있음을 확인할 수 있고, '신선의 세계에서 유희를 즐기는 인물과 동물'이라는 답변을 통해 예산대에 있는 여러 인형과 관련된 질문임을 짐작할 수 있다. 그리고 '당시 사람들이 꿈꾸던 이상향 속의 존재'라는 답변을 통해 인형들의 의미를 묻는 질문임을 추론할 수 있다.

[오답 풀이]

② 발표 내용 중 전통극 무대에 상징적 의미가 있다는 내용은 없다.

③ 발표 내용 중 예산대는 '산 모양의 큰 무대'라는 내용은 있지만, 답변 내용에서 산과 신선 세계와의 관련성에 대한 내용은 확인할 수 없다.

④ 발표 내용 중 예산대에서 인형극을 했다는 내용은 있지만, 답변 내용에서 사람이 직접 예산대 위에서 공연을 할 수 있는지에 대한 내용은 확인할 수 없다.

⑤ 발표 내용 중 『봉사도』는 중국 사신단의 일정을 보여 준다는 내용은 있지만, 답변 내용에서 『봉사도』에 있는 예산대 외의 다른 그림에 대한 내용은 확인할 수 없다.

[4~7] 2020-4월 고3 학평

(가) 토론

논제 현금 없는 사회로의 이행은 바람직하다.

주제 현금 없는 사회로의 이행은 바람직하다는 논제에 대한 찬반 토론

토론 과정

<table>
<tr><td>1 찬성 측 입론</td><td>→ 2 반대 측의 반대 신문</td></tr>
<tr><td rowspan="3">현금 없는 사회로의 이행을 찬성함.
- 현금을 들고 다니지 않아도 됨.
- 잔돈을 주고받기 위해 기다릴 필요 없음.
- 언제 어디서든 편리하게 거래 가능
- 새로운 화폐의 제조 비용 절약
- 정확한 자금 흐름 파악 가능</td><td>현금 없는 사회를 찬성하는 이유에 대한 이의 제기</td></tr>
<tr><td>→ 3 찬성 측의 재반론</td></tr>
<tr><td>반대 측의 반대 신문에서 제기한 문제에 대한 반론</td></tr>
<tr><td>4 반대 측 입론</td><td>→ 5 찬성 측의 반대 신문</td></tr>
<tr><td rowspan="3">현금 없는 사회로의 이행을 반대함.
- 비현금 결제 방식에 익숙하지 않은 사람들은 불편함.
- 시스템 구축에 많은 비용 소요
- 개인의 선택의 자유 제한</td><td>현금 없는 사회를 반대하는 이유에 대한 이의 제기</td></tr>
<tr><td>→ 6 반대 측의 재반론</td></tr>
<tr><td>찬성 측의 반대 신문에서 제기한 문제에 대한 반론</td></tr>
</table>

(나) 학생의 초고

작문 상황 토론의 논제에 대해 자신의 입장을 밝혀 주장하는 글 쓰기

주제 현금 없는 사회로의 이행은 바람직하다.

중심 내용	1 문단: 현금 없는 사회로의 이행은 바람직함. 2 문단: 교육과 기회를 통해 현금 없는 사회에 적응할 수 있음. 3 문단: 현금 없는 사회의 장점은 많음. 4 문단: 현금 없는 사회에 대한 사회적 논의가 필요함.

4 쟁점에 따른 내용 파악 답 ⑤

'반대 1'은 현금 없는 사회가 '현금을 사용하고자 하는 개인들의 선택의 자유를 제한'하며, 이는 결국 공공의 이익에도 부정적인 영향을 미칠 것이라고 하였다. 즉, '반대 1'은 개인의 선택의 자유가 제한되는 것을 부정적으로 생각하므로, 개인의 선택의 자유가 제한되는 것이 필요함을 근거로 든다는 것은 적절하지 않다.

[오답 풀이]

① '찬성 1'은 입론에서 '현금 없는 사회에서 사람들은 ~ 언제 어디서든 편리하게 거래를 할 수 있습니다.'라고 입장을 분명히 밝히고 있다.
② '반대 1'은 입론에서 '현금 없는 사회가 되면 비현금 결제 방식에 익숙하지 않거나 새로운 결제 방식을 익히지 못한 사람들은 불편을 겪을 것'이라고 밝히고 있다.
③ '찬성 1'은 입론에서 '매년 새로운 화폐를 제조하기 위해 천억 원 이상의 많은 비용이 소요되는데, 현금 없는 사회에서는 이 비용을 절약할 수 있어 경제적'이라며 입장을 분명히 밝히고 있다.
④ '반대 1'은 입론에서 '비현금 결제 방식에 필요한 시스템을 구축하는 데 많은 비용이 소요되어 경제적이지 않'다고 밝히고 있다.

5 말하기 방식 파악 답 ④

[B]의 '반대 1'은 '이미 구축되어 있는 정보 통신 기반 시설을 활용한다면 상당 부분 절감할 수 있'다는 찬성 측의 이의 제기를 '구축 비용은 절감할 수 있을지라도'라고 하며 일부 인정하고 있다. 그러고 나서 유지 및 관리를 위한 추가 비용이 지속적으로 발생할 것이라고 향후 예상되는 문제점을 지적하고 있다.

[오답 풀이]

① [A]의 '반대 2'는 비현금 결제 방식이 시간과 장소에 구애를 받지 않는다는 찬성 측의 주장에 이의를 제기하고 있다. 그러나 찬성 측은 주장을 하는 과정에서 정보를 인용하지 않았고, '반대 2'도 정보의 출처를 요구하지 않았다.
② [A]의 '찬성 1'은 '비현금 결제 방식을 이용하면 거래에 제약이 있을 수 있다.'는 반대 측의 이의 제기를 수용하고 있지 않다.
③ [B]의 '찬성 2'는 '비현금 결제 방식에 필요한 시스템을 구축하는 데 많은 비용이 소요된다고 하셨는데요'라고 하며 반대 측의 발언을 재진술하고 있으나, 구체적인 사례를 제시해 줄 것을 요구하고 있지는 않다.
⑤ [A]의 '반대 2'와 [B]의 '찬성 2'는 모두 상대측 주장을 재진술하며, 상대방의 주장에 이의를 제기하고 있다.

6 글쓰기 계획 파악 답 ④

3문단은 현금 없는 사회의 장점을 밝힌 부분으로, 현금 없는 사회로의 이행을 위해 국가적 차원에서 준비해야 할 사항을 언급하지는 않았다.

[오답 풀이]

① 1문단의 '오늘날 새로운 기술의 발전에 따라 거래 환경이 비현금 결제 방식으로 변화하고 있고, 이미 많은 국가들이 현금 없는 사회로의 이행을 준비하고 있다.'에서 토론에서 언급되지 않은, 현금 없는 사회로의 이행이 시대적 흐름이라는 내용을 추가하고 있다.
② 토론에서 '반대 1'은 비현금 결제 방식에 익숙하지 않은 사람들이 불편함을 겪을 것이라는 점을 현금 없는 사회에서 발생할 수 있는 문제 중 하나로 제시했다. (나)의 2문단에서 이런 문제를 언급하면서 '지속적이고 단계적으로 교육하고 ~ 적응할 수 있을 것이다.'라고 해결 방안을 제시하고 있다.
③ 3문단의 '현금 없는 사회로 나아갔을 때 새로운 금융 서비스 산업이 개발되어 국제 무역이 더욱 활발해질 것'에서 토론에서 언급되지 않은, 현금 없는 사회의 장점을 밝히고 있다.
⑤ 4문단의 '사회 구성원들 간의 ~ 사회적 논의가 필요하다.'에서 현금 없는 사회로의 이행을 위해서는 공동체 합의를 위한 노력이 필요함을 강조하고 있다.

7 조건에 따른 글쓰기 평가 답 ④

'현금 없는 사회로의 이행'은 '새로운 물결'이라는 비유적 표현을 활용하여, '공동체가 함께 가는 현금 없는 사회로의 이행은 현대 사회를 윤택하게 하는' 것이라는 글쓴이의 주장을 강화하고 있다.

[오답 풀이]

① '우리 모두 한 배를 탄 사람'이라는 비유적 표현은 사용되었으나, '현금 결제 방식을 지키기 위해'는 글쓴이의 주장과 반대되는 내용이다.
② '한쪽 날개로만 나는 새처럼 불균형한 사회'라는 비유적 표현은 사용되었으나, (나)는 현금 없는 사회를 찬성하는 입장이므로 글쓴이의 주장과 반대되는 내용이다.
③ 현금 없는 사회를 찬성하는 입장이므로 글쓴이의 주장을 강화하고 있지만, 비유적 표현이 사용되지 않았다.
⑤ (나)는 현금 없는 사회를 찬성하는 입장이므로 글쓴이의 주장과 반대되는 내용이며 비유적 표현도 사용되지 않았다.

[8~11] 2021-4월 고3 학평

(나) 학생의 초고

작문 상황	우리 학교 학생들의 수면에 대한 인식과 수면 실태를 조사한 보고서를 참고하여 학교 신문에 글 쓰기
주제	건강한 수면 습관을 갖기 위해 노력해야 한다.
중심 내용	1 문단: 우리 학교 학생들의 수면 습관 개선이 필요함. 2 문단: 적절한 수면이 필요한 이유 3 문단: 수면 습관 개선 방안 ① – 6시간 이상의 충분한 수면 시간을 확보해야 함. 4 문단: 수면 습관 개선 방안 ② – 수면의 질을 높여야 함. 5 문단: 건강한 수면 습관을 갖도록 노력해야 함.

8 글쓰기 계획 파악 답 ⑤

(가)의 결론에 수면 실태(절대적인 수면의 양이 부족하고, 수면의 질이 낮음.)와 수면에 대한 인식(우리 학교 학생들은 수면이 중요하다는 것을 알고 있음.)은 드러나지만, 수면 실태가 수면에 대한 인식에 미치는 영향은 정리되어 있지 않다.

[오답 풀이]
① 서론에서 우리 학교 학생들 전체를 대상으로, 2021년 3월 11일부터 3월 17일까지, 설문지를 통해 조사를 진행했다고 밝히고 있다.
② 본론의 내용이 '1. 수면에 대한 인식'과 '2. 수면 실태'로 정리된 것으로 보아, 설문 항목을 학생들의 수면에 대한 인식과 수면 실태로 구성했음을 알 수 있다.
③ Ⅱ-1에 '수면이 중요한 이유는 무엇인가?'라는 추가 질문을 했다는 내용과, Ⅱ-2에 '하루에 6시간 이상 못 자는 이유는 무엇인가?', '수면 후 충분히 피로가 풀렸다고 생각하는가?'라는 추가 질문을 했다는 내용이 제시되어 있다.
④ Ⅱ-1에서 설문 결과를 85%, 91%와 같은 구체적인 수치로 제시하였고, Ⅱ-2에서 61%, 62%, 20%와 같은 구체적인 수치로 제시하였다.

9 자료 활용 방안 파악 답 ⑤

[자료 3]에서 각성 효과가 나타나면 제시간에 잠을 자지 못한다고 하였으므로, 수면의 질을 높이기 위해 각성 효과가 나타나게 해야 한다는 내용을 추가하는 것은 적절하지 않다. 그리고 멜라토닌의 분비량이 증가하면 각성 효과가 나타난다는 사실은 [자료 2]와 [자료 3]에서 확인할 수 없다.

[오답 풀이]
① [자료 1-㉮]를 보면 한국 학생들의 평균 수면 시간은 6시간 3분으로 일본의 7시간 30분, 미국의 8시간 12분, OECD 평균 8시간 22분보다 적다. 따라서 [자료 1-㉮]를 외국 학생들에 비해 우리 학교 학생들의 수면 시간이 부족하다는 내용을 뒷받침하는 근거로 사용할 수 있다.
② [자료 2]를 통해 멜라토닌은 깊은 잠을 자는 데 도움을 준다는 점, 빛에 2시간 노출되었을 때 멜라토닌의 분비가 22% 감소한다는 점을 알 수 있다. 따라서 [자료 2]를 깊은 잠을 자기 위해(수면의 질을 높이기 위해) 빛을 차단해야 한다는 내용을 뒷받침하는 자료로 활용할 수 있다.
③ [자료 3]을 통해 카페인을 섭취하면 깊은 수면에 빠지는 시간이 지연되고 수면의 질이 낮아짐을 알 수 있다. 따라서 [자료 3]을 활용하여 충분한 수면 시간을 확보하기 위해 자기 전에 카페인이 들어간 음식을 섭취해서는 안 된다는 내용을 추가할 수 있다.
④ [자료 1-㉯]를 통해 수면 시간이 부족하면 인체의 면역력을 증가시키는 T세포 활성화 수치가 낮아짐을 알 수 있다. 또한 [자료 2]에 제시된 멜라토닌은 깊은 잠을 자는 데 도움을 주어 면역 기능 유지에 기여한다는 내용을 통해, 수면의 질(깊은 잠)과 면역 기능이 관계가 있음을 알 수 있다. 따라서 [자료 1-㉯]와 [자료 2]를 활용하여 수면의 양과 질에 따라 면역력이 떨어질 수 있다는 내용을 구체화할 수 있다.

10 조건에 따른 글쓰기 평가 답 ①

'충분한 시간 동안 깊이 자는 잠'에서 수면의 양과 질이 모두 중요하다는 교육 내용을 포함하고 있고, '건강한 삶을 위한 지름길'에서 비유적 표현을 활용하고 있다.

[오답 풀이]
② 수면의 양과 질이 모두 중요하다는 교육 내용은 포함되었으나, 비유적인 표현을 활용하고 있지 않다.
③ 수면의 양이 중요하다는 교육 내용과 비유적인 표현(몸에 빨간불이 켜집니다.)은 포함되었으나, 수면의 질이 중요하다는 내용은 포함하고 있지 않다.
④ 수면의 질이 중요하다는 교육 내용은 포함되었으나, 수면의 양이 중요하다는 내용과 비유적인 표현은 포함하고 있지 않다.
⑤ 비유적인 표현(달님도 꿈꾸는 늦은 밤)은 포함되었으나, 수면의 양과 질이 중요하다는 교육 내용은 포함하고 있지 않다.

11 내용의 적절성 평가 답 ④

(가)에서는 학생들을 대상으로 한 설문 조사 결과를, (나)에서는 (가)에 제시된 설문 조사 결과와 멜라토닌과 관련된 과학적 사실 등을 근거로 제시하므로 (가)와 (나) 모두 객관적인 근거를 활용하여 글의 신뢰성을 높인다고 할 수 있다.

[오답 풀이]
① (나)의 마지막 문단에 '학생들은 건강한 수면 습관을 가지도록 힘써야 한다.'라는 당부가 드러나는 것과 달리, (가)에는 예상 독자에 대한 글쓴이의 당부가 드러나지 않는다.
② (나)는 6시간 이상의 충분한 수면 시간 확보, 효율적인 수면 계획 수립, 휴대폰 사용이나 TV 시청하지 않기, 수면의 질에 영향을 미칠 수 있는 빛 차단하기 등 해결 방안을 제시하고 있으나, (가)는 문제 상황만 제시하고 있다.
③ (가)와 (나) 모두 글쓴이의 구체적인 경험은 드러나 있지 않다.
⑤ (가)는 〈'수면'에 대한 우리 학교 학생들의 인식과 실태 조사〉라는 제목을 활용하고 있지만 (나)에는 제목이 없다.

3회

본책 203~208쪽

1 ③	2 ④	3 ①	4 ④	5 ①	6 ③
7 ⑤	8 ③	9 ②	10 ③	11 ②	

[1~3] 2018-6월 모평

담화 유형 발표

주제 문화유산의 디지털 복원

목적 문화유산의 디지털 복원에 대해 설명하기 위해

특징
• 대상의 의미를 설명하여 청중의 이해를 도움.
• 청중에게 질문을 하면서 청중의 관심을 유발함.

중심 내용
1 문단: 발표 주제 소개
2 문단: 문화유산의 디지털 복원의 개념
3 문단: 문화유산의 디지털 복원의 장점 ①, ②
4 문단: 문화유산의 디지털 복원의 장점 ③, ④
5 문단: 문화유산의 디지털 복원에 대한 관심 촉구

1 말하기 전략 평가 답 ③

3, 4문단에서 디지털 기술을 활용한 문화유산 복원은 문화유산을 반영구적으로 보존할 수 있고, 복원이 불가능한 문화유산을 가상의 공간에 복원할 수 있으며, 문화유산을 쉽게 접할 수 있다는 등의 장점이 있다고 하였다. 그리고 마지막 문단에서 '문화유산의 디지털 복원에도 관심을 가져 보는 건 어떨까요?'라고 말하며 디지털 복원에 관심을 갖도록 권유하고 있다.

[오답 풀이]
① 마지막 문단에서 문화유산 복원에 디지털 기술이 유용하다고 언급하

고 있지만 둘의 관계를 비유적으로 설명하고 있지는 않다.

② 문화유산의 디지털 복원이 성공한 요인이나 다양한 학술 분야 간의 연계가 선행되어야 한다는 내용은 없다.

④ 문화유산과 관련된 산업의 발전 가능성이나 디지털 기술의 개발을 위한 재정적 지원의 필요성에 대해 언급하지는 않았다.

⑤ 마지막 문단에서 문화유산 복원에 관심을 가질 것을 당부하고 있으나 문화유산 훼손의 근본 원인을 분석하고 있지는 않다.

2 말하기 계획 파악 답 ④

청중 분석을 통해 청중이 '발표 내용이 진로 선택에 도움이 되기'를 바란다고 생각했다. 그래서 발표에 '문화유산의 디지털 복원과 관련된 직업을 소개'하는 내용을 담기로 계획했으나 실제 발표에는 직업을 소개하는 내용을 찾을 수 없다.

[오답 풀이]

① 마지막 문단에서 학교와 가까운 ○○ 박물관의 한양 도성 체험전에 함께 참여할 것을 제안하고 있다.

② 1문단에서 지난주 진로 시간에 들은 강연을 통해 디지털 기술의 활용에 대해 배울 수 있었다는 것을 알 수 있다.

③ 2문단에서 '문화유산의 디지털 복원이란 디지털 기술을 활용해 문화유산을 디지털 자료로 변환하여 보존하거나 그것을 가상의 공간에 복원하는 것'이라고 용어의 개념을 설명하고 있다.

⑤ 4문단에서 석굴암을 가상 체험할 수 있는 디지털 콘텐츠로 만든 사례를 언급하고 있다.

3 질문의 적절성 평가 답 ①

학생이 떠올린 생각은 문화유산의 종류에 따른 디지털 복원의 가능 여부이므로 질문에 이러한 내용이 포함되어야 한다. ①은 발표에 제시되지 않은 무형 문화유산의 디지털 복원 가능성에 대해 묻고 있으므로 질문 내용으로 적절하다.

[오답 풀이]

② 문화유산의 훼손 정도에 따른 복원 가능 여부의 기준을 묻고 있으므로 학생이 떠올린 생각과 무관하다.

③ 디지털 기술을 활용한 보존 원리를 묻고 있으므로 학생이 떠올린 생각과 무관하다.

④ 제도적 차원에서 필요한 문화유산의 복원 노력을 묻고 있으므로 학생이 떠올린 생각과 무관하다.

⑤ 디지털 콘텐츠와 관련된 소유권 문제에 대해 묻고 있으므로 학생이 떠올린 생각과 무관하다.

[4~7] 2019-10월 고3 학평

(나) 학생의 초고

작문 상황	○○ 독서 대화에 관한 토의 내용을 바탕으로 학교 신문에 실을 독서 대화 안내문 쓰기
주제	○○ 독서 대화 안내 및 신청 방법 소개
중심 내용	1 문단: ○○ 독서 대화 소개 2 문단: ○○ 독서 대화 일시 및 신청 방법 3 문단: ○○ 독서 대화 참여를 위한 준비 사항 4 문단: ○○ 독서 대화 참여 권유

4 발화의 의미와 기능 파악 답 ④

'학생 2'는 화제가 잘 맞지 않아 책의 내용에 대해 깊이 있는 이야기를 나누지 못했던 자신의 상황을 언급하고 있지만, 문제를 해결할 수 있는 대안을 제시하고 있지는 않다.

[오답 풀이]

① '학생 1'은 '○○ 독서 대화'의 참여 인원이 감소하고 있는 문제 상황을 제시하고 있다.

② '학생 3'은 홍보 부족으로 참여가 적었다는 자신의 의견을 뒷받침하기 위해, 작년에는 도서관 앞 게시판에만 일주일 정도 안내문을 붙여 놓았다는 사실을 근거로 제시하고 있다.

③ 선정 도서가 한 권뿐이었다는 문제점을 지적한 '학생 2'의 의견과 홍보가 부족했다는 '학생 3'의 의견을 정리하여 제시하고 있다.

⑤ '학생 1'은 문제점에 대한 논의를 마치고 문제를 개선하기 위한 방안을 이야기하자고 하면서 앞으로 논의할 내용을 제시하고 있다.

5 담화의 구조와 기능 파악 답 ①

[A]에서는 '학생 2'가 학생들이 읽고 싶어하는 도서를 선정 도서에 포함시키자는 의견을 제시하자 '학생 3'은 그럴 경우 독서 대화를 위한 모둠을 꾸리기가 어렵다는 문제점을 지적하고, 선생님과 학생들의 추천 도서 중 세 권을 선정하자는 대안을 제시하고 있다. [B]에서는 '학생 3'이 도서부에서 화제를 미리 정하자는 의견을 제시하자 '학생 2'는 그럴 경우 학생들의 관심을 끌 수 없는 것이라면 대화가 제대로 이루어지지 않을 것임을 문제로 지적하고, 학생들이 질문을 만들어 오도록 하자는 대안을 제시하고 있다.

[오답 풀이]

② [A]의 '학생 2'와 [B]의 '학생 3'은 모두 상대 의견을 인정하며 그대로 수용하고 있다.

③ [A]의 '학생 2'와 [B]의 '학생 3'은 모두 상대가 제시한 방안의 실현 가능성을 검토하지 않았으며, 상대 의견의 한계를 지적하지도 않았다.

④ [B]에서 '학생 3'은 '학생 2'의 의견을 수용하고 있다.

⑤ [A]에서 '학생 2'는 '학생 3'에게 근거를 요구하고 있지 않다.

6 글쓰기 계획 파악 답 ③

2문단에 독서 대화를 위한 세 권의 도서가 선정되어 있고, 선정된 세 권의 도서 중 한 권을 신청서에 기입하라는 안내는 있지만, 선정할 도서의 분야는 제시되어 있지 않다.

[오답 풀이]

① 2문단의 '작년과 달리 선생님과 학생들의 추천을 받아 도서부에서 세 권의 도서를 선정했습니다.'에서 올해와 작년 독서 대화의 차이점을 확인할 수 있다.

② 2문단의 '독서 대화에 참여하기 위해서는 10월 □일까지 도서부로 신청하면 됩니다.'에서 신청 방법을 확인할 수 있다.

④ 2문단에서 이야기하고 싶은 책 한 권을 기입한 신청서를 제출해야 한다고 했고, 3문단에서 이야기 나누고 싶은 내용을 질문으로 만들어 3일 전까지 도서부에 제출해야 한다고 했다.

⑤ 4문단의 '독서 대화에 참여했던 학생들은 다양한 의견을 존중하는 태도를 기를 수 있어 좋았다고 했습니다.'에서 학생들의 소감을 확인할 수 있다.

7 조건에 따른 글쓰기 평가 답 ⑤

'한 권의 책을 읽고 여러 사람의 생각이 모이면 넓고 깊은 깨달음에 이를 수 있'다는 내용은 여러 사람이 한 권의 책에 대해 이야기를 나눔으로써 얻을 수 있는 이점을 추가하자는 '학생 1'의 의견을 반영한 것이고, '함께한 경험은 학창 시절의 뜻깊은 기억으로 남을 것'이라는 내용은 부제인 '소중한 추억'을 활용하면서 함께한다는 의미를 드러내자는 '학생 3'의 의견을 반영한 것이다.

[오답 풀이]

① , ③, ④ '학생 1'과 '학생 3'의 의견이 모두 반영되지 않았다.

② '학생 3'의 의견 중 함께한다는 의미를 드러내자는 것은 반영되었다고 볼 수 있으나(여러분의 참여로 저희가 준비한 행사가 완성될 수 있습니다.), 부제의 내용을 활용하지 않았고 '학생 1'의 의견도 반영되지 않았다.

[8~11] 2021-3월 고3 학평

(나) 건의문

작문 상황	○○숲 공원 이용에 대한 보고서를 작성한 후 시청 누리집에 ○○숲 공원 개선에 대한 건의문 쓰기
주제	○○숲 공원의 벤치 수리 및 휴게 시설 마련 건의
중심 내용	1 문단: 건의문 작성 동기 2 문단: ○○숲 공원 이용 현황 및 지역 주민들의 인식 3 문단: 건의 내용 – 벤치 정비 및 쉼터에 휴게 시설 마련 4 문단: ○○숲 공원 개선 후의 기대 효과 5 문단: 해결책 마련의 촉구

8 작문 맥락 파악 답 ③

(가)의 목적은 ○○숲 공원에 대한 정보를 제공하는 것이고, (나)의 목적은 ○○숲 공원의 문제를 해결하기 위해 독자를 설득하는 것이다. (나)는 '시장님'을 독자로 특정하여 ○○숲 공원을 이용하는 지역 주민의 수가 감소하는 문제를 해결하기 위한 방법을 제안하고 있다.

[오답 풀이]

① (나)는 예상 독자인 '시장님'을 고려하여 격식에 맞는 어투를 사용하고 있다.

② (가)는 ○○숲 공원 이용 현황과 ○○숲 공원에 대한 인식 등을 유형별로 분류해 설명하고 있다. (나)는 ○○숲 공원 내 벤치를 정비하고 휴게 시설을 마련해 달라고 건의하는 글로, 설명보다 주장을 전개하고 있다.

④ (나)의 작문 매체는 누리집이므로 글쓴이와 독자 간의 즉각적인 소통이 가능하지만, (가)의 작문 매체는 인쇄 매체인 교지이므로 글쓴이와 독자 간의 즉각적인 소통이 불가능하다.

⑤ (가)는 보고서로 항목별로 소제목을 달아 정보를 정리하여 제시하고 있지만, (나)는 건의문으로 소제목을 사용하지 않았고 정보를 정리하여 제시하지도 않았다.

9 글쓰기 계획 파악 답 ②

(가)의 'Ⅲ–1'에서 제시한 신문 보도에 따르면 최근 외부 방문객들의 대부분이 ○○숲 공원의 생태 탐방을 위해 공원을 방문한다고 하였다. 이를 근거로 (나)의 2문단에서 외부 방문객이 공원 내 휴게 시설의 부족을 문제점으로 여기는 경우는 많지 않을 것이라고 언급하고 있다. 그리고 (나)에서 외부 방문객이 휴게 시설의 부족을 ○○숲 공원의 문제점으로 여기는 이유를 제시하지도 않았다.

[오답 풀이]

① (가)의 'Ⅲ–1'의 신문 보도 내용 중 최근 ○○숲 공원을 방문한 지역 주민의 수는 10%p 감소했다는 내용이, (나)의 1문단에서 ○○숲 공원을 이용한 지역 주민의 수가 감소했다는 내용으로 반영되어 있다.

③ (가)의 'Ⅲ–2–가'의 내용에 따르면 지역 주민의 62%가 공원의 후생적 가치를 중시하고 있다. 이러한 내용이 (나)의 4문단에 반영되어 있다.

④ (가)의 'Ⅲ–2–나'의 내용에 따르면 지역 주민의 86%가 ○○숲 공원의 개선이 필요하다고 생각하고 있다. 이러한 내용이 (나)의 1문단 '많은 지역 주민들이 ○○숲 공원이 개선되기를 바라고 있습니다.'에 반영되어 있다.

⑤ (가)의 'Ⅲ–2–나'의 내용에 따르면 지역 주민의 65%가 ○○숲 공원 내 휴게 시설 정비 및 확충이 필요하다고 생각하고 있음을 원그래프를 통해 보여 주고 있다. 이러한 내용이 (나)의 2문단의 마지막 문장에 반영되어 있다.

10 보고서 작성 방법 파악 답 ③

'Ⅲ. 조사 결과'에서 상위 항목인 '2. ○○숲 공원에 대한 인식'의 하위 항목으로 '○○숲 공원의 가치에 대한 인식', '○○숲 공원 개선에 대한 인식'을 제시하고 있다. 이를 통해 상위 항목과 하위 항목 간의 위계를 고려했다고 판단할 수 있다. 따라서 점검 결과는 '○'가 되어야 한다.

[오답 풀이]

① Ⅰ에 의하면 조사 목적은 '지역 주민들이 ○○숲 공원 이용에 대해 어떻게 생각하는지를 알아보기' 위해서이고, 조사 동기는 '○○숲 공원을 이용하는 지역 주민들의 수가 점점 줄어들고 있'기 때문이다. 따라서 조사 목적을 조사 동기와 관련지어 제시했다고 볼 수 있다.

② Ⅱ의 조사 계획에서 조사 대상과 조사 기간을 명확하게 밝히고 있다.

④ 'Ⅲ–2–나'에서 공원 이용과 관련해 개선되기를 바라는 점을 조사한 결과를 제시할 때, 각 항목에 응답한 주민의 비율을 나타내기 위해 원그래프를 사용한 것은 조사 항목의 성격에 부합하는 것이라 할 수 있다. 하지만 다양한 그래프를 사용하고 있지는 않다.

⑤ 참고 문헌 항목을 설정하여 보고서에서 인용한 자료의 출처를 명시하고 있지 않다.

11 내용의 점검과 조정 답 ②

[A]는 〈보기〉의 첫 문장인 '○○숲 공원을 이용하는 지역 주민의 수가 감소하고 있다.'의 위치를 맨 마지막으로 바꾸고, '문제의 해결 방안을 모색할 필요가 있다.'라는 글쓴이의 견해를 추가하고 있다. 따라서 내용 순서를 조정하고 이를 바탕으로 글쓴이의 견해를 제시하기 위해 [A]와 같이 수정했다고 볼 수 있다.

[오답 풀이]

① 〈보기〉의 긴 문장이 [A]에서도 그대로 제시되었다.

③ 〈보기〉를 [A]로 수정하면서 삭제된 정보는 없다.

④ 〈보기〉를 [A]로 수정하면서 주요 개념에 대한 정보를 추가한 부분은 없다.

⑤ 〈보기〉를 [A]로 수정하면서 맥락에 적합하지 않은 담화 표지를 수정한 부분은 없다.